Towards the Millennium

Studien zur deutschsprachigen Gegenwartsliteratur
Studies in Contemporary German Literature

Band / Volume 10

Herausgegeben von / edited by

Paul Michael Lützeler

Direktor, Zentrum für deutschsprachige Gegenwartsliteratur
Director, Center for Contemporary German Literature
Washington University, St. Louis, Missouri, USA

Beirat / Advisory Board

Gerald Chapple
(ed.)

Towards the Millennium

Interpreting the Austrian Novel 1971–1996

Zur Interpretation
des österreichischen Romans 1971–1996

**STAUFFENBURG
VERLAG**

Die Deutsche Bibliothek – CIP-Einheitsaufnahme

Towards the millennium : interpreting the Austrian novel 1971 - 1996 ;
zur Interpretation des österreichischen Romans 1971 - 1996 /
Gerald Chapple (ed.). – Tübingen : Stauffenburg-Verl., 2000
(Studies in contemporary German literature ; Bd. 10)
ISBN 3-86057-210-5

Gedruckt mit Unterstützung des Bundesministeriums
für Wissenschaft und Verkehr in Wien

© 2000 · Stauffenburg Verlag Brigitte Narr GmbH
Postfach 25 25 · D-72015 Tübingen

Druck: digidruck, Neuhausen
Verarbeitung: Österreicher, Uhingen
Printed in Germany

ISSN 0946-7459
ISBN 3-86057-210-5

Table of Contents

Preface

TO START AT THE BEGINNING: the title, "Towards the Millennium," might create confusion for a reader looking for apocalyptic or chiliastic content. It simply serves here as a chronological marker in the history of the novel in Austria. It shifts the focus away from the all-too riveting upheavals in the middle of our century and from the literature of that time. The political and social events in mid-century Austria – 1938, 1945, 1955 are the memorable years – were indeed momentous, but, fortunately perhaps, few dates since then are equally etched in our historical consciousness.[1] This volume concentrates on the quarter-century indicated in the subtitle because that is time enough for significant trends to come to light as Austria moves towards the watershed year 2000.

The novel, as the most popular of the longer literary genres, is a useful probe for sampling how Austrian literature – or any literature, for that matter – reflects, captures, and interprets what some would call "the spirit of the age." The novels analysed below stretch from the more personal, confessional focus of Bachmann and Handke in the early 1970s to the postmodernist explorations of Menasse and Ransmayr in the present decade. I will indicate some of the prevalent themes to give the prospective reader a foretaste. The following categories are not exclusive, since several writers share more than one.

The predominant theme in this volume is the persistence of the past in the present, a major theme brought out in Manfred Mittermeyer's analysis of Bernhard's *Korrektur* and Stephan K. Schindler's of Handke's moving portrait of his mother in *Wunschloses Unglück*; another "mapping of the past" is the subject of Jacqueline Vansant's article on Elisabeth Reichart's *Komm über den See*. This novel also belongs in the subcategory of articulating the tragic experience of Austrian Jews that Peter Arends and Renate S. Posthofen examine in Schindel's *Gebürtig* and Menasse's *Schubumkehr* respectively. Both Handke's and Reichart's novels share a second thematic cluster: women's issues, which form the center of gravity in three other works especially: Bachmann's *Malina* (Karen R. Achberger), Mitgutsch's *Das andere Gesicht* (Maria-Regina Kecht), and Kerschbaumer's *Die Fremde* (Helga Schreckenberger). Kerschbaumer's critique of social prejudice can be added to a third group of works, one that points out sociopolitical problems: Jelinek's *Oh Wildnis, oh Schutz vor ihr* expresses outrage at environ-

---

1   But see Klaus Zeyringer's chapter, "1934 – 1938 – 1945 – 1986 – 1988: Nachschrift," in his *Innerlichkeit und Öffentlichkeit: Österreichische Literatur der achtziger Jahre* (Tübingen: Francke, 1992), pp. 153-71. Although it encompasses a briefer time span than his essay below, Zeyringer's valuable analysis should be consulted as an expansion of his contribution here that includes other genres as well, see his article below for further references.

mental depredation (Karin U. Herrmann), and Haslinger's *Opernball* centers on
political terrorism (Nancy C. Erickson). Finally, a number of authors focus on
aspects of the act of creating literature, or on the relation of writing to the self.
Jutta/Julian Schutting is the only novelist to appear here twice, and not only by
virtue of a sex change: *Liebesroman* is interpreted by Caroline Markolin, and
Waltraud Maierhofer evaluates *Hundegeschichte* as a Bildungsroman, a similar
concern in Geoffrey C. Howes's assessment of Scharang's *Charly Traktor*. Ransmayr's *Morbus Kitahara* belongs in this final category, too, as Ulrich Scheck demonstrates in analysing the linking of writing and memory in that novel.

This listing gives some idea of the richness and excitement of a literary scene
that, especially since the formation of the explosive "Forum Stadtpark" in Graz,
has been anything but dull – although Bernhard and others have made a living in
part by disputing that very point.

Another aspect of the book's diversity is signalled by the word "interpreting"
in its subtitle. There were two basic ways of constructing this collection: either
putting the novels selected into a single critical Procrustean bed, or else the more
pluralistic choice of letting the individual work dictate its own way of interpreting
it. Since there are several compilations available that interpret the modern novel
from a single approach or point of view, the latter path was chosen. This decision
also allows the reader to observe different contemporary methods of criticism in
practice. The result has been to double the book's diversity: the survey of representative novels is paired with a spectrum of interpretive techniques from the contemporary hermeneutic repertoire.

To lend unity to all this variety, three guidelines were set out for shaping the
different essays. The contributors were asked to aim for a more comprehensive
interpretation rather than a narrow one, a *Gesamtdeutung*; this was to be accompanied by a summary of previous research and a siting of the novel within the
author's oeuvre. To broaden the book's appeal, they were to keep an eye on many
audiences: the specialist, the student, and the general reader interested in the development of Austrian fiction over the last quarter-century. The combination of
fundamental material and a "baseline" interpretation is meant to stimulate further
research, as well as to encourage a rereading of a particular novel, or perhaps even
a first reading. Although these guidelines have not been mechanically applied –
I have edited with a light hand to preserve the variety of individual voices – the
articles generally stay within these loose parameters, and I thank the authors for
by and large keeping to them.

The first two articles are obvious exceptions because they serve different functions. First, Klaus Zeyringer's spirited survey provides a fifty-year context, an
extensive temporal and literary framework for the period charted in more detail
later in the collection, for which his essay provides a richly crafted overture. Many
of the authors he refers to are not treated in the subsequent articles, names the

reader will no doubt miss (Barbara Frischmuth, Hans Lebert, and Peter Henisch are just three reluctant omissions). But limits had to be drawn to keep this enterprise from becoming a multivolume one, so that Zeyringer's overview, apart from his valuable commentary, does double duty by helping to fill at least some of the gaps.[2] Second, Ingeborg Bachmann's *Malina* presented Karen Achberger with a particular problem: how to contribute some critical insight into this monumental work without overstepping the constrictions of the allotted space. Widely acknowledged as a Bachmann expert, she hit upon an elegant solution by combining a new critical dimension to our understanding of the novel with a *bibliographie raisonnée*, thereby joining interpretive depth with the breadth of a review of research.

Acknowledgements and expressions of gratitude are in order to the following people and agencies, first and foremost among them, Paul Michael Lützeler, the general editor of Studies in Contemporary German Literature, for his encouragement, kind co-operation, and patience. For making necessary work in Austria possible and profitable, I thank Ambassador Walter Lichem and Wera Zelenka of the Embassy of the Republic of Austria in Ottawa; Marianne Gruber of the Austrian Society for Literature, and Ursula Seeber at the Austrian Documentation Center for Modern Austrian Literature, both in Vienna, along with Gerhard Fuchs and Dagmar Fötsch at the Franz Nabl Institute for Literary Research in Graz. My thanks go as well to Brigitte Narr and her staff at Stauffenburg Verlag, particularly Irene Bark and Birgit Coconcelli, for their solid, thoroughgoing support; to the contributors for their hard work and ready understanding in spite of inevitable delays; to Donald G. Daviau, the editor of *Modern Austrian Literature*, for permission to reprint a revised version of Renate S. Posthofen's article; to Doreen Dixon for her computer savvy and skill in preparing the camera-ready copy, and to Ruth Thomas for cheerfully providing frequent stylistic advice. The Austrian Bundesministerium für Wissenschaft und Verkehr deserves thanks for the award of a publication grant, and the Arts Research Board of McMaster University was a generous and understanding agency when it came to other financial matters. Finally, I wish to thank my wife, Nina, for her support and assistance in so many ways.

Hamilton, Ontario, Canada   *Gerald Chapple*
June 1999

---

2   Prose works by a greater number of contemporary writers are interpreted in a forthcoming book with a somewhat different format than the present one: Paul Dvorak, ed. *Modern Austrian Literature: Interpretations and Insights* (Riverside: Ariadne, forthcoming).

Klaus Zeyringer
Université Catholique de l'Ouest

Von Ilse Aichinger (1948) bis Walter Grond (1998): Fünfzig Jahre Österreichischer Roman – Übersicht, Einblicke

Roman im Kontext: Literatur als österreichische Literatur

ERZÄHLUNGEN SIND REISEN in Spielräume(n), und in diese spielen nicht zuletzt die Kontexte der Texte hinein. Ist auch der Roman als Kunstwerk ein Ausdruck von Möglichkeiten-Welten in jeweils einmaliger und äußerst komplexer ästhetischer Struktur, so erweist sich doch die Zu-Ordnung "Österreichischer Roman" als wissenschaftlicher, zumal literarhistorischer Ansatz von erheblichem Erkenntnisinteresse. Sieht man nämlich die Literatur als Kunstform(en) in sich wandelnder Umgebung, so läßt sie sich nicht einzig auf Sprache festlegen. Die Vorstellung einer "deutschen Literatur", die nur aus einer Basis der deutschen Sprache abzuleiten sei, mag heute für den Buchmarkt keine Frage von besonderem Interesse sein – in der Forschung ist sie kaum haltbar. Eine Verknüpfung literaturwissenschaftlicher, kultur- und sozialhistorischer Arbeitsweisen kann Formen, Strukturen, Funktionen, Evolutionen literarischer Systeme in einer Differentialdiagnose erfassen, in Wechselbeziehungen zu gesellschaftlichen Realitäten, in Kommunikations-Zusammenhängen (einer Kulturregion) und auch als Resultat von Kanon-Mechanismen erkennen.

Die Verordnung einer Diskurs-Polizei aber, die österreichische Goldlöffelchen zum Familiensilber des "großen Deutschen" (Schublade Literatur) legt oder anderes als regional verrostetes Blechbesteck abtut, ist von der Selbst-Verständlichkeit getragen. Die Kontexte gelten ihr nur dann, wenn sie eben in den Diskurs passen, etwa als Hinweis auf eine Prädominanz des Medienwesens, des Lesepublikums – ein Zirkelschluß pro domo: Gerade diese Prädominanz sichert die Diskursmacht.

Kunst hängt freilich nicht vom Reisepaß ab. Es kann auch das Konzept Österreichische Literatur gewiß kein "Wesen" fixieren; es gründet nicht auf der Vorstellung der "Sprachnation" oder einer, wie immer gearteten, "nationalen Verwirklichung via Kunst". Sein Feld ist nicht der Mythos, nicht die Metapher – es ist die Analyse. Ein entsprechender Ansatz ist die Frage,[1] wie Literatur in

---

1 Zu diesen Fragen vgl. z.B. Wendelin Schmidt-Dengler, Johann Sonnleitner, Klaus Zeyringer, Hrsg., *Literaturgeschichte: Österreich: Prolegomena und Fallstudien*, Philologische Studien und Quellen 132 (Berlin: Erich Schmidt, 1995).

historische Prozesse eingelassen und wie sie selbst als ästhetisches Werk und als historischer Prozeß beschreibbar ist.

Wenn es also gilt, Entwicklungen und Brüche, Strukturen und Zusammenhänge von Texten und Kontexten zu analysieren, dann ist "österreichisch" keine "falsche Provinzialisierung", sondern bedeutet: Sozialisation ("Das Fette, an dem ich würge: Österreich"),[2] kulturelle Codes als Mentalitätsstempel, literarisches System, Kulturregion, Staat; also Texte in politischen, sozialen, ökonomischen, kulturellen Zusammenhängen, in regionalen und überregionalen, nationalen und internationalen Interdependenzen.

Die Werke vermitteln (auch) österreichische Identitätsbilder, sind zugleich artistischer und gesellschaftlicher Ausdruck. Als man Thomas Bernhard, der die österreichische Literatur von der deutschen fein unterschieden hat, 1968 den "Kleinen Staatspreis" überreichte, bewirkte seine Rede den ersten jener Staats-Eklats, die seine Kunst begleiteten: Der heimische "Requisitenstaat" sei ein Gebilde, "das fortwährend zum Scheitern verurteilt ist".[3] Die Industriellenvereinigung ließ daraufhin ihren Wildgans-Preis per Post zustellen. Die gleiche Auszeichnung erhielt 1972 Ingeborg Bachmann, die in ihrer Dankrede betonte: "man muß die Aktualitäten seiner Zeit korrumpieren, man darf sich nicht von den Phrasen, mit denen diese Aktualitäten einem aufgedrängt werden, korrumpieren lassen".[4] Das radikale "Nein", hier exemplarisch aus zwei Perspektiven notiert, war schon bald nach 1945 ausgesprochen, allerdings im Österreich der Restauration gedämpft worden. Danach aber wurde es deutlicher vernehmbar und bezeichnete so auch *einen* Bezugsrahmen zwischen Kontexten und Texten.

Die österreichische Literatur führt naturgemäß weit über das Land hinaus; sie ist aber auch vielfältig an ein Österreich gebunden, das ihr als *ein* Epizentrum fungiert. Gewiß liegt nicht "das Österreichische" (eine mythische Ideologisierung) als literarisches Springteufelchen andauernd auf der poetischen Lauer. Die Werke verlangen eine Lektüre, die sich ihnen auf dem künstlerischen Terrain nähert; es ist aber unübersehbar, daß ihnen die Kontexte vielfältig eingeschrieben sind.[5]

Nach 1945 wollten die Instanzen der Zweiten Republik österreichische Kultur im Dienst der Ausbildung eines nationalen Selbst-Bewußtseins sehen. Die Kulissen der alten Austrofaschisten und "Völkischen" schob man nun als Fassaden für ein neues kollektives Über-Ich vor. Gegen das betonte Ich, das sich derart auf-

---

2   Peter Handke, *Das Gewicht der Welt* (Frankfurt am Main: Suhrkamp, 1979), S. 21.
3   Vgl. Hans Höller, *Thomas Bernhard* (Reinbek: Rowohlt, 1993), S. 12.
4   Ingeborg Bachmann, "[Rede zur Verleihung des Anton-Wildgans-Preises]", in: *Die Wahrheit ist dem Menschen zumutbar: Essays, Reden, kleinere Schriften* (München: Piper, 1981), S. 97.
5   Dazu und zum Folgenden ausführlich: Klaus Zeyringer, *Österreichische Literatur. 1945-1998: Überblicke, Einschnitte, Wegmarken* (Innsbruck: Haymon, 1999).

spielte, opponierte Ilse Aichinger 1946 in ihrem *Aufruf zum Mißtrauen*. Die konservative Österreich-Ideologie wurde in den fünfziger Jahren immer deutlicher von Bachmann, Fried, der Wiener Gruppe, später von Lebert, Bernhard, Drach aufgerissen (was freilich zunächst eher in Deutschland wahrgenommen wurde). Während Hans Weigel umstandslos eine austriakische Auferstehung in Dichters Wort verkündete, ging es etwa Gerhard Fritsch darum, die Kostümierungen zu lüften. In den *Letzten Tagen der Menschheit* hatte Karl Kraus den durch die Phrasen heraufbeschworenen Untergang nachgezeichnet; in Fritschs Roman *Fasching* (1967) tauchen sie in alter Virulenz wieder auf und bilden noch immer das tautologische Netz, in dem die totalitären Strukturen des Gemeinwesens sitzen.

Das nationale Selbst-Verständnis, das in den siebziger Jahren für einen sehr großen Teil der österreichischen Bevölkerung nunmehr positiv besetzt war, sah sich von Schriftstellern, den "Experten für Österreich-Kritik", gekontert. Die Gegenpositionen traten nicht zuletzt in den metaphorischen Konzeptionen hervor. Während in offiziellen Selbstdarstellungen das Land als "Insel der Seligen" in einem Glücks-Bild firmierte, griff die literarische Imagologie zu dunkleren Negativen, so daß in den achtziger Jahren als Obertitel *Kein schöner Land* (Felix Mitterer) galt. Spätestens in dieser Zeit, in der zudem die Postmoderne größeren Einfluß erlangte, war in poetischen Österreich-Bildern zu erkennen, daß eine vorgeblich gesicherte Identität auf schwankendem Grund steht und in allgemeiner Doppelbödigkeit aufgehen mochte. Auch wenn Figuren, Ereignisse, Strukturen einer österreichischen Realität auftreten, werden etwa bei Werner Kofler Erzählhaltungen so lange abgewandelt, bis in Weiterführung des Bernhardschen Mechanismus durch Zerstörung der Zerstörung nur mehr im literarischen Geflecht ein Halt (Einhalt) geboten zu sein scheint.

Der österreichische Roman steht freilich nicht nur in "externen Beziehungen", sondern auch im Rahmen gattungsinterner Fragen, die wiederum z.B. mit kulturphilosophischen Überlegungen verbunden sind. Ein Bogen etwa, der die Krise einer Kultur, eines Subjektes und eines Erzählens betrifft, spannt sich von Musil und Broch bis zur Postmoderne. Da trotz des proklamierten Todes der Literatur weiter erzählt wird, stellt sich für den Roman – der laut Broch die "Totalität" einer gegenwärtigen Kultur mittels Symbolen zu erfassen vermöge – immer wieder das Problem der Ordnung in einer Zeit, in der die großen "Sinn-Entwürfe" obsolet geworden seien. Wie mit der Aufhebung traditioneller Bedeutungszusammenhänge, mit Fragmentierung und Diskontinuität u.a. umgegangen wurde – auch dies gehört zur Geschichte österreichischer Literatur.

Der Roman ist eine äußerst vielschichtige Vermittlung von Möglichkeiten; im besten Fall mag man seine Technik als "die artistische par excellence" (Gütersloh) sehen. Anhand dieser seit mehr als hundert Jahren dominierenden Gattung läßt sich beispielhaft Kunst als historischer Prozeß der Ästhetik (Texte) analysieren, läßt sich auch untersuchen, wie Kunst auf historische Prozesse (Kontexte) eingeht.

Restaurationen und Brüche, Wege zu Gegen-Bildern

Nach 1945 äußerte sich das Konsens-Bedürfnis im "Wiederaufbau" auch in einer offiziell gestützten Literatur ohne Kanten. Jüngere Autorinnen wie Ilse Aichinger wurden im neuen Spektakel der alten Reichsverweser, im Waggerlschen *Lob der Wiese* (1950) von der austriakischen Idyllen- Repräsentanz übertönt. In Aichingers Roman *Die größere Hoffnung* (1948), der die Rassenverfolgung aus der Kinder-Perspektive schildert, ist die Handlung nicht Satz für Satz in einer Realität (des Krieges) verankert wie z.b. bei Böll und Borchert. Sie ist mittelbar dargestellt und von einer mehrfach reflektierten Erzählskepsis grundiert. Die Verschiebungen zwischen Handlungs- und Bild-Ebenen entsprechen wechselnden Redeformen, die Realitäten und Phantastisches einschließen. Da selbst der Friedhof den Kindern keinen Schutz mehr bietet, stellen sie die Frage, wohin sie denn gehen sollten. Die "größere Hoffnung" erscheint am Schluß als Brücke, die Interpretationsangebote bereitstellt und etwa als Weg zu Gegen-Bildern verstanden werden kann. So ist der Stern nicht mehr ein Zeichen, das die Verfolgten tragen müssen; nach dem Zerbrechen existentieller Schienen, nach dem Sprung aus der Erdanziehung steht er im letzten Satz des Romans als Signal transzendentaler Möglichkeiten: "Die brennenden Augen auf den zersplitterten Rest der Brücke gerichtet, sprang Ellen über eine aus dem Boden gerissene, emporklaffende Straßenbahnschiene und wurde, noch ehe die Schwerkraft sie wieder zur Erde zog, von einer explodierenden Granate in Stücke gerissen. / Über den umkämpften Brücken stand der Morgenstern".[6] Eine Prosa, die die jüngste Vergangenheit derart zur Sprache brachte, vermochte die konservativen Herrschaften nicht zu überzeugen; 1952 erhielt Ilse Aichinger den Preis der Gruppe 47. Ihre Texte wurden wie jene von Bachmann, Canetti, Celan, Fried Anfang der fünfziger Jahre – als in Österreich der "repräsentative Kulturalismus" (Minister Heinrich Drimmel, 1962) durchstartete – vor allem in Deutschland rezipiert.

Über die Zweitrangigkeit des literarischen Establishments in Österreich ragte nur Heimito von Doderer hinaus, dessen Erfolg 1951 mit *Die Strudlhofstiege* begann; 1956 folgte der umfangreiche Roman um den Justizpalast-Brand 1927, *Die Dämonen*. Doderer bietet eine zeitlich und topographisch genau fixierte Handlung in komplexer Konstruktion. Er zeichnet verschlungene Wege in die Tiefe der Jahre und verkündet die Erzählbarkeit aus der Distanz. Gegen die inten-

---

6   Ilse Aichinger, *Die größere Hoffnung: Roman* (Frankfurt am Main: Fischer, 1991), S. 269.

siven ethischen, gesellschaftlichen auch ästhetischen Destabilisierungen in der jüngsten Vergangenheit stellt Doderer sein Ordnungskonzept des "komponierten Romanes". Dieser ist von ähnlich vielschichtiger Architektur wie der Titel-Ort, die Strudlhofstiege in Wien; ein grundlegendes Arrangement-Prinzip ist die Dualität. Die Regie leistet ein gewiefter Arrangeur, der auch mit selbstironischen Anspielungen arbeitet und seine Konstruktions-Bemühungen kommentiert: "In einem besseren Roman wären jetzt die Gedanken des einsamen Reisenden während seiner Fahrt nach Wien zu erzählen und notfalls aus der betreffenden Figur herauszubeuteln und hervorzuhaspeln. Bei Melzer ist das wirklich unmöglich".[7] Vollends ironisch betrachtet Doderer ein Ordnungs-System – ohne es als erzählerische Grund-Bedingung in Frage zu stellen – im Roman *Die Merowinger oder Die totale Familie* (1962), in dem Childerich III. von Bartenbruch, der letzte Merowinger des 20. Jahrhunderts, sich zum eigenen Großvater "organisiert". Seiner wütenden Familienpolitik wird durch Entmannung ein Ende gesetzt – auch dies findet sich am Schluß in ein System einbezogen, nämlich als Zeichen in einer "Stammtafel". Ein Konzentrat des dichten, auch intertextuellen Verweisungsgeflechtes dieses Romans über die "Wut des Zeit-alters" ist die Firma Hulesch & Quenzel, die die Welt als Katalog der "Detail-Peinigungen" repräsentiert und in weitverzweigter Doppelstruktur regiert. Am Ende steht der, alles relativierende, Ausspruch des auf den Autor verweisenden Doctor Döblinger, "beglückt von diesem sehr geschätzten Leser endlich und richtig verstanden worden zu sein: 'Wie denn anders?! Und was denn sonst als Blödsinn?! Alles Unsinn'". Der Erzähler kann sich gegen diesen Kommentar nicht mehr wehren: Die letzte Anmerkung erläutert, daß das Anfangs-Motto ("Verprügelt mir nicht Jeden! Dafür aber die Richtigen saftig.") nicht befolgt werden kann, da dem Roman das Aggressions-Personal ausgegangen ist: "Verprügelung mangels Mannschaft unmöglich".[8] Im Gegensatz zur *Strudlhofstiege* hat hier der große Regisseur am Ende nicht mehr das Sagen, scheinbar.

Auf Doderers Konzept griff Herbert Eisenreich zurück, der 1961 den Roman als zeitgemäßes Mittel zur Universalität bezeichnete. Gegen Hermann Brochs Vorstellung vom totalen Roman im "Zerfall der Wirklichkeiten" wollte Eisenreich ein "Ja zur vollen und ganzen Wirklichkeit" hören; der Roman müsse das Zersplitterte des modernen Lebens "ins Ganze der Schöpfung" zurückrücken, "und schon erstirbt uns das Nein auf der Lippe".[9] Eisenreichs großer Roman blieb allerdings Fragment, und das "Nein" kam jenen "Progressiven" über die Lippen,

7 Heimito von Doderer, *Die Strudlhofstiege oder Melzer und die Tiefe der Jahre* (München: dtv, 1985), S. 65 (Erstausgabe München: Biederstein, 1951).

8 Heimito von Doderer, *Die Merowinger oder Die totale Familie* (München: dtv, 1977), S. 6, 307 (Erstausgabe München: Biederstein, 1962).

9 Herbert Eisenreich, "Der Roman. Keine Rede von der Krise [1961]", in: *Reaktionen: Essays zur Literatur* (Gütersloh: Mohn 1964), S. 43-57.

die den "experimentellen Aufstand" intensivierten. Die Irritation des Gewohnten gehörte zum Avantgarde-Programm der Wiener Gruppe in den fünfziger Jahren; in den sechziger Jahren wurden (Zer-)Störungen in längerer Prosa angelegt. 1962 publizierte Albert Paris Gütersloh mit *Sonne und Mond* einen Roman der Unordnung, gegen dessen Anarchie-Prinzip Doderer heftig reagierte. Ab 1965 erschien in der Zeitschrift *manuskripte* Oswald Wieners *die verbesserung von mitteleuropa, roman*, dessen Vorwort ein Programm der Brüche ankündigt: "ausspucken was mich räuspern lässt, formulieren so ein trottel was mich lebt, [...] die seite voll und keine handlung, merkst du nicht, wie ich herumsause".[10] 1966 konterte Peter Handke in *Die Hornissen* Gewohnheiten literarischer Wahrnehmung, 1967 folgte die Dekonstruktion von Krimi-Mustern in *Der Hausierer*, 1970 *Die Angst des Tormanns beim Elfmeter* als Untererfüllung des Krimi-Modell-Solls und Demonstration einer Verstörtheit. Ebenfalls 1966 erschien posthum Konrad Bayers Roman-Experiment *Der sechste Sinn*; 1967 Wolfgang Bauers Briefroman in Verwandlungen *Der Fieberkopf*, in dem eine Erzählkonvention – die Personenkonstante – zu verschwimmen beginnt; 1970 dann der *Lexikonroman einer sentimentalen Reise zum Exporteurtreffen in Druden* von Andreas Okopenko. Wie alle diese Texte verweigert auch Gert F. Jonkes *Geometrischer Heimatroman* (1969) eine plane Erzählung und fixiert Strukturen der Unterdrückung in einer angeblich heilen Dorfwelt eben als Textstruktur. In einer Reduktion der Form und der Topographie wendet er das Augenmerk auf einen Bereich, den in den siebziger Jahren der "Anti-Heimatroman" ausleuchtete.

Hinter den Fassaden

In ein finsteres Bergdorf setzt Thomas Bernhard 1963 den radikalen Bruch mit gängigen Modellen. In seinem ersten Roman *Frost* verweigert er die packende Fabel; er bietet auch keine eindeutige Aufklärung über das auslösende Moment des Berichtes, die Verstörung des Malers Strauch, den der erzählende Famulant in dessen Bruders Auftrag in Weng beobachtet. Bernhard schafft einen Dorf-Welt-Komplex, der Widersprüchliches einschließen kann: "Weng liegt hoch oben, aber noch immer wie tief unten in einer Schlucht".[11] Sodann herrscht die Bernhardsche Zweigleisigkeit: "Ich betrachte mich als den Schöpfer dieses nachmittäglichen Schauspiels, dieser Tragödie! Dieser Komödie!" sagt der Maler und fährt nach einem sprachkritischen Ausfall fort, er "habe Mitleid mit dieser

---

10 Oswald Wiener, *die verbesserung von mitteleuropa, roman*. Zitiert nach: Alfred Kolleritsch und Sissi Tax, Hrsg., *manuskripte: 1960-1980* (Basel: Stroemfeld; Frankfurt am Main: Roter Stern), 1980, S. 65 (Erstausgabe Reinbek: Rowohlt, 1969).

11 Thomas Bernhard, *Frost* (Frankfurt am Main: Suhrkamp, 1972), S. 10 (Erstausgabe Frankfurt am Main: Insel, 1963).

Tragödie, mit dieser Komödie, ich habe *kein* Mitleid mit dieser Tragödie, Komödie, mit dieser von mir allein erfundenen Komödientragödie".[12] Dies ist die Sprach-Welt von Redner-Figuren bis zu jenem Franz-Josef Murau in *Auslöschung* (1986), der im langen Monolog ein Weltsystem konstruiert, das er fortwährend selbst im Wider-Spruch zerstört. Die end-gültige Perspektive spricht der Maler doppeldeutig an, während er mit dem Famulanten aus dem Fenster blickt: "Sie haben dieselbe Aussicht wie ich: in die Finsternis!"[13] In einem Sog zum Tode, dem des Malers Reden folgen, brechen diesem die Zusammenhänge auseinander; die "Welt ist nicht die Welt, sie ist nichts", sagt er.[14] So zerfallen auch die "Geschichten", die freilich aus den Reden in der Bericht-Ordnung des Famulanten aufgefangen sind.

In einer abgeschlossenen ländlichen Welt spielt auch Hans Leberts Roman *Die Wolfshaut* (1960). In dem Dorf Schweigen hatte kurz vor Kriegsende eine Gruppe von Männern sechs Zwangsarbeiter erschossen; die Mörder fallen nun ihrerseits einer geheimnisvollen Vergeltung zum Opfer, bis auf den ehemaligen Ortsgruppenleiter, der Abgeordneter im Landtag wird. Das Dorfkollektiv äußert in der Stammtisch-Kontinuitäts-Formel seine Identität tautologisch: "Wir bleiben wir!" Die alte Schuld aber hängt über dem Tal wie die "lastende Schieferplatte des Himmels", der die Gegend absperrt. Die Finsternis bildet apokalyptische Visionen:

> Der Morgen zwang sich zur Ruhe (so kam es uns vor); reglos döste er unter dem schieferfarbenen Himmel, unter einer glatten, hohen Wolkenschicht, die bisweilen zu beben schien wie die Haut eines Tieres. Das Land lag dunkel und triefend unter der Haut (die manchmal bebte wie die Flanke eines Pferdes), abermals in jenen Verwesungsfarben des Herbstes, aber durchwühlt und durchtränkt und geschwärzt von der nächtlichen Flut.[15]

Im verzweigten Metapherngerüst schwingt die Ahnung dunkler Mächte mit, die in bildhafter Verwandlung über das Dorf kommen. Zwei Außenseiter bewirken die Aufklärung der Verbrechen: der "Matrose" als Positiv-Bild und der Photograph Maletta als Negativ. Dieser bannt das Gemein-Wesen in Aufnahmen der Gesichter, die als Masken einen totalitären Grund verdecken: Da rutscht einem das "Heil" heraus, da werden Soldatenlieder gesungen. Die Dörfler erscheinen als tierische Gruppe; und dieser "Meute" wird im Lauf der "rätselhaften Ereignisse" die Maske abgenommen: Jeder hat die Visage eines Mörders.[16]

---

12 Ebenda, S. 189.
13 Ebenda, S. 116.
14 Ebenda, S. 83.
15 Hans Lebert, *Die Wolfshaut: Roman* (Frankfurt am Main: Fischer, 1993), S. 441 (Erstausgabe Hamburg: Claassen, 1960).
16 Vgl. ebenda, S. 238.

Die allgemeine Maskierung der Gesellschaft des Verdrängens reißt auch der Roman *Fasching* von Gerhard Fritsch auf. Felix Golub ist im letzten Kriegsjahr desertiert und läßt sich in einer steirischen Stadt von einer Domina in Frauenkleidern verstecken. Nach der Kapitulation wird er bei den Russen denunziert, und als er nach zehn Jahren Sibirien zurückkehrt, haben die Kleinstädter nur dem alten Volkskörper ein neues demokratisches Mäntelchen übergezogen. Sie verfolgen Felix als "Feigling in Frauenkleidern" und zwingen ihn wieder ins Mieder; als Faschingsprinzessin erscheint er der Niedertracht der österreichisch verkleideten Trachtenträger als "Provokation" und endet im Wahnsinn. Die Leit-Metapher des Transvestismus, die auch die Erzählhaltung ergreift, betont die Maskerade der unveränderten Larven und Lemuren: "Es wird jedes Jahr Fasching proklamiert, auf daß niemand auf die Idee käme, es wäre immerfort Fasching".[17] Die bis in die Details verfolgte Umkehrung stellt den Kulissenschwindel aus. In einer "Hölle der Gemeinschaft" wird die Wiederkehr des Gleichen gefeiert:

> Von Scheinwerfern beleuchtet, strahlten Rathaus und Wirtshaus im Nimbus der Tradition. Unter den Arkaden traten Uniformierte an, alle Fenster des Doppeladlers waren beleuchtet. [...]
> Mit rosa Seidenkrawatten Gamsbarthüten Kröpfen Schnauzbärten und Medaillen zogen die Mannen von weither kommend ein. [...] alle hatten ihren Mann gestellt für Franz Joseph Karl Hitler, wie es befohlen war.[18]

Zwischen den Kostüm-Zeichen der Marschierenden, zwischen den Führern steht kein trennender Beistrich. So wird die Totalität einer totalitären Welt umspannt. Der Fasching, der einer Kommission im Heimatmuseum untersteht, bietet keine Möglichkeit der Unordnung, sondern ist die Gewißheit der dauernden Ordnung: "Rauh aber herzlich", sagt der Faschingsprinz, "sind wir im Fasching wie sonst".[19]

Ein vielschichtiges Bild der Lebenserfahrungen der Kriegs- und Nachkriegsjahre zeigte Milo Dor (*Die weiße Stadt*, 1969, als Abschluß der Romantrilogie *Die Raikow-Saga*); einen Blick auf die alten Facetten hinter den neuen Fassaden bot Albert Drach. Wie die Romane von Lebert und Fritsch wurden Drachs Bände *Unsentimentale Reise* (1966) und *"Z. Z". das ist die Zwischenzeit* (1968) im Österreich der Restauration ungern rezipiert und erst wieder hervorgeholt, als Vergangenheits-Aufarbeitungen im Anschluß an die Waldheim-Affäre (1986) Saison hatten. Drach berichtet aus einer kaum verdeckten autobiographischen Sicht eines jüdischen Rechtsanwaltes von der austrofaschistischen "Übergangszeit", dem "Anschluß", der Flucht und dem schwierigen Überleben in Frankreich.

---

17 Gerhard Fritsch, *Fasching: Roman* (Frankfurt am Main: Suhrkamp, 1995), S. 218 (Erstausgabe Reinbek: Rowohlt, 1967).
18 Ebenda, S. 96.
19 Ebenda, S. 223-24.

Seine Verarbeitung einer umständlichen Ausdrucks-Weise der/über die Massen-
mörder und ihrer/e Mitläufer, die keine Umstände machten, führt zu feinen
ironischen und selbstironischen Brüchen. So steht der grauenhafte Mechanismus
in einem Stil, der sich das Kleinamtsdeutsch mit poetischen Widerhaken zunutze
macht, um ungeschönt "Bericht" – so der Untertitel des ersten Bandes – und
"Protokoll" – so jener des zweiten – zu erstatten.

Gegen die Wände

Ein Versuch, Erzählbarkeit auf einer neuen Basis zu gewährleisten, läßt sich an
der Prosa von Marlen Haushofer, Ingeborg Bachmann und Barbara Frischmuth
ablesen. Eine Voraussetzung ihrer Texte ist die – ästhetisch unterschiedliche –
Reflexion der Stellung eines weiblichen Ich in einer grausamen, bedrängenden
Umgebung. In Haushofers Roman *Die Wand* (1963) ist das Erzählen Teil einer
weiblichen Utopie, die in einem Territorium hinter einer unsichtbaren Wand, auf
deren anderer Seite offenbar die Apokalypse stattgefunden hat, angesiedelt ist.
Es ist der Bericht einer Ich-Erzählerin aus einer Innen-Welt; und schon der erste
Satz zeigt die Unsicherheit der äußeren Ordnung: "Heute, am fünften November,
beginne ich mit meinem Bericht. Ich werde alles so genau aufschreiben, wie es
mir möglich ist. Aber ich weiß nicht einmal, ob heute wirklich der fünfte November ist".[20] Der Mann, der in die abgeschlossene Natürlichkeit der Frau ein-
zudringen versucht, wird von ihr getötet; der "Ausgang der Geschichte" bleibt
offen.

Am Schluß von Bachmanns Roman *Malina* (1971) geht die Frau in eine Wand,
für den zurückbleibenden Malina "kann nur der Riß zu sehen sein, den wir schon
lange gesehen haben"; es ist "eine sehr starke Wand, aus der niemand fallen
kann, die niemand aufbrechen kann, aus der nie mehr etwas laut werden kann".
Und dann der letzte Satz: "Es war Mord".[21] Schon in der Erzählung *Unter Mördern und Irren* hatte Bachmann eine scharfe Trennung von Männer- und Frauen-
Welt als einen, wohl grundlegenden, Aspekt des Verdrängens der Nazi-Zeit und
des verdeckten Fortführens totalitärer Strukturen gezeigt. Die Männerbünde
sitzen abends am Stammtisch und "trinken und reden und meinen", während die
Frauen zu Hause liegen: "Und im ersten Traum ermordeten sie ihre Männer. [...]
Sie weinten um ihre ausgefahrenen, ausgerittenen, nie nach Hause kommenden
Männer und beweinten endlich sich selber. Sie waren angekommen bei ihren

---

20 Marlen Haushofer, *Die Wand: Roman* (München: dtv, 1991), S. 7 (Erstausgabe Gü-
    tersloh: Mohn, 1963).
21 Ingeborg Bachmann, *Malina: Roman* (Frankfurt am Main: Suhrkamp, 1980), S. 356
    (Erstausgabe Frankfurt am Main: Suhrkamp, 1971).

wahrhaftigsten Tränen".[22] In *Malina* erscheinen die Fundamente der Erzählung
– "Handlungs-Netze" und Identität – von Anfang an als rissig und offen. Die
Konstellation von weiblichem Ich und männlichem Gegenüber ist hier verrätselt.
In Bachmanns *Todesarten-Projekt* steht das Brüchige für eine Gesellschaft der
Fragmente, "so fragmentarisch wie das Schreiben, das immer neue Anläufe
nimmt, um zur Sprache zu bringen, daß alle Taten Untaten sind".[23]
       Die Untaten setzen in der Sprache an, mit der Normen-Erziehung. Barbara
Frischmuth schildert derartige Exerzitien, montiert deren Phrasen-Grund-Sätze
in ihrem ersten Prosaband *Die Klosterschule* (1968). In dem Internat, das seit
Musils *Törleß* ein Konzentrat der österreichischen Gesellschaft bildet (es
erschien z.b. 1972 *Der Zögling Tjaz* von Florian Lipus auf slowenisch, 1981 auf
deutsch), wird an der Auslöschung des Ich durch die gehorsame Gemeinschaft
gearbeitet. Mit einer entsprechenden Zuweisungskette beginnt Frischmuth: "Wir,
Angehörige der katholischen Jungschar, Zöglinge des Klosters [...] beten täglich
und gerne".[24] An diesem Anfang steht kein erzählendes Ich; hier spricht ein Wir
unter einem Deckel der Ordnungs-Macht, die keine "Geschichte" zuläßt, sondern
eine Litanei fordert. In der Montage erweisen sich die eingesagten Formelsätze
als Autoritäten der Schein-Heiligkeit. Es sind Traum-Entwürfe, Gegen-Welten
vonnöten – sie erstehen in Frischmuths Verwandlungs-Romanen *Die Mystifika-
tionen der Sophie Silber* (1976), *Amy oder die Metamorphose* (1978), *Kai und
die Liebe zu den Modellen* (1979). Erzählen heißt hier auch, Möglichkeiten gegen
die Wände ausprobieren.

Realismus, Anti-Heimatroman, Neuer Subjektivismus etc.

Der in der Folge der Bewegung von 1968 intensivierte Realismus trat mit dem
Brechtschen Anspruch an, gesellschaftliche Strukturen bewußtzumachen und in
"Geschichten von unten" eine politische Idee von Veränderbarkeit darstellen zu
können. Michael Scharang warf der herrschenden Literatur im Lande vor, daß sie
sich in den Dienst eines Antirealismus stelle und die Verhältnisse nicht wirklich
benenne. Es gelte – so Scharang in dem Band *Schluß mit dem Erzählen und
andere Erzählungen* (1970) –, Mechanismen der Ausbeutung aus der Perspektive
der Arbeiter zu erschließen, Sprach-Muster in ihrer Verbindung mit Unter-
drückungs-Mustern darzustellen. Das eigentlich handelnde Subjekt ist das

---

22   Ingeborg Bachmann, "Unter Mördern und Irren", in: *Das dreißigste Jahr: Erzählungen*
     (München: dtv, 1966), S. 66-67 (Erstausgabe des Bandes München: Piper, 1961; die
     Erzählung ist 1956-57 entstanden).
23   Konstanze Fliedl über das *Todesarten-Projekt*, in: *profil*, 9. Oktober 1995, S. 102.
24   Barbara Frischmuth, *Die Klosterschule* (Reinbek: Rowohlt, 1979), S. 7 (Erstausgabe
     Frankfurt am Main: Suhrkamp, 1968).

Kapital; dies ist eine zentrale Aussage und eine Motivkonstante seines Romans *Der Sohn eines Landarbeiters* (1976). Die Beschreibung der Arbeitswelt beginnt mit einem "Zahltag", die Probleme des Franz Wurglawez wurzeln im Finanziellen, Beziehungen finden sich auf einen Geld-Wert reduziert. Nüchtern wird die Geschichte eines gescheiterten jungen Lebens bis zum Selbstmord geschildert; verantwortlich dafür erscheinen ökonomische und soziale Strukturen, konzentriert in den Arbeits-Verhältnissen. Den kurzen Sätzen entsprechen einfache Kausalitäten, ein allwissender Erzähler ordnet eine kleine Welt. Kunst müsse, so Scharang, den Teppich der Macht wegreißen und eine genauere Sicht bieten. Der angestrebte "unverstellte Blick auf die gegensätzliche Realität" ist freilich vom Erzähler arrangiert; diese Mittelbarkeit hat dann Scharang in dem Roman *Auf nach Amerika* (1992) – einer vielschichtigen Österreich-Satire – veranlaßt, eine ironische Brechung fruchtbar zu machen. Am Ende sitzt Franz, *Der Sohn eines Landarbeiters*, im Gefängnis; nachdem er seine auf die Zellenwände gekritzelten Hausbau- und Lebenspläne übermalen muß, nimmt er sich das Leben. Seine schwangere Frau wollte ihm noch ein Buch bringen: "Es hieß 'Schattseite'. Schattseite, dachte sie, hoffentlich ist das nichts Trauriges" sind ihre letzten, intertextuell verankerten Worte im Roman.[25] Ein Kreis schließt sich: Literatur nimmt Bezug auf Literatur, der Figur als Demonstrationsobjekt der Verhältnisse ist aber nicht mehr zu helfen.

1974 erschien Franz Innerhofers erster Roman *Schöne Tage*, 1975 folgte *Schattseite*, 1977 *Die großen Wörter* – eine Trilogie, die den Weg aus einer totalitär empfundenen Dorfwelt in die Stadt erzählt: Was wie ein Aufstieg aussieht, erweist sich doch als Enttäuschung. Innerhofers Werke sind bezeichnende Beispiele des Anti-Heimatromans, der eine soziale Studie des Landlebens bietet und Mißstände unmißverständlich ausspricht. "Heimat" ist hier ein Herrgottswinkel der Unterdrückung, ein Wegkreuz-Trugbild traditioneller Verhältnisse. Die Prosa von Jonke, Scharang sowie Reinhard P. Gruber (*Aus dem Leben Hödlmosers*, 1973), Elfriede Jelinek (*Die Liebhaberinnen*, 1975), Gernot Wolfgruber (*Auf freiem Fuß*, 1975; *Herrenjahre*, 1976; *Niemandsland*, 1978), Josef Winkler (*Menschenkind*, 1979), Gerhard Roth (*Der stille Ozean*, 1980) schildert keine heile Heimatroman-Welt abseits von Geschichte, sondern einen konkreten Erfahrungs-Raum. Hier erstehen zum einen aus geringer Erzähldistanz Bilder eines Lebens-Bruches (Innerhofer, Wolfgruber); sie zeigen zum anderen Bruch-Bilder eines Lebens in der literarischen Mittelbarkeit von metaphorischen Vernetzungen (Roth) authentischen Außenseiter-Erfahrungs-Schmerzes (Winkler); oder sie führen satirische Aufrisse vor, die entweder doch als Identitäts-Partikel umgeleitet werden können (Gruber) oder aber radikal in Form und Inhalt

---

25 Michael Scharang, *Der Sohn eines Landarbeiters* (Darmstadt, Neuwied: Luchterhand, 1976), S. 192.

ans Eingemachte gehen (Jelinek). Sie alle richten sich gegen "Heimat" als das Hergestellte – ein Konzept der Nachkriegs-Restauration –, als Maske eines sozialen Ortes, aus dem es wegzugehen gilt, der aber immer an den Figuren hängenzubleiben scheint. Österreich als "Anti-Heimat par excellence"[26] ist eine Anti-Gemeinschaft, in der die Unterdrückten sprachlos von der Finsternis in die Finsternis getrieben werden. Die Landschaft ist der geschlossene Arbeitsraum zum Tode:

> Die Dienstboten und Leibeigenen wurden, sobald einer den Kopf aus der finsteren Dachkammer reckte, sofort in die Finsternis zurückgetrieben. Jahraus, jahrein wurden sie um die Kost über die grelle Landschaft gehetzt, wo sie sich tagein, tagaus bis zum Grabrand vorarbeiteten, aufschrien und hineinpurzelten. Mit Brotklumpen und Suppen zog man sie auf, mit Fußtritten trieb man sie an, bis sie nur mehr essen und trinken konnten, mit Gebeten und Predigten knebelte man sie.[27]

Wie in Bernhards *Frost* dringt hier kein Licht einer Aufklärungs-Kulisse durch. Das "Jahr des Herrn" (ein berühmter Waggerl-Titel) ist das Jahr der Herren, die über Höfe und Kleinstädte wie über ein Arbeitslager herrschen und sich dabei auf die "ewigen Werte" der geistlichen und staatlichen Autoritäten, Kirche und Schule, berufen können.

Die Ausbruchsversuche scheitern in den Romanen von Gernot Wolfgruber kläglich; die Träume kehren sich um in noch stärkere Abhängigkeit. Anders als Scharang präsentiert Wolfgruber die Alltags- und Arbeitswelt nicht aus der Draufsicht eines allwissenden Arrangeurs in ihrer zwingenden Kausalität. Er teilt die innere und äußere Enge der Figuren distanzlos mit. So wurden denn seine Texte gelegentlich auch dem "Neuen Subjektivismus" zugeschlagen, der ab Mitte der siebziger Jahre für gut ein Dezennium als gängiger Trend galt. Die in der Folge von Peter Handkes *Wunschloses Unglück* (1972) entstandenen Ich-Besichtigungen und Menschwerdungen, dann die epigonalen Reisen um den eigenen Nabel, hat vor allem das Großfeuilleton mit einer Formel geschlagen, die diese Literatur als eskapistisch verstehen wollte. Bei Handke läßt sich der subjektivistische Ansatz zu jener Zeit freilich auch als gesellschaftliche Reflexion erkennen, wenn es in der Schilderung des Dorfes der Kindheit im Österreich der fünfziger Jahre heißt: "Es gab nichts von einem selber zu erzählen [...]. Das persönliche Schicksal, wenn es sich überhaupt jemals als etwas Eigenes ent-

---

26 Robert Menasse, *Das Land ohne Eigenschaften: Essay zur österreichischen Identität* (Wien: Sonderzahl. 1992), S. 100.
27 Franz Innerhofer, *Schöne Tage: Roman*. 2. Aufl. (Frankfurt am Main: Suhrkamp, 1978), S. 26-27 (Erstausgabe Salzburg, Wien: Residenz, 1974).

wickelt hat, wurde bis auf Traumreste entpersönlicht und ausgezehrt in Riten der Religion, des Brauchtums und der guten Sitten".[28]

Schreiben und literarischer Text sind somit (auch) ein Versuch, gegen den sozialen Zwang der Selbstverleugnung "Ich" zu sagen, von einem Subjekt zu erzählen, das bei Handke auf Distanz geht und Geschichts-Ordnungs-Muster problematisiert.

Am Rande oder abseits dieser gängigen Trends gab es in den siebziger Jahren andere Varianten österreichischer Epik. Friederike Mayröcker arrangiert ihre Traum- und Alltags-Detail-Assoziationen in einem intertextuell grundierten, komplex strukturierten poetischen Blick (*Das Licht in der Landschaft*, 1975; *Reise durch die Nacht*, 1984). H. C. Artmann bietet eine Prosa vielschichtiger Einflüsse, Varianten und Brechungen, die teils eine formale Geschlossenheit verweigert (im *Aeronautischen Sindtbart*, 1972, werden Kapitel übersprungen), teils Trivialmuster arrangiert (*Die Jagd nach Dr. U*, 1977), teils in einem Einfalls-Raster ohne Absatz und Satzzeichen Phrasen unterminiert (*Nachrichten aus Nord und Süd*, 1978). Alois Brandstetters Monolog-Romane und Klage-Berichte über den schlechten Zustand der Welt (*Zu Lasten der Briefträger*, 1974; *Die Abtei*, 1977; *Die Mühle*, 1981) legen Verhaltens- und Sprachformeln satirisch bloß. Walter Kappacher untergräbt das System des Wichtigen sowie der Alltags-Mythen in privaten Lebens-Ausschnitten eines Angestellten, der "aussteigt" (*Morgen*, 1975) – ein offener Abgang steht auch am Schluß von Peter Roseis Road Story *Von Hier nach Dort* (1978), der Eindrucksschleife einer Motor-radreise. Gerhard Amanshauser läßt sich das Ich in einen Schlupfwinkel zurück-ziehen und die Vorstellung von einem souveränen Subjekt als illusorisch erscheinen (*Schloß mit späten Gästen*, 1975). Das mythische Subjekt in Erich Wolfgang Skwaras erstem Roman *Pest in Siena* (1976) ist Don Juan als Reprä-sentant eines versinkenden Europa; er ist der Ästhet in symbolhafter Verdichtung, ein zeitlos Wandernder, dem das Dionysische zur Pflichtübung erstarrt ist. Es ist eben nicht der Mythos des in Salzburg dem finanziell potenten Touristen-Jedermann zugängliche Don Giovanni, der ja letztlich nur in die Kulissen purzelt.

Besichtigung des Vater-Mutter-Landes

Mit Innerhofer, Winkler u.a. hatte ein "Ich"-Sagen gegen die Väter und die Struk-turen der patriarchalischen Gesellschaft begonnen, das sich in den achtziger Jah-ren zu einer breiten und vielfältigen Besichtigung Österreichs verstärkte. Der Teppich des Verdrängens wurde gelüftet, und hinter dem Schein einer Operetten-

---

28 Peter Handke, *Wunschloses Unglück: Erzählung* (Salzburg, Wien: Residenz, 1972), S. 48.

Kultur der traditionellen Staatsklischees trat ungeschminkt eine "Republik der Skandale" hervor. Derart bekamen Wissen und Erinnerung in einem sprachlichen Prozeß der Vergegenwärtigung einen gesellschaftlichen Charakter. Die Schleusen der Erinnerung wurden auffallend oft von Frauen geöffnet, von Autorinnen und von weiblichen Figuren in den Texten. Diese Romane gingen auch auf die Rolle der Mütter als Vermittlerinnen patriarchalischer Normen-Macht in einer autoritären Mutter-Tochter-Kette ein. Dabei muß die weibliche Identität im weiblichen Schreiben erst durch Erinnerungs-Arbeit gefunden werden. In Elisabeth Reicharts Roman *Februarschatten* (1984) versuchen die Wörter der Tochter die Sprache des Verdrängens aufzubrechen: In stockendem Erzählen, also stockendem Erinnern, ersteht die "Mühlviertler Hasenjagd" (im Februar 1944 wurden fast 500 aus dem KZ Mauthausen geflohene Häftlinge von der Mühlviertler Bevölkerung ermordet). Und in *Komm über den See* (1988) findet sich die Vergangenheit des Widerstandes von Frauen, die Denunziation durch eine Frau und eine unbewältigte Gegenwart konfrontiert – leitmotivisch heißt es: "Vor jeder Erinnerung das Wissen: Alle Sätze in dieses Gestern können nur Brücken zu Inseln sein".[29]

In *Die Züchtigung* (1985) wechselt Waltraud Anna Mitgutsch die Perspektiven, stellt sie die Sicht der prügelnden Mutter gegen die Sicht der Tochter, die gegen die Unterdrückung anzuschreiben beginnt – ähnliche Ansätze bieten die autobiographisch grundierten Romane (mit bezeichnenden Titeln) von Claudia Erdheim *Bist du wahnsinnig geworden?* (1984) und Maria Merthen *Die schmale Spur des Funktionierens* (1986). Auch in Elfriede Jelineks Prosa treffen Töchter bei ihrer Identitätssuche auf die Macht der Mütter: Im Roman *Die Klavierspielerin* (1983) wird Erika Kohut zu einer Karriere gedrillt und in allen Lebensbereichen bestimmt. Die Instanz ist allgegenwärtig, die Mutter ist "Inquisitor und Erschießungskommando in einer Person";[30] sie hat die Norm-Phrasen, die immer wieder eine Identitätsperspektive ausreden, auf ihrer Seite gepachtet – zu ihrer fast vierzigjährigen Tochter sagt sie: "Du glaubst wohl, ich erfahre nicht, wo du gewesen bist, Erika. Ein Kind steht seiner Mutter unaufgefordert Antwort, die ihm jedoch nicht geglaubt wird, weil das Kind gern lügt".[31] Nach dem Eigennamen muß sofort die Neutralisierung ansetzen ("Erika. Ein Kind").

Die sexuelle Aggression ist auch jene der männlichen Sprache, die Jelinek in *Lust* (1989) satirisch aufreißt. Sie schlägt im Versuch einer "weiblichen Sprache für das Obszöne" einen Metaphernwirbel, in dem Sexualität als Gewalt des Mannes gegen die Frau herausdröhnt. Eine ähnliche Satire auf den Männlich-

---

29   Elisabeth Reichart, *Komm über den See: Erzählung* (Frankfurt am Main: Fischer, 1988), S. 7, 81 *et passim*.

30   Elfriede Jelinek, *Die Klavierspielerin: Roman* (Reinbek: Rowohlt, 1983, zitiert nach der Donauland-Lizenzausgabe), S. 7.

31   Ebenda.

keitswahn ist *Kerner: Ein Abenteuerroman* (1987) von Elfriede Czurda, in dem der sexuelle Mißbrauch einer Tochter durch ihren Vater erzählt wird, der bei einem Abenteuerurlaub in den Bergen alles verdrängen will. Bei Jelinek und Czurda, die feministische Ansätze mit Avantgarde-Formen verbinden, gelingt es dem Text in einem Phrasen-Bruch, Einblicke in Verhalten und Machtstrukturen zu bieten. Auf der gleichen Technik beruht auch Jelineks fulminanter Prosaband *Oh Wildnis, oh Schutz vor ihr* (1985), der die Heimat-Kulisse und die Fassaden des Verdrängens wendet.

Ein weiblicher Widerstands-Roman gegen die österreichischen Realitäten des Vergessens war – zu Unrecht weniger beachtet – schon 1980 erschienen: In Marie-Thérèse Kerschbaumers *Der weibliche Name des Widerstands* sind verschiedene Text- und Reflexionsebenen in einer komplexen Struktur verbunden. In sieben Berichten über Frauen, die von den Nazis ermordet wurden, hält Kerschbaumer Distanz zu den zahlreichen Aufarbeitungen, indem sie das historische Thema in den Prozeß des Erzählens stellt, in den auch die Lebenssituation der schreibenden Frau eingeht. So ersteht eine umfassende Geschichte der Opfer, der Unterdrückten; so liegt der Roman ständig auf mindestens zwei Ebenen, Vergangenheit und Gegenwart, auf.

1986: Zäsur/Wiederholung/Auslöschung

Im Zusammenhang mit der Wahl des nationalen Persilscheins, der Person Kurt Waldheims als Verkörperung des obersten Staatsprinzips, fand 1986 erstmals eine breite öffentliche Diskussion über die verschüttete Vergangenheit statt, formierten sich dann auch die neuen alten Rechten unter Jörg Haider. Viele Künstler, die darauf im alten Umkehrschluß "Nestbeschmutzer" genannt wurden, forderten eine intensive Auseinandersetzung mit der Geschichte das Landes. So entstanden etwa Barbara Frischmuths metaphernreiche Aufarbeitung *Über die Verhältnisse* (1987), Erich Hackls *Abschied von Sidonie* (1989), eine Erzählung in nüchternem Ton über den Weg eines Zigeunermädchens ins KZ, und ein Hauptwerk der Konkreten Poesie: In *nachschrift* führt Heimrad Bäcker 1986 eine Möglichkeit des Schreibens über "Auschwitz" als Zitat und Montage der Sprache der Täter und der Opfer vor (*nachschrift 2* erschien 1997). 1986 ist ein "Wendejahr", das eine Neuformierung der politischen Landschaft einleitete: Waldheim als Bundespräsident; das Ende der SPÖ-FPÖ-Koalition, die SPÖ-ÖVP-Regierung unter Vranitzky; der Beginn des Aufstiegs einer sich nicht mehr liberal gebenden Haider-FPÖ zur mittleren Partei; das Ausscheiden des "weltoffenen" Wiener Kardinals König aus dem Amt, die Ernennungen sehr konservativer Bischöfe.

Im selben Jahr 1986 kamen auch Romane der zwei bekanntesten österreichischen Schriftsteller der letzten Jahrzehnte heraus: *Die Wiederholung* von Peter

Handke und *Auslöschung: Ein Zerfall* von Thomas Bernhard. Zwei konträre Literatur-Vorstellungen – beide jedoch Kunst als Form der Auseinandersetzung mit einer Lebenswirklichkeit – lassen sich daran fixieren: Hie ästhetische Welt-Erneuerung durch Wieder-Holung einer Ursprünglichkeit; da Auslöschung als Durchblick und Aufarbeitung, relativiert und konzentriert in einem Kunst-System als Abarbeitung an einem Welten-System.

In Handkes Roman sucht der Ich-Erzähler Filip Kobal Zuflucht im Mythos einer Gegen-Welt. Er wiederholt schreibend eine Reise, die ihn fünfundzwanzig Jahre zuvor auf der Suche nach seinem verschollenen Bruder nach Slowenien geführt hat. Während andere von der Destruktion der Natur durch den Menschen, und umgekehrt, berichten, erzählt Handke von der fast paradiesischen Geborgenheit des Mustergartens, den der Bruder angelegt hatte. Filip schaut ihn nur mehr im Traum, da dies Bild der Harmonie von Mensch und Natur seit der Abwesenheit des Schöpfers verwahrlost: In der Wieder-Holung liegt das Heil; das Ich und die Welt können in einem neuen Verständnis von Schrift und Sprache auch neu erstehen. So mündet der Roman in eine Beschwörung der Erzählung als Hoffnung der Menschheit: "Erzählung, nichts Weltlicheres als du, nichts Gerechteres, mein Allerheiligstes [...]"[32] – eine elegische Rekonstruktion der Welt erscheint im poetischen Blick möglich.

Bei Bernhard zerfällt sie – um in großer literarischer Komposition in ihren Wider-Sprüchen anders zu erstehen. *Auslöschung* beruht auf einer Poesie der Gegen-Authentizität, der Welten-Kollision aus der Perspektive des Franz-Josef Murau und dessen "Herkunfts-Komplexes". Er hat das heimatliche Schloß Wolfs-egg in Oberösterreich verlassen, um fernab der verhaßten Familien-Umgebung in Rom zu leben. Hier erhält er die Nachricht vom tödlichen Unfall seiner Eltern und seines Bruders, nimmt in Wolfsegg am Begräbnis teil und verschenkt schließlich den Besitz an die Israelitische Kultusgemeinde in Wien. Dies ist die äußere Handlung eines langen inneren Monologes, der im ersten und im letzten Satz von einer Er-Erzähler-Klammer als der Bericht *Auslöschung* bezeichnet ist, den Murau nach seiner Rückkehr aus Wolfsegg geschrieben hat, bevor er in Rom stirbt. In komplexer Spiegelung ersteht eine Totalität, die auch Gegen-Sätze eingebaut hat. Ein bipolares Gedankensystem spielt etwa den Kontrast germanisch-romanisch, Wolfsegg-Rom und die Trennung Kopf-Körper in den Vordergrund; es stößt immer wieder mit einem anderen, ebenso absolut vorge-brachten, zusammen. In zwei kurzen zentralen Sätzen erscheint die Konstruktion der Dekonstruktion konzentriert: "Denken heißt scheitern, dachte ich. Handeln heißt scheitern".[33] Die Welten-Bilder, die auf diversen Ebenen des Bezugs-

---

32 Peter Handke, *Die Wiederholung* (Frankfurt am Main: Suhrkamp, 1986), S. 333.
33 Thomas Bernhard, *Auslöschung: Ein Zerfall* (Frankfurt am Main: Suhrkamp, 1988), S. 371 (Erstausgabe Frankfurt am Main: Suhrkamp, 1986).

Systems in der Rollenprosa immer wieder verknüpft und aufgelöst werden, können Anschauungen, Konzepte umspringen lassen – ein Gedanke, der wiederum selbst in diesem System, das auch Paradoxes einschließt ("denken heißt scheitern, dachte ich"), kippt: "Meine Übertreibungskunst habe ich so weit geschult, daß ich mich ohne weiteres den größten Übertreibungskünstler, der mir bekannt ist, nennen kann. [...] Die großen Existenzüberbrücker sind immer die großen Übertreibungskünstler gewesen. [...] Das Geheimnis des großen Kunstwerks ist die Übertreibung".[34] In der berühmten Übertreibungskünstler-Passage ist eine Perspektive der "großen Weltkomödie" fixiert, ist ein Movens des literarischen Programms von Bernhard angesprochen, eine Bewegung – auch der sprachliche Rhythmus – des Textes: ein Aufbrausen der An-Sprüche und An-Sichten, ein Zurücknehmen, erneutes Anschwellen, Zurücknehmen, Hineinsteigern, Herauslachen, Rückführen ins Tod-Ernste usw. Das Gräßlichste und das Gewöhnlichste, das Höchste und Tiefste, die Nazi-Vergangenheit und ein Widerstandsgeist, Geistesmenschen und leere Köpfe, Gärtner und Jäger, Natur und Kunst, Österreich und Rom und die Welt, Theater und Leben, Leben und Tod: die Welten-Themen, Welten-Schemen finden einen künstlerischen Rahmen, über den die Kunst auch hinausweisen kann – als jene des "großen Existenzüberbrückers".

Mythen, Welten, Brüche versus Posen, Possierlichkeiten

Thomas Bernhard hat mit dem Ordnungs-Bild des Habsburgischen Mythos radikal gebrochen. Eine ebenso radikale Liquidierung dieser Traditions-Konstruktion ist der ungewöhnlich dicke Roman *Dessen Sprache du nicht verstehst* (1985) von Marianne Fritz. Sie erzählt eine komplexe Geschichte der Proletarier-Familie Null in einem Diminutiv-Staat, dem "Land des Chen und des Lein", und bricht die Fiktion, den Mythos in experimenteller Sprach-Form (1996 folgte *Naturgemäß I*, eine fünfbändige Fortschreibung des Fritzschen "Festungs-Projektes").

Dem Mythos der Schrift geht Klaus Hoffer in seinem Roman *Bei den Bieresch* (1979-1983) nach, indem er bei der Metamorphose ansetzt: "Keinem bleibt seine Gestalt" – das ist der Ovid-Satz, den Christoph Ransmayr in *Die letzte Welt* (1988) gegen den postmodernen Spiegel hält. Er baut damit auf eine, in der zweiten Hälfte der achtziger Jahre verstärkt einsetzende Tendenz, alte Mythen neu zu präsentieren, ihnen die eigenen Zeitumstände einzuschreiben – auch in dieser Sparte hat österreichische Literatur eine breite Palette zu bieten: von Barbara Frischmuths vielschichtig umgesetzter Demeter-Trilogie (*Herrin der Tiere*, 1986; *Über die Verhältnisse*, 1987; *Einander Kind*, 1990) über Lilian

---

34 Ebenda, S. 611-12.

Faschingers *Die neue Scheherazade* (1986), Wilhelm Musters *Pulverland* (1986), Inge Merkels *Eine ganz gewöhnliche Ehe: Odysseus und Penelope* (1987) bis zu Michael Köhlmeiers Verkaufserfolgen. Bei Ransmayr tritt der Römer Cotta auf der Suche nach Ovid und seinem Metamorphosen-Manuskript eine Reise ans Ende der Welt und in den Raum des Textes selbst an und verstrickt sich in einer Geschichte der Kunstfertigkeit. In postmoderner Stil-Puzzle-Manier sind antiker und moderner Mythos, Ovids und Hollywoods Metamorphosen, verknüpft. Nachdem Cotta in der Schwarzmeerstadt Tomi an Land gegangen ist, dringen Ovids Figuren in wechselnder Gestalt in den Text, zerfällt und verfinstert sich die Welt immer mehr. Auch dem Mythos bleibt nicht seine Gestalt, der Zusammenhalt ist nicht mehr gewährleistet – er ist zu erschreiben.

Literarische Welten sind ohne Risse und Brüche kaum mehr zu haben, es sei denn in nüchterner, dokumentarisch grundierter Prosa bei Erich Hackl und O. P. Zier, der in *Schonzeit* (1996) eine Rekonstruktion einer Realität auf dem Lande – eine Episode aus dem österreichischen Widerstand – bietet, oder aber als Versuch einer Neuen Dorfgeschichte im Romanzyklus *Das Ende der Ewigkeit* von Friedrich Ch. Zauner (4 Bände, 1992-96). Hier wird eine enge Provinz zwischen 1900 und 1938 präzise erfaßt. Im Unterschied zum Anti-Heimatroman erzählt Zauner nicht "von unten", aus der Finsternis, sondern aus einer gut informierten Draufsicht. Die ländliche Lebenswelt im Innviertel ist in dem gelungenen Zyklus aus einer Vielzahl von Ansichten gezeigt, in der von Manierismen freien Überblicks-Ordnung, in einer Erzählung, die die Heimat weder preist noch verdammt, sondern sie entdeckt.

Jene, die ihre Literatur ernsthaft als Kunst sehen, verweisen oft auf eine Krise des Selbst und des Wirklichkeitsbezuges. Ihre Texte beruhen auf poetischen Konzeptionen, die eine Subversivität und Radikalität der Kunst nicht missen möchten. Seit der Bestseller-Ruf nach planer Unterhaltung aber 1996 von Josef Haslinger verstärkt wurde, seit Ilse Aichinger 1997 die eindeutigen narrativen Offen-Herzigkeiten verurteilte und Michael Köhlmeier mit den Segnungen des "einfachen Erzählens" konterte, lassen sich zwei divergente Lager erkennen: die Nur-Narratoren und die Nicht-Nur-Erzähler.

Bei Haslinger, Köhlmeier, Robert Schneider firmiert ein diffuser Unterhaltungs-Wert pro domo und oben auf der artistischen Skala: Der Erfolg ist die Botschaft. Und diese erweist sich als Öl im Getriebe des Utilitarismus, der als siegreicher Finanz-Diskurs-Mäher den heutigen Gesellschafts- und Kunst-Rasen gleichschert. Selbstgefällig gibt die Rede der Nur-Narratoren Kniebeugen als Hochseilakte aus; in ihren Werken aber erweisen sie sich als plump bis manieristisch. In Christoph Ransmayrs Roman *Morbus Kitahara* (1995), der im ersten Teil eine beklemmende Welt einer "neuen Steinzeit" nach dem Zweiten Weltkrieg schildert, setzt mit einer Dreiecksgeschichte eine Überladung in Form und Inhalt ein, der Erklärungsüberschuß des Explizit-Plakativen. Eine Aufbereitung durch Kursivierung führt zu einem "M'as-tu-vu"-Effekt der ästhetischen Pose. Josef Haslingers ebenfalls 1995 erschienener Roman *Opernball*, der 3000 Menschen als Opfer eines Neonazi-Giftanschlages sterben läßt, ist Kolportage eines geschwätzigen Ballpublikums; und der als "heimelig-unheimlich" ausgegebene Zungenschlag ist jener eines falschen Realismus, nämlich von "Berlin-Synchron". Michael Köhlmeier seinerseits präsentiert mit *Telemach* im selben Jahr (dann *Kalypso*, 1997) einen alten Schlapphut als neuen Zylinder. Er gibt vor, Homers Geschichten modern zu brechen, indem er in die Odyssee seine, Köhlmeiers, Attrappen Bluesgitarre und Pistole einsetzt und einen Mythos-Fasching inszeniert. Dabei interessieren den Nur-Narrator nicht einmal die simplen Fragen (eines Lesers, den er ja vorgeblich bedient), wie denn Trojas Stadtmauern so lange den Mörsern standhalten konnten, warum denn das Holzpferd des Listenreichen nicht mit Röntgenstrahlen durchleuchtet wurde. Die Poetik der Pose und der Posierlichkeiten erschöpft sich derart in der Kulissenschieberei – und diese betreibt auch Robert Schneider (*Schlafes Bruder*, 1992), der Meister des ästhetisch kostümierten Unterhaltungs-Kitschismus.

Immerhin schreiben nicht wenige österreichische Dichterinnen und Schriftsteller eine künstlerische Prosa, die auch die Frage der Erzählbarkeit nicht "einfach" unter den Teppich einer "Unterhaltung" kehrt. Köhlmeier selbst hat in den achtziger Jahren einen ästhetischen Anspruch vor den Entertainment-Wert gestellt: In dem durchaus gelungenen Roman *Spielplatz der Helden* (1988), der eine Grönland-Überquerung aus verschiedenen Perspektiven privater Mythenbildung schildert, offenbart sich auch die Unzuverlässigkeit der Erinnerung; hier werden Realitäten-Abbilder und Fiktionen in Schwebe gehalten.

Die Wirklichkeit erscheint teilbar. In Bruchstellen kann Literatur als Kunst ansetzen, etwa jene von Werner Kofler. Ein Arrangeur verschränkt in seiner großartigen Prosa – Kofler nennt seine Texte nicht "Roman" – Realitäts-Zitate zu wütend satirischen Vielstimmigkeiten. Dem Anspruch, daß Kunst die Realität zerstören müsse, geht Kofler konsequent nach, indem er Wirklichkeiten schreibend erledigt und den Stumpfsinn, die skandalösen Zustände seiner näheren und weiteren Umgebung einem verbalen Amoklauf aussetzt: "Das öffentliche Leben Österreichs und sein politisches Modell sind in diesen Geschichten für zukünftiges Gelächter aufbewahrt".[35] Der Herr vieler Stimmen wird in dem Band *Am Schreibtisch* (1988) eben hier auf Reisen geschickt und hantiert mit "sprachlichen Faschingsnasen". In *Hotel Mordschein* (1989) führt die Ich-Spaltung des Erzählers zu einer Selbstbeobachtung, werden in einer "hohen Schule der Anspielung" Literaturbauteile variiert. *Der Hirt auf dem Felsen* (1991) ist Koflers dunkles Echo der Tiefen der "Aktualität"; wer hier spricht, ist nicht gewiß, das Erzählen zählt: "Aber erzählen Sie, ja, gleichgültig wer, erzählen Sie schon, erzählen Sie

---

35 Franz Haas über Werner Kofler in *DIE ZEIT*, Nr. 13, 1991.

weiter".[36] "Zu wem spreche ich?" ist die wiederholte Frage in dem "Nachtstück" *Herbst, Freiheit* (1994). Und auch der Band *Üble Nachrede – Furcht und Unruhe* (1997) (er-)steht in einer dauernden Spannung zwischen Möglichkeiten und Wirklichkeiten. Aus einer grundsätzlich vielschichtigen Erzählhaltung heraus kann Kofler einen Zusammenhang- und Verwechslungswirbel schlagen, der literarische Anspielungen, Erledigungen und Racheakte zu bieten hat.

"Alles ist anders, aber das stimmte nicht" – das sind zentrale Sätze der öster-reichischen Literatur der letzten Jahre, in der Vielstimmigkeit als Grundhaltung vorherrscht. Norbert Gstreins erster Roman *Das Register* (1992) schildert Aufstieg und Fall zweier Brüder, eines Mathematikers und eines Skiläufers, deren beharrlich verschwiegene Schuld sich nur langsam erschließt. Retar-dierende Momente sind eine Verschiebung der Erzählperspektiven, ein Wechsel der Möglichkeits- und der Wirklichkeitsform sowie eingeschobene Überlegungen zur Abbildungs-Manier ("Regieanweisungen"). Auch in *Leonardos Hände* (1992) von Alois Hotschnig stehen verschachtelte Ansichten auf einem unsi-cheren Boden. Kurt Weyrath hat nach einem Autounfall, bei dem er ein Ehepaar getötet und dessen Tochter Anna schwer verletzt hat, Fahrerflucht begangen. Diese im Kopf von Weyrath und auch in einem Zeitungsbericht festgeschriebene Realität stellt sich als falsche Fassade heraus. Mit einer Konditionalform und einer Inversion beginnt denn auch der Roman: "Wenn einer stirbt, heißt das hier, der kauft nicht mehr ein".[37] In einer tiefgreifenden bildhaften Konzentration tritt aus den Stimmen immer deutlicher jene der im Koma liegenden Anna hervor – im leitmotivischen "Hol mich heraus hier" –, so wie bei der Lektüre erst langsam eine Geschichte "herausgeholt" werden kann. Bis zum Ende reden die Stimmen aber, möglicherweise, eine falsche Welt herbei: Weyrath büßt seine Schuld und sitzt an Annas Stelle im Gefängnis, weil er ihre Schuld verschweigt. Der Schluß wendet den Angelsatz "Hol mich heraus hier" zunächst auf die Situation eines "Ich" und dann auf die eines "Wir" an. Er bricht aber sogleich in einem letzten Satz, der alles zurücknimmt: "Ich hole mich hier wieder heraus. Ich hole uns hier wieder heraus. Und vielleicht, ich bin sicher, sagen wir so, fängt es dadurch mit uns an. / Aber das stimmte nicht".[38]

In gefinkelter Konstruktion baut auch Robert Schindel den Roman *Gebürtig* (1992), der ein Panorama des Verhältnisses zwischen Juden, Österreichern, und Deutschen nach dem Holocaust zeichnet. Herkunft, Schuld und Unschuld sind verbunden; ein Binom-Geflecht legt eine Mehrschichtigkeit in Geschehen und Reflexion an. Die Verdoppelung entspringt und entspricht der prägenden Ortlo-

---

36 Werner Kofler, *Der Hirt auf dem Felsen: Ein Prosastück* (Reinbek: Rowohlt, 1991), S. 138.
37 Alois Hotschnig, *Leonardos Hände* (Hamburg, Zürich: Luchterhand, 1992), S. 7.
38 Ebenda, S. 232.

sigkeit des modernen Subjektes, dem Ich-Zerfall. Die (auch intertextuell via Joseph Roths *Radetzkymarsch*) im alten Österreich verwurzelte Hauptfigur ist in zwei Brüder-Bilder gespalten, die zwei Arten von Text-Arbeit vorstellen: der schreibende und der lesende Demant. Bezeichnend für den Umgang mit der Vergangenheit in Österreich ist es, daß der Prozeß gegen den SS-Mann mit einem Freispruch endet, da das Gericht den Behauptungen des Verbrechers folgt: Der Täter will ein anderer sein. In eine Identitäts-Krise treibt ihn dies freilich nicht – sie erleidet der jüdische Emigrant, der Dramatiker Herrmann Gebirtig; er hat gegen den Täter ausgesagt, widerwillig, da er eine Rückkehr nach Österreich ausgeschlossen hatte. "Ich möchte selbst eigentlich ohne mich auskommen",[39] hatte er erklärt; nach dem Freispruch des SS-"Schädelknackers" kann Gebirtig wieder ohne Österreich auskommen. Der Welt, in der die Schuldigen immer die anderen sein sollen, begegnet Schindel in ironischer Distanz und in einer karnevalesken Weltsicht der Mesalliance. Die ganze Welt ist, so das Nestroy-Motto, ein Fußboden; ja: ein doppelbödiger.

In *Nachtmär* (1995) von Elisabeth Reichart bilden Geschichten-Ketten einen Text eines Kollektivs, in dem die Grenzen der Figuren nicht klar abgesteckt sind, so daß die Kinder der Täter ein Netz gemeinsamer Schuld einschließt: "Der geschlossene Kreis – verkümmertes Wir, aufgefächert in Ich und Ich".[40] Der Identitäts-Fächer bewegt sich, seine Ränder verschwimmen. Zwei Männer und zwei Frauen um die Vierzig, die im Wien der neunziger Jahre ihre übliche Feier des Promotions-Jahrestages vorbereiten, betreten schrittweise Vergangenheits-Felder. Der langsam sich erschließende Ausgangs- und Brennpunkt ist dabei ein gemeinsamer Verrat an der – seither geheimnisvoll verschwundenen – jüdischen Freundin Esther. Aus diesem Netz-Werk taucht dann auch eine Verrats-Vorgeschichte aus der Nazi-Zeit auf.

Neunziger Jahre: Möglichkeitenpfade

Literatur als Kunst ist ein Möglichkeitenpfad, von dem aus unzählige Abstecher auf vielfältige Terrains führen können: Sprach-Formen-Modernismen, abgewandelt (Roth, Rosei, Kolleritsch), ausgebaute Avantgarde-Vorstellungen (Fritz, Kerschbaumer), Bruchmoderne mit ironisch-satirischer Grundierung (W. Kofler, Fian), Narrations-Verweisungs-Geflechte, ironisch (Schindel) und untergründig (Hotschnig), Identitätssuchen, Aufarbeitungen (Mitgutsch) in metaphorisch gesteigerter Subversion einer Wortmaschine (Winkler), Mythenabwandlungen (Faschinger), Schwadronaden-Fortsetzungen, konservativ (Brandstetter), ironi-

---

39 Robert Schindel, *Gebürtig: Roman* (Frankfurt am Main: Suhrkamp, 1992), S. 91.
40 Elisabeth Reichart, *Nachtmär: Roman* (Salzburg, Wien: Otto Müller, 1995), S. 8.

scher Realismus (Ernst, Scharang), Neue Dorfgeschichte (Zauner), Dokumentar-Erzählungen (Hackl, Zier), Poetischer Fragmentarismus (Einzinger), Neuer Manierismus (Menasse, Ransmayr) ... Meist gestalten Möglichkeiten-Entwürfe und -Verwürfe ("aber das stimmte nicht") vielstimmig Welten- und Identitäten-Brüche ("Ich ist ein anderer"). Kurz: Österreichische Romane der neunziger Jahre gehen diverse Wege in Zwischenräume, in Identitätsrisse.

Erich Wolfgang Skwara erzählt in *Tristan Island* (1992) die Selbstfindungs-Anstrengungen eines – vielleicht verrückten – österreichischen Diplomaten; die Arbeit einer zunehmend utilitaristisch gedrängten Lebens-Wirklichkeit wird hier in variantenreicher Möglichkeits-Melodie von einem Gegenspiel konterkariert. Peter Handkes *Mein Jahr in der Niemandsbucht* (1994) ist ein umfassender Anwendungs-Versuch einer Ästhetik der Wahrnehmung, die eine Wahrnehmung der Ästhetik der Heils-Möglichkeiten verkündet. Friederike Mayröckers im selben Jahr erschienene *Lection* ist ein Reflektieren des Reflektierens im Spiegel der Literatur, der splittern und Geschichten-, Sprach-, Welten-Brüche neu zusammen setzen kann, zu Traum- und Bewußtseins-Spiralen. In Elfriede Jelineks *Die Kinder der Toten* (1995) ist das Terrain des Romans, der Sprache und des Körpers weiter ausgedehnt, indem eine Grenze, jene des Todes, aufgehoben wird. Zwischen Wildalpen und dem austriakischen Gnadenort Mariazell treffen sich in der steirischen Pension "Alpenrose" Lebende und Untote: "Österreich als Toten- und Töterreich" (Sigrid Löffler).

Der erste Roman der Dramatikerin Marlene Streeruwitz, *Verführungen* (1996), zeigt in feinen Auf-Rissen weibliche Bindungen und Trennungen in der "Telekommunikations-Gesellschaft": Ein kurzatmiger Realismus schildert ein "kleines" Leben der täglichen Ärgernisse von Helene Gebhardt, die von ihrem Mann mit zwei Kindern alleingelassen wurde. Zwischen den Geschlechtern herrscht, Ingeborg Bachmann abgewandelt, ein kleiner Krieg. In der atemlosen Wahrnehmung klaffen die Realitäten in den Ritzen zwischen den Sätzen auseinander: "Helene saß da. Schaute. Den Kaffee vor sich. Sie wußte genau, wie die Tage aussahen. [...] Und wie schrecklich das Leben war. Wie zersplittert. Wie schmutzig. Wie klein".[41]

Die Risse des Kulturbetriebes stellt *Hollywood im Winter* (1996) von Lydia Mischkulnig dar, ein moderner Ödipus als Künstlertragödie, in der die zahlreichen Textschichten klug poetisch verwoben sind. Und die Welten-Brüche bearbeitet Raoul Schrott in seinem Erstling *Finis terrae* (1995), einem der hervorragenden österreichischen Romane der neunziger Jahre. Er schließt verschiedene Erzähl- und Zeitebenen zu einer kunstvollen Form, zu einem literarischen System zwischen dem Anfang und dem Ende einer Welt, einer Kultur,

---

41 Marlene Streeruwitz, *Verführungen: 3. Folge Frauenjahre* (Frankfurt am Main: Suhrkamp, 1996), S. 241.

des Lebens. Der Herausgeber präsentiert in einem Vorwort nach romantischem Muster den nachfolgenden Text als vier Hefte aus dem Nachlaß des Archäologen Ludwig Höhnel, dessen Großvater der österreichische Entdecker des Rudolfsees gewesen sei. Das erste Heft ist das übersetzte Logbuch des Pytheas von Massalia, eines griechischen Navigators des 4. Jahrhunderts vor unserer Zeitrechnung, der den Westen Europas umsegelte und bis nach Thule gelangte. Im zweiten Heft berichtet Höhnel über seine Wiederholung dieser Reise, auf der er – wie man im Vorwort erfahren hat – verschwindet. Das dritte Heft schildert in wechselnder Ich- und Er-Erzählung Höhnels Erlebnisse während einer Ausgrabung am Rudolfsee und das Liebes-Dreieck zwischen ihm, seinem Kollegen Schiaparelli und dessen Frau Sofia, die ihres Ehemannes Schwester ist. Das vierte schließlich ist die Geschichte des Verschwindens zweier Forscher auf einer Rudolfsee-Insel, das ebenso rätselhaft bleibt wie Höhnels Tod bei Land's End. So entsteht auf dem schwankenden Boden des Romans ein Weltensystem, das auch dadurch eine Totalität erzielt, daß es als Köder der Möglichkeit ausgelegt und dann zurück-genommen wird, daß es Extrempunkte und Gegensätze in einer All-Geometrie umfaßt: Die Weltenrahmen sind von verschiedenen Blickpunkten aus abgesteckt. Der Roman ist ein Fenster auf eine Geschichte der beschreibbaren Welt, deren Beschreibbarkeit von ständigen Zweifeln, Relativierungen und Umkehrmöglich-keiten unterlegt ist; es ist ein Ins-Wort-Fallen von Welten und Psyche.

Absolut Homer – Der Soldat und das Schöne

Raoul Schrotts *Finis Terrae* beruht auch auf einer Archäologie der Sprach-schichten. Höhnels Hefte erinnern den Herausgeber an "die Sprachübungen Schliemanns, die von der Forschung psycho-analytisch interpretiert werden, in dem Sinn, daß die Distanz einer fremden Sprache zugleich einen Abstand zu sich selbst zu schaffen in der Lage ist, der den Ausdruck gewisser Kindheitstraumata erleichtert".[42]

Auf Schliemann wird auch in gebrochenen An-Sichten in der Telemachie von *Grond Absolut Homer* (1995) angespielt. Walter Grond organisiert in diesem großen Werk die Vielstimmigkeit als System zu einem neuartigen Konstrukt, das auf einer alten Basis, diese abwandelnd, aufbaut. Die Odyssee-Travestie ist ein von zweiundzwanzig Autorinnen und Autoren (u.a. Elfriede Czurda, Ferdinand Schmatz, Julian Schutting, Patrick Deville, Josef Winkler, Angela Krauß, Paul Wühr) geschriebener "transindividueller Roman", eine neue Odyssee, die im Biographischen sowie bei und nach James Joyce und in Triest ansetzt. Sie führt in doppelten Erzählbewegungen durch Europa und die Welt, bietet innere und

---

42 Raoul Schrott, *Finis terrae: Ein Nachlaß: Roman* (Innsbruck: Haymon, 1995), S. 9-10.

äußere Realitätsabbilder, bricht und spiegelt sie, und kehrt schließlich wieder nach Triest zurück. Es ist eine ausgefeilte Spiel-Ordnung einer literarischen Vorgabe, die mit vielen möglichen Verwandlungen arbeitet. Der Roman wird von einem Ich-Erzähler getragen, "der sich als wandernder aus vielen Erzählern speist"; die Odyssee, das Paradigma der flüchtigen Begegnung, sei als das Modell eines schwebenden Gedächtnisses zu begreifen, die Vielstimmigkeit "als Überschreitung der Grenzen der biographischen Sackgasse".[43]

Auch die Kulissen sind vielschichtig und wandelbar; der Auftrag ist zugleich mythisch und realistisch verstanden, als ein Avantgarde-Netz, das von Joyce über Warhol zu Beuys reicht. Eine Spielvorgabe ist die verschrobene Theorie einer Wiener Ethnologin, die die Odyssee als verkleidete Erzählung einer Weltumseglung der Phönizier versteht. Die Schauplätze sind also jeweils zwei Orte: Kirke wohnt bei den Lofoten, die Sirenen sitzen auf Feuerland usw. – die in alle Welt Geschickten schildern literarische Irrfahrten, ihre Stationen der Odyssee. In ihren Texten wird das vom Auftraggeber geleitete Doppelspiel Struktur, stellt es stets von neuem Fragen und in Frage, konzentriert in Elfriede Czurdas Satz der Phäaken-Episode am roten Meer: "Breche ich auf oder breche ich ab?"[44] Das Erzählprinzip dringt bis in die metaphorische Ebene, wenn Ferdinand Schmatz von den Lotophagen berichtet: "Als ich die Mosaike in Tunis bewunderte, war mir klar, nur ein Steinchen neben dem anderen ergibt die Geschichte".[45]

Die Irrfahrten werden auf dem schwankenden Boden eines literarischen Schiffes vollführt. In Paul Wührs abschließendem Bericht von der Rückkehr nach Triest heißt es über die Poesie: "Nichts bleibt in ihr wie es verlief und wie es geschrieben steht. Alles wird immer anders".[46] Der Mythos ist ein anderer, die Erzählung ist eine andere. Und tatsächlich setzt am Schluß eine Gegenbewegung an, die der Arrangeur Grond am Ende beginnen und bis zum Anfang des transindividuellen Romanes vorstoßen läßt. Die Umkehr ist durch kleine Kärtchen an strategischen Positionen fixiert; ihr Ausgangspunkt ist – als innerliterarische Referenz – auch einer des Projektes, und zwar ein Zitat, das einen Endpunkt behauptet: Kolleritschs sonderbarer Satz, mit dem sich der Forum-Stadtpark-Mitbegründer in die Arrièregarde einreiht, daß die Grazer Gruppe genug gedichtet habe (Kärtchen 1, datiert Graz, 8. Dez. 1992). Auf diesen Kärtchen wird in leitmotivischen Ansätzen eine Biographie zusammengebaut, wie der ganze Roman *Grond Absolut Homer* Lebens-Geschichten anspielt, aufreißt, zwischen den Bruchstellen heutiger Zivilisation ansiedelt.

---

43 Walter Gronds Vorüberlegungen zu dem Projekt, in: *Stimmen: Ein Roman als Konzept* (Graz, Wien: Droschl, 1992), S. 146-47, S. 151.
44 Elfriede Czurda in: *Grond Absolut Homer* (Graz, Wien: Droschl, 1995), S. 86.
45 Ferdinand Schmatz, ebenda, S. 119.
46 Paul Wühr, ebenda, S. 583.

Die Odyssee ist ein Text am Beginn einer europäischen Kultur der Schrift, die vor unseren Augen zu Ende zu gehen mag. Der homerische Mythos ist eine Suche, auch nach historischer Identität; er ist die lange Reise einer verschlungenen Erzählung. *Grond Absolut Homer* sucht – als Travestie heutiger Lebens- und Romanwirklichkeit – Verbindungen zu knüpfen: zwischen Anfang und möglichem Ende einer Kultur, zwischen einem Gründungsmythos und moderner Kunst, zwischen Trivialem und Radikalität. In der Vielstimmigkeit, im erweiterten Autorenbild, das Biographien einsetzt, wird eine Totalität zwischen "Alles stimmt" und "Nichts stimmt" durch das künstlerische Konzept als Wirklichkeitsfalle und Möglichkeitsfülle erhalten und so haltbar.

In seinem Konzept ging Walter Grond auch von einem "Porträt des Künstlers als der in die Jahre gekommene Rebell" aus. Im März 1997 veranlaßte ihn eine Grazer Intrigen-Machination, die von gewesenen Rebellen geschürt worden war, als Präsident des Forum Stadtpark zurückzutreten. Dies steht im Hintergrund seines Romans *Der Soldat und das Schöne* (1998), in dem der Künstler – der Haudegen einer verflossenen Oberlehrer-Avantgarde – als Soldat agiert. Hier sind Machtkämpfe geschildert, in deren Rahmen Kunst als Kriegswerkzeug dient. Das Werk ist sowohl ein Schlüsselroman als auch eine Welten-Parabel auf Machtverhältnisse; es ist eine dichterische, eindrucksvolle Illustration der Beobachtung von Marlene Streeruwitz, daß nämlich die patriarchalische Struktur im Kunstbetrieb hochemotionalisierte Abhängigkeitsverhältnisse erzeuge, in denen Kunst letztlich nicht stattfinden könne. Kunst-Vorstellungen sind Macht-Vorstellungen in einem Kontext, in dem die eine Hand die andere wäscht. Erzählt wird derart die Vernichtung von Robert Brand durch eine Koalition von Politikern, Kunstfunktionären und Medien. Am Beginn des letzten Kapitels spielt eine langjährige Verbündete Brands, die rechtzeitig die Lager gewechselt hat, die Todesbotin: "Unmißverständlich habe Sabeth Fellers Gesichtsausdruck Robert Brand verraten: daß er tot sei und sie ihm jene Nachricht überbringen müsse, als wäre er ein Angehöriger und nicht der Totgesagte selbst".[47] Der Verrat als Doppelgesicht.

Grond setzt die komplizierten Verhältnisse in ein klares literarisches Programm, und so treten sie auch klar hervor. Der Roman ist in einem meist nüchternen Duktus gehalten, aus der Sicht der redenden Intriganten, nur am Anfang und am Ende aus der Innenperspektive von Robert Brand. Die überwiegend indirekte Rede ermöglicht eine Distanzierung, im konjunktivischen Verfahren kann der Erzähler Überblick gewinnen, Übersicht bieten, ohne sich selbst einer Fassade der Sicherheiten hinzugeben. Derart liefert Walter Grond eine ästhetisch gelungene und radikale Schilderung aus den zynischen Tiefen des Kunstbetriebes. Es ist ein poetisches, erstmals so schonungslos umfassendes Bild der Kunstfassade der Netzwerke und Machtgeilheiten.

---

47 Walter Grond, *Der Soldat und das Schöne* (Innsbruck: Haymon, 1998), S. 269.

In dem 1994 erschienenen *Absolut Grond* geht Walter Grond an *eine* Grenze des aktuellen Romanes. Er ist der Versuch einer auf die Spitze getriebenen Konzeptkunst; ein gefiltertes Trivialsystem erscheint als Komödie der Zeichen: Absolut Ironie. An einer anderen Grenze ist hingegen Kunst in dem präzise gezeichneten Rahmen von *Der Soldat und das Schöne* ein Schlachtfeld auf den Kriegsschauplätzen der Macht: Kunst hat als ästhetische (Heraus-)Forderung abgedankt und feiert sich als Art des Lobbying. Derart ist das Ende einer Kunst-Vorstellungs-Epoche beschrieben.

Kontext im Roman

In den österreichischen Romanen der letzten fünfzig Jahre ersteht eine Geistes- und Seelen-Landschaft, eine poetische Gesellschafts-Landschaft. Die Österreich-Bilder sitzen in einem Spektrum zwischen den positiven Zuschreibungen der frühen Staatdichter (Waggerl u.a.) und den negativen Aufrissen der falschen Ruhe. Land und Gesellschaft finden sich in einer Reihe von Möglichkeiten literarischer Abwandlung eingeschrieben. Deren Ort kann einen Kontext anspielen, zwischen der Strudlhofstiege und Wolfsegg, Wildalpen und der Waldheimat, und im Dorf Schweigen konzentrieren. Die hier probierten Rollen zeigen Bilder-Land-Möglichkeiten: Österreich als Hof, als Dorf, als Internat, als Wirtshaus, als Boden untoter Geschichte(n). Derartige Gemälde können einen hypothetischen Raum, Österreich als poetisches Museum möblieren: Ein Heimatmuseum des Totalitarismus in Fritschs *Fasching*, eine Bilder-Konzentration im Kunsthistorischen Museum als Rahmen der Scheltreden in Bernhards *Alte Meister* (1985), ein Museum als Aufsichts-Arbeitsplatz in Scharangs satirischem Roman *Auf nach Amerika* (1992), die gefälschte Bilderwelt des sogenannten Waldmüllersaales in *Schratt* (1992) von Antonio Fian und all diese Zusammenhänge im "Museum deutscher Geschichte" gegen Ende der Verdichtungen von Werner Koflers *Am Schreibtisch* (1988).

Österreichische Literatur liefert einen Beitrag einer Reise-Geschichte in die Tiefen von Zeiten und in die Tiefen von Welten. Und auch wenn nicht Österreich selbst bereist wird, dann steht es als *eine* Folie im Hintergrund. Nach der Joyce-Vorgabe, "Mach was du willst, aber fahr nicht auf Urlaub nach Österreich", führen in *Grond Absolut Homer* die Wege konsequent an dem Land vorbei und bilden so den auf einer Europakarte dargestellten "Korridor" um ein geschwärztes Österreich herum: das Land als Negativ-Photographie mitten im literarischen Irrfahrten-Netz. Gerade hier, in Graz, dem Auftraggeber-Ort, füllt sich Biographie in der Erzählung auf.

So bieten österreichische Romane mögliche Zeichnungen und Schriften an der Wand, symbolhafte Manifestationen der Bilder vom Eigenen und vom Fremden.

Die Innensicht einer Außensicht einer Innensicht spiegelt und bricht eine Welt-Vorstellung in einem ästhetischen Kalkül, in dem die Rechnung des "literarischen Paktes" prinzipiell offen bleibt. Das Bild der Kontexte in den literarischen Werken ist immer auch das mögliche Österreich, das – wie *Der letzte Österreicher* in der gleichnamigen Erzählung von Alfred Kolleritsch (1995) doppelsinnig erklärt – an uns "vorbeigegangen" ist.[48]

Als halte man sich – von Aichinger, von Bachmann, von Doderer her, variierend – in "Krisen des Erzählens" an Kontexten fest, die man als Möglichkeiten-Schichten modelliert. Die Erfindung der erzählten Welt ist eine Findung von Welten-Erzählungen, die (auch) in einem österreichischen Rahmen sitzen.

In einem breiten Spektrum von Ordnungs-Prinzipien ersteht aus dem literarhistorischen Rückblick eine "Abfolge der Entdeckungen" (Milan Kundera über den Roman), die Roman-Kunst als ständige Reise zwischen Einfachheit und Komplexität. Dabei führt ein Bogen von Ilse Aichinger, die zum Mißtrauen gegen die Selbst-Täuschungen aufgerufen hatte, zu Walter Grond: Seine Romane handeln von den Gefahren der Kunstpositionen, die – einmal mächtig eingenommen – allzu leicht in Posen der Täuschung erstarren können und auf einen vor unseren Augen ablaufenden Kulturwandel nur die alten Antworten liefern; seine Romane sind ein Aufruf zum Mißtrauen gegen die Ästhetik-Macht und gegen die Macht-Ästhetik. Wenn die Technik des Romans "die artistische par excellence" ist, so läßt sich im Sinne von Kunst als ästhetische Umsetzung eines "Zeitbewußtseins" anhand der österreichischen Literatur seit 1945 eine Probe aufs Exempel beobachten.

---

48 Alfred Kolleritsch, *Der letzte Österreicher* (Salzburg, Wien: Residenz, 1995), S. 20.

Karen R. Achberger
St. Olaf College

Malina (1971): Ingeborg Bachmann's Novel of Female Speechlessness and Absence

MALINA is a disturbing novel. It recounts one woman's "murder" at the hands of the three men closest to her: her Hungarian lover, who loves only his children, Belá and András (in the first chapter, "Glücklich mit Ivan"); her abusive father and the patriarchal society he represents (in the second chapter, "Der dritte Mann"); and, most pernicious of all, her other self, Malina, who shares her apartment and works at the Arsenal in the Austrian Army Museum (in the third chapter, "Von letzten Dingen").[1]

This destruction of the nameless, female, first-person narrator is so gradual as to be almost imperceptible, while on the novel's surface almost nothing appears to be happening: she smokes and waits for Ivan (chapter 1); she dreams and remembers the sexual abuse and silencing of her past (chapter 2); she realizes her condition and disappears into a crack in the wall (chapter 3). Leading up to the final sentence, "Es war Mord" – which unequivocally attests to the criminal nature of her disappearance – each of the three chapters focuses on her relationship with a different "murderer."[2]

The tension between the "Todesarten" that the narrator suffers at the hands of these three "murderers," and the interspersed glimpses of her utopian salvation in the "schönes Buch" that she struggles to write for Ivan, provide the substance of the novel, presented in a densely layered pastiche of dialogues, interviews, letters, fairytales, and quotations from literary and musical works, all woven into the narrator's thoughts, memories, and nightmares. As a counterpoint to the narrator's destruction, Bachmann presents in italics the utopian legend, "Die

---

1   Ingeborg Bachmann, *Malina: Roman* (Frankfurt am Main: Suhrkamp, 1971). Quotations from the novel will be identified with page numbers in parentheses referring to the novel's posthumous publication in Ingeborg Bachmann, *Werke 3*, Christine Koschel, Inge von Weidenbaum, and Clemens Münster, eds. 4 vols. (München: Piper, 1978). Besides its appearance in separate editions at Suhrkamp, as well as in translations into at least thirteen languages, including English, the novel most recently appeared at the heart of the four-volume edition of Bachmann's *"Todesarten"-Projekt* edited by Monika Albrecht and Dirk Göttsche at Piper Verlag in 1995. See "Bibliography."

2   See my discussion of the novel in chapter 5 of my monograph, *Understanding Ingeborg Bachmann* (Columbia: University of South Carolina Press, 1995), pp. 96-142.

Geheimnisse der Prinzessin von Kagran," and in musical notation a motif from the song cycle *Pierrot lunaire* by the Viennese composer Arnold Schönberg.[3] The novel's fragmented, allusive, Joycean texture, combined with the typically Bachmannesque absence of plot, make this, as Mark Anderson commented in his afterword to the English translation, "not a book one picks up – or puts down – lightly."[4]

Its initial reception is almost as disturbing as the novel itself. With few exceptions, critics were unable to make sense of this demanding work, appearing as it did after an almost ten-year hiatus in the writing career of one of Austria's most celebrated poets.[5] Here, as with her earlier work, the political thrust remained largely unrecognized. Her first two books, the poetry collections *Die gestundete Zeit* (1953) and *Anrufung des großen Bären* (1956), had been highly acclaimed as aesthetic gems and received as being remote from every event of the times. Likewise, the social criticism inherent in her radio plays, *Die Zikaden* (1955) and *Der gute Gott von Manhattan* (1958), and her first volume of prose, *Das dreißigste Jahr* (1961), went largely unnoticed. The refusal of critics to recognize the urgency of her message while at the same time praising her striking metaphors led ultimately to her refusal in 1956 to go on writing poetry.[6] When confronted with her first novel, critics recognized neither its rich allusiveness and intertextuality nor its timeliness and radical depiction of the destruction of female subjectivity.[7] Rather, they were quick to criticize what they perceived as the novel's sentimentality, introspection, and lack of social relevance, while making superficial connections to persons, settings, and events in Bachmann's personal life.[8] The

---

3   See Barbara Kunze for a discussion of Bachmann's use of a text by Algernon Black-wood as a source for the Kagran tale.

4   Mark Anderson, "Death Arias in Vienna," *Malina: A Novel by Ingeborg Bachmann* (New York: Holmes & Meier, 1990), p. 226.

5   Although she was technically an Austrian, most of Bachmann's professional activity (e.g., publications, Gruppe 47, radio play premieres, prizes, etc.) took place in the Federal Republic of Germany, so that we could just as easily speak of her, as her contemporaries often did, as "one of Germany's most celebrated writers."

6   After publishing her second collection of poems in 1956, Bachmann wrote only a few final poems in the next decade of her life, many of which were not published during her lifetime. In many cases dedicated to an important person in her artistic life, these poems, which are generally considered to be her best, are moments of leave-taking, poems about the inability to write poems.

7   One exception is the perceptive review by Hans Mayer, "*Malina* oder Der große Gott von Wien," *Die Weltwoche* [Zürich], 30 April 1971, 35. Mayer, with characteristic acuity, recognized immediately the novel's strict composition and rich fabric of quotations.

8   For a well written and carefully researched study of the (mis)reception of Bachmann's novel by German-language critics, see Elke Atzler, "Ingeborg Bachmanns Roman *Malina* im Spiegel der literarischen Kritik," *Jahrbuch der Grillparzer-Gesellschaft*, 15, 3 (1983), 155-71. See also the more recent study by Constance Hotz, *"Die Bachmann":*

posthumously published collection of conversations and interviews documents the clarity with which Bachmann untiringly explained her conception and way of writing following *Malina's* appearance in 1971 to interviewers largely oblivious to the novel's philosophical and psychoanalytic underpinnings.[9] It was only through the lenses of the feminist, psychoanalytical, and/or poststructuralist theories of the 1980s that readers seemed able to follow the clues that Bachmann had given those interviewers about *Malina*.[10]

    Malina's initial misreception may have been due to the inadvertent obfuscation of one guidepost that Bachmann had originally intended to give her readers in understanding the novel's deeper significance. Originally, the work seems to have come complete with its own interpretation. After the disappearance of the female narrator into a crack in the wall of her apartment, the novel ends with the explicit accusation: "Es war Mord." Originally, the opening lines of the novel's prologue served to focus attention unambiguously on the crime at its center and to prepare the reader for the novel's final sentence, which in the absence of the opening text almost appears gratuitous. This introductory text, however, was first moved to the end of the novel (its back dust jacket) and then eliminated entirely:

    Mord oder Selbstmord?
    Es gibt keine Zeugen.
    Eine Frau zwischen zwei Männern.
    Eine letzte große Leidenschaft.
    Die Wand im Zimmer,
    mit einem unmerkbaren Sprung.
    Ein Leichnam, der nicht gefunden wird.
    Das verschwundene Testament.
    Eine zerbrochene Brille,
    eine fehlende Kaffeeschale.
    Der Papierkorb, von niemand durchsucht.

Das Image der Dichterin: Ingeborg Bachmann im journalistischen Diskurs (Konstanz: Ekkehard Fraude, 1990), the seventh chapter of which focuses on the novel's reception: "Erster Roman der Bachmann: 'Malina' in der journalistischen Kritik," pp. 175-204. See also Andrea Stoll's "Kontroverse und Polarisierung: Die 'Malina'-Rezeption als Schlüssel der Bachmann-Forschung," *Ingeborg Bachmanns "Malina,"* Andrea Stoll, ed. (Frankfurt am Main: Suhrkamp, 1992), pp. 149-67.

9   See Bachmann, *Wir müssen wahre Sätze finden: Gespräche und Interviews* (München: Piper, 1983), especially pp. 68-115. Quotations from this volume will be cited in the text in parentheses following the abbreviation "GuI." Six of the eight interviews from 1971 are reprinted in Stoll, *Ingeborg Bachmanns "Malina,"* pp. 70-102.

10 The new readings of the novel during the 1980s and 1990s are too numerous to cite here. One of the first scholars, however, to recognize Bachmann's uniquely female way of writing is Sigrid Weigel. She and several of her (mostly female) students in Hamburg and Zürich have made substantial contributions to recent scholarship on *Malina* and the "Todesarten" fragments.

Verwischte Spuren. Schritte.
Jemand also, der noch auf und ab geht,
in dieser Wohnung – stundenlang:
MALINA[11]

When included, this opening text thus makes the first and last word of the novel "Mord" and interprets for us unambiguously the criminal nature of the action that has taken place between these two words. In this context, the final sentence ("Es war Mord"), as if in answer to the question posed at the onset ("Mord oder Selbstmord?"), identifies the crime implicitly as *not* a suicide. This is clearly not a novel about woman's self-destruction. This interpretation stands in sharp contrast not only to Christa Wolf's reading of the novel in her Frankfurt Lectures, but also to the interpretation offered in Werner Schroeter's film, "Malina," which depicts a woman ready to self-destruct as it aestheticizes human suffering in a series of horrifying images of fire and burning.[12]

Another reason for the novel's misreception lies in the work itself. The "murder" at the narrative's surface remains so subtle and symbolic that it is not immediately apparent. The novel's subtext, however, is saturated with references to the most brutal murders ever imagined or recorded in history and literature. Thus, the brutality of a setting like the large dining hall of Vienna's Sacher Hotel, for instance – a setting which, filled with the city's high society, epitomized for Bachmann that "größte[r] aller Mordschauplätze" – is signalled through an allusion to the beheading of John the Baptist, as recorded in Richard Strauss's opera

---

11   This text, which Bachmann originally intended to open the novel, was printed on the back dust cover of the novel's first edition in 1971. However, it has not been published with the novel since that time. Neither the four-volume edition of Bachmann's works nor the published English translation includes this fourteen-line text, which I have quoted from Hans Höller, *Ingeborg Bachmann: Das Werk* (Frankfurt am Main: Athenäum, 1987), pp. 228-29. Albrecht and Göttsche include it in three slightly different versions, the first written already at the end of her second (of eight) text stages (3.1, 141), the second belonging to the corrected manuscript copy of the third stage (3.1, 143) and the final one published on the back cover of the novel's first edition (3.2, 742). That Bachmann apparently intended it to comprise the opening words of the novel, would seem to underscore the significance of its criminal focus for an interpretation of the novel.

12   In her fourth Frankfurt Lecture, which also includes a rather extensive discussion of Bachmann's *Franza* fragment, Wolf states: "Es war Mord, heißt der letzte Satz. Es war auch Selbstmord." See Christa Wolf, *Voraussetzungen einer Erzählung: Kassandra* (Darmstadt: Luchterhand, 1983), p. 149. Schroeter's film, starring French actress Isabelle Huppert, was based on the script by Elfriede Jelinek, *Malina: Ein Filmbuch* (Frankfurt am Main: Suhrkamp, 1991). The film's overdeveloped fire imagery serves to suggest a connection to Bachmann's own death after accidentally setting fire to herself in her Rome apartment, thus reviving once again the posture exemplified in her heading of the German tabloid, *Bild*, when it brought the news of Bachmann's death on October 17, 1973: "Sie starb, als wär's von ihr erdacht."

Salome. After breathlessly refusing to be seated at a small corner table where a piece of wall juts out (foreshadowing her eventual disappearance into the crack in her apartment wall), the narrator, unsettled and still not knowing just what it was that she saw, re-enters the restaurant for her execution: "Das ist der Tisch, an dem es geschieht und später geschehen wird, und so ist es, bevor einem der Kopf abgeschlagen wird. Man darf noch einmal essen zuvor. Mein Kopf rollt im Restaurant Sacher auf den Teller, das Blut spritzt über das blütenweiße Damast-tischtuch, mein Kopf ist gefallen und wird den Gästen gezeigt."[13] After mention of dancing with an explicitly destructive purpose ("Ich war tanzen, ich wollte etwas zerstören," 314), Herodias's words at the end of the opera, "Man töte dieses Weib!" also resonate in the novel: "Malina flüstert in mir: Töte sie, töte sie" (315).

The murder theme is also sounded repeatedly in the titles of works that surround her, titles that Bachmann has taken care to write out in capital letters, for example, the French film, "L'ASCENSEUR A L'ECHAFAUD" (Elevator to the Gallows, 281); the book that she finds at Altenwyl's and is already familiar with, MORD IST KEINE KUNST (163); the piano score for "Der Tod und das Mädchen" (163); the book Ivan objects to, "AUS EINEM TOTENHAUS" (54); the book she had begun to write, "TODESARTEN" (54), and the one she had wanted to write about three men she knew personally, "Drei Mörder" (53, 281). The murder theme is sounded in the dream of her father's performance at the cemetery of the murdered daughters, WENN WIR TOTEN ERWACHEN (219), once again when she suddenly finds herself standing in a pool of blood ("Blutlache," 302) on the street corner, and in her recollection of what she hears and reads about the world around her, news that also serves to foreshadow her own end: "In den Zeitungen stehen oft diese gräßlichen Nachrichten. In Pötzleinsdorf, in den Praterauen, im Wiener-wald, an jeder Peripherie ist eine Frau ermordet worden, stranguliert – mir ist das ja auch beinahe geschehen, aber nicht an der Peripherie –, erdrosselt von einem brutalen Individuum, und ich denke mir dann immer: das könntest du sein, das wirst du sein. Unbekannte von unbekanntem Täter ermordet" (278).

The title of the novel's central chapter, "Der dritte Mann," also sounds the murder theme. In quoting here the title of the classic 1949 film thriller set in Vienna, Bachmann is underscoring the novel's mystery aspects that she introduced in the "Mord oder Selbstmord?" text she had written to introduce the novel.[14]

---

13 Bachmann, "Malina," *Werke 3*, p. 302. Subsequent quotations from the novel will be given in parentheses in the text itself.
14 The British film by Carol Reed was based on the script by Graham Green and features Orson Welles as Harry Lime, Joseph Cotton as Holly Martins, and Trevor Howard as the British military police officer. To augment Green's script, Welles is said to have written the text for his famous "cuckoo clock" speech himself, contrasting Italy's great cultural achievements in times of turmoil and political corruption with Switzerland's production of the "cuckoo clock" after "500 years of democracy." The film is one of

Striking parallels between film and novel serve to reinforce the criminal brutality sounded repeatedly in the novel's subtext. Set against the seedy background of shattered postwar Vienna, the film follows the suspenseful uncovering of a murder after the mysterious hit-and-run death of racketeer Harry Lime. The writer narrating the story, Holly Martins, comes to realize that his old friend was in fact the third man at the scene of the accident, that he is still alive and is a villainous murderer, not only of the medical orderly who worked for him and was buried in his stead, but also of the many sick children dying in Vienna's hospitals after receiving the penicillin he had diluted for sale on the black market. With Holly's assistance Harry is chased and shot to death in the dark sewers of the occupied city.

Beyond the common tone, setting, and thematic focus, the film, like the novel, suggests a kind of doubling or splitting of the protagonist into two halves: in the film, the good (Holly) and evil (Harry); in the novel, the emotional (female) and rational (male) halves. This *Doppelgänger* effect is enhanced by the similarity of the protagonists' names (Harry-Holly) and backgrounds (they are old American friends), together with such things as Harry's girlfriend Anna absentmindedly calling Holly by Harry's name on more than one occasion, as well as Holly's decision after Harry's death, not to return to the U.S. but to live on in Vienna.[15] Most strikingly, both the dream chapter and the film have the same central outcome, namely the realization that someone who had been close and trusted was, in fact, a murderer.

Beyond the allusiveness of the chapter title, the dreams themselves depict the narrator's unending destruction at the hands of the prototypical "Mörder, den wir alle haben" (GuI, 89). After discovering the "cemetery of the murdered daughters" surrounding a lake where hearty men's glee clubs had once sung on the ice, the narrator is subjected to a series of violent acts by her father, the perpetrator of her "Todesarten." Like the "Generaldirektor" in Bachmann's first radio play, "Ein Geschäft mit Träumen," and "der gute Gott" in her last, the father here represents that patriarchal principle that destroys women. Subsequent nightmares depict what she termed "Jede erdenkliche Art von Folter, von Verderben, von Bedrängtwerden [...]" (GuI, 97). The narrator is annihilated in a gas chamber, blinded as her father

---

many works that Bachmann has alluded to here. From Wagner's opera, *Tristan und Isolde* and Offenbach's *Tales of Hoffmann* to Thomas Mann's *Doktor Faustus* and Schönberg's *Moses und Aron*, the novel is composed of a fine mesh of interwoven references, which she herself termed a "Gewebe." See chapter 5 of my monograph, *Understanding Ingeborg Bachmann*.

15 "Holly" is an unusual name for a man, although it is a common woman's name. In this respect, the feminine-sounding ending of the name "Malina" has a similarly androgynous connotation. In both works, the male protagonist has a feminine sounding name.

drives his short, hard fingers into her eyes, disembowelled, frozen in ice, plunged into fire, subjected to electric shock therapy, deported, abducted, imprisoned, poisoned, starved to emaciation, bombarded with flowerpots, buried under an avalanche, electrocuted on a high-voltage barbed wire fence, and eaten by a crocodile.

The destruction of the female narrator is repeatedly shown to be above all a silencing, her absence an acoustical one. Again and again, she is described by metaphors of speechlessness: she has no name; she dreams of losing her voice, of her father tearing out her tongue, taking away her paper and pencil, and giving her no words to sing in his opera. At the same time that she is silent, the novel resonates with the sounds of the metropolis around her. It is more of an acoustical novel ("Hörroman") than a visual one. Bachmann has taken care to weave into the narrative an acoustical backdrop and surface noise which form a rich tapestry of sounds ("Klangteppich"), from the songs on the car radio to the noises of daily life: "One hears strains of Mahler, voices behind a curtain discussing Freud and Wittgenstein, a soprano suddenly interrupted by an advertising jingle, weather and the news, and finally the sound of marching boots and savage war cries."[16] Against this background, the narrator is confined to silence, a non-participant in the sounds of her world.

A narrator without a voice, a writer silent. Putting the novel's gender specificity aside for a moment, this calls to mind the name of Bachmann's compatriot, Hugo von Hofmannsthal, a writer and fellow librettist, whose work finds striking parallels with that of Bachmann.[17] The novel *Malina*, like all of Bachmann's work, is informed by a careful reading of Hofmannsthal and his relationship to language.[18] Like Hofmannsthal, Bachmann also unexpectedly stopped writing poetry early in her career and articulated in essays, lectures, and interviews the need for a new language, without which she saw no hope for renewal. In her first Frankfurt

---

16 Mark Anderson, "Death Arias in Vienna," p. 227.
17 Beyond the language crisis, Hofmannsthal is also one of the first names that comes to mind when we think of German writers whose work relates closely to music. A writer who was sensitized to the interrelationship of music and literature in the opera libretto above all through his collaboration with the composer Richard Strauss, his development is not without parallels some half century later in the work and life of Ingeborg Bachmann. Like her compatriot, Bachmann, too, was a librettist. She worked closely with the composer, Hans Werner Henze, for whom she wrote two opera libretti and a ballet scenario.
18 See Dirk Göttsche, "Sprachskepsis und Identitätsproblematik," *Die Produktivität der Sprachkrise in der modernen Prosa* (Frankfurt am Main: Athenäum, 1987), pp. 155-222. In the sixth of eight chapters dealing with the twentieth-century "language crisis," Göttsche examines Bachmann's early and late prose, including *Malina*, in light of her critical statements on language.

Lecture, she quotes for two pages from the "Letter" of Lord Chandos, which she connects with Hofmannsthal's refusal to continue writing poetry: "Mit diesem Brief erfolgt zugleich die unerwartete Abwendung Hofmannsthals von den reinen zaubrischen Gedichten seiner frühen Jahre – eine Abwendung vom Ästhetizismus" (IV, 188). The despair of Chandos is echoed in Bachmann's final poem, "Keine Delikatessen," in which she, too, refuses to go on creating those magical, delectable "first-class word tidbits":

> Soll ich eine Metapher ausstaffieren
> mit einer Mandelblüte?
> die Syntax kreuzigen
> auf einen Lichteffekt?
>
> Soll ich einen Gedanken gefangennehmen,
> abführen in eine erleuchtete Satzzelle?
> Aug und Ohr verköstigen
> mit Worthappen erster Güte?
> erforschen die Libido eines Vokals,
> ermitteln die Liebhaberwerte unserer Konsonanten? (I, 172-73)

What follows after the refusal to write poetry? For both writers, it was music. For Hofmannsthal, it was a turn first to drama, to *Jedermann, Der Schwierige, Das Salzburger große Welttheater*, and to the period of collaboration with Richard Strauss on the operas *Elektra, Der Rosenkavalier, Ariadne auf Naxos, Die Frau ohne Schatten, Die ägyptische Helena*, and *Arabella*. For Bachmann, it was a turn to prose and to a way of writing that is so firmly grounded in music that she consistently referred to it as "Komposition." She repeatedly referred to *Malina* as an "Ouvertüre," and also used music as a recurrent metaphor for her work as a writer. "Ich schreibe keine Programmmusik," she once responded to an interviewer's question on the social relevance of the novel. Similarly, the work that Ivan wants the novel's narrator to write is explicitly an "Exultate jubilate," a title that calls to mind Mozart's motet.

In the absence of a new language without shortcomings, Bachmann "composed" literary texts with strong musical underpinnings. Music was for her the superior art form, capable of expression where words fail, as she seems to be suggesting in one of her last poems, "Enigma," which she dedicates to the composer Hans Werner Henze:

> "Enigma"
> für Hans Werner Henze aus der Zeit der Ariosi
>
> Nichts mehr wird kommen.
>
> Frühling wird nicht mehr werden.
> Tausendjährige Kalender sagen es jedem voraus.

Aber auch Sommer und weiterhin, was so gute Namen
wie "sommerlich" hat –
es wird nichts mehr kommen.

Du sollst ja nicht weinen,
sagt eine Musik.

Sonst
sagt
niemand
etwas.[19] (I, 171)

In her interviews, Bachmann spoke of the central importance of music for this
"Ouvertüre" novel *Malina,* and of her special relationship to music: "[es] ist [...]
vor allem die Musik, zu der ich eine vielleicht noch intensivere Beziehung als zur
Literatur habe" (GuI, 107). By "musicalizing" her texts, she was able to expand
the limits of what she termed "the faulty language" ("die schlechte Sprache") in
keeping with Ludwig Wittgenstein's words, which she never tired of quoting: "Die
Grenzen meiner Sprache sind die Grenzen meiner Welt." We can read the novel
Malina then as Bachmann's attempt to work with "die schlechte Sprache" and
expand its limits through the infusion of music. Musical structures, allusions, even
notation serve throughout the novel to help us sense that which words cannot
adequately convey.

It is also music that Bachmann uses to give a gender-specific slant to the painful
awareness of linguistic shortcomings that Hofmannsthal has Chandos describe.
In the novel's collage of texts on the theme of female absence, Bachmann lets
music reflect the shortcomings particularly of patriarchal language for women.
Of the wall behind which the narrator disappears at the end of the novel, we are
told in the penultimate sentence: "Es ist eine sehr alte, eine sehr starke Wand, aus
der niemand fallen kann, die niemand aufbrechen kann, aus der nie mehr etwas
laut werden kann" (337). It is the wall of silence and speechlessness that surrounds
her as she struggles in vain to be heard within the structures of patriarchal discourse. The wall is the last of the novel's many metaphors of female alienation
and absence in contemporary patriarchal society, a truth that seeps through the
cracks of the narrative in such things as dreams and parapraxes (for example,
misreading a sign that says "Sommermode" as "Sommermorde"). And it seeps
through most decisively in the many musical allusions of the novel's subtext.

Bachmann herself continually emphasized the importance of music for her writing, and, in the case of *Malina,* her inclusion of musical notation most obviously

---

19 Beyond the role of music as the sole source of consolation in the desolate world depicted
    here, the specific reference to Gustav Mahler, whose children's chorus from the Third
    Symphony is quoted here ("Du sollst ja nicht weinen"), points to the importance of
    Mahler for the work of both Bachmann and Henze.

signals its importance. By quoting Arnold Schönberg's song cycle, *Pierrot lunaire*, op. 21, in musical notation twice in the novel – once near its beginning and a second time near its end – Bachmann has placed *Malina* in a set of musical parentheses of sorts and thereby signalled the importance both of music and of Schönberg for an understanding of the work. Given these facts, surprisingly few scholars have examined *Malina* with music in mind.[20] More frequently, scholars have focused on the novel with respect to such things as the "Todesarten" theme, intertextual references, or the split character.[21] A close examination of the novel's musical allusions, particularly in the final dialogue with her male *Doppelgänger* Malina, which Bachmann repeatedly emphasized in interviews at the time of the novel's appearance, shows some of the ways she has paradoxically let music sound the theme of female silence.

One of the most striking metaphors for the narrator's speechlessness comes in the final dialogue, a dialogue in which Malina gains the upper hand and the female narrator comes to realize that she cannot go on (cf. GuI, 75). It is here, at the final turning point of the novel, that the narrator realizes that she does not exist as a woman and, unable to narrate as a woman, turns over the role of narrator to Malina: "Übernimm du die Geschichten, aus denen die große Geschichte gemacht ist. Nimm sie alle von mir" (332). Bachmann has composed the dialogue, as she emphasized in her interviews, "like a score" ("wie eine Partitur") for "two voices in harmony or in opposition": "Es gibt nur noch zwei Stimmen, die mit- oder gegeneinander geführt werden und wie in der Musik Anweisungen bekommen, wie *sotto voce, con sentimento*, etc" (GuI, 75).

Actually, only the *female's* lines are governed by Italian marks, not those of both voices, as Bachmann claimed. Why would Bachmann show the narrator struggling to express herself by using Italian tempo and expression marks that one would expect to find in a musical work, while no marks govern Malina's speech? What role does she want music to play here in this lopsided "score"? Scholars have generally read these Italian marks as an expansion of the narrator's spoken text in order to show the entire spectrum of excitement in her delivery through the addition of the musical dimension. Her expressiveness, which here embraces the gestic-physical, rhythmic, and sonorous, is viewed as being thus contrapuntally juxtaposed to the linear, rational voice of Malina. The final dialogue has been interpreted as one last recapitulation of the earlier, more heterogeneous, androgynous,

---

20 Besides my own work, Suzanne Greuner, Eva Lindemann, and, most recently, Corina Caduff have examined music in the novel. See "Bibliography."

21 Sabine Grimkowski's study of the novel focuses on the importance of the split character. The works of Sigrid Weigel, Gudrun Kohn-Waechter, Inge Röhnelt, among others, emphasize Bachmann's specifically female way of writing, her style and use of language. See "Bibliography."

simultaneous way of narrating, which must now make way for the new narrative position of Malina.[22]

These Italian marks serve more than as a mere heightening of the narrator's expressiveness, however. In fact, their function is precisely the opposite: far from affording her *more* expressive possibilities than her male counterpart, they are a haunting reminder that she has at her disposal far fewer. A closer examination of these marks reveals that many of them, like *senza pedale,* refer to the use of pedals in a work for the piano. The mark *una corda* (literally, "one string"), for instance, calls for the muting of the piano by depressing the soft pedal, which shifts the hammer so that it hits only one of the three strings available for each key on the piano. *Tutte le corde* (literally, "all the strings") calls for the release of the soft pedal, which then allows the hammer to hit all three strings. Similarly, *senza pedale* ("without pedal") instructs the pianist to play without the use of the damper pedal (the right-hand, or loud, pedal).

Beyond signalling the use of pedals, some of the marks serve to quote unmistakably the late piano sonatas of Ludwig van Beethoven. The last two marks, *con sordino* (literally, "with mute") and *tutto il clavicembalo* ("all the harpsichord or keyboard"), are relatively rare and are associated specifically with Beethoven, who used the term *con sordini,* for instance, in his final piano sonatas (op. 109-111), instead of the customary circular, asterisk-like symbol, to call for the release of the damper pedal, and who wrote *tutto il cembalo* in his piano sonata op. 111 to call for a fuller sound, presumably without the use of the soft pedal.

What does it mean that the female narrator's speech is shaped by Italian marks governing the depression and release of piano pedals, while that of her male counterpart Malina is directed by no such marks? And what is the reference to Beethoven's late piano sonatas intended to signify? Beyond the standard interpretation, that it serves to contrast the narrator with Malina – she is a more musical, more lyrical being, suspended in another realm as it were, while he remains firmly rooted in prosaic discourse – beyond this more positive sign of her otherness, suggesting that not language but music is her medium, and the concomitant theses of contrapuntal interaction and recapitulation of narrative simultaneity, how are we to explain the use of pedal marks and the reference to Beethoven's op. 111?

What Bachmann seems to be depicting here through the use of these Italian marks is a blatant incongruence: a human voice is being directed by marks intended for another instrument, an instrument with pedals. One could conclude that a woman's potential for self-expression within the confines of patriarchal language is about as great as that of a human voice responding to pedal marks. Thus, by

---

22 See Corina Caduff, "Musik als Erinnerungsfigur bei Ingeborg Bachmann," *Ingeborg Bachmann, text+kritik,* 6, (November 1995), 107-108.

showing a woman's speech governed by marks for a piano, Bachmann is offering a striking metaphor of female alienation in patriarchal language structures. A female voice, lacking pedals, struggles in vain to express herself by using marks designated for an instrument with pedals, and the incongruence is apparent whenever she tries to speak. She has no recourse but to avail herself of the "pedalocentric" tradition. As her own words suggest, she would have to be "somebody else" ("eine Andere") to "become someone completely different" ("noch eine ganz Andere," 311) – e.g., an instrument with pedals – in order to fit the tradition in which she finds herself. Actually, we should say "the tradition in which she does *not* find herself," since she is absent, speechless, and nameless in this tradition, a condition that she finally comes to realize at the novel's close when she disappears into the ever-widening crack in the wall.

That would explain the pedals, which still leaves us with the significance of Beethoven for the novel. Quoting Beethoven's late piano sonatas in particular adds an additional layer of meaning to the text: these sonatas seem directed toward a break with traditional tonality and as such would appear to offer a glimpse of a new mode of musical expression, a new musical language, just as the quotation from Arnold Schönberg's atonal op. 21 ("O alter Duft aus Märchenzeit") offers a faint atonal whiff of another time and another musical language.

To summarize, Bachmann's *Malina*, more than any other of her works, resounds with references to music as it depicts the female narrator's gradual realization of her own absence in patriarchal culture. This truth is reinforced in the subtextual allusions to musical structures and works throughout the novel and culminates in the metaphors of female speechlessness that Bachmann has composed into its final dialogue.

Although Bachmann's novel is frequently thought to have been ahead of its time when taken in the context of either contemporary Austrian literature or German women's writing, its development appears as a more gradual progression when viewed in the context of her other poetic works. Both formally and thematically, *Malina* was the next step in a series of literary experiments. The split character or, as Bachmann termed it, *Doppelfigur*, Malina-Ich, evolved from the earlier sketches of Leda Steiner/Eugen Tobai – in the narrative "In Ledas Kreis" – and the brother-sister pair Franziska/Martin Ranner – in the posthumously published "Franza" fragments, which Bachmann stopped working on during the mid-1960s in order to focus on the writing of *Malina*, as Monika Albrecht's essays and the *"Todesarten"-Projekt* have clearly documented. Likewise, the novel's creation of separate layers of text through the use of italics has a precursor in the poem "Reklame," written as early as fifteen years before. Similarly, the theme of the impossibility of love surviving in contemporary society, indeed, its systematic destruction by a society that finds it too potentially life-threatening can be traced back to the radio play, *Der gute Gott von Manhattan* (1958), just as the silencing of the female, its absence in patriarchal discourse, was prefigured in the narrative, "Undine geht" (1961). At the same time that the novel represents a radical break with convention at the time of its appearance, it shows an unmistakable continuity within the larger body of Bachmann's oeuvre.

Bibliography

PRIMARY SOURCES

Albrecht, Monika, and Dirk Göttsche, eds. *Ingeborg Bachmann. "Todesarten"-Projekt.* 4 vols. München: Piper, 1995. Of the five books in this edition, *Malina* is the focus of the two books in the third volume (numbered 3.1 and 3.2). The text of the novel, which originally appeared on 350 pages, is here printed on 420 pages with footnotes indicating the final four stages of manuscript revision (*Textstufen*). In the context of the 994 pages of volume three, the novel's ultimate text can be studied here as it came into being, from the earliest drafts in the summer of 1966 of a narrating "I," of the figure Malina, and in November 1966 of the constellation I/Malina (*Textstufe I*), to the more substantial drafts of the I/Ivan constellation, the topic "Ungargassenland," memory narration, dialogic narration, further drafts of the I/Malina constellation, and the dream chapter. This edition provides the carefully documented text variants, the sections later deleted from the novel itself, and the editors' commentary on the novel's genesis in the context of the other related narratives, many of which would presumably have led to subsequent volumes in the "Todesarten" cycle. Monika Albrecht and Dirk Göttsche have organized Bachmann's texts, both published and unpublished, with painstaking care here in an elaborate edition that reflects both Bachmann's ultimate intention for the cycle and its gradual genesis throughout much of her adult life.

Bachmann, Ingeborg. *Malina: Roman.* Frankfurt am Main: Suhrkamp, 1971. Translated as *Malina: A Novel by Ingeborg Bachmann.* New York: Holmes & Meier, 1990. Afterword by Mark Anderson, "Death Arias in Vienna," pp. 226-40. See under "Anderson" below.

---. *Wir müssen wahre Sätze finden: Gespräche und Interviews.* München: Piper, 1983, especially pp. 68-115, which provide the texts of eight interviews from 1971 dealing specifically with *Malina.*

Koschel, Christine, Inge von Weidenbaum, and Clemens Münster, eds. *Ingeborg Bachmann: Werke.* 4 vols. München: Piper, 1978. See n.1 above.

SECONDARY SOURCES

Achberger, Karen R. "Der Fall Schönberg. Musik und Mythos in 'Malina'." *Ingeborg Bachmann. text+kritik.* Sonderband (1984), pp. 120-31. This examination of the subtextual allusions in *Malina* underscores the importance of music and of the composer Arnold Schönberg for the novel and for Bachmann's work in general.

---. "Musik und Komposition in Ingeborg Bachmann's *Zikaden* und *Malina.*" *German Quarterly*, 61, 2 (1988), 193-212. This essay contrasts the role of music in two of Bachmann's most musical works: the radio play *Die Zikaden* (as a dehumanizing narcotic) and the novel *Malina* (as a means to heightened perception).

---. "*Malina* and the 'Death Styles' Cycle." *Understanding Ingeborg Bachmann*. Columbia: University of South Carolina Press, 1995, pp. 96-142. The fifth chapter in the first English monograph on Bachmann, this study focuses especially on the musical underpinnings of the work.

Albrecht, Monika. *"Die andere Seite": Untersuchungen zur Bedeutung von Werk und Person Max Frischs in Ingeborg Bachmanns "Todesarten."* Würzburg: Königshausen & Neumann, 1989. This ground-breaking study of the intertextual relationship between Bachmann's late prose and the prose of Max Frisch cast the first doubt on the validity of the arrangement of texts published in 1978 as *Der Fall Franza* and led to the publication of a four-volume critical edition of the texts of Bachmann's "Todesarten" project in 1995.

---. "Die Suche nach Malina." Pattillo-Hess and Petrasch, *Ingeborg Bachmann*, pp. 46-56. Albrecht traces the development of the Malina figure in Bachmann's drafts going back to the 1950s and early 1960s in his various incarnations (Eugen Franz Josef Tobai, Martin Ranner, Klaus Jonas) and shows connections of the Ich/Malina constellation to earlier sketches of Leda Steiner/Eugen Tobai (in the narrative "In Ledas Kreis") and Franziska/Martin Ranner (in the "Franza" fragments).

Albrecht, Monika, and Dirk Göttsche, eds. *Ingeborg Bachmann. "Todesarten"-Projekt.* 4 vols. München: Piper, 1995. Besides the original manuscripts of Bachmann that have been published in this edition, the editors themselves have contributed over one hundred pages of explanatory notes commenting on and offering an overview of the evolution of the "Todesarten" conception and texts (e.g., "Entstehung im Überblick"), notes that offer insights both into Bachmann's creative process and into their own editorial detective work in reconstructing the genesis of these narratives.

Anderson, Mark. "Death Arias in Vienna." Afterword to *Malina: A Novel*. Trans. Philip Boehm. New York: Holmes & Meier, 1990, pp. 226-40. This afterword to the novel in English translation is a well-written overview of Bachmann work and *Malina* in particular that makes enjoyable reading for the general reader and Bachmann scholar alike.

Atzler, Elke. "Ingeborg Bachmanns Roman *Malina* im Spiegel der literarischen Kritik." *Jahrbuch der Grillparzer Gesellschaft*, 15, 3 (1983), 155-71. A well-written and carefully researched study of the (mis)reception of Bachmann's novel in the German-language press.

Baackmann, Susanne. "Der Diskurs der Liebe. Zu Ingeborg Bachmanns *Malina.*" Erklär mir Liebe: Weibliche Schreibweisen von Liebe in der deutschsprachigen Gegenwartsliteratur. Argument-Sonderband, N.F. 237. Hamburg: Argument, 1995, pp. 44-93. Baackmann studies heterosexual love in the works of five contemporary German women writers (Jelinek, Hahn, Duden, Zürn, and Bachmann) and focuses in the second of six chapters on Bachmann's way of writing about love in *Malina*.

Bartsch, Kurt. "'Es war Mord'. Anmerkungen zur Mann-Frau-Beziehung in Bachmanns Roman 'Malina'," *Acta Neophilologica*, 17 (1984), 71-76.

---. "Malina und die Fragmente des Todesarten-Zyklus." *Ingeborg Bachmann.* Sammlung Metzler 242. Stuttgart: Metzler, 1988, pp. 142-85. A succinct, highly informative overview of the novel in light of its varied reception to date.

---. "'Mord' oder Selbstvernichtung?" Pattillo-Hess and Petrasch, *Ingeborg Bachmann*, pp. 85-95. Bartsch dismisses Werner Schroeter's filmic interpretation of the novel as an anachronistic return to the gross misjudgment of the early years before 1978.

Boa, Elizabeth. "Women Writing about Women Writing and Ingeborg Bachmann's *Malina.*" Sheppard, Richard, ed. *New Ways in Germanistik.* New York: Berg, 1990, pp. 128-44. Reading the novel in light of psychoanalytic theory, especially that of Julia Kristeva, connects Bachmann's intertextuality and musicalization of writing to a linguistic subversion of the symbolic order.

Caduff, Corina. "Musik als Erinnerungsfigur bei Ingeborg Bachmann." *Ingeborg Bachmann. text+kritik*, 6 (November 1995), 99-110. This most recent examination of music in the novel connects it succinctly to salvation (in the poems), to memory (in the two essays on music and the radio plays), and to the relationship of memory and narration (in the novel).

Frieden, Sandra. "Bachmann's 'Malina' and 'Todesarten': Subliminal Crimes." *German Quarterly,* 56, 1 (1983), 61-73. One of the earliest feminist readings of the novel.

Greuner, Suzanne. *Schmerzton: Musik in der Schreibweise von Ingeborg Bachmann und Anne Duden.* Literatur im historischen Prozeß, N.F. 24. Argument-Sonderband AS 179. Hamburg and Berlin: Argument, 1990. In light of the Frankfurt School's criticism of phallogocentrism, Greuner examines the mimetic way of writing in both Bachmann and the contemporary German writer Anne Duden as an aesthetic correlate of the repressed Other and shows how each writer, by reappropriating the magical side of language, its musicality, is able to approach a "multiplication of meaning." She focuses specifically on *Malina* on pages 73-103.

Grimkowski, Sabine. *Das zerstörte Ich: Erzählstruktur und Identität in Ingeborg Bachmanns "Der Fall Franza" und "Malina."* Würzburg: Königshausen und Neumann, 1992. Based on a Hamburg dissertation of 1990, this close reading of the two novels with respect to narrative structure and the destruction of the narrating "I" provides insights into the works themselves, their genesis, and Bachmann's way of writing. Grimkowski shows how the split subject (Malina-I) in *Malina* enabled Bachmann to demonstrate the disintegration of the first-person narrator that she had attempted unsuccessfully in *Franza.*

Höller, Hans. "Der Todesarten-Zyklus." *Ingeborg Bachmann: Das Werk: Von den frühesten Gedichten bis zum "Todesarten"-Zyklus.* Frankfurt am Main: Athenäum, 1987, pp. 225-89. The seventh and final chapter in Höller's book, which was the first substantial monograph on Bachmann to appear, emphasizes consistently the novel's connection both to the social reality of its times and to her other poetic works.

Hotz, Constanze. "Erster Roman der Bachmann. 'Malina' in der journalistischen Kritik." *"Die Bachmann": Das Image der Dichterin: Ingeborg Bachmann im journalistischen Diskurs.* Konstanz: Ekkehard Fraude, 1990, pp. 175-204. The seventh chapter of this study of Bachmann's reception in the popular press, mostly as a personality, focuses on the novel's reception.

Jelinek, Elfriede. *Malina: Ein Filmbuch*. Frankfurt am Main: Suhrkamp, 1991. This film script for Werner Schroeter's film starring French actress Isabelle Huppert aestheticizes female suffering and death in a series of fire images suggesting self-destruction.

Klaubert, Annette. *Symbolische Strukturen bei Ingeborg Bachmann: Malina im Kontext der Kurzgeschichten*. Europäische Hochschulschriften, 1st ser., Vol. 662. Bern, Frankfurt am Main, New York: Lang, 1983. An attempt at developing a "key" to the "symbolic structures" in *Malina* by examining four short stories from the first collection in search of key words, metaphors, and symbols – stories that the author finds stylistically and metaphorically characteristic of Bachmann's writing: "Undine geht," "Ein Schritt nach Gomorrha," "Alles," and "Jugend in einer österreichischen Stadt." Valuable identification of many of Bachmann's concealed allusions to literary, musical, cinematic, and critical sources.

Kohn-Waechter, Gudrun. *Das Verschwinden in der Wand: Destruktive Moderne und Widerspruch eines weiblichen Ich in Ingeborg Bachmanns "Malina."* Ergebnisse der Frauenforschung 28. Stuttgart: Metzler, 1992. An examination of Bachmann's novel as the destruction of a dialogic way of writing in favor of a single superior objective, male narrative voice.

Kunze, Barbara. "Ein Geheimnis der Prinzessin von Kagran: Die ungewöhnliche Quelle zu der 'Legende' in Ingeborg Bachmann's *Malina*." *Modern Austrian Literature*, 18, 3-4 (1985). Special Ingeborg Bachmann Issue.105-19. Kunze uncovers a source for the central section of the italicized "Legend of the Princess of Kagran": Algernon Blackwood's story, "The Willows" ("Die Weiden"), which Bachmann was familiar with in its German translation by Friedrich Polakovics in *Das leere Haus: Phantastische Geschichten*. Frankfurt am Main: Insel, 1969.

Lennox, Sara. "In the Cemetery of the Murdered Daughters: Ingeborg Bachmann's 'Malina'." *Studies in Twentieth-Century Literature*, 5, 1 (1980), 75-105. One of the first studies to show Bachmann's novel as an anticipation of French feminist theory.

Lindemann, Eva U. "'Die Gangart des Geistes': Musikalische Strukturen in der späten Prosa Ingeborg Bachmanns." Stoll, *Ingeborg Bachmanns "Malina,"* pp. 301-20. A thoughtful essay examining Bachmann's use of musical structures especially in the "Todesarten" fragments and the implications of this for her way of writing in the context of modernism's fragmentation and interwoven poetic composition.

Lühe, Irmela von der. "Erinnerung und Identität in Ingeborg Bachmanns Roman 'Malina'." *Ingeborg Bachmann. text+kritik*. Sonderband (1984), 132-49.

Pattillo-Hess, John, and Wilhelm Petrasch, eds. *Ingeborg Bachmann: Die Schwarzkunst der Worte*. Wien: Wiener Urania, 1994. A collection of papers presented at a symposium held in Vienna in March 1993, this volume contains five essays focussing on the "Todesarten" cycle and *Malina* in particular, studies by Sigrid Weigel, Neva Silbar, Kurt Bartsch, Monika Albrecht, and Andrea Treude.

Praag, Charlotte van. "'Malina' von Ingeborg Bachmann. Ein verkannter Roman." *Neophilologus*, 66 (1982), 111-25.

Probst, Gerhard R. "Mein Name sei Malina – Nachdenken über Ingeborg Bachmann." *Modern Austrian Literature*, 11, 1 (1978), 103-19. Discussion of *Malina* and its intertextual relationship with Max Frisch's novel, *Mein Name sei Gantenbein*, and

Christa Wolf's novel *Nachdenken über Christa T.* One of the earliest studies in this area.

Riedel, Ingrid. "Auf der Suche nach weiblicher Identität. Ingeborg Bachmanns Roman 'Malina.'" *Anstöße* [Hofgeismar], 6 (November 1974), 177-84.

---. "Traum und Legende in Ingeborg Bachmanns 'Malina'." Urban, Bernd, and Winfried Kudszus, eds. *Psychoanalytische und psychopathologische Literaturinterpretation.* Darmstadt: Wissenschaftliche Buchgesellschaft, 1981, pp. 178-207.

Röhnelt, Inge. *Hysterie und Mimesis in "Malina."* Europäische Hochschulschriften, 1st ser., Vol. 1203. Frankfurt am Main: Lang, 1990. Malina and the narrator are viewed as two components of a female way of writing, a mimetic style that "brings to poetic language that which the woman must consign to silence" (translation mine).

Silbar, Neva. "Eine Fastnacht für das Ich." Pattillo-Hess and Petrasch, *Ingeborg Bachmann*, pp. 36-45. Silbar examines the "carnivalized" masked-ball settings in the novel, especially in the dream chapter.

Spiel, Hilde. "Ingeborg Bachmann: Malina." *Literatur und Kritik*, (July-August 1972), 437-38. Spiel's review of the novel, reprinted in Stoll, *Ingeborg Bachmanns "Malina,"* pp. 134-35. Spiel recognizes the work's complexity, unlike many of her contemporaries, yet criticizes its subjectivity.

Stoll, Andrea, ed. *Ingeborg Bachmanns "Malina."* suhrkamp taschenbuch materialien 2115. Frankfurt am Main: Suhrkamp, 1992. The only volume of documents focused exclusively on the novel *Malina.* Following an introductory section of biographical and literary portraits of Bachmann by Bernhard, Johnson, Frisch, Kienlechner, and Böll, a second section presents a selection of Bachmann's own texts from 1959 to 1972, including six interviews from 1971 (70-102). The nine reviews in the third section, and Stoll's essay, "Kontroverse und Polarisierung: Die *Malina*-Rezeption als Schlüssel der Bachmann-Forschung" (149-67) in the fourth, document the novel's controversial reception, while the eight essays in the fifth section are meant to provide a representative sampling of "the decisive aspects of the current scholarly debate" on the novel. A chronologically arranged bibliography of works focused on the novel closes the volume (323-53), which is further enhanced by six photos and reproductions of two manuscript and two typescript pages from the *Nachlaß.*

Summerfield, Ellen. *Ingeborg Bachmann: Die Auflösung der Figur in ihrem Roman "Malina."* Bonn: Bouvier, 1976. Summerfield's dissertation focusing on the novel's split character is the first book devoted entirely to the novel *Malina.*

Treude, Andrea. "'Sich verschreiben – das ist ein schönes Wort'." Pattillo-Hess and Petrasch, *Ingeborg Bachmann*, pp. 76-84. Treude uses this quotation from one of Bachmann's interviews as a starting point for a discussion of the double role of first-person narrator and narrated figure in the novel.

Weigel, Sigrid. "'Ein Ende mit der Schrift. Ein anderer Anfang': Zur Entwicklung von Ingeborg Bachmanns Schreibweise." *Ingeborg Bachmann. text+kritik.* Sonderband (1984), 58-92. In this, the longest essay of the volume, Weigel draws on the French theorists Barthes, Lacan, and Derrida to show the ways in which Bachmann's way of writing subverts the symbolic order of language and allows female absence to become decipherable. While she does not discuss *Malina* per se, she traces Bachmann's development of a way of writing leading up to *Malina* through *Das dreißigste Jahr* and *Franza.*

---. "Zur Polyphonie des Anderen." Pattillo-Hess and Petrasch, *Ingeborg Bachmann*, pp. 9-24. Weigel examines the position of the female subject in *Malina* as Bachmann's "geistige imaginäre Autobiographie."

Stephan K. Schindler

Washington University

Frauengeschichte als Provokation:
Peter Handkes *Wunschloses Unglück* (1972)

"IST JA DOCH SELTSAM, daß ich [...] daß jemand, der einen deutschen Vater hat, einen deutschen Soldaten als Vater hat, sich dann irgend einmal entschieden hat für das Slowenentum, für das Slowenische als seine Seele. Ist ja seltsam, wie das kommt, daß ich mich sozusagen gegen meinen Vater entschieden habe, für meine Mutter".[1] Peter Handkes in einem Interview 1992 erklärte Abgrenzung vom Väterlich-Deutschen und seine Hinwendung zum Slowenisch-Mütterlichen findet bereits in der Erzählung *Wunschloses Unglück* (1972) ihren literarischen Ausdruck. Der Versuch, die Lebensgeschichte der eigenen Mutter nach deren Selbstmord zu rekonstruieren, führt über die Identifikation mit der Mutter zur familiären und ethnischen Identität des Autors, der die Erzählung als seine eigene Geschichte ansieht.[2] Bei aller methodischen Fragwürdigkeit, autobiographische Leseanleitungen für das Textverständnis heranzuziehen, ist dieser Konflikt zwischen der Geschichte des Erzählers und der Geschichte der erzählten Person im Text selbst angelegt. Der Erzähler schwankt nämlich zwischen der Schwierigkeit, als Mann und Sohn das unfaßbare Schicksal der Mutter wie der sprachlosen kleinbürgerlichen katholischen Landfrau in einer erzählbaren Geschichte versprachlichen zu können, und seiner poetologischen Selbstreflexion, im Ringen nach Erzählkompetenz auch die eigene Herkunfts- und Schreibgeschichte in den Text miteinzubringen: "Handke schreibt sich mehrfach in den Text ein: als schreibendes Subjekt, das sich beim Schreiben zusieht und darüber schreibt (das schreibend-geschriebene Subjekt) und als Subjekt und Teil der Geschichte der Mutter. Dabei fällt eine merkwürdige Diskrepanz auf: während das Ich als schrei-

---

1   Zitiert nach *Noch einmal vom Neunten Land: Peter Handke im Gespräch mit Jože Horvat* (Klagenfurt: Wieser, 1993), S. 98. Bei dem folgenden Aufsatz handelt es sich um eine neu bearbeitete und erweiterte Fassung meines Artikels "Der National-sozialismus als Bruch mit dem täglichen Faschismus: Maria Handkes typisiertes Frauenleben in *Wunschloses Unglück*", *German Studies Review*, 19, 1 (1996), S. 40-59.

2   Vgl. Peter Handke, *Aber ich lebe nur von den Zwischenräumen: Ein Gespräch, geführt von Herbert Gamper* (Frankfurt am Main: Suhrkamp, 1990), S. 225: "Sie müssen auch bedenken – das hat ja noch niemand, obschon es eigentlich so auf der Hand liegend ist, gesehen, daß das ja gar nicht die Geschichte meiner Mutter ist, und daß die Geschichte schon mitspielt, aber es ist im Grund [...] ich konnte das alles ja gar nicht wissen, es ist ja meine eigene Geschichte, *Wunschloses Unglück*".

bend-geschriebenes in der Form der Reflexion immer wieder erscheint, taucht das geschriebene Subjekt der Geschichte der Mutter nur höchst spärlich auf".[3] Diese Spaltung der schreibenden/beschriebenen Subjekte strukturiert auch die äußerst eigentümliche Rezeption der Erzählung. Bietet sich das *Wunschlose Unglück* als Geschichte der Frau Handke dem Konsumenten auf einer breiten Identifikationsebene an (Durchschnittsheldin, chronologisches Erzählen, Anleihen bei der realistischen Erzähltradition, subjektive Unmittelbarkeit der teilweise selbst erlebten Familiengeschichte),[4] so konzentrieren sich professionelle Leserinnen und Leser auf die Introspektion des Erzählers: "It is upon a closer reading that one discovers that the narrative of *A Sorrow Beyond Dreams* exists not merely to serve the story of Maria Handke but as an autonomous component of the literary form which is Handke's subject of self-analysis".[5] Gerade die Analyse der Autor- und Erzählfunktion blendet aber die zeitgeschichtliche Provokation der weiblichen Geschichte aus, die das *Wunschlose Unglück* zu einem einzigartigen Beispiel literarischer Geschichtsschreibung im 20. Jahrhundert macht.

Den meisten literaturwissenschaftlichen Interpretationen des *Wunschlosen Unglücks* scheint gerade die inhaltliche These der Erzählung entgangen zu sein: Der Sohn erzählt von seiner Mutter als typischem Opfer patriarchalischer Gewalt und behauptet, daß die nicht enden wollende Chronologie weiblicher, auf den Tod programmierter Leibeigenschaft lediglich von einer vorübergehenden Befreiung unterbrochen wird, in der weibliche Unabhängigkeit und Selbstfindung mit einem historisch-politischen Ereignis koinzidieren: dem nationalsozialistischen "Anschluß" Österreichs. Das Skandalöse liegt jedoch nicht nur in dieser provokanten These, daß ausgerechnet das frauenfeindliche Gesellschaftssystem emanzipatorische Momente enthalte und die bürgerliche Demokratie die (faschistische) Entmündigung der Frau fortsetze, sondern auch an der germanistischen Rezeption, die es vermieden hat, auf das einzugehen, was Handke so explizit benennt. Anstatt nämlich die "lange Dauer"[6] der soziohistorischen, geopolitischen und geschlechts-

---

3   Rainer Nägele, "Peter Handke: *Wunschloses Unglück*", in: *Deutsche Romane des 20. Jahrhunderts: neue Interpretationen*, Paul Michael Lützeler, Hrsg. (Königstein/Ts.: Athenäum, 1983), S. 388-402; hier S. 398.

4   Das *Wunschlose Unglück* ist immer noch Handkes meistverkaufter Text im Residenz-Verlag. Den Hinweis zur Auflagenstärke verdanke ich Gerald Chapple, der sich diesbezüglich beim Verlag erkundigt hat.

5   June Schlueter, *The Plays and Novels of Peter Handke* (Pittsburgh: University of Pittsburgh Press, 1981), S. 122.

6   Fernand Braudel, "Geschichte und Sozialwissenschaften. Die *longue durée*", in: Marc Bloch u.a., *Schrift und Materie der Geschichte: Vorschläge zur systematischen Aneignung historischer Prozesse*, Claudia Honegger, Hrsg. (Frankfurt am Main: Suhrkamp, 1977), S. 47-85. Braudels Konzept einer "Dialektik der Dauer" wäre für die neuere Sozial- und Frauengeschichte des deutschsprachigen Raums äußerst hilfreich, insbesondere wenn heute der Nationalsozialismus immer noch als "fremdes Ereignis"

spezifischen Gewaltstrukturen in dem dargestellten Frauenleben zu analysieren, begreifen (männliche) Kritiker und Germanisten die Erzählung hauptsächlich aus der Perspektive von Handkes *Poetik der Sprachlosigkeit* und damit als paradigmatischen Text der *Neuen Subjektivität* bzw. der Abkehr von dieser.[7] Insbesondere die ältere Forschung demonstriert eine irritierende Distanz gegenüber dem Horror des dargestellten Frauenlebens und läßt Handkes subtile These in literaturtheoretischen Werk- und Strukturanalysen verschwinden.[8] Die romanhafte Komplexität der Erzählung, die in der Literaturwissenschaft oft dazu bewegt, den Text als Roman zu behandeln,[9] läßt sich allein schon anhand der Vielschichtigkeit der Topoi (Heimat, Familie, Geschichte, Geschlecht) und Sprachen (Medien, Poetologie, Umgangssprache, Literaturzitat, Tagebuch) nachweisen. Vieles was Handke zu diesem Zeitpunkt bereits verfaßt hat wie auch die noch kommenden Texte werden im *Wunschlosen Unglück* entweder aufgegriffen oder präludiert:

betrachtet wird, wodurch gerade die Kontinuitäten, die zum Faschismus führten bzw. ihn fortsetzten, verdeckt werden.

7 Zur Kritik an diesem Stereotyp der Literaturkritik siehe Nägele, "Peter Handke: *Wunschloses Unglück*", S. 388-92.

8 Vgl. Walter Weiss, "Peter Handkes *Wunschloses Unglück* oder Formalismus und Realismus in der Literatur der Gegenwart", in: *Austriaca. Beiträge zur österreichischen Literatur*, Festschrift für Heinz Politzer zum 65. Geburtstag, Winfried Kudszus und Hinrich C. Seeba, Hrsg. (Tübingen: Niemeyer, 1975), S. 442-59; Volker Bohn, "'Später werde ich über alles Genaueres schreiben'. Peter Handkes Erzählung *Wunschloses Unglück* aus literaturtheoretischer Sicht", *Germanisch-Romanische Monatsschrift*, N.F. 26, 3-4 (1976), S. 356-79; Rainer Nägele und Renate Voris, *Peter Handke*, Autorenbücher 8 (München: Beck/Edition text u. kritik, 1978), S. 55-61; Manfred Durzak, *Peter Handke und die deutsche Gegenwartsliteratur: Narziß auf Abwegen* (Stuttgart: Kohlhammer, 1982), S. 117-24; Günther Sergooris, *Peter Handke und die Sprache* (Bonn: Bouvier, 1979), S. 63-77; Schlueter, *The Plays and Novels of Peter Handke*, S. 119-36; Norbert Gabriel, *Peter Handke und Österreich* (Bonn: Bouvier, 1983), S. 58-67; Jerome Klinkowotz und James Knowlton, *Peter Handke and the Postmodern Transformation: The Goalie's Journey Home* (Columbia: University of Missouri Press, 1983), S. 52-60. Als Gegenbeispiel zu dieser Tendenz sei hier nur auf Manfred Mixner, *Peter Handke* (Kronberg: Athenäum, 1977), S. 182-88 verwiesen.

9 So erscheint Nägeles Aufsatz über das *Wunschlose Unglück* in der Anthologie *Deutsche Romane des 20. Jahrhunderts*, während Weiss, "Peter Handke 'Wunschloses Unglück' oder Formalismus und Realismus in der Literatur der Gegenwart", S. 445, die Erzählung anhand von Wolfgang Kaysers Romandefinition kategorisiert. Zur Konfusion über die Genrebestimmung von Handkes Prosatexten nur ein paar eklatante Beispiele. Der Suhrkamp Verlag nennt den Roman *Der kurze Brief zum langen Abschied* in der Inhaltsangabe der Taschenbuchausgabe (6. Aufl., 1978) sowohl eine "Erzählung" als auch einen "Entwicklungsroman". In ihrem 1979 mit Peter Handke geführten Interview bezeichnet June Schlueter das Journal *Das Gewicht der Welt* (1977) als "Roman", was Handke dann selbst aufgreift: "Für mich ist es eine Art Roman – oder Epos sogar – von Alltäglichkeit" (Schlueter, *The Plays and Novels of Peter Handke*, S. 163). Im gleichen Interview tilgt Handke den Unterschied zwischen Erzählung und Roman, indem er beide als "epische Gedichte" (165) bezeichnet.

Handke setzt die radikale Sprachkritik der frühen Stücke fort;[10] nimmt die Themen Kindheit (*Kindergeschichte*, 1981), Typologie der Frau (*Die linkshändige Frau*, 1976), Nazi-Vergangenheit (*Der Chinese des Schmerzes*, 1983) und Heimkehr (*Langsame Heimkehr*, 1979) vorweg;[11] schließlich legt er im *Wunschlosen Unglück* auch den Grundstein eines epischen Familienromans. Die familiär-ethnische Herkunftsfrage taucht wieder in der Erzählung *Die Wiederholung* (1986) auf, wo Handke die eigene multiethnische Identität der slowenisch-deutsch-kärntner Familie Kobal, wenngleich in umgekehrter Figurenkonstellation, zuschreibt.[12] Aber weit mehr als die Themen des *Wunschlosen Unglücks* haben die in den Text eingestreuten Reflexionen über das Schreiben die Literaturkritik beschäftigt, die die Erzählung als herausragendes Beispiel für Handkes Poetik ansieht, die von erzähltheoretischen Überlegungen ausgehend bei einem "neuem Realismus" anzukommen scheint.[13] Der in der Erzählung immer wiederkehrende, an den Chandos-Brief erinnernde Konflikt des Erzählers zwischen "der äußersten Sprachlosigkeit und [dem] Bedürfnis, sie zu formulieren",[14] oder seine poststruk-turalistisch anmutende Frage, "ist nicht ohnehin jedes Formulieren, auch von etwas tatsächlich Passiertem, mehr oder weniger fiktiv?" (26), bilden den textualen Rahmen einer hauptsächlich auf Handkes poetische Verfahrensweisen abhebenden Forschung.

Indem sich die (professionelle) Rezeption auf das unglückliche Schreiben des Sohnes, nicht aber auf das beschriebene Unglück der Mutter konzentriert, reproduziert sie, wenn auch ungewollt, genau jene stille Gewalt der Ignoranz und des Redeverbots, die das Objekt des Schreibens – die Frau – so sprachlos gemacht hat: "Von der Mutter, ihrem Leben und ihrem Selbstmord gibt es nichts zu er-

---

10 "Im *Wunschlosen Unglück* war ich eigentlich sehr kritisch gegenüber der Sprache. So wie in meinen frühen Werken, z.B. im *Kaspar*, war auch im *Wunschlosen Unglück* die Sprache noch so, wie sie die Menschen gebrauchen, irgendein Böses, das den Menschen verunstaltet und ihn hindert, sich seiner bewußt zu werden". *Noch einmal vom Neunten Land*, S. 14.

11 Zur Vorläuferfunktion des *Wunschlosen Unglücks* in bezug auf andere Texte siehe Nancy Kaiser, "Identity and Relationship in Peter Handke's *Wunschloses Unglück* and *Kindergeschichte*", *Symposium* 40, 1 (1986), S. 41-58 und Ursula R. Mahlendorf, "Confronting the Fascist Past and Coming to Terms with it: Peter Handke's *Der Chinese des Schmerzes*", in: *Austrian Writers and the Anschluss: Understanding the Past – Overcoming the Past*, Donald G. Daviau, Hrsg. (Riverside: Ariadne Press, 1991), S. 286-97. Zum Thema "Heimkehr" siehe Nägele, "Peter Handke: *Wunschloses Unglück*", S. 392.

12 Vgl. *Noch einmal vom Neunten Land*, S. 11.

13 Weiss, "Peter Handkes *Wunschloses Unglück* oder Formalismus und Realismus in der Literatur der Gegenwart". Neben den oben zitierten Arbeiten von Bohn und Sergooris vgl. auch Peter Pütz, *Peter Handke* (Frankfurt am Main: Suhrkamp, 1982), S. 49-58.

14 Zitiert nach der Ausgabe Peter Handke, *Wunschloses Unglück: Erzählung* (Frankfurt am Main: Suhrkamp, 1974), S. 11. Von hier ab Seitenangaben im Text.

zählen, außer dem, was der Autor der stummen Geschichte hinzufügt".[15] Der Psychoanalytiker Tilmann Moser behauptet sogar, daß Maria Handke erst durch die Identifikation ihres Sohnes eine zweite Geburt nach ihrem Tod erlebt, nämlich die ihrer Identität als Subjekt: "Die Mutter ist schlechthin das nicht zu sich selbst gekommene Subjekt, und nur im nachhinein, in einer tiefen Identifikation mit den unenträtselten Äußerungsformen der Mutter, mit ihren Leidensgesten, ihrer Mimik, ihrer auf den Tod zutreibenden Körpersprache, findet sie in der Sprache des Sohnes eine Identität".[16] Zwischen der persönlichen und ästhetischen, zugleich aber mitteilbaren Sprachkrise des männlichen Erzählers und der verordneten Stummheit der Frau markiert aber gerade die im historischen Milieu produzierte Geschlechtsdifferenz die Andersheit des Ausdrucks. Erst die Rekonstruktion der sozialen Realitäten, die der Frau das Sprechen, die Wünsche und schließlich das Leben nehmen, verdeutlicht die systemübergreifende Kontinuität patriarchalischer Unterdrückung. Liest man das *Wunschlose Unglück* als "Anti-Entwicklungsroman", der keine progressive Veränderung des weiblichen Individuums, sondern nur mit Unterbrechungen die zyklische Wiederkehr des Gleichen präsentiert, dann fordert die Geschichte einer Frau, ließe sich diese als exemplarische Frauengeschichte verallgemeinern, jegliche soziale und politische Geschichtsschreibung heraus, die der Selbstlegitimation bürgerlicher-demokratischer Gesellschaften aufsitzt.

Als sich Frau Maria Handke im November 1971 zum Freitod entschließt, beendet sie ein weibliches Dasein, welches in der deutschsprachigen Literaturgeschichte nicht gerade zu den herausragenden Topoi zählt.[17] Die katholische Landfrau aus kleinbürgerlichen Verhältnissen entzieht sich nämlich der Darstellung in tradierten literarischen Bildern von Weiblichkeit ("schöne Seele", hysterische Tochter oder archetypische Mutter), die seit dem 18. Jahrhundert, über die Romantik bis hin zu Freud, die (bürgerliche) Frau genealogisch, sozial und sexualpolitisch identifizieren, da sich Frau Handkes gesellschaftliche Konstituierung gegen die Vereinnahmung durch bürgerliche Männerphantasien sperrt.[18] Zudem entgleitet die provinzielle Kleinbürgerin einem (männlich) bürger-

---

15 Christoph Bartmann, *Suche nach dem Zusammenhang: Handkes Werk als Prozeß* (Wien: Braumüller, 1984), S. 150.

16 Tilmann Moser, *Romane als Krankengeschichten: Über Handke, Meckel und Martin Walser* (Frankfurt am Main: Suhrkamp, 1985), S. 156.

17 Im Gegensatz zu anderen ländlichen Unterschichtsfrauen: Seit dem 18. Jahrhundert wird z.B. die Bäuerin in der patriarchalischen Idylle und der regressiven Heimatdichtung idealisiert. Noch in Edgar Reitz' Fernsehserie *Heimat* (1984) erscheinen bodenständige Frauen und ihr Alltag als Zentrum protoindustrieller Familienstrukturen.

18 Vgl. hierzu die richtungsweisende Studie von Silvia Bovenschen, *Die imaginierte Weiblichkeit?: Exemplarische Untersuchungen zu kulturgeschichtlichen und literarischen Repräsentationsformen des Weiblichen* (Frankfurt am Main: Suhrkamp, 1979) und für das 19. und 20. Jahrhundert Ulrike Prokop, *Weiblicher Lebenszusammenhang:*

lichen Subjektbegriff,[19] denn ihrer Subjektivität kann man in der phantasmatischen Sprache des nach Autonomie strebenden Selbst kaum gerecht werden, weil deren anthropozentrische Transzendentalsignifikate die soziale Beschriftung der Frau als Frau ausblenden.[20] Neuere Arbeiten verweisen zwar auf die ländlich-kleinbürgerliche Enge, in der Maria Handke lebte, subsumieren ihr Leiden aber unter einem psychologisierten Subjektbegriff, dessen bürgerlich-männliche Herkunft das Geschlechtsspezifische an Frau Handkes Welterfahrung verdeckt, oder begreifen die Erzählung wesentlich aus der vom Erzähler vorgegebenen Perspektive der Sohn-Mutter-Beziehung.[21] Gerade die sich am Maßstab konfliktloser Normalität orientierende familiäre, religiöse, klassenspezifische und geschlechtliche Identitätseinschreibung im Leben von Frau Handke läßt aber wenig poetischen Spielraum für die Darstellung ihrer an sich "nichtssagenden Lebensdaten" (45). Deshalb verfängt sich auch der Erzähler selbst in der ideologischen Konstruktion von weiblicher Identität, denn er verfügt über keine Sprache, die sich außerhalb der diskursiven (Re-)Produktion von Geschlechtsidentitäten befindet;

Von der Beschränktheit der Strategien und der Unangemessenheit der Wünsche (Frankfurt am Main: Suhrkamp, 1977), S. 127-95.

19 Wenn z.B. Thomas F. Barry, "Nazi Signs: Peter Handke's Reception of Austrian Fascism", in: Daviau, *Austrian Writers and the Anschluss*, S. 298-312, behauptet, daß Frau Handke aus dem "shelter of familial identities" (300) hervortritt und daß sie es vermeidet, sich selbst als Individuum zu definieren, indem sie in eine "vaguely stated social typology" entflieht, verkennt er nicht nur ihre Ablehnung der Familienidentität, sondern mißt sie auch an einem bürgerlichen Subjektbegriff, dessen Besonderheitsanspruch für Frau Handke gar keinen Wert darstellt.

20 Zur problematischen Bestimmung von weiblicher Subjektivität anhand eines bürgerlich-männlichen Subjektbegriffs, d.h. auch jenseits sozialer und kultureller Differenzierung von "Frau", vgl. Cora Kaplan, "Pandora's Box. Subjectivity, Class and Sexuality in Socialist Feminist Criticism", in: *Feminisms: An Anthology of Literary Theory and Criticism*, Robyn R. Warhol und Diane Price Herndl, Hrsg. (New Brunswick: Rutgers University Press, 1991), S. 857-77.

21 Neben Nägele, "Peter Handke: *Wunschloses Unglück*", und Moser, *Romane als Krankengeschichten*, vgl. Rolf Günter Renner, *Peter Handke* (Stuttgart: Metzler, 1985), S. 84-93. Von dieser generellen Rezeptionshaltung weichen folgende Arbeiten ab: Ursula Love, "'Als sei ich [...] ihr GESCHUNDENES HERZ': Identifizierung und negative Kreativität in Peter Handkes Erzählung *Wunschloses Unglück*", *seminar* 17, 2 (1981), S. 130-46; Barry, "Nazi Signs: Peter Handke's Reception of Austrian Fascism"; Regina Kreyenberg und Gudrun Lipjes-Türr, "Peter Handke: Wunschloses Unglück", in: *Erzählen, Erinnern: deutsche Prosa der Gegenwart: Interpretationen*, Herbert Kaiser und Gerhard Köpf, Hrsg. (Frankfurt am Main: Diesterweg, 1992), S. 125-48 und Matthias Konzett, "Cultural Amnesia and the Banality of Human Tragedy: Peter Handke's *Wunschloses Unglück* and its Postideological Aesthetics", *The Germanic Review*, 70, 2 (1995), S. 42-50.

ganz zu schweigen von seiner imaginären Verstrickung in das Objekt seines Schreibens: die eigene Mutter.[22]

Aber dennoch bemüht sich Handke, die soziokulturelle Produktion der Geschlechtsbestimmung ("gender") darzustellen, indem er Maria Handkes Subjektivität als widersprüchliches Ergebnis *historischer Sozialbeziehungen* ansieht, die er poetologisch aus dem "allgemeinen Formelvorrat für die Biographie eines Frauenlebens" (45) ableitet. Handkes Beschreibung der Interdependenzen von Klasse, Geschlecht und Diskurs sowie seine Reflexion über die eigene Begrenztheit, die Subjektivität seiner Mutter darstellen zu können, kommt neueren feministischen Analysen des Begriffs "gender" erstaunlich nahe.[23] Der Rekurs auf die in der symbolischen Ordnung (re)produzierten historisch-gesellschaftlichen Bedingungen weiblicher Existenz ermöglicht zudem über den dargestellten biographischen Einzelfall hinausgehend Ansätze einer überregionalen Typologie der kleinbürgerlichen katholischen Landfrau im 20. Jahrhundert, denn der Erzähler verwendet die Subjektidentifizierungen "man", "die Frauen", "meine Mutter" oft synonym.[24] Erst gegen Ende des Textes, wenn sich die Besonderheit von Frau Handkes Leben lediglich im Selbstmord andeutet, weicht er vom allgemeinen Frauenschicksal ab: "Allmählich kein 'man' mehr; nur noch 'sie'" (72). Mit seinem Versuch, eine Frauengeschichte zu schreiben, die individuelles Frauen-leben und dessen allgemeine Konditionierung synthetisiert, leistet Handke einen ästhetischen Beitrag zur noch zu schreibenden (feministischen) Mentalitäts- und Alltagsgeschichte einer weder politisch noch kulturell repräsentierten, zugleich aber im deutschen Sprachraum relativ weit verbreiteten Frauenschicht.[25] Auf die Schwierigkeiten einer solchen Geschichtsschreibung hat die feministische Soziologie aufmerksam gemacht: spezifische Frauengruppen lassen sich nicht mittels marxistischer, rollentheoretischer, psychoanalytischer usw. Klassi-fikationen analysieren, da z.B. schon die Klassenzugehörigkeit einer verheirateten Frau an der öffentlichen Rolle des Mannes festgemacht wird, während in der

---

22 Zum poetologischen Problem von Handkes Identifizierung mit der Mutter vgl. Love, "'Als sei ich [...] geschundenes Herz'" und die psychologische Interpretation der Sohn-Mutter-Beziehung von Moser, *Romane als Krankengeschichten*, S. 153-75.

23 Vgl. z.B. Teresa de Lauretis, *Technologies of Gender: Essays on Theory, Film, and Fiction* (Bloomington: Indiana University Press, 1987), S. 1-30 und Nancy Chodorow, *The Reproduction of Mothering: Psychoanalysis and the Sociology of Gender* (Berkeley: University of California Press, 1978).

24 Zur Repräsentativität der Beschreibung von Frau Handkes Leben vgl. auch Sergooris, *Peter Handke und die Sprache*, S. 74-76. Ob es sich hierbei jedoch um die "Sozi-algeschichte des Individuums" handelt, wie Durzak, *Peter Handke und die deutsche Gegenwartsliteratur*, S. 121 vermutet, ist äußerst zweifelhaft, da der Begriff "Indi-viduum" den Geschlechtsunterschied negiert, der Frau Handkes Leben strukturiert.

25 Siehe hierzu die statistischen Angaben bei Prokop, *Weiblicher Lebenszusammenhang*, S. 98-127; hier auch erste Differenzierungen zur "Frauen-Typologie", um die schich-tenspezifische Komplexität weiblichen Alltags zu erfassen.

Familie (auch der von Frau Handke) gerade Beziehungsstrukturen herrschen, die dieser Rolle widersprechen.[26] Maria Handke wird als domestizierte Frauenleiche in den Text eingeführt, d.h. als "51jährige Hausfrau", die Suizid verübt hat – so die öffentliche Anzeige der Kärntner *Volkszeitung* – und als tote "Mutter" des Erzählers (7). Die Identifizierung der Frau über den Tod und die geschlechtlich-familiäre Berufsrolle eröffnet ein Feld der Negativitäten: einerseits bemüht sich Frau Handke vergeblich, der Reduktion auf diese Rollen zu entkommen, andererseits läuft ihr Frausein, soweit es sich in diesem Rollenverständnis erschöpft, auf den Tod hinaus, steht doch bereits die Geburt als Frau im Zeichen ihres Endes: "Es begann also damit, daß meine Mutter vor über fünfzig Jahren im gleichen Ort geboren wurde, in dem sie auch gestorben ist. [...] Als Frau in diese Umstände geboren zu werden, ist von vornherein schon tödlich gewesen" (12, 17). Handke erklärt die tödliche Determination weiblicher Existenz mit der Kontinuität geschlechtsspezifischer, regionaler wie sozialer "Umstände", die den Frauen als quasi unterprivilegierte Klasse das selbstbestimmte Sein erschweren, wenn nicht sogar abstreiten. Damit antizipiert er ein Hauptargument der feministischen Geschichtskorrektur: den eklatanten Widerspruch zwischen sozialer, politischer und ökonomischer Emanzipation der Männer und der gleichzeitigen "Aufrechterhaltung vormoderner, feudalpatriarchaler Abhängigkeitsverhältnisse in der Familie".[27] Während der kleinbürgerliche Vater Maria Handkes durch Besitzerwerb seine eigene "Mittellosigkeit", "Leibeigenschaft" und sogar den Makel seiner Illegitimität (12-13) zu überwinden und im Sparen seine Freiheit zu verdinglichen glaubt, und sei es um den Preis, daß er nun freiwillig seine "eigenen Bedürfnisse unterdrückte" (15), gilt ihm für "seine Frau, als Frau" diese von ihm oktroyierte "gespenstische Bedürfnislosigkeit" als "naturgemäß" (ebenda). Die Frau hat an der gesellschaftlichen Modernisierung ihres Mannes, oder genauer: dessen kleinbürgerlichem Verständnis der kapitalistisch-liberalen Entgrenzung, nur insofern

---

26 Vgl. grundsätzlich Jane C. Ollenburger und Helen A. Moore, *A Sociology of Women: The Intersection of Patriarchy, Capitalism, and Colonization* (Englewood Cliffs, New Jersey: Prentice-Hall, 1992); Pamela Abbott und Claire Wallace, *An Introduction to Sociology: Feminist Perspectives* (London: Routledge, 1990); vgl. auch die theoretischen Probleme, die Beziehungen zwischen Klasse und Geschlecht zu kategorisieren, in den Aufsätzen von Hildegard Heise und Ursula Beer in: *FrauenSozialKunde: Wandel und Differenzierung von Lebensformen und Bewußtsein*, Ursula Müller und Hiltraud Schmidt-Waldherr, Hrsg., (Bielefeld: AJZ, 1989). Eine im Sinne Pierre Bourdieus nach Sozialstruktur und Lebensstil, Klassenlage und -identifizierung differenzierende Frauengeschichte steht noch aus; ein Grund mehr, weshalb Handkes Schilderung weiblichen Alltags in ländlichen Unterschichten fast vollständig auf autobiographischer Eigenbeobachtung basiert.

27 Elisabeth List, *Die Präsenz des Anderen: Theorie und Geschlechterpolitik* (Frankfurt am Main: Suhrkamp, 1993), S. 156.

Anteil, als sie – rechtlich ohnehin von der Emanzipation ausgeschlossen[28] – ihre Produktivkraft als unentgeltliche Hausarbeit, Reproduktions- und Erziehungstätigkeit der patriarchalischen Überlebenswirtschaft zur Verfügung stellt, wozu sie nicht nur sozialisiert wurde, sondern auch keine Alternative kannte.[29] Diese bereits im 18. Jahrhundert propagierte "Polarisierung der Geschlechtscharaktere",[30] die die (bürgerliche) Frau auf das "traute Heim" beschränkte, impliziert in der Kärntner Provinz allerdings nicht, daß auch die bürgerliche Ideologie der mittels "Weiblichkeit" konstituierten Privatsphäre und die damit verbundene Kultivierung des Gefühlslebens der Kleinfamilie via "Mutterliebe" in den Handkeschen Haushalt zieht.[31] Die Schilderung der häuslichen Kommunikations- und Verhaltensformen veranschaulicht vielmehr, wie Männer die zuvor am eigenen Leib erfahrenen sozialen Abhängigkeits- und Unterdrückungsverhältnisse an den Frauen und Kindern reproduzieren, um mittels autoritärer Herrschaft in der Familie die eigene faktische Machtlosigkeit in der bürgerlichen Öffentlichkeit zu kompensieren.

Im kleinbürgerlich-patriarchalischen Haushalt auf dem Kärntner Land der Ersten (wie später auch der Zweiten) Republik werden Frauen buchstäblich wie "Nutz-

---

28 Obwohl die Frauen Österreichs 1919 das aktive und passive Wahlrecht erhielten, kann in der Ersten Republik von einer allgemeinen rechtlichen Gleichstellung der Frau nicht die Rede sein; vgl. Rainer Münz, Gerda Neyer und Monika Pelz, *Arbeitsmarktpolitik: Frauenarbeit, Karenzurlaub und berufliche Wiedereingliederung* (Linz: Österreichisches Institut für Arbeitsmarktpolitik, 1986), S. 33-41; im Austrofaschismus wird die Entrechtung der Frau noch weitergetrieben, vgl. Irene Schöffmann, "Frauenpolitik im Austrofaschismus", in: *"Austrofaschismus": Beiträge über Politik, Ökonomie und Kultur 1934-1938*, Emmerich Tálos und Wolfgang Neugebauer, Hrsg., 4. ergänzte Aufl. (Wien: Verlag für Gesellschaftskritik, 1984), S. 317-43.

29 Zur Vorstellung von Hausarbeit als "naturhafte" Aufgabe der Frau und der darauf zielenden Institutionalisierung "weiblicher" Berufe im Erwerbsleben vgl. Erna Appelt, *Von Ladenmädchen, Schreibfräulein und Gouvernanten: Die weiblichen Angestellten Wiens zwischen 1900 und 1934* (Wien: Verlag für Gesellschaftskritik, 1985), S. 15-37; zur Teilhabe der Frau am Modernisierungsprozeß in Form der gleichzeitigen Ausgrenzung und Indienstnahme weiblicher Produktivkräfte vgl. List, *Die Präsenz des Anderen*, S. 138-54.

30 Karin Hausen, "Die Polarisierung der 'Geschlechtscharaktere'. Eine Spiegelung der Dissoziation von Erwerbs- und Familienleben", in: *Seminar: Familie und Gesellschaftsstruktur: Materialien zu den sozioökonomischen Bedingungen von Familienformen*, Heidi Rosenbaum, Hrsg. (Frankfurt am Main: Suhrkamp, 1978), S. 161-91.

31 Auch in der Weimarer Republik verhindern allein schon die sozioökonomischen Alltagsbelastungen die Durchsetzung der seit dem 18. Jahrhundert entwickelten bürgerlichen Weiblichkeitsideologie, weshalb der Ruf nach "Mütterlichkeit" umso lauter erschallt; vgl. Ute Frevert, *Frauen-Geschichte: Zwischen Bürgerlicher Verbesserung und Neuer Weiblichkeit* (Frankfurt am Main: Suhrkamp, 1986), S. 188-92.

vieh"[32] gehalten. Sie befinden sich in einem hermetisch abgeschlossenen Raum, der lediglich von zyklischen Zeiteinteilungen (Klima, Kirchenjahr) strukturiert ist.[33] Ihre Bewegungen sind auf "Haus" und "Hof", "drinnen" und "draußen" (19) begrenzt; ihre Aktivitäten reduzieren sich auf "Häuslichkeit" und "demütige[s] Dabeihocken" (18); Männer kommunizieren mit ihnen mittels stummer "Handbewegungen" (20). Sollten die Frauen der ihnen zugedachten schweigsamen Rolle, dem "Überhörtwerden" (17) entgleiten, werden sie "mit einem Blick schon zum Schweigen gebracht" (33). Es geht aber auch brachialer zu: wenn die in der religiösen Schamerziehung und im Marienkult eingeschriebene Triebunterdrückung versagt,[34] dann restituieren "Ohrfeigen für einen heimlichen Tanzbodenbesuch" (18) die "Angst vor der Sexualität" (21). Im Rahmen der repressiven Analität des auf Sparen und Bedürfnisunterdrückung ausgerichteten Haushalts haben Wünsche und Gefühlsartikulationen von Frauen ohnehin keinen Platz: "Eine Äußerung von weiblichem Eigenleben in diesem ländlich-katholischen Sinnzusammenhang war überhaupt vorlaut und unbeherrscht; schiefe Blicke, so lange, bis die Beschämung [...] ganz innen die elementarsten Empfindungen abschreckte" (32). Was an persönlicher Individualität der familiären Aufsicht entgeht, fangen die öffentlich durchgesetzten Anforderungen der Geschlechtsrolle wieder ein, wird doch das häusliche Ordnungshalten den Mädchen bereits in der Schule über die "saubere Schrift" (18) eingetrichtert. Die weibliche "Lebensform" – die Routine des Haushaltens – bestimmt zudem auch ihren "alleinseligmachende[n] Lebens inhalt" (33), was die Möglichkeit des individuellen Wünschens verhindert, soweit sich dieses nicht mit der Rollenerwartung deckt, die ihrerseits kein Positivum darstellt. Die Frau wird nämlich in ihrer unauffälligen, den normalen Alltag reproduzierenden Rolle mehr geduldet als geschätzt, ihre Häuslichkeit sonnt sich nicht im Schein bürgerlicher Idyllisierung, sondern wird nur dann von den Männern bewußt wahrgenommen, wenn sie nicht reibungslos funktioniert. Von der Ausbildung einer selbständigen Identität jenseits der Hausfrauen- und Mutterrolle kann auch schon deshalb keine Rede sein, weil den meisten Frauen in der österreichischen Provinz die "Vergleichsmöglichkeiten zu einer anderen Lebensform" (19) fehlen, zumal auch "keine Zeitungen gelesen [wurden] als das Sonntagsblatt der Diözese und darin nur der Fortsetzungsroman" (18). Selbst die

---

32 Die auf dem Lande häufig gemachte Gleichsetzung von Menschen und Haustieren erwähnt Handke selbst, wenn z.B. die Mutter den schlagenden Ehemann als "'Du Vieh!'" (57) bezeichnet oder wenn Ausdrücke für Charaktereigenschaften von Haustieren wieder auf Menschen übertragen werden, z.B. das "'fremdeln'" (52).

33 Die Übermacht sozial- und geschlechtsspezifischer Repression, die sich vor allem "räumlich" manifestiert, ist in der Sekundärliteratur lediglich von Kreyenberg und Lipjes-Türr, "Peter Handke: Wunschloses Unglück", S. 130-38, hervorgehoben worden.

34 Zur religiösen Sexualunterdrückung in präfaschistischer Zeit vgl. Wilhelm Reich, *Die Massenpsychologie des Faschismus* (Köln: Kiepenheuer & Witsch, 1971), S. 146-58.

für protoindustrielle Gesellschaften unterstellte mündliche Alternativkultur von Frauen wird von Handke mit keinem Wort als möglicher Fluchtpunkt erwähnt. Die starre, über Brauchtum, Religion und Dorfklatsch kollektiv aufrecht gehaltene Organisation familiärer Überlebensbedingungen scheint jegliche individuelle Ausdrucksmöglichkeiten von Frauen zu verhindern, gilt doch das Individuelle an sich als Negativum: "Das persönliche Schicksal, wenn es sich überhaupt jemals als etwas Eigenes entwickelt hatte, wurde bis auf Traumreste entpersönlicht und ausgezehrt in den Riten der Religion, des Brauchtums und der guten Sitten, so daß von den Individuen kaum etwas Menschliches übrigblieb; 'Individuum' war auch nur bekannt als Schimpfwort" (51). Innerhalb dieser auf Tilgung jeglichen Andersseins bedachten Gemeinschaft ist aber auch die Erfüllung der zugedachten alltäglichen Frauenrolle nicht positiv konnotiert, denn Frauen haben vom Leben nichts anderes zu erwarten als dessen vorprogrammiertes Ende. Schon im "von den Mädchen viel gespielt[en]" Kinderspiel "Müde/Matt/Krank/Schwerkrank/Tod" (17) kündigt sich der unvermeidliche Verfall des ausgebeuteten *Frauenkörpers*, von den "Krampfadern" bis zum "Unterleibskrebs", an, bis "mit dem Tod [...] die Vorsehung schließlich erfüllt" (ebenda) ist. Hier wird die Inkongruenz zwischen der politischen und sozialen Verfassung einer Gesellschaft und dem individuell erfahrenen Dasein ihrer Subjekte auf drastische Weise evident: die von Handke beschriebene "Vernichtung eines lebendigen Selbst"[35] findet in bürgerlich-kapitalistischen Demokratien statt, die es zulassen, daß geradezu in Widerspruch zu ihrer konstitutionell verbürgten Gleichheitsnorm auf mikrosozialer Ebene der Geschlechtsunterschied über die individuelle Lebensqualität entscheidet.

Maria Handkes jugendliche Rebellion gegen das Endgültige dieser tödlichen Prädestination – ihr Ausriß von zu Hause, ihre Arbeit in einem Hotel, ihre erste Liebe –, fällt in die Zeit des Austrofaschismus und der nationalsozialistischen Machtübernahme. Handke parallelisiert den privaten Ausbruch mit dem öffentlichen politischen Umschwung nicht als zeitliche Zufälligkeit der Ereignisse, sondern setzt sie in eine Kausalbeziehung: die Nazis befreien die kleinbürgerlichen Landfrauen aus der Enge patriarchalisch-religiöser Verhinderungsstrukturen und geben ihren Existenzen einen umfassenden Sinn. "Diese Zeit", so schreibt Handke, "half meiner Mutter aus sich herauszugehen und selbständig zu werden" (25). Im Gegensatz zur oft betonten "Analogie der Systeme", dem "objektiven Zusammenhang von Faschismus" und dem "Rollenzwang des Kleinbürgertums", stellt Handke "das subjektive Erlebnis der Befreiung" weniger als "diabolische Verführungskraft des Faschismus für das Kleinbürgertum" dar,[36] sondern bemüht sich um einige Aufschlüsse darüber, warum Frauen die nationalsozialistische Zeit als

---

35 Moser, *Romane als Krankengeschichten*, S. 157.
36 Pütz, *Peter Handke*, S. 64. Pütz untersucht zwar die Beziehung Kleinbürgertum und Nationalsozialismus, läßt aber die spezifische Geschlechtszugehörigkeit der Frau aus.

Glücksbringer ansehen konnten. Mit dieser Stelle beginnt die erzählerische Exkursion in unsicheres Terrain, denn Handke spekuliert über die Zusammenhänge von weiblichem Selbstverständnis und Nazismus, die er zumindest bezogen auf seine Mutter kaum beurteilen kann, reichen doch dafür nicht einmal die zitierten autobiographischen Daten aus. Fast wahllos vermischt er Äußerungen der Mutter, offiziöse Beschreibungen des "Anschluß", und Zitate des propagandistischen Volksmundes. Aber gerade diese zuweilen hilflose Subsumption des individuellen Frauseins im Faschismus unter das kollektiv Erinnerbare macht auf ein sozialhistorisches wie literarisches Vakuum aufmerksam. Bis Mitte der siebziger Jahre gibt es keine nennenswerte sozialgeschichtliche Monographie zum Thema "Frau und Faschismus" und selbst in den literarischen Versuchen, die Nazi-Vergangenheit aufzuarbeiten, spielen Frauen in ihrer Beziehung zum Faschismus kaum eine Rolle.[37] Eingebettet in allgemeine Vergessens- und Verdrängungs-strategien hinsichtlich des nationalsozialistischen Erbes beschränkt man sich auch noch im Jahre 1972 darauf, der Frau kaum einen Platz als historisches Subjekt des Dritten Reichs einzuräumen, es sei denn als passives Opfer oder als Hitlers verführte Wahlhelferin.[38] Erst in den achtziger Jahren werden Handkes am bio-graphischen Einzelfall gemachten, provokanten Thesen von der feministischen Geschichtsforschung aufgegriffen, die die komplexe Strukturierung weiblicher Subjektivität (Opfer, Mitläufer- bzw. Täterschaft) im widersprüchlichen Bezie-hungsgeflecht von sozialstaatlich verordneter Mutterschaft, kriegsindustrieller Ausbeutung und familiärer Organisation der Heimatfront problematisiert.[39] Die

---

37 Vgl. Donna K. Reed, *The Novel and the Nazi Past* (New York, Bern, Frankfurt am Main: Lang, 1984). Siehe dagegen die heutige Rekonstruktion der literarischen Auseinandersetzung von Schriftstellerinnen mit dem Nationalsozialismus in: *Gender, Patriarchy and Fascism in the Third Reich: The Response of Women Writers*, Elaine Martin, Hrsg. (Detroit: Wayne State University Press, 1993); Victoria Hertling, "Bereitschaft zur Betroffenheit. Neueste österreichische Prosa über die Jahre 1938 bis 1945", *German Studies Review*, 14, 2 (1991), S. 275-91 und Ortrun Niethammer, Hrsg., *Frauen und Nationalsozialismus* (Osnabrück: Universitätsverlag Rasch, 1997).

38 So die Kritik an der bisherigen Faschismusforschung in: Claudia Koonz, *Mothers in the Fatherland. Women, the Family, and Nazi Politics* (New York: St. Martin's Press, 1987), S. 3-17. Aber auch einige Arbeiten zur Frauengeschichte sehen die Frau exklusiv als Opfer des Männerfaschismus: z.B. Gisela Bock, "Frauen und ihre Arbeit im Nationalsozialismus", in: *Frauen in der Geschichte 1. Frauenrechte und die gesell-schaftliche Arbeit im Wandel*, Annette Kuhn und Gerhard Schneider, Hrsg. (Düsseldorf: Schwann, 1979), S. 113-49.

39 Angesichts der kaum überschaubaren Zahl von Veröffentlichungen sei hier nur auf einige neuere Studien verwiesen: Den besten Einblick in die Forschungslage vermittelt die ausgezeichnete Aufsatzsammlung von Lerke Gravenhorst und Carmen Tatschmurat, Hrsg., *TöchterFragen: NS-Frauengeschichte* (Freiburg/Br.: Kore, 1990), siehe insbe-sondere die beiden Literaturberichte von Haubrich und Gravenhorst sowie von Reese und Sachse. Neben der populären Arbeit von Koonz repräsentieren folgende Titel die Vielfalt der Themen und unterschiedlichsten Perspektiven: Renate Wiggershaus, *Frauen*

Frage nach den Lebensbedingungen und der politischen Mitverantwortung von Frauen ist allein schon deshalb so kompliziert, weil ausgerechnet die Hauptbetroffenen, nämlich die Unterschichtsfrauen, von dem Gesellschaftssystem, das sie unterdrückte, angeblich so fasziniert waren.[40] Angesichts der antifeministischen Politik der Nazis, weibliche Produktivität für kapitalistische, imperialistische und rassistische Ziele zu funktionalisieren, die Geschlechtertrennung in Ausbildung und Erwerbsleben zu forcieren und Frauen mittels staatlicher Familienplanung und sexistisch-rassistischer Ideologie auf arische Gebärmaschinen zu reduzieren,[41] befremdet die Tatsache, daß gerade die Nazi-Zeit diesen Frauen erstmalig eine erzählbare, erlebnisreiche Geschichte einbrachte.[42]

---

unterm Nationalsozialismus (Wuppertal: Peter Hammer Verlag, 1984); *Opfer und Täterinnen: Frauenbiographien im Nationalsozialismus*, Angelika Ebbinghaus, Hrsg. (Nördlingen: Greno, 1987); Michael Phayer, *Protestant and Catholic Women in Nazi Germany* (Detroit: Wayne State University Press, 1990); *Frauen im Nationalsozialismus: Dokumente und Zeugnisse*, Ute Benz, Hrsg. (München: Beck, 1993). Für den Frauenalltag im faschistischen Österreich siehe Georg Tidl, *Die Frau im Nationalsozialismus* (Wien, München, Zürich: Europaverlag, 1984); Karin Berger, "'Hut ab vor Frau Sedlmayer!' Zur Militarisierung und Ausbeutung der Arbeit von Frauen im nationalsozialistischen Österreich", in: *NS-Herrschaft in Österreich 1938-1945*, Emmerich Tálos, Ernst Hanisch und Wolfgang Neugebauer, Hrsg. (Wien: Verlag für Gesellschaftskritik, 1988), S. 141-61.

40 Vgl. hierzu die grundlegende Arbeit von Marianne Lehker, *Frauen im Nationalsozialismus: Wie aus Opfern Handlanger der Täter wurden – eine nötige Trauerarbeit* (Frankfurt am Main: Materialis, 1984).

41 Zur nationalsozialistischen Frauenpolitik vgl. Dörte Winkler, *Frauenarbeit im "Dritten Reich"* (Hamburg: Hoffmann & Campe, 1977); Annemarie Tröger, "The Creation of a Female Assembly-Line Proletariat", in: *When Biology Became Destiny: Women in Weimar and Nazi Germany*, Renate Bridenthal, Atina Grossmann und Marion Kaplan, Hrsg. (New York: Monthly Review Press, 1984), S. 237-70; Dorothee Klinksiek, *Die Frau im NS-Staat* (Stuttgart: Deutsche Verlags-Anstalt, 1982); Claus Mühlfeld und Friedrich Schönweiss, *Nationalsozialistische Familienpolitik: Familiensoziologische Analyse der nationalsozialistischen Familienpolitik* (Stuttgart: Enke, 1989); Gabriele Czarnowski, *Das kontrollierte Paar: Ehe- und Sexualpolitik im Nationalsozialismus* (Weinheim: Deutscher Studien Verlag, 1991); Klaus Theweleit, *Männerphantasien. Bd. 1: Frauen, Fluten, Körper, Geschichte* (Basel, Frankfurt am Main: Stroemfeld/Roter Stern, 1977), S. 88-112; siehe auch die weiterführende Kritik an Theweleit bei Lehker, *Frauen im Nationalsozialismus*, S. 44-49.

42 Das dokumentieren zumindest die "oral histories" von Frauen in teilweise fragwürdigen Anekdotensammlungen wie Gerda Szepanski, *"Blitzmädel", "Heldenmutter", "Kriegswitwe": Frauenleben im Zweiten Weltkrieg* (Frankfurt am Main: Fischer, 1986) oder Alison Owings, *Frauen: German Women Recall the Third Reich* (New Brunswick NJ: Rutgers University Press); vgl. diesbezüglich die kritische Analyse von Autobiographien in Lehker, *Frauen im Nationalsozialismus*, S. 68-94. Aufgrund der unzureichenden Quellenlage läßt sich allerdings eine Mentalitätsgeschichte im Faschismus für die Frauen aus der Arbeiterschaft und der Landbevölkerung kaum rekonstruieren.

Schon in den dreißiger Jahren vermutete Ernst Bloch, daß sich Unterschichtsfrauen im Dritten Reich deshalb "zum häuslichen Geschlechtsvieh"[43] erniedrigen
ließen, weil die Nazis ihre unabgegoltenen, kleinbürgerlich-bäuerlichen Kollektiv-
phantasien (die Bloch allerdings nicht näher definiert) zu befriedigen wußten,
indem sie insbesondere jungen Frauen die faktische Rückkehr "ins Tausendjährige
Reich der arischen Großmutter" als erlebnisreiches "Abenteuer" oder als spontanen
"Aufbruch" ins Ungewisse vorspielten.[44] Zudem wertete die nationalsozialistische
Frauenpolitik die traditionellen Geschlechtsrollen Hausfrau und Mutter ideologisch
und materiell so auf, daß die Frau als "Arbeitsgenossin des Mannes" oder als
"Trägerin des Mutterkreuzes" öffentlich gewürdigt wurde, womit sich auch eine
Forderung konservativer Frauenverbände erfüllte.[45] Insbesondere kleinbürgerliche
und bäuerliche Frauen, die sich mit der patriarchalischen Diskriminierung zum
gesellschaftlichen Nichts anscheinend abgefunden hatten, sahen sich auf einmal
in ihren haushälterischen und reproduktiven Funktionen gegenüber Männern als
"ebenbürtige" Mitglieder der "Volksgemeinschaft" anerkannt.[46] Gleichzeitig boten
die Nazis aber auch – in einer ihrer vielen widersprüchlichen Doppelstrategien
– den Unterdrückten des traditionellen Haushalts (Kindern, Jugendlichen, Frauen)
neue "Familien" und Identitäten an, indem sie sich das Geltungsbedürfnis der
beschädigten Individuen zu eigen machten, trotz aller affirmativen Rhetorik die
Legitimität des individuellen Patriarchen zerstörten und an seine Stelle staatliche
Institutionen und Parteiorganisationen setzten, die letztlich die repressive Struktur
der autoritären Familie, wenn auch im neuen Gewand reproduzierten.[47]

Auch Frau Handkes an sich apolitische, wenn nicht sogar banale (aber gerade
deshalb vom Erzähler verallgemeinerbare) Erfahrungen mit dem Nationalsozialismus sind wesentlich von ihrer Loslösung aus dem traditionellen Familien-
verband und ihrer Teilhabe an der faschistischen Öffentlichkeit geprägt. Ihr

---

43 Ernst Bloch, "Die Frau im Dritten Reich" (1937), in: *Politische Messungen, Pestzeit,
    Vormärz*, Gesamtausgabe, Bd. 11 (Frankfurt am Main: Suhrkamp, 1970), S. 112.
44 Ebenda, S. 109.
45 Zu den auch von Frauen geteilten philosophischen Grundlagen dieses Frauenbildes siehe
    Ilse Erika Korotin, *"Am Muttergeist soll die Welt genesen": Philosophische Dis-
    positionen zum Frauenbild im Nationalsozialismus* (Wien, Köln, Weimar: Böhlau,
    1992), S. 173-207; zur auf die Rollen Hausfrau/Mutter zielenden Öffentlichkeitsarbeit
    der NS-Frauenschaft und des Deutschen Frauenwerkes in Österreich vgl. Tidl, *Die Frau
    im Nationalsozialismus*, S. 115-63; für Deutschland siehe die zahlreichen Quellen-
    auszüge zum propagandistischen Frauenbild bei Benz, *Frauen im Nationalsozialismus*.
46 Vgl. Lehker, *Frauen im Nationalsozialismus*, S. 49-55.
47 Solche "Umwandlungen" der Familie wurden in der Propaganda selbst vorgeführt; als
    anschauliches Beispiel sei hier nur auf den nationalsozialistischen Spielfilm *Hitlerjunge
    Quex* (1933) hingewiesen, in dem die Mutter des Protagonisten geopfert und der Vater
    vom Sohn getrennt wird, damit letzterer in der Nazigemeinschaft eine neue Familie und
    zudem eine die Mutter ersetzende Schwester findet.

jugendliches, nach Ausbruch und Erlebnis drängendes Selbstgefühl trifft auf gesellschaftlich bedingte Veränderungen weiblicher Existenz, deren ideologische oder ökonomische Funktionalisierung sie willig zu schlucken scheint, erhält sie doch ein neues "Ich" im deutschen "Wir". Der Erzähler (der Sohn) präsentiert Frau Handke (die eigene Mutter) als typische "Mitläuferin",[48] die im nationalen Aufbruch sich selbst genießt, d.h. sie identifiziert sich narzißtisch mit der kollektiv erlebten Veränderung ihrer Lebenswelt.[49] Was Frau Handke im patriarchalischen Haushalt vermißt, findet sie in der nationalsozialistischen Gesellschaft: sie hat "zum ersten Mal [...] Gemeinschaftserlebnisse" (23) und "Familiengefühl[e]" (27), sieht sich als wesentlicher Teil der Produktionsmaschine, empfindet erstmalig in ihrem Leben einen "vagen Stolz" auf sich selbst "als Ausdruck eines endlich erreichten Lebensgefühls" (24), der "Krieg [...] steigerte noch das Selbstgefühl" (26). Der völkische Kult der übers Blut zusammengeführten Gemeinschaft überblendet alle Klassen- und Geschlechtsunterschiede, schmiedet Menschenmassen für die politische und kriegsökonomische Deterritorialisierung zusammen und ermöglicht auch der kleinbürgerlich-bäuerlichen Frau "das Erlebnis einer sagenhaften Welt, [...] ein neues Gefühl für Entfernungen" (27). Aus Haus und Hof springt sie in die Welt und entledigt sich der restriktiven Bodenständigkeit.[50] Während der Onkel noch "zu Fuß in der Nacht die vierzig Kilometer von der Landeshauptstadt nach Hause ging" (15), weil er es vor Heimweh in der Fremde nicht ausgehalten hatte, glaubt sich Frau Handke "überall zu Hause, es gab kein Heimweh mehr" (24). Die Integration der im kleinbürgerlichen Patriarchat fragmentierten und beherrschten Frau in das "Ganze", die deutsche Volksgemeinschaft bzw. die nationalsozialistisch formierte Masse, in der sich Frau Handke "gut aufgehoben und doch frei fühlte" (ebenda), signifiziert letztlich die Vergesellschaftung der Frau, die sich – räumlich mobilisiert – in der öffentlichen Sphäre, die zudem einen fremden nationalen Namen trägt und die Region überschreitet, heimisch glaubt. Noch heute schwärmt eine ganze Generation in Deutschland und Österreich von der Befreiung aus der familiären Enge und den

---

48 Kreyenberg und Lipjes-Türr, "Peter Handke: Wunschloses Unglück", S. 134.
49 Dieses "Enjoy your nation as yourself!" kehrt heute in der osteuropäischen Nationaleuphorie wieder, vgl. Slavoj Žižek, *Tarrying with the Negative: Kant, Hegel, and the Critique of Ideology* (Durham: Duke University Press, 1993), S. 200-37.
50 Die Entgrenzung der Provinz wurde von den Nazis bereits vor dem Krieg durch den Tourismus und die infrastrukturelle Modernisierung vorangetrieben, was auch ideologischen Zielen wie dem Anschluß Österreichs ans Deutsche Reich diente; vgl. Gert Kerschbaumer, *Faszination Drittes Reich: Kunst und Alltag der Kulturmetropole Salzburg* (Salzburg: Otto Müller, 1988), S. 34-64.

welterschließenden Gemeinschaftserfahrungen in faschistischen Geschlechts-bünden (z.B. Reichswehr, BDM, HJ, DAF).[51]

Frau Handkes "Befreiung" aus dem trostlosen Frauenalltag in der Kärntner Provinz stellt eine typische "Modernisierung des weiblichen Lebenszusam-menhangs"[52] im Dritten Reich dar, die sich hier wesentlich über die private wie öffentliche "Ästhetisierung der Alltagswirklichkeit"[53] vollzieht. Maria Handke hört "Hitler [...] im Radio" (21), geht in die "UFA-Wochenschau" (24) und archiviert, d.h. produziert ihre eigene Geschichte mittels "Fotos" (25).[54] Auf der Straße agiert sie politisch, indem sie "Kundgebungen mit Fackelzügen und Feierstunden" (23) beiwohnt; und selbst das Gewohnte, vom alltäglichen Elend bis hin zu den regionalen Volkskulturen der "Ostmark", erscheint ihr in neuer Farbenpracht als Teil der deutschen Alpenlandshow,[55] in der sich sogar "die Wälder und Berggipfel SCHMÜCKTEN" (ebenda). Frau Handke erlebt im Spektakel die faschistische "Sinnstiftung", die das Erklärungsbedürftige wie auch ungleichzeitige Widersprüche in sinnlichen Paradigmen oder anheimelnden Mythen auflöst:[56] "Endlich einmal zeigte sich für alles bis dahin Unbegreifliche und Fremde ein großer Zusammenhang: es ordnete sich in eine Beziehung zueinander, und selbst das befremdend automatische Arbeiten wurde sinnvoll, als Fest" (ebenda). Handke spielt hier auf die Bildhaftigkeit politischer Ideologie der Nazis an, die "die geschichtlichen Ereignisse als Naturschauspiel" (ebenda) und sogar den arbeitsintensiven Kriegsalltag als stimmungsvolles "Ritual" (24) zu inszenieren wußten. Sinnliches Erleben des Ganzen, von autoritären Organi-sationen (Kirche, Staat, Partei) immer an die Stelle von kritischem Verstehen gesetzt, appelliert aber gerade an das Selbstgefühl derjenigen, die vom patriarchalisch-bürgerlich-kapitalistischen Glücksversprechen ausgeschlossen sind. Daß die kleinbürgerliche Landfrau Maria Handke vom Nationalsozialismus so

51 Die positive Erinnerung an Nazi-Zeit und Krieg dokumentieren einige Interviews in Owings, *Frauen*, und Szepansky, "Blitzmädel"; ganz zu schweigen von den noch heute täglich gemachten mündlichen Auslassungen über die "Kinderlandverschickungen", den Autobahnbau oder "abenteuerlichen" Kriegserlebnissen.

52 Dagmar Reese, "Emanzipation oder Vergesellschaftung: Mädchen im 'Bund Deutscher Mädel'", in: *Politische Formierung und soziale Erziehung im Nationalsozialismus*, Hans-Uwe Otto und Heinz Sünker, Hrsg. (Frankfurt am Main: Suhrkamp, 1991), S. 203-25; hier S. 220.

53 Kreyenberg und Lipjes-Türr, "Peter Handke: Wunschloses Unglück", S. 134.

54 Zur multimedialen Modernisierung der faschistischen Öffentlichkeit und ihr Eindringen ins Privatleben vgl. Peter Reichel, *Der schöne Schein des Dritten Reiches: Faszination und Gewalt des Faschismus* (München, Wien: Hanser, 1991), S. 157-207.

55 Vgl. hierzu die zahlreichen Beispiele für die Integration der Salzburger Volkskultur in das nationalsozialistische "Gesamtkunstwerk" bei Kerschbaumer, *Faszination Drittes Reich*.

56 Vgl. hierzu die immer noch unübertroffene Analyse der faschistischen Mythenbildung bei Ernst Bloch, *Erbschaft dieser Zeit* (Frankfurt am Main: Suhrkamp, 1962), S. 45-204.

fasziniert ist, läßt sich vielleicht aus ihrer präfaschistischen Konditionierung als Frau der Unterschicht erklären, bereitet doch die häusliche wie kirchliche Sinnleere, die rudimentäre Ausbildung und die vorprogrammierte Zukunftslosigkeit ihre Verführbarkeit durch die Propaganda vor. Aber ihre konkreten alters-, regional-, klassen- und geschlechtsspezifischen Erlebnisse in der faschistischen Öffentlichkeit reflektieren auch die Befriedigung ihrer eigenen Wünsche, wenngleich sich allerdings diese nicht mit den politischen Zielvorstellungen über weibliches Rollenverhalten decken. Wenn man die allzu simplizistische Dichotomie "ausgenutztes Opfer versus opportunistische Mitläuferin" aufgibt, dann muß man auch die immer noch tabuisierte Frage stellen, welchen Anteil Frauenphantasien am Faschismus haben bzw. inwiefern die nationalsozialistische Gesellschaftsveränderung trotz ihrer totalitären Frauenpolitik Nischen für weibliche Selbstverwirklichung öffnete.[57]

Letzteres suggeriert der Erzähler, wenn er die öffentliche "Emanzipation" der Mutter im Dritten Reich in einer privaten Liebesgeschichte kulminieren läßt.[58] Befreit aus der Enge des patriarchalischen Haushalts und ausgestattet mit neuer Selbstgewißheit hat Frau Handke keine Angst mehr vor dem vertrauten Fremden: dem Mann. Nicht als Tochter des slowenisch-österreichischen Vaters, sondern als "deutsche Staatsbürgerin" kann sie plötzlich "so viele Leute Bekannte" (24) nennen, unter denen sie einen Liebespartner findet: "'Er war so aufmerksam zu mir, und ich hatte auch keine Angst vor ihm wie vor anderen Männern'" (27). Mit dem "deutschen Parteigenossen" (ebenda) verwirft Frau Handke außerdem tradierte Verhaltensnormen und Sexualcodes. Sie umgeht die auf dem Lande übliche regional-soziale Endogamie, indem sie sich in einen deutschen Soldaten verliebt, der zudem verheiratet ist und von dem sie schließlich sogar ein uneheliches Kind bekommt.[59] Doch gerade im Hinblick auf die kleinste Zelle der totalitären Gesellschaft, die "Zweierbeziehung", in der Frau Handke zum ersten Mal in ihrem Leben Aufmerksamkeit als individuelle Frau erhält, muß sie erfahren, daß sie kein gleichberechtigtes Mitglied der Volksgemeinschaft ist. Die egalitäre Rhetorik vom Ganzen läßt nämlich die reale hierarchische Organisation der Teile

---

57 Erste Schritte in diese Richtung unternimmt Gudrun Brockhaus, "Opfer, Täterin, Mitbeteiligte. Zur Diskussion um die Rolle der Frauen im Nationalsozialismus", in: *TöchterFragen: NS-Frauengeschichte*, S. 107-25, ohne allerdings zu einem über Vermutungen hinausreichenden Ergebnis zu kommen. Eine mit Theweleits *Männerphantasien* vergleichbare Arbeit gibt es noch nicht.

58 Vgl. auch Pütz, *Peter Handke*, S. 63: "Der Faschismus hat eine erotisierende Wirkung, wird zum Aphrodisiakum für eine ganze Generation".

59 Barry, "Handke's Reception of Austrian Fascism", S. 305-307, parallelisiert Frau Handke's Liebesaffäre mit der politischen "seduction" des österreichischen Volkes durch die Nazis (was politisch konservativen "Verführungstheorien" in die Hände spielt) und endet mit Frau Handkes moralischer Aburteilung: "At the expense of her individual integrity, Handke's mother experienced the Dionysian freedom of losing herself" (306).

aus, innerhalb derer die Frau als Gebärmaschine, Ernährerin und Komplementierung des männlichen Mangels immer unten ist.[60] Noch vor Kriegsende findet Frau Handkes Euphorie gegenüber der neuen Zeit, die in der Liebesbeziehung manifestierte Scheinfreiheit der Frau, ein abruptes Ende, wenn die Dorfgemeinschaft die Kontinuität ihrer Autorität behauptet. Wider ihren Willen zwingt man Frau Handke, aus "Pflichtbewußtsein" (30) einen anderen Mann zu heiraten, den sie nicht einmal liebt. Die Eheschließung selbst ist ein rein patriarchalisch-homosozialer Akt, geht es doch nur darum, "dem Kind einen Vater [zu] geben" (ebenda) bzw. die Kameradenwette des Ehemannes einzuhalten. Nach ihrem Aufenthalt in Berlin und der vorübergehenden Trennung von ihrem oktroyierten Partner landet Frau Handke wieder in ihrem Dorf, kehrt zurück von einem Ausflug, der sich politisch Nationalsozialismus nannte und privat als Befreiung empfunden wurde.

Mit der Reterritorialisierung der "ausgeflogen[en]" (50) Frau in der Ehe und erneut im väterlichen Haushalt zeigt ein anderer, ein geradezu alltäglicher Faschismus sein Gesicht, der in den neuen Republiken die "Stunde Null" überlebte und erst in jüngster Zeit als solcher benannt wurde.[61] Abgesehen von den personalen und diskursiven Kontinuitäten des Nationalsozialismus in Deutschland und Österreich setzte sich unterhalb des öffentlichen "Demokratiespielens" die faschistoide Gesinnung gerade in der gesellschaftlich-alltäglichen wie familiären Entmündigung abhängiger Individuen fort.[62] So wurde z.B. die in der Nazi-

---

60 Vgl. Klaus Theweleit, *Männerphantasien. Bd. 2: Männerkörper – zur Psychoanalyse des weißen Terrors* (Basel, Frankfurt am Main: Stroemfeld/Roter Stern, 1978), S. 117-25.

61 Vgl. Schweizerische Vereinigung für marxistische Studien, Hrsg., *Faschismus im Alltag* (Bern: VMS-Verlag, 1990); Barbara Kaindl-Widhalm, *Demokratie wider Willen. Autoritäre Tendenzen und Antisemitismus in der 2. Republik* (Wien: Verlag für Gesellschaftskritik, 1990).

62 Zur personalen und diskursiven Kontinuität des Faschismus siehe Jörg Friedrich, *Die kalte Amnestie: NS-Täter in der Bundesrepublik* (Frankfurt am Main: Fischer, 1984); Ruth Wodak, Peter Nowak, Johanna Pelikan, Helmut Gruber, Rudolf de Cillia und Richard Mitten, *"Wir sind alle unschuldige Täter": Diskurshistorische Studien zum Nachkriegsantisemitismus* (Frankfurt am Main: Suhrkamp, 1990); zum Fortleben faschistischer Alltagssprache in der Bundesrepublik Deutschland vgl. Gerhard Bauer, *Sprache und Sprachlosigkeit im "Dritten Reich"* (Köln: Bund Verlag, 1988), S. 283-300. Neben dem politischen und strukturellen Faschismusvorwurf seitens der Kinder der Täter (Studentenbewegung, Terrorismus, Feminismus) haben die Kinder der Opfer gerade die faschistoide Formierung der Privatspäre und des Alltags durchleuchtet, vgl. hierzu Lea Fleischmann, *Dies ist nicht mein Land: Eine Jüdin verläßt die Bundesrepublik* (Hamburg: Hoffmann & Campe, 1980); Peter Sichrovsky, *Schuldig geboren: Kinder aus Nazifamilien* (Köln: Kiepenheuer & Witsch, 1987). Mittlerweile sind die fatalen psychischen Auswirkungen für die Kinder der Täter dokumentiert: Dörte von Westernhagen, *Die Kinder der Täter: Das Dritte Reich und die Generation danach* (München: Kösel, 1987); Anita Eckstaedt, *Nationalsozialismus in der "zweiten Generation": Psychoanalyse von Hörigkeitsverhältnissen* (Frankfurt am Main: Suhrkamp,

ideologie endlos weitergetriebene patriarchalische Definition der Frau als dem Manne, der Familie und dem Staat dienendes Wesen von den gesellschaftlichen Kräften der Nachkriegszeit schlichtweg übernommen, damit Frauen den von Männern angerichteten Schaden wortlos wieder in Ordnung brachten.[63] Gerade in der Ausbeutung weiblicher Produktivität im Wiederaufbau, d.h. der mörderischen Mehrfachbelastung von Unterschichtsfrauen, erfüllt sich das faschistische Ideal des Frauenopfers. Die Frauenarbeit als unter- oder unbezahlte Überlebenssicherung schließt sich unmittelbar an die nationalsozialistische Kriegsideologie des "wehrhaften Haushalts" an.[64] Der Mythos der "Trümmerfrau" liest sich bei Handke so: "Sie war nichts geworden, konnte auch nichts mehr werden, das hatte man ihr nicht einmal vorauszusagen brauchen. Schon erzählte sie von 'meiner Zeit damals', obwohl sie noch nicht einmal dreißig Jahre alt war. Bis jetzt hatte sie nichts 'angenommen', nun wurden die Lebensumstände so kümmerlich, daß sie erstmals vernünftig sein mußte. Sie nahm Verstand an, ohne etwas zu verstehen" (36). Im väterlichen Haushalt muß Frau Handke "kleinlich und haushälterisch werden" (37). Sie unterwirft sich der vom Vater vorgelebten Zweckrationalität, dem "*Ab*sparen" (55) als internalisierte Bedürfnisunterdrückung im Dienste des "Ganzen", das nicht mehr Volksgemeinschaft, sondern wieder Familie heißt. Die Restauration der kleinbürgerlich-patriarchalischen Kleinfamilie als einziges Stabilitätsmoment in der materiellen, aber auch psychologischen Leere der Nachkriegszeit bedeutete letztlich, Frauen auf ihre familiären Geschlechtsrollen zu begrenzen, indem man ihre Familienfunktion zentralisierte und sie von jeglicher Teilhabe an öffentlichen (Produktions-)Prozessen ausschloß.[65] Im Zuge sozialer Klassenangleichung sollten gerade die Frauen der Unterschichten den öffentlichen Status des nicht mehr offenen Haushaltes u.a. durch die Umsetzung von materialisierten bürgerlichen Sekundärtugenden gewährleisten. Diese Durchdringung der kleinbürgerlichen Familie mit den Normen "Ordnung", "Tugend", und "Sauberkeit" ist die vielleicht subtilste Art patriarchalischer Herrschaft, denn so wird

---

1989); Heinz Bude, *Bilanz der Nachfolge: Die Bundesrepublik und der Nationalsozialismus* (Frankfurt am Main: Suhrkamp, 1992).

63 Hierzu zahlreiche Beispiele zur Frauenpolitik (auch der ersten Frauenverbände) in den Arbeiten von Andrea Hauser, Annette Kuhn und Doris Schubert in: *Frauen in der Geschichte V: "Das Schicksal Deutschlands liegt in der Hand seiner Frauen": Frauen in der deutschen Nachkriegsgeschichte*, Anna-Elisabeth Freier und Annette Kuhn, Hrsg. (Düsseldorf: Schwann, 1984).

64 Vgl. Anna-Elisabeth Freier, "Frauenfragen sind Lebensfragen. Über die naturwüchsige Deckung von Tagespolitik und Frauenpolitik nach dem Zweiten Weltkrieg", in: *Frauen in der Geschichte V*, S. 18-50.

65 Noch bis 1977 definieren rechtliche Bestimmungen der Bundesrepublik Deutschland die gesellschaftliche Funktion der Frau wesentlich durch die familiären Rollen als Ehe-, Hausfrau und Mutter; vgl. Eva Kolinsky, *Women in Contemporary Germany: Life, Work and Politics*, 2. rev. Ausg. (Oxford: Berg, 1993), S. 41-74.

die sozial bedingte Misere des Kleinbürgers zur moralischen Schuld der unordentlichen Hausfrau und Mutter, deren Aufgabe darin besteht, "die Familie nach außenhin zusammenzuhalten; keine fröhliche Armut, sondern ein formvollendetes Elend" (61).

Die pointierte Schilderung des langsamen Verfalls der Hausfrau Maria Handke, die zunehmend unfähig wird, dem Elend Form zu geben, schließt den zu Beginn der Erzählung angedeuteten Teufelskreis weiblichen Daseins im absurden Familiendrama. Wenn auch die Leser und Leserinnen bei dieser Beschreibung unglücklich werden, dann liegt das nicht nur am persönlichen Schicksal von Frau Handke, sondern auch an der zur Identifikation einladenden, erschreckenden Normalität der dargestellten Kleinfamilie. In dieser saugen der schwache Mann und die bedürftigen Kinder die Frau in einem Maße aus, daß sie allmählich auch den Anforderungen ihrer Geschlechtsrollen Ehefrau, Hausfrau, und Mutter nicht mehr Folge leisten kann. Sah Frau Handke ihre Wünsche in ihrer Liebe zum deutschen Soldaten annähernd verwirklicht, so lebt sie später dem "Pflichtprinzip" (34) folgend mit dem ungeliebten "trunksüchtigen Ehemann" (63) zusammen, der sie schlägt und ehelich vergewaltigt. Der häusliche Terror kann weder durch die "bürgerlichen Erlösungssysteme" noch durch proletarisch-feministische Allianzen kompensiert werden, da die Überlebenswirtschaft des kleinbürgerlichen Haushalts "vor-bürgerlich" (43) ist. In der familiären Isolation – "VIER WÄNDE, und mit diesen allein" (42-43) – zwingt sich Frau Handke die eigene Existenz für die anderen ab, so daß die mütterliche Fürsorge sogar die Rolle der Ehefrau und damit einen eigenständigen Anspruch auf den anderen zu verhindern scheint: "schon schleppte man sich sich durch die Zimmer, vom Kind zum Mann, vom Mann zum Kind" (43). Da der Ehemann sie auch "die Mutter" (55) nennt oder der Sohn ihn im Trinken und Schlagen "verdoppelte" (74), besteht zwischen männlichem Kind und Vater keine Differenz. In dieser Rolle als Mutter agiert Frau Handke, wenn auch gezwungenermaßen, als selbständige Person: auf vier Geburten kommen im ihrem Leben drei Abtreibungen, was die Literaturwissenschaft kaum registriert hat. Aufgrund fehlender liberaler Gesetzgebung – auch in Österreich stand Abtreibung bis in die siebziger Jahre unter Strafe[66] – nimmt Frau Handke die Familienplanung selbst in die Hand. Mit dem Embryo treibt sie das körperliche Mahnmal erzwungener Liebe, der den spärlichen Haushalt gefährdenden Mitesser und die Sensibilität gegenüber dem eigenen Körper ab. Den Rest besorgt der mörderische Alltag der Hausfrau, deren Geschichte die ihres Körpers ist: "[...] die Rückenschmerzen; die an der Kochwäsche verbrühten, dann an der Wäscheleine rotgefrorenen Hände; [...] ein Nasenbluten manchmal beim Aufrichten aus der gebückten Stellung; Frauen so in Gedanken, alles nur ja schnell zu erledigen, daß

---

66 Vgl. Erika Weinzierl, *Emanzipation? Österreichische Frauen im 20. Jahrhundert* (Wien: Jugend und Volk, 1975), S. 24-34.

sie mit einem gewissen Blutfleck hinten am Kleid selbstvergessen zum Einkaufen gingen; das ewige Gejammer über die kleinen Wehwehchen, geduldet, weil man schließlich nur eine Frau war [...]" (64-65).

Frau Handkes Tod steht im Zeichen dieses "wunde[n] Körper[s]" (79), der nicht mehr fähig ist, den Ansprüchen der Geschlechtsrolle zu genügen: "sie konnte nicht mehr die Hausfrau spielen" (ebenda). Von den Männern im Haus nicht wahrgenommen, von den Frauen im Dorf nicht emphatisch umsorgt und von den Ärzten mit dem Hinweis auf "Frauenleiden" (76) abgetan, bleibt Frau Handke allein mit ihrem Schmerzenskörper, auf dem sich nur noch die "fleischgewordene animalische Verlassenheit" (77) ausdrückt. Nachdem der Staat ihr verwehrt, ein Fürsorgekind anzunehmen, mit der Begründung, daß ihr "Mann [!] Tuberkulose" (86) habe, hat die nicht mehr funktionierende Hausfrau auch als Mutter ausgedient. Zwar ist Maria Handke "imstande, sich ein Leben vorzustellen, das nicht nur lebenslängliches Haushalten" (62) ist, und artikuliert z.b. im öffentlichen Rauchen und Trinken ihren Dissens gegenüber vorgeschriebenen Rollenerwartungen, aber die alltägliche "Idiotie ihres Lebens" (78) und ihre zunehmende "'Einsamkeit'" (89) verhindern einen tatsächlichen Umschwung. Selbst die Versuche, "das *Schema* einer bürgerlichen Lebensführung" nachzuahmen (55), sich für Politik zu interessieren oder sich über Literatur diesseitige Utopien anzueignen, scheitern. Entweder betreffen kulturelle und politische Sinnstiftungen ihren Alltag überhaupt nicht, oder sie findet beim identifikatorischen Lesen nur "alles Versäumte [...], das sie nie mehr nachholen würde" (68). Als dann sogar "das bloße Existieren [...] zu einer Tortur" (90) wird, schafft sich Frau Handke nach der Erledigung ihrer Frauenrollen selbst ab. Noch im Tod reguliert die väterliche anale Rationalität das Handeln der um Ordnung besorgten Hausfrau: "Sie nahm alle Schmerztabletten, mischte ihre sämtlichen Antidepressiva darunter. Sie zog ihre Menstruationshose an, in die sie noch Windeln einlegte, zusätzlich zwei weitere Hosen, band sich mit einem Kopftuch das Kinn fest und legte sich, ohne die Heizmatte einzuschalten, in einem knöchellangen Nachthemd zu Bett" (93).

Das "Grausen", das vom *Wunschlosen Unglück* ausgeht, ist nicht "etwas Naturgesetzliches" (105). Es bildet sich vielmehr in der ästhetisch vermittelten Einsicht, daß der ländlichen Unterschichtsfrau Maria Handke (und mit ihr vielen anderen Frauen) in der patriarchalisch-kapitalistischen Gesellschaft der neuen Republik systematisch die eigene Lebensqualität vorenthalten wird. Im Prozeß ihrer familiären Ausnutzung als Hausfrau und Mutter deutet sich das faschistische Potential einer sozial bedingten und politisch immer noch von konservativer Seite forcierten kleinbürgerlichen Familienverfassung an, die der Frau keine Optionen läßt, wenn sie aus ihren Geschlechtsrollen ausbrechen will. Jenseits dieser Rollen, die sich in der sozioökonomischen und ideologischen Dürftigkeit der kleinbürgerlichen Landbevölkerung kaum mit Sinn aufladen lassen, ist die Frau "'gar kein Mensch mehr'" (77). Doch nicht nur die gesellschaftlich erzeugte Stummheit der Frau, sondern auch die Taubheit der sie umgebenden, auf sie angewiesenen und von ihr ernährten Männer (Vater, Gatte, Sohn) treibt Frau Handke schließlich in den Tod. Ihr bleibt nur noch der Wunsch, der Sinnlosigkeit ihres alltäglichen Daseins ein Ende zu machen: "'Ich rede mit mir selber, weil ich sonst keinem Menschen mehr etwas sagen kann. Manchmal kommt es mir vor, als wäre ich eine Maschine. [...] Jeden Tag mache ich dieselben Arbeiten, und in der Früh herrscht wieder Unordnung. Das ist ein unendlicher Teufelskreis. Ich möchte wirklich gerne tot sein [...]'" (89).

Peter Handkes *Wunschloses Unglück* ist in der deutschsprachigen Literatur der Nachkriegszeit einzigartig: Noch vor dem literarischen (Verena Stefan) und geschichtswissenschaftlichen Durchbruch des Feminismus provoziert der männliche Autor in der schreibenden Aufarbeitung des Lebens und Todes seiner eigenen Mutter die Legitimation von Nachkriegsdemokratien, indem er am verallgemeinerbaren Einzelschicksal die über alle politischen Verfassungen erhabene Kontinuität patriarchalischer Unterdrückungsstrukturen behauptet, die letztlich erfüllendes Dasein für Unterschichtsfrauen verhindert. In seiner Spekulation über klassenspezifische weibliche Subjektivität attackiert Handke die Auffassung, daß aus der Perspektive des (kleinbürgerlichen) Mannes emanzipatorische Lebensphasen mit politischen Verfassungen gleichzusetzen seien. Statt dessen verdeutlicht er, inwiefern eine noch zu schreibende Frauengeschichte bürgerliche Geschichtsideologien als solche entlarvt. Während die Literaturwissenschaft dieser These kaum Aufmerksamkeit schenkte und den Tod der Mutter nur als vom Sohn/Erzähler/Autor aufgegriffenen Schreibanlaß ansieht, scheint die Massenrezeption des Textes zumindest in der stummen Identifikation mit dem Schicksal der Maria Handke dieser Provokation zuzustimmen.

Geoffrey C. Howes
Bowling Green State University

A Proletarian Bildungsroman?
Michael Scharang's *Charly Traktor* (1973)

AS A REALISTIC NOVEL with a working-class hero, Michael Scharang's first novel *Charly Traktor* (1973) came out at the right moment. The student movement and the intellectual "New Left" that had peaked in 1968 had largely come in off the streets to continue their debates in the journals and the academy. Experience had tempered but not defeated their ideals of social justice and solidarity with the disenfranchised, and Social-Democratic administrations in Germany and Austria had produced some cautious hope for realizing them. The antibourgeois catchword "literature is dead" had turned out to be a bit hasty, having mistaken the medium for the message.[1] The workers'-literature movement associated with the Dortmund "Gruppe 61" had shown, on the one hand, the limits of a workers' literature that identifies too strongly with the established publishing industry. On the other hand, the countermovement spawned within its own ranks by the Dortmund group, the "Werkkreis Literatur der Arbeitswelt," whose best-known member was Günter Walraff, demonstrated the aesthetic and theoretical weaknesses of a documentary literature that sacrificed awareness of overarching socioeconomic contexts for the sake of authentic detail.[2] At the same time, given the general sympathy of writers and intellectuals with historical and dialectical materialism during this period, the absence of the world of work from German-language literature with aesthetic ambitions was striking. Indeed, the times were characterized in part by precisely this dilemma between proletarian sympathies and bourgeois cultural ambitions.[3]

Hence the German-speaking literary world was ready for a book in which a credentialed author used the imaginative power of literature to examine the reality of workaday life within the context of the *Wirtschaftswunder*, or to put it in

---

1   See Heinz-B. Heller, "Literatur und Neue Linke," in Jan Berg et al., *Sozialgeschichte der deutschen Literatur von 1918 bis zur Gegenwart* (Frankfurt am Main: Fischer, 1981), pp. 682-83.

2   See Bernd Witte, "Gruppenbildung und Beginn einer theoretischen Diskussion in der Bundesrepublik," in Bernd Witte and Gerald Stieg, *Abriß einer Geschichte der deutschen Arbeiterliteratur* (Stuttgart: Klett, 1973), pp. 138-46. It is no accident that this book appeared in the same year as *Charly Traktor*. The concern with socially aware literature was in the air.

3   Heller, "Literatur und Neue Linke," p. 683.

Austrian terms, under the incumbency of the *Sozialpartnerschaft*. The technique as well as the content of Scharang's novel heralded a new development: a neorealistic style that put the literary imagination to the task of showing work life as embedded within economic and social structures, rather than simply revealing the experience of working tedium or sketching the worker's psychology. The protagonist's gradual awareness of his position in the web of social forces is what makes this novel seem something like a Bildungsroman, a resemblance many critics picked up on immediately.[4] But unlike the Bildungsroman the aim of *Charly Traktor* is not to explore or even criticize bourgeois culture on its own terms and within its own territory, but to show the "other," proletarian culture that was largely excluded from that territory.

Even more than the Federal Republic, Austria was due for a shift to a critical new realism in the wake of the avant-garde experiments of the "Wiener Gruppe" a good decade earlier, and the texts of Ingeborg Bachmann, Thomas Bernhard, and Peter Handke in the fifties and sixties, which were indeed critical, but intellectually complex enough to resist reception beyond the intelligentsia. It is no mere coincidence that *Charly Traktor* appeared in the year that saw the creation of the "Grazer Autorensammlung" (GAV), an alternative to the conservative PEN Club in Vienna. The GAV was associated with the aesthetically daring Vienna Group, but primarily with the younger authors of the "Forum Stadtpark" and the journal, *manuskripte*. In the sixties the "Forum Stadtpark" had established itself as the antiestablishment force in Austrian letters, the establishment in this case being the conservative writers associated with the Austrian PEN Club in Vienna. By 1973 the GAV was pushing for independent recognition from the international PEN Club. One faction within the GAV, led by Michael Scharang, also advocated a new, socially aware and critically realistic literature, along with the acknowledgment that writers were a sort of cultural proletariat that Austrian cultural policy itself was excluding from a substantial social role, and hence also from the fruits of the new Austrian affluence and the welfare state. Scharang's faction, the "Arbeitskreis der Literaturproduzenten," included Gustav Ernst, Friedrich Geyrhofer, Günter Nenning, Heidi Pataki, and Michael Springer.[5]

In the late sixties Scharang had passed through an experimental phase inspired aesthetically by the Vienna Group and theoretically by Walter Benjamin and the Frankfurt School. In the early seventies, drawing a practical conclusion from his own theory that the aesthetic dimension should be shifted into social reality, he tackled the question of alienation. In *Charly Traktor* he portrayed a correlation

---

4   Actually, all three common terms, "Bildungsroman," "Erziehungsroman," and "Entwicklungsroman," were mentioned by reviewers. See pp. 84-88 below.

5   Roland Innerhofer, *Die Grazer Autorenversammlung (1973-1983): Zur Organisation einer "Avantgarde"* (Wien: Böhlau, 1985), p. 39.

between the linguistic alienation separating words from their meanings and the social alienation separating persons from their work. Scharang transferred the problem of language from the author's palette to the arena of the protagonist's existential confrontations with the world. In doing so he reduced his narrative diction to an almost schematically clear and deliberate examination of how one worker discovers that his difficulties, however personal, derive mainly from his membership in a class that goes through these problems collectively. If a classic bourgeois Bildungsroman explores the inner, spiritual path of a protagonist into a socially accepted maturity, it is possible to regard *Charly Traktor* as a proletarian Bildungsroman in which inner development and class consciousness, at first far apart, approach each other by degrees so that the protagonist finally identifies with a larger reality that includes but transcends his self-interest.[6]

Scharang's project of uniting literature with a social program and adapting a genre of bourgeois realism to proletarian class-consciousness-raising is not without its problems. At first glance it seems like a recipe for predictable, didactic writing, where imagination is sacrificed to propaganda. While *Charly Traktor* is somewhat guilty on this count, it still endures as Michael Scharang's distinctive contribution to Austrian fiction, the book that proved his reputation as both a writer and a social critic. It also paved the way for other texts that could be classified too as worker's or peasant's novels of education, for example Gernot Wolfgruber's *Auf freiem Fuß* (1975) and *Herrenjahre* (1976), and Franz Innerhofer's *Schöne Tage* (1974), not to mention Scharang's own *Der Sohn eines Landarbeiters* (1976). Nearly twenty-five years after its publication, then, it is worth looking back to ask whether this pioneer of postwar Austrian working-class realism has more than historical interest for us today.

The Author and His Work

Michael Scharang was born in 1941 into a working-class family in Kapfenberg, in the industrial region of Styria. As with many of his generation, the chance for a university education gave him a ticket out of the poverty and provincialism he would likely have faced in an earlier time. Scharang went to Vienna in 1960 to study, but this move up socially was also a move toward an ambivalent relationship to Culture with a capital "C." The outsider was disappointed by the inside: "Ging man von dem Buch, das man las, oder von dem Text, den man

---

6   Cf. Norbert Schachtsiek-Freitag in his review, "Proletarische Gegenöffentlichkeit," for *Frankfurter Hefte:* "das subjektive Bewußtsein des Protagonisten und die Objektivität seiner Stellung im Produktionsprozeß und in der Gesellschaft fallen zusammen." *Frankfurter Hefte,* 19, 4 (1974), 299.

schrieb, weg, saß der durstige Geist bald auf dem trockenen."[7] And so, by his own account in the semi-autobiographical essay, "Das Wunder Österreich," Scharang retreated: "Unter diesen Umständen erwies es sich als sinnvoll, weil einzig erträglich, die Wohnung selten zu verlassen. Der Schritt, Schriftsteller zu werden, ergab sich dann von selbst."[8] The two issues evoked by this displacement – the transition between the provinces and the city and the detachment of the mind from social reality – became essential themes in both *Charly Traktor* and *Der Sohn eines Landarbeiters*.

After studying theater, philosophy, and art history, Scharang earned his doctorate in 1965 with a dissertation on Robert Musil's dramas. As a student, he had already started writing fiction and essays. His first book, *Verfahren eines Verfahrens*, appeared with an afterword by Helmut Heissenbüttel in a limited bibliophile edition in 1969. His second book (1970) continued the formal experiments and cultural criticism of his first, bearing the provocative title *Schluss mit dem Erzählen und andere Erzählungen*. He worked out his aesthetic program in sophisticated prose in his Benjamin-inspired essay collection *Zur Emanzipation der Kunst*. This marks the end of what might be called Scharang's theoretical period and the beginning of his proletarian writings, for around the time he was writing *Charly Traktor* he was also producing documentary workers' literature. These radio plays constructed from actual workers' narratives were published in 1973 as *Einer muss immer parieren*. *Charly Traktor*, published in the same year, draws frequently on the problems Scharang heard about in the authentic workplace accounts.

The shift from sophisticated theory to down-to-earth practice and from avant-garde formalism to documentary realism was not unmotivated. In a 1981 interview Scharang explains that his private studies of Marx and Engels and his involvement with the student movement put him on the literary path that led to *Charly Traktor*.[9] This path was intended to move toward what Scharang called "the emancipation of art," which involves not simply a liberation of creativity within the prevailing terms of the bourgeois culture, but an activation of art as part of a general transformation of social reality. Any consistent emancipation, he wrote, of any part of society arrives at a point where it cannot be realized without changing society as a whole.[10] If art is to be part of this transformation, it must be returned

---

7   Michael Scharang, "Das Wunder Österreich," in *Das Wunder Österreich oder wie es in einem Land immer besser und dabei immer schlechter wird* (Wien: Europaverlag, 1989), p. 32.

8   Ibid.

9   Josef-Hermann Sauter, "Interviews mit Barbara Frischmuth, Elfriede Jelinek, Michael Scharang," *Weimarer Beiträge*, 27, 6 (1981), 118.

10   Michael Scharang, *Zur Emanzipation der Kunst: Essays* (Neuwied, Berlin: Luchterhand, 1971), p. 8.

to its position within the socioeconomic processes of the society. Following Walter Benjamin, Scharang asserted that art, within bourgeois society a redundant prop for predominant values, must be conceived of as an essential productive element.[11] As Scharang saw it, art had been removed from any role in the material substructure, which made it politically irrelevant. Furthermore, the politically fertile function of art had been supplanted by the aestheticizing of politics, making art a mere "parasite" on the rituals that create emotional support for the status quo. This function reached its apex under fascism. Scharang subscribes to Benjamin's preferred alternative to the aestheticizing of politics: communism answers by politicizing art.[12]

And so it was that Michael Scharang joined the Communist Party of Austria (KPÖ), also in 1973. Continuing his project of politicizing art and portraying the world of work, he wrote the screenplay for a television production called *Der Sohn eines Landarbeiters*, which he then developed into a novel (1976). By 1978 he left the party, disillusioned by the very shortcoming he hoped the Communist party would solve for him, namely, the gap between theory and practice.[13]

He surprised the critics who had put him in the pigeonhole "workers' literature" by writing a novel with a white-collar protagonist, a bank manager who sees love and the chance for the "perfect crime" as an escape from his dreary existence: *Der Lebemann* (1979). This novel (which was also a television play) with its underworld milieu and lurid plot was criticized for being mere pulp fiction. Scharang defended it by saying that it is not enough to show the world of industrial work; part of the problem is bourgeois ideology and this must also be portrayed and unmasked.[14] Whatever its literary value, *Der Lebemann* is consistent with Scharang's other works in its depiction of a person who seeks possibilities beyond what his circumstances grant him. The inability to realize these possibilities, which leads, in *Charly Traktor*, to a violent lashing out and eventual self-awareness, and in *Der Sohn eines Landarbeiters* to the protagonist's suicide, leads in *Der Lebemann* to an irrational, escapist nihilism, a trap that Scharang regards as typical for the educated bourgeois.[15]

A similar frustrated bourgeois – and a similar lack of critical success – marked *Das doppelte Leben* (1981), a television play about a scholar who, unable to realize his goals of social reform, takes revenge by becoming an unscrupulous real estate agent, sinking into the very corruption he has struggled against. According to one

---

11 Ibid., p. 9.
12 Ibid., p. 12.
13 Ulrich Greiner, "'Literatur ist das Schreiben von Geschichte'. Ein Gespräch," in *Der Tod des Nachsommers: Aufsätze, Porträts, Kritiken zur österreichischen Gegenwartsliteratur* (München: Hanser, 1979), p. 197.
14 Sauter, "Interviews," p. 119.
15 Ibid.

critic, the story is reminiscent of a serialized magazine novel,[16] but this TV play and *Der Lebemann* represent only a temporary "pulp interlude" in Scharang's work.

The short book-length story *Harry: Eine Abrechnung* is a sequel to *Charly Traktor*, in which the author of that novel meets Charly's illegitimate son Harry because he would like to write about the son as well. Instead, Harry brings his own story, and the narrative, within the frame of an evening in a restaurant, consists of Harry's reading and commenting on his manuscript. Harry is a dropout who resists those in authority who try to impose order on his life. His narrative is fragmentary, like his world view, not because of immaturity, but because a realistic assessment of his life has given him no cause to pursue the comfort of conformity. As the critic Peter Bekes notes, the model of the Bildungsroman is obsolete for him.[17] He seeks autonomy but pays the price of isolation.[18] This novel, one of Scharang's best, shows not only that problems are different for a different generation, but that the model of enlightenment that underpins *Charly Traktor* requires revision and adaptation to postmodern circumstances.

Scharang has always been an active essayist, and some of the liveliest and certainly wittiest things he has written have been in the form of essays, notes, and commentary. Bringing together essays from 1978 to 1983, *Die List der Kunst* continued the social and aesthetic musings of *Zur Emanzipation der Kunst*, but now Scharang had clearly found his own style and voice. Not shying away from puns and pointed satire, these essays address very specific questions of the state of the arts and public life in Central Europe, especially in Austria. Scharang continued in this vein with 1989's *Das Wunder Österreich* and in 1994 with *Bleibt Peymann in Wien, oder, Kommt der Kommunismus wieder.*

Stepping into the role of director, Scharang produced two films for television, *Die Kameraden des Koloman Wallisch* (1984) and *Eine Heimkehrergeschichte* (1986). Like most of Scharang's fiction, these center on love stories; here the romances dramatize moments of Austrian history, the civil war of 1934 and the political reconstruction after World War Two, respectively. Scharang's most recent novel is *Auf nach Amerika* (1992). This most complicated of Scharang's fictional texts combines fantasy and realism with bitter satire on contemporary Austrian affairs. It takes the form of reminiscences of an unlikely couple, a museum employee (the narrator) and Maria, who as teenagers thirty years earlier hatched a plot to escape Austria – hence the title. Employing elements familiar from his other works – a love affair across class boundaries, the world of work, political

---

16 Peter Bekes, "Michael Scharang," in *Kritisches Lexikon zur deutschsprachigen Gegen-wartsliteratur*, Heinz Ludwig Arnold, ed. (München: Edition text + kritik, 1978ff.), 21. Nlg., vol. 5 (1987), p. 9.

17 Ibid., p. 10.

18 Ibid.

intrigue and chicanery, and the power of sexuality in public and private affairs – Scharang exposes the fears and secrets that corrode the substance of the Second Republic.

Thus *Charly Traktor* can be seen as an early milestone in a career that has moved from experiments with language, to experiments with "workers' literature," to awkward attempts at portraying wayward middle-class types, to the mature films, novels, and satirical essays of the eighties and nineties. Scharang has never lost the passionate commitment to social criticism that distinguishes *Charly Traktor*, but he has become more comfortable with the range of aesthetic possibilities implicit in his chosen genres and has consciously moved from critical realism to a "new sensuousness" and storytelling for its own sake.[19] For the earlier and the later Scharang alike, stories always imply history, but history in its complex human dimension: "Literatur ist bei allem, was sie sonst ist, immer auch das Schreiben von Geschichte. Geschichten erzählen und dabei Geschichte schreiben. Insofern ist Literatur für mich die sinnliche Form der Wahrheit."[20]

Exposition

Charly Traktor differs from the classical Bildungsroman, among other ways, in its modest size: the paperback edition runs to 131 pages, and Charly's story is told in fifteen chapters averaging nine pages each. The story takes place in contemporary Vienna, the narrated time is about two weeks, and there are flashbacks to three levels of past time: Charly's youth in a village in Burgenland, his early days in Vienna, and recent events at the factory where he works. The novel starts in medias res with "Charly Traktor" (whose real first name is Karl, and whose real surname we do not learn) killing time on a Sunday afternoon along the Danube. Eventually, we discover that Charly is a thirty-year-old worker.

Both the style and the major themes of the novel are established in the first few paragraphs. We have an omniscient narrator who is privy to Charly's inner thoughts, which are expressed by means of interior monologue ("'Ich verhaue mir den ganzen Sonntag'"), free indirect style ("Es gibt ein Fremdwort dafür"), and, most common, third-person reporting ("Seine Erregung ist ihm lästig" [all

---

19 Geoffrey C. Howes, "*Auf nach Amerika*: Ein Gespräch mit Michael Scharang," *Modern Austrian Literature*, 22, 2 (1989), 81-82: "Also, eine neue Sinnlichkeit, die bewußt die Grenzen des Naturalismus übersteigt und auch so etwas sucht wie eine höhere Stufe des Realismus."

20 Greiner, "Literatur ist das Schreiben von Geschichte," p. 189.

quotations on p. 5]).[21] Simple sentences dominate, with an almost laborious, building-block effect that makes Charly seem to be putting his actions and thoughts together deliberately and with difficulty. Charly's attempts to make sense of what is happening inside him and outside him by assembling words and actions into some kind of meaningful whole form a recurring motif. Both his mental processes and his physical actions are characterized by simplicity and caution, but also by lack of foresight. Charly reacts more than he acts.

In the opening scene Charly is trying to avoid action, by not thinking about a general shop meeting at his factory that is scheduled for the next day. On the agenda are measures to keep the workers from catching cold in the unheated factory with its bare concrete floor. Until now, the management has refused several demands of the workers to improve conditions. Charly has been encouraged by his fellow workers to give a speech pleading for warm shoes and wooden platforms to protect the workers. He is certain he can give the speech his head, but he has the urge to talk about more than just the shoes and platforms. He does not know exactly what else he wants to say, but whatever it is, it consists of "Teilen, die ineinander übergehen, die er nicht auseinanderhalten kann, die scheinbar kein Ende nehmen" (8). Charly is limited by his inability to think clearly, which is the same as his inability to speak reasonably without great effort.

Charly has a bent for rash action; for example, angered by the head of payroll, Charly squirts him with an oil can, ruining his white coat. It takes the shop steward two weeks to convince the management that it was an accident, which saves Charly's job (9). Charly has liked the steward since then; however, he notices that the steward does a lot for the workers, but very little against the management, who still have the right to impose their will on the workers. This is the second half of what Charly wanted to say at the factory meeting: he wants to do something against the bosses, but what that might be he cannot say (9). His anger lurks just below the surface, ready to lash out. This spontaneous rage is an inchoate class-consciousness, which needs to be corrected in the direction of purposeful action and class solidarity by the process of Charly's education, his *Bildung*.

These thoughts about his situation at work go through Charly's head on a Sunday afternoon by the Danube. He thinks of his partner, Elfi, but even as he thinks of her he imagines putting his arm around the young woman he has been watching. He tries calling Elfi, who might be angry because he is late getting home, but she does not answer. The term "home," he thinks, is an overstatement. Charly reflects that he and Elfi have known each other for three years and have been living together for two. She pays the rent, he maintains the car, but the car

---

21 I will quote from the paperback edition of *Charly Traktor* (Darmstadt: Luchterhand, 1985; rpt. of 1st ed., Darmstadt: Luchterhand, 1973). Further references will be noted in the text by page number.

is not running right now because Charly bought a leather jacket instead of a new transmission (11). Now Elfi will demand that he share in the rent payments.

Thus the first chapter is an exposition of the major themes and conflicts that are to follow: Charly is from the country, but has no thought of returning; still, he is not entirely comfortable in the city. He is inarticulate, but passionate and impulsive, sometimes in anger (the oil-can incident), sometimes not (the leather jacket). Charly's inarticulateness and impulsiveness have set him up for strife at work and at home. He wants to represent the workers' interests, but his anger always threatens to undermine his carefully joined thoughts. He wants to feel at home with Elfi, but he does not think ahead, and so he does not hold up his end of the household.

Chapters 2 through 6 narrate the rest of the Sunday afternoon and evening, shifting between present action, flashbacks, and exposition. Riding home on the streetcar, Charly reflects on how he got his nickname. As a child after the war Karl receives a Care package from America, which contains a cap with a picture of a tractor on it. Through deals and threats, one group of children takes the caps away from another group. Only Karl stands up to the cap robbers, who threaten that they will get his cap the next day. Karl brings a kitchen knife to school and wards off the tough kids, who respond by dubbing him "Charly Traktor." Charly's plan to organize the victimized kids to take back the hats does not work because none of the toughs have brought their caps to school.

This story sketches Charly's embryonic personality. He is an outsider and keenly sensitive to injustice. He responds both generously and violently by helping the children who cannot stand up for themselves, but he does so by using the threat of force. His plans are frustrated by circumstance and his own inability to think through a situation. His nickname (and his cap, which he keeps into adulthood) thus becomes both a badge of his courage and a reminder that he is an outsider and in many ways a failure. Again, his impulsiveness gets him into circumstances that his limited judgment cannot get him out of. This is precisely how he comes to stay in Vienna, as portrayed in chapter 4. On the day after he leaves school, he has to go to the capital to pick up certain papers for his mother at the welfare office. Waiting through the lunch hour, he wanders around the city. He is unable to finish his errand, he misses his train, and so he simply stays in Vienna (28-29).

On such a whim he begins his new life. Like many of Charly's other actions, it is reasonably motivated, for by staying in Vienna he avoids what has been planned for him all his life: to work as a hired hand for the farmer who employs his mother. Charly hates the farmer because he beats him and molests his mother. Yet his reckless solution leaves his mother behind and causes him to have to piece together an existence, first as a day laborer, then as an unskilled worker. This is another pattern of Charly's: seeking immediate advantage at the expense of pursuing longer-term goals such as job training. But it is also clear that the system is set up to encourage this pattern, for unskilled workers cost less, and employers seem reluctant to commit themselves to apprenticeships (29).

While working one of these unskilled jobs as a transport worker at the airport, Charly meets Elfi with his typical combination of deliberation and impulsiveness. After watching a real-life drama behind a glass partition, in which an attractive woman refuses to follow her companion to board their flight, Charly sees the woman in the terminal and asks if he can carry her bag. He then gives her a ride home. While they sit in the car, she breaks into tears. In a moment of the kindness he is sometimes capable of, Charly tells her, "Weinen Sie sich aus. Ich habe Zeit" (24). It turns out that Elfi suffers from depression, which alternately evokes Charly's compassion and irritates him.

Complication

The conditions of Charly's vocation and of his home with Elfi – the two domains interwoven in the first six chapters – both approach dramatic climaxes about two-thirds of the way through the novel. At the factory, as we have seen, Charly is responsible for articulating the workers' demands at the shop meeting, while he wavers between boldness, fueled by anger, and self-doubt. At home the problem is a classic lack of communication between man and woman, made more difficult by Charly's verbal ineptitude and Elfi's depression. In other words, Charly's work problems and home problems have the same root: he cares intensely about his own well-being and the well-being of others, but the intensity of this concern is part of the difficulty he has reining in his emotions. His chronic frustration, both as a worker and as a lover, gives him the sense that he can and must claim what is coming to him, which he does without thinking. He fails to see that his interests are interconnected with the interests of others and cannot be pursued in isolation.

One of Scharang's achievements in this novel is the detailed and convincing portrayal of the interrelation of human and economic bonds. Charly cannot afford a nice apartment on his wages alone, and while he earns more than Elfi, she earns rent on an apartment her first husband bought for her on the terms of the divorce. Hence Charly and Elfi are together because of a combination of sexual attraction, chance, and financial convenience. All three of these forces entangle the two while straining the shared interests that could supply voluntary reasons for their staying together. As it is, their ménage is grounded more in practical arrangements than in personal commitment. Neither one was actually very keen on moving in together, but Charly figured out it would be cheaper if they did (41-42): "Da die Initiative von ihm ausging, mußte er sich sagen und konnte sie ihn spüren lassen, daß er sich hereingedrängt hat" (42). This imbalance haunts all their interactions.

One of his problems with Elfi is reciprocal jealousy. At the movies, Charly notices that the young woman next to him is upset by the movie, so he gets her attention with both intrusive advances and sympathy. They leave the theater together, but outside he sees Elfi and abandons the young woman. His characteristic combination of reckless sexual curiosity and sincere caring has brought him to the point where he acts, but his actions are thoughtless, both toward Elfi and toward the girl, whose hopes for companionship are broken. At the same time, Charly thinks Elfi has been seeing her ex-husband, which creates resentment and an excuse for pursuing other women. Even though he and Elfi are able to make up when they get home – significantly, in the nonverbal ways of laughter and lovemaking – the suspicions remain, surfacing later in a series of crises. And Charly shows his particular lack of forethought by not leaving well enough alone, taking her wish to stay close for a wish to make love a second time, which Elfi is clearly ambivalent about (40-41). Later, they argue about his preoccupation with the meeting, and Elfi accuses him of always taking on too much and then giving up: "Ich traue mich wetten, du machst morgen den Mund nicht auf" (45).

Charly even uses his sense of being downtrodden as an excuse for treating women with less than respect: "Das Ansprechen von Frauen hatte er als Freizeitbeschäftigung gewählt, weil es nicht kostspielig war" (46). He gets so little of all the things the market offers that he wonders, "Warum soll er nicht wenigstens eine schöne Frau haben wollen?" (47) Thus women are made into commodities, one more reward for drudgery. In fact, women are more even accessible than many consumer goods because they often cost less. Such considerations cause Charly to view his relationship with Elfi as an unequal exchange of value, and even jealousy is based on an implicit transaction: he sees no reason why Elfi should be jealous of him: "Er meint damit, daß ihr nichts verlorengehen würde, wenn er von ihr wegginge. Umgekehrt sei es anders. Er sei zwar nicht eifersüchtig, aber er würde etwas verlieren, wenn er nicht mehr bei ihr sein könnte" (45-56). Whether or not it is actually so, this attitude implies that she is doing him a favor by staying with him. It is the same sense of dispensability that nags him at work, building resentment and breeding violence. Elfi's questioning of his resolve makes him determined to succeed with his speech, but it also gives him an emotional motivation foreign to the issue at hand.

In a conversation at work, however, Charly begins to gain an awareness of the economically determined predator-prey relationship between men and women. Wanting to discover what Charly plans to say at the meeting, the shop steward starts a "casual" conversation with Charly's neighbor, who talks about his vacation with his wife in Yugoslavia. Charly wishes he could talk as happily about Elfi and himself; indeed, he wishes he could talk about Elfi and himself at all (59). He can't speak about their relationship because the sexist clichés that are available to him do violence to the truth: "Wir haben ein paar Sätze über Frauen, denkt er sich, und

die reichen wir herum wie pornographische Photos. [...] Das ist es: Wir reden von
den Frauen wie die Unternehmer von uns" (ibid.). The incipient insight, into the
mercenary nature of both employment and what is called love, is interrupted by
the part he is machining, which breaks and hits him in the hip. In one paragraph,
Scharang sketches quite a complex set of circumstances: with a little thought, a
man can begin to make sense of the forces that make his life difficult, but even
this little bit of thought is hard to come by. The brute need to earn a living breaks
off the moment of reflection.

Charly is passionately committed to improving his working conditions. For
example, he invents a device that reduces the time required to reposition the part
to be machined, speeding up his piecework. He lets the other workers copy his
invention, but refuses to let the company gain the advantage of the time saved (55-
57). Here Scharang portrays Charly Traktor as having both good intentions and
the intelligence to carry them out. He is simply limited by his restricted knowledge
of his context. These limitations frustrate him and egg him on to behave
irrationally. Nonetheless, it shows his potential, the material for *Bildung* that marks
Charly and puts him in the position of speaking for his fellow workers.

The shop meeting and its aftermath take Charly once again through the sequence
of determination, success, self-doubt, and impetuosity. The meeting starts with
the Social-Democratic shop steward telling the history of the factory, explaining
the origin of the concrete floor (68-70). This story also gives Scharang a chance
to outline twentieth-century Austrian history and hence to connect Charly's present
to the past. The steward's narrative describes the origins not only of the physical
bases of the machines, but also of the political and economic bases of the factory's
work – including the forced departure of a Jewish factory owner. Significantly,
the machines have done well under monarchy, fascism, and the social partnership,
even if the workers have not: "Seit diese Fabrik steht, wurde immer dafür gesorgt,
daß die Maschinen einen ordentlichen Platz haben. Sie würden sonst umfallen.
Aber um den Platz auf dem die Arbeiter stehen, sorgte sich bisher niemand" (69-
70). Some of the stewards loyal to management object that this is an exaggeration,
but it makes sense to the workers.

The details of the shop meeting give Scharang a further chance to depict the
political situation under the *Sozialpartnerschaft*: shop stewards represent the major
parties, the conservative ÖVP (Österreichische Volkspartei) and the SPÖ (Sozi-
alistische Partei Österreichs), as well as the minor, nationalistic Liberal party. One
reactionary former Nazi was elected on a nonpartisan ballot. Their positions on
the meeting's agenda read like excerpts from party platforms. On a small scale,
this gives *Charly Traktor* the feel of a *Zeitroman*, an aspect typical of the
Bildungsroman. It is also rather schematic, predictable, and perhaps too self-
consciously political; but Austrian public life, with its proportional representation
and party-book system, is itself schematic, predictable, and self-consciously

political. At points throughout the book, Scharang also introduces calculations of wages, rent, loans, and other mundane details, which seem to distract from the flow of the narrative. Yet this accords with critical realism, for this is the stuff of the lives of the people portrayed, just as the details of commerce, dowries, and inheritances flesh out a realistic *Zeitroman* like *Buddenbrooks*. The stakes of money and time explain the intensity of the dramatic conflicts of the novel and thus complement the psychology of the characters.

Charly's speech follows the Social-Democratic steward's and the discussion it evokes. He once again has the feeling that his topic is splitting in two: the immediate question of shoes and platforms, and the general question of the workers' inferior situation in the capitalist system. He improvises a bit, calling the management "pigs," but arrives back at his demands, which go beyond the shoes and platforms to include adequate heating and repairs to the cracked floor. To his surprise, his colleagues applaud and the Social-Democratic shop steward, who is running the meeting, supports Charly's proposal rather than his own. The working crew accepts it with an eighty-five percent majority. But Charly's triumph is tempered by his confusion: "Er versteht das Verhalten des Betriebsrates nicht. Er freut sich, daß sein Antrag angenommen wurde. Da er aber nicht versteht, wie es dazu gekommen ist, kann seine Freude nicht aus ihm heraus" (79).

Charly's ambivalence makes him hope that Elfi does not ask him about the meeting, but of course she does. She is thrilled to hear of his success, and she cannot understand why he is not excited himself. The resulting accusations and counter-accusations cause Elfi to take stock of her relationship with Charly. She goes back and forth between her anger at Charly's incomprehensible behavior and the positive things she had told her ex-husband about Charly the day before. Reminded of the encounter at the movie theater, she resolves to tell Charly to move out.

Denouement

The next day at the factory, the workers discover that their demands have been refused by the management. In his righteous wish for justice, Charly has made a tactical error by asking for too much at once, leaving his opponent an opening to turn down even those demands that might have been acceptable singly. It is possible that the Social-Democratic shop steward went along with Charly in order to play both ends against the middle: the SPÖ and the union seem to support the workers' propositions, yet knowing that it is unlikely so many demands will be accepted, the union can avoid a confrontation with management and maintain the peace of the *Sozialpartnerschaft*.

Enraged, Charly punches the ÖVP steward and calls for a strike. Two-thirds of the workers approve the motion to strike. But the Social-Democratic steward does not like the spontaneous action and sees no hope for the support of the union. Charly objects: "Man muß nur entschieden genug zeigen, daß man zu streiken gewillt ist, dann wird die Gewerkschaft den Streik anerkennen müssen" (97). Charly leads the workers to a storeroom to get materials for picket signs, but it is locked. Frustrated, and losing his colleagues' support, Charly picks up a crowbar and smashes the time clock. The steward asks him to go home. This scene has the precise structure of the childhood scene where Charly leads the attempt to get the caps back, and the parallel between past and present is perhaps a bit too neat.

Scharang makes his points best when he is not trying hard to make a point. An example is the growing interaction between work problems and domestic problems, probably the best-developed strand of plot. Charly's headlong action erupts not only from his frustration at work, but also from his frustration with Elfi: "Er will die Gedanken an Elfi, die ihn gestern und heute morgen belastet haben, loswerden: Das ist immer das gleiche Sinnieren. Ihm scheint seine Beziehung zu Elfi im Augenblick unwirklich zu sein. Er hat ein Bedürfnis nach handfesten Dingen" (93-94). To some extent, his angry reaction is a compensation for completely unrelated emotional predicaments.

After the incident that will cost him his job, he transfers the mistrustful thinking he has learned at work – even the union does not really support the workers – to his home. He tries to make sense of Elfi's having met with her ex-husband on Sunday: "Elfi trifft sich seit längerem mit ihrem ersten Mann. Sie ist zur Ansicht gekommen, daß ihr erster Mann und nicht Charly der richtige für sie ist. [...] Sie täuscht häufiger als früher seelische Leiden vor, in der Hoffnung, daß es ihm zuviel wird" (99). This not only gives form to his fears and jealously, it gives him an excuse for his rash behavior. He believes that she encouraged him to take action at the factory so that he would lose his job and give her an excuse to get rid of him: "Er hat sich von ihr ins Verderben hetzen lassen" (100). He confronts Elfi with his suspicions, but she thinks he is joking, and this angers him more, to the point where he grabs her, throws her on the couch, and threatens to choke her.

Charly decides to confront Elfi's ex-husband, but what he imagines will be a large-scale battle (compensation for the lost battle at work?) turns into a cordial exchange in which he finds out that the ex-husband had just wondered how Elfi was doing: "Als ich sah, daß Elfi frisch und gesund ist, wußte ich, daß sie sich in guten Händen befindet. Ich bin Ihnen sehr dankbar" (102). Charly spends the rest of the night drinking. The next day he goes to the plant and finds out that he has been fired without notice. If he accepts the dismissal, he will not have to pay for the time clock. He accepts.

Thus Charly's wish for action, and his attempts to outsmart those he thinks are scheming against him, make him lose his job, the support of his colleagues, and possibly his partner. He replaces the job quickly, with a position where he immediately gets himself into debt with the firm's own loan department. He feels empowered, but he really is not. He reflects: "Er kann vielleicht eine Situation herbeiführen, wenn er aber in ihr ist, kann er nicht bestimmen, wie sie abläuft. Er kann den Arbeitsplatz wechseln, am neuen Arbeitsplatz ist es aber nicht wesentlich anders als am alten" (117). Still, he flirts with the illusion of freedom that his borrowed money brings him: "Ich kaufe mir ein Auto und werde damit fahren, wie ich will" (ibid.). He feels as though he consists of two people: himself, and an opponent that always provokes him (118).

Charly uses his temporary riches to buy a present for Elfi and take her out to dinner. She is willing to stay with him if things change, if he is more communicative and co-operative. In a passage that summarizes her lesson a bit too neatly in the form of a historico-materialist moral, she begins to understand her relationship with Charly: "Aus der Erfahrung dieser Tage schließt sie, daß man miteinander nur reden kann, wenn man auch über sich reden kann; daß man über sich nur reden kann, wenn man auch über die Lage, in der man ist, zu reden versteht. Durch die Gespräche über den Betrieb und über das Geschäft, in dem sie arbeitet, sah sie sich in einem Zusammenhang, den sie 'größeren Zusammenhang' nannte. Seitdem sieht sie auch einen Zusammenhang zwischen sich und Charly" (120). However willing the reader is to believe that Elfi's experiences have actually taught her this, the formulaic phraseology is convincing neither psychologically nor aesthetically. It is rescued somewhat by the reinsertion of drama into the moment, for this is only a private revelation, and it will not be shared with Charly: "Sie erschrickt, als sie merkt, daß sie das zu sich sagt und zu Charly nicht sagen kann" (121).

Perhaps driven by her sense of confinement within a relationship where there is little communication and whose financial basis has just become precarious, together with her depression, Elfi attempts suicide with an overdose of sleeping pills (124-25). Charly, with a couple of days before he can visit Elfi in the hospital, needs someone to talk to. He remembers the Communist shop steward who had worked at his plant earlier, and whose address he got from one of his new co-workers, the steward's brother. The novel is rounded off by his visit with the steward and his wife, who enlighten Charly about his situation. Among other things, he shares responsibility for Elfi's attempted suicide. The steward sympathizes with his anger, but says you cannot simply strike out at the opponent:

> Wenn einer etwas unternimmt, ohne sich abgesprochen zu haben, kann er nicht mit der Solidarität der anderen rechnen.
> Ihre Freundin, sagt die Frau, hat sich mit Ihnen solidarisiert, und Sie haben sie hängen lassen. Sie haben sich in den Kopf gesetzt, allein etwas zu erreichen, und jetzt sitzen Sie im Dreck. Ihre Freundin hat besser erkannt als Sie, daß man als Arbeiter nur zusammen mit der Arbeiterklasse etwas erreichen kann. (128)

This kindly couple also shows Charly how he can extricate himself from his ruinous indebtedness. The husband will countersign a bank loan at low interest so he can pay back his employer and quit. This happy ending is a little too neat, and seems more beholden to the television drama than to the Bildungsroman. On the other hand, is the Communist helper any less credible than the *Gesellschaft vom Turm* that aids Wilhelm Meister? The didacticism that marks, and perhaps mars, the end of *Charly Traktor*, probably more than any other feature, is what binds it to the tradition of the Bildungsroman. The novel is not long and it is not bourgeois, but it is moralistic. The final words of the Communist steward could have come from an Adalbert Stifter novel: "Du siehst die Dinge richtig [...] Aber du hast für das, was du erkennst, nicht die richtigen Wörter. Die richtigen Wörter kann man sich leicht aneignen; den richtigen Blick bekommt man nicht so leicht" (129). This is not some grandfather passing on wisdom to his grandson, but the homey effect is similar. We know that Charly, like other Bildungsroman protagonists, may have made many mistakes, but he has the right stuff to carry on, and his future, however clouded it may be by unemployment and personal distress, is full of possibility.

The novel ends as it begins, with Charly on a Sunday outing, alone by the Danube. Only now he is reading a book loaned to him by his new friend. Finding the word "Sozialpartnerschaft" in the index, he contemptuously spits out pieces of the grass he is chewing on. Charly has come to the conclusion that the institutions that supposedly represent his interests, the Socialist Party, the shop councils, and the union, are in cahoots with each other and the industrialists; only the KPÖ, the Communist Party, offers an alternative. Whether and how Charly Traktor will pursue that alternative remains open.

A Proletarian Bildungsroman?

The reception of *Charly Traktor* has been generally favorable, with some significant exceptions, but whether positive or negative, the opinion of the reviewers depends upon the question of Charly's education. Is this in some sense a Bildungsroman? Is its lesson convincing? Is it mere propaganda? Does Charly develop inwardly, or is his "lesson" simply someone else's doctrine, which Charly picks up the same way he learns foreign words and technical terms? Not surprisingly, those who tend to agree with the message tend to praise the novel, while those who find fault with it also find fault with the aesthetic construction.[22]

Charly Traktor certainly meets some of the criteria of the traditional Bildungsroman. The protagonist makes several false starts and mistakes trying to find

---

22 I wish to thank the *Dokumentationsstelle für neuere österreichische Literatur* in Vienna, particularly Ursula Seeber, for generous help in providing me with reviews of *Charly Traktor*.

his way in the world, and then comes to a certain understanding. What he understands, however, is that the culture at large, far from providing proper models for behavior, is untrustworthy and even corrupt. He has not to accept things as they are, but to try to envision things as they could be. At thirty, the protagonist is rather older than Wilhelm Meister or Green Henry. He has already come of age; but he must still come to a realistic view of the world. *Bildung* is not just for the young. One has to start where one is – there is no standard path of development.

Jürgen Lodemann doubts whether so much development can occur in such a short space: "Er schickt seinen Charly wie einen Kaspar Hauser vom Land in die Stadt. [...] Aber ein Entwicklungsroman auf 140 Seiten?"[23] Charly learns his new critical vocabulary too quickly. What teacher or what experience, Lodemann asks, suggested to Charly Traktor this insight: "Wir reden von den Frauen wie die Unternehmer von uns"? Such discernment precedes the catastrophe that begins to open Charly's eyes, the destruction of the time clock, and thus seems out of place.

An anonymous review in *profil* is more generous, approving the book on the knowledge that Scharang has actually gone to workers and gotten them to express their problems. The news magazine sees no inherent contradiction between the two genres implied by the novel: "Tatsächlich ist 'Charly Traktor' sowohl das eine wie das andere: ein Entwicklungsroman ebenso wie ein Roman für und über Arbeiter."[24] The reviewer does find the Communist shop steward's advice a bit much, calling it a "picture-book moral." Discussing Scharang's presentation of the book in the "Forum Stadtpark" in December 1973, the left-wing *Neue Zeit Graz* praises this "kommunistischen Erziehungsroman" and places it between caricatures of workers' literature and aestheticism: "Der neue Roman ist weder eine langweilige Pflichtübung in politischer Konfessionsliteratur noch eine belletristische Verbreiterung über das Leben in unserer Zeit."[25] This review implies that the book's brevity is a blessing, and that the blend of private worries and class conflict is fit for a compact presentation.

The review in the *Wiesbadener Kurier* likewise admires the simplicity and power of Scharang's "Entwicklungsroman" but qualifies this admiration: "Der Roman bezieht seine beeindruckende Kraft freilich aus der Einseitigkeit der Milieuschilderung."[26] Scharang's refusal to accept any positive side of the *Sozialpartnerschaft* is seen as too radical. Senta Ziegler, writing in *Die Presse*,

---

23 Jürgen Lodemann, "Ein Intellektueller im Overall. Michael Scharangs Roman 'Charly Traktor'," *DIE ZEIT*, 19 October 1973.

24 "Montierter Charly," *profil*, 25 October 1973.

25 Harald Seuter, "Charly Traktor im Forum Stadtpark," *Neue Zeit Graz*, 20 December 1973.

26 "CK," "Entwicklung zur Agitation. Zu Michael Scharangs Roman 'Charly Traktor'," *Wiesbadener Kurier*, 16 March 1974.

concurs but is even more emphatic: "Als ob nicht alle – Arbeiter, Angestellte, Unternehmer – letztlich gemeinsam durch den Zwang der beruflichen Pflichterfüllung vom eigentlich [sic] 'Ich' entfremdet wären."[27] This postmodern pessimism crankily and perhaps cynically maintains everyone's right to be alienated. It is hence probably more in tune with certain realities of "one-dimensional" society (Herbert Marcuse) than are Scharang's communist slogans, but it ignores his convincing portrayal of just how a lack of education, manipulation by authority, and living from paycheck to paycheck give a worker's existential alienation a quality different from bourgeois alienation. Like the *Wiesbadener Kurier*, Ziegler finds the class warfare too crassly portrayed, saying that such simplification does not help to eliminate, but only perpetuates, class differences. Ziegler does praise Scharang's depiction of Charly's linguistic frustrations, a common problem that the "Bildungsexplosion" of the sixties and seventies had not abolished.

Ernst Nef accepts the coexistence of an "Arbeiterroman" and "eine Art Bildungsroman," and he compares it to *Berlin Alexanderplatz* in this regard, although he finds it "much more old-fashioned" than Döblin's work, and too obvious and didactic by comparison. He is not sure who the intended audience is, however, and suspects Scharang of merely trying to prove that a PhD can write workers' literature. He finds the novel sophisticated enough for an aesthetic palate, but somehow not aimed at such an audience.[28] Reinhard Baumgart also wonders who the intended audience is and finds Scharang's clear, "strategic" narration both a strength and a source of vacuity ("Leere") and sterility: "Scharang hat seinen Roman wahrhaft totkomponiert [...]."[29] For Baumgart, Scharang's novel of education is too much an education and not enough a novel.

Two left-wing newspapers find the novel is indeed accessible to those it is written about. *Stimme der Frau* (Vienna) notes that it teaches them that solidarity has to be learned not only in the world of work, but in human relationships too.[30] *Neue Zeit Graz* finds that Scharang's sentences are simple but avoid any labored attempt to create effects.[31] Werner Thuswaldner, of the mainstream, conservative *Salzburger Nachrichten*, however, sees this as condescension, calling Scharang "ein vorzüglicher Theoretiker, der den elitären sozioökonomischen Jargon aufs

---

27 Senta Ziegler, "Das Privileg, 'ausgebeutet' zu sein," *Die Presse*, 20 October 1973.
28 Ernst Nef, "Unter diesen Bedingungen – für wen? Michael Scharangs Roman 'Charly Traktor'," *Neue Zürcher Zeitung*, 23 November 1973.
29 Reinhard Baumgart, "Für die Arbeiter – oder nur über sie? Zu zwei Romanen von Michael Scharang und Wolfgang Hermann Körner," *Süddeutsche Zeitung*, 15 December 1973.
30 "Margit," "Michael Scharang: 'Charly Traktor'," *Stimme der Frau*, 22 March 1975.
31 "Penelope," "Lebendiger Traktor," *Neue Zeit Graz*, 9 February 1974.

beste beherrscht."[32] In general, the discussion of the novel's audience often seems based on assessments of the author's intentions rather than what the book has accomplished.

There is no doubt that *Charly Traktor* is some sort of Bildungsroman. Charly moves from artlessness, through error, to at least a dawning of critical insight into his situation. Many critics find this development too rapid to be believable, but it involves a good ten years of exposition, from Charly's leaving school for Vienna to the present. It takes a double crisis – losing his job and Elfi's suicide attempt – to shake him into awareness, and it this crisis is the substance of the book. In view of its precipitous, fundamentally dramatic structure, perhaps it would be most appropriate to speak of a "Bildungsnovelle." In any case it will not do to label the work a Bildungsroman and then criticize it because it does not fulfill the genre's demands. Scharang apparently wants something like a Bildungsroman, but he has adapted it to teach a single lesson: we can understand ourselves only if we understand our position in society.

It is less clear who is supposed to benefit from this lesson: people like Charly, or the intellectuals (like Scharang) peering out of their ivory towers with a mixture of political passion and compunction. Actually, *Charly Traktor* seems to have been written for both audiences: the literati who were not satisfied with workers' literature but still hungry for literature about work; and workers, who could learn a lesson about their predicament. What is remarkable is that such split intentions produced a good work of fiction. It works on the one hand because it is a Bildungsroman, with a clear purpose and a style to match. It works on the other hand *in spite of* its being a Bildungsroman, for aesthetically, its weakest moments are the explicit, moralistic expositions of the lessons Charly (and Elfi) learn.

After so many years, this novel is still interesting because of its position in literary history as one of the first marriages of literary ambition and proletarian content. It is engaging and enjoyable both for its revelations about life in the *Sozialpartnerschaft* and for the human story it tells. The blurb on the paperback edition of 1985 distances *Charly Traktor* from the classification, "Arbeiterroman," and says it could just as well be called a love story. The enduring appeal of the novel falls somewhere between the two: it insists that love and work are inextricable, thereby defying the ideological illusion that life is what happens after you punch out. It does this most effectively when it does not interpret itself, but simply shows that political acts are emotional, and emotional acts are political. Human understanding is thwarted again and again by the material struggle to make a living, and those who have a harder time making a living also have a harder time

---

32 Werner Thuswaldner, "Einzelgänger eingliedern," *Salzburger Nachrichten*. The review in the archive of the *Dokumentationsstelle* is not dated; presumably from the fall of 1973.

grasping their position in the web of social forces. And everyone has a hard time applying knowledge to action, whether private or public.

These "timeless" aspects of *Charly Traktor* make it worth reading, and its specific origins make it instructive. The social problem it addresses, the enforced public peace of the *Sozialpartnerschaft*, marks this book as a work of Austrian literature. It was written in the context of what Robert Menasse calls the "sozialpartnerschaftliche Ästhetik," the flourishing of culture in a society that agrees to pretend that social conflict has been alleviated by liberal bourgeois institutions.[33] Menasse maintains that the oppositions set up between the progressive GAV and the conservative PEN, for example, were hypocritical, for both extremes accepted the basic order of the *Sozialpartnerschaft*. Michael Scharang's *Charly Traktor* seems to question that order, but its generic character itself is a symptom of how difficult it is for Austrian literature to transcend the conditions of its creation: paradoxically, yet with a certain historical logic, Scharang crossed radical politics with stodgy aesthetics and came up with a valid hybrid: the proletarian Bildungsroman.

---

33 Robert Menasse, *Die sozialpartnerschaftliche Ästhetik: Essays zum österreichischen Geist* (Wien: Sonderzahl, 1990), pp. 10-18.

Manfred Mittermayer
University of Salzburg

Der Kegel, die Schwester und der Tod: Zu Thomas Bernhards Roman *Korrektur* (1975)

1.

DER ÖSTERREICHISCHE AUTOR THOMAS BERNHARD wurde in seinem Herkunftsland vor allem durch die zahlreichen Skandale, die er mit seiner literarischen
Arbeit auslöste, zum wohl bekanntesten Schriftsteller der letzten Jahrzehnte. Das
ganze Land diskutierte über die provokantesten Passagen aus Bernhards letztem
Theaterstück *Heldenplatz*, das anläßlich des sogenannten "Bedenkjahrs" 1988
(fünfzig Jahre Anschluß Österreichs ans nationalsozialistische Deutsche Reich)
am Wiener Burgtheater uraufgeführt wurde. Die Affäre rund um den Prosatext
Holzfällen: Eine Erregung (1984), in dessen Hauptfigur sich ein einstiger Freund
und Förderer Bernhards auf diffamierende Weise dargestellt sah, führte sogar
vorübergehend zur Beschlagnahme des Buches. Und schon 1975 veranlaßte die
erste von insgesamt fünf autobiographischen Erzählungen *Die Ursache: Eine
Andeutung* wütende Reaktionen von selbsternannten Verteidigern des internationalen Ansehens der Stadt Salzburg, die in Bernhards Darstellung als von
katholisch-nationalsozialistischer Borniertheit und skrupelloser Geschäftemacherei
beherrschte Barockkulisse erscheint.[1]

Im gleichen Jahr 1975 veröffentlichte der Autor jedoch auch den Roman *Korrektur*, einen seiner vielschichtigsten Prosatexte. An ihm wird deutlich, daß
Bernhards literarische Produktion ein ganz anderes Anliegen verfolgt als nur die
Erregung öffentlicher Ärgernisse: "Die Idee ist gewesen, der Existenz auf die Spur
zu kommen, der eigenen wie der andern", schreibt der Erzähler des autobiographischen Bandes *Der Keller* (1976; Ke, 167).[2] Tatsächlich kann man Bernhards

---

1   Vgl. zu den von Bernhard ausgelösten öffentlichen Skandalen v.a. *Sehr geschätzte
     Redaktion: Leserbriefe von und über Thomas Bernhard*, Jens Dittmar, Hrsg. (Wien:
     Edition S, 1991).
2   Folgende Texte von Thomas Bernhard werden nach Siglen zitiert:

     AM   *Alte Meister: Komödie* (Frankfurt am Main: Suhrkamp, 1985).
     Aus   *Auslöschung: Ein Zerfall* (Frankfurt am Main: Suhrkamp, 1986).
     F   *Frost*, 3. Aufl. (Frankfurt am Main: Suhrkamp, 1980).

Literatur als einen hochkomplexen künstlerisch-theatralischen Apparat verstehen, auf dessen Bühne eine lebenslange Analyse der Bedingungen des eigenen Existierens unternommen wird. Mit Hilfe einer sich erst im Verlauf der Werkentwicklung ausbildenden Zeichensprache werden widersprüchliche Tendenzen des einzelnen, seine Ängste und Obsessionen bebildert und dadurch für das imaginierende Bewußtsein der Texte faßbar gemacht.

Allerdings erfolgt diese Existenzanalyse durchaus nicht in ahistorischer Ortlosigkeit. Schauplatz von Bernhards literarischen Phantasien ist eindeutig Österreich in der zweiten Hälfte des 20. Jahrhunderts, ein Land, dessen feudale Vergangenheit noch immer ihre Schatten auf die erlebte Gegenwart wirft und das noch immer unter dem Eindruck der Hinterlassenschaft von Katholizismus und Nationalsozialismus steht, in dem der einzelne jedoch darüber hinaus mit der universalen Verwissenschaftlichung aller Lebensbereiche und mit dem Zusammenbruch der großen Welterklärungssysteme konfrontiert ist, mit dem Verlust gültiger Existenzmuster, von deren anachronistisch gewordenen Varianten aus einer vergangenen Epoche er gleichwohl noch geprägt ist.[3]

Als Strategie für diese literarische Auseinandersetzung mit den Bedingungen des Existierens verwendet Bernhard in seinen Texten eine spezifische Methode der wechselseitigen Spiegelung unterschiedlicher personaler Instanzen, ein "Denken mit verteilten Rollen",[4] wobei sich jeweils nicht nur die Erzählerfiguren mit den Protagonisten zumindest teilweise identifizieren, sondern auch der Autor selbst von seinem erfundenen Personal nicht vollständig zu trennen ist. Uwe Schweikert bemerkt bereits an Bernhards frühen literarischen Arbeiten, daß darin der Grundsatz, "Rollenprosa" dürfe man "nicht mit der Aussage des Autors gleichsetzen", vielfach aufgehoben scheine.[5] Ohne daß man Autor, Erzähler und Protagonisten tatsächlich miteinander identifizieren könne, stünden "Objektivierung und subjektive Ich-Aussage, Identifikation und Distanz" bei

---

Ja	*Ja* (Frankfurt am Main: Suhrkamp, 1988).
K	*Korrektur: Roman* (Frankfurt am Main: Suhrkamp, 1975).
Ke	*Der Keller: Eine Entziehung* (Salzburg: Residenz, 1976).
Kw	*Das Kalkwerk: Roman*, 2. Aufl. (Frankfurt am Main: Suhrkamp, 1976).
Ug	*Der Untergeher* (Frankfurt am Main: Suhrkamp, 1983).
Ung	*Ungenach: Erzählung* (Frankfurt am Main: Suhrkamp, 1968).
V	*Verstörung* (Frankfurt am Main: Suhrkamp, 1969).

3 Vgl. zu diesem Konzept wie zum gesamten gedanklichen Kontext, in dem die vorliegende Analyse steht, meinen Einführungsband *Thomas Bernhard* (Stuttgart, Weimar: Metzler, 1995).

4 Manfred Jurgensen, *Thomas Bernhard: Der Kegel im Wald oder die Geometrie der Verneinung* (Bern, Frankfurt am Main, Las Vegas: Lang, 1981), S. 63.

5 Uwe Schweikert, "'Im Grunde ist alles, was gesagt wird, zitiert'. Zum Problem von Identifikation und Distanz in der Rollenprosa Thomas Bernhards", *text + kritik*, 43 (1974), S. 1-8; hier S. 6.

Bernhard stets in einem eigentümlichen "Spannungs- und Wechselverhältnis".[6] Auf diese Art inszeniert der Autor in seiner Literatur ein subtiles "Modell der Selbstverständigung über bedrohliche Möglichkeiten des Selbst", wie Willi Huntemann es nennt;[7] dabei halten sich die Erzählerfiguren in Bernhards frühen Texten zunächst noch hart "an der Grenze zur zerstörerischen Denk-Welt der Protagonisten" auf, sie gewinnen dazu allerdings "in der Werkentwicklung mehr und mehr Distanz".[8]

Bereits in seinem ersten Roman *Frost* (1963) setzt Bernhard dieses Erzählmodell ein. Das Buch ist in erster Linie eine der für Bernhard (zumal für sein Frühwerk) charakteristischen Krankheitsgeschichten. Ein junger Medizinstudent wird mit der Beobachtung eines zurückgezogen in dem Gebirgsdorf Weng lebenden, seelisch und körperlich schwer erkrankten Malers beauftragt, und zwar von dessen Bruder, der als Assistent im Krankenhaus Schwarzach tätig ist. Die Aufzeichnungen des Famulus bestehen hauptsächlich aus der Wiedergabe seiner umfangreichen Gespräche mit dem Kranken, die von diesem sprachlich absolut beherrscht werden. So wie hier sind auch Bernhards spätere Prosatexte immer wieder aus der Perspektive eines Ich-Erzählers geschrieben, der die in Form langer Monologe bzw. schriftlicher Hinterlassenschaften artikulierten Reflexionen einer dominanten Zentralfigur übermittelt. Gerhard Knapp und Frank Tasche haben diese Erzählstrategie als Technik der Dissimulation gelesen, als "Bestandteil eines Distanzierungsprogramms",[9] das zwar die "Identifikation des Lesers mit dem Gesagten" ermögliche, aber gleichzeitig Raum für eine "mit-reflektierende Distanzierung" schaffe. Die Ich-Erzähler machten Erfahrungen, die einer "*Katharsis*" ähneln, sie blieben aber, "als Berichterstattende, Tagebuchführende, ebenso im Leben zurück wie der Leser".[10] Auch der Autor selbst hat eine ähnliche Interpretationsmöglichkeit angedeutet: "Wenn ich so was beschreibe, so Situationen, die zentrifugal auf den Selbstmord zusteuern", sagt er in einem Interview, "sind es sicher Beschreibungen eigener Zustände, in denen ich mich, während ich schreibe, sogar wohl fühle vermutlich, eben weil ich mich *nicht* umgebracht habe, weil ich selbst dem entronnen bin".[11]

---

6   Ebenda, S. 4.
7   Willi Huntemann, "'Treue zum Scheitern'. Bernhard, Beckett und die Postmoderne", *text + kritik*, 43 (3. Aufl., 1991), S. 42-74; hier S. 69-70.
8   Ebenda, S. 68.
9   Gerhard P. Knapp und Frank Tasche, "Die permanente Dissimulation. Bausteine zur Deutung der Prosa Thomas Bernhards", *Literatur und Kritik*, Nr. 10 (1971), S. 483-96; hier S. 490.
10 Ebenda, S. 492-93.
11 Zit. nach: André Müller, *Im Gespräch mit Thomas Bernhard* (Weitra: Bibliothek der Provinz, 1992), S. 68.

2.

Neben der Auseinandersetzung mit Krankheit und Verfall wird schon in *Frost* ein weiteres Hauptmotiv der literarischen Arbeiten Bernhards erkennbar, das in den folgenden Büchern noch deutlicher zutage tritt: der geradezu zwanghafte Versuch vieler Protagonisten, sich Klarheit über die eigene Herkunft zu verschaffen, verbunden mit dem Drang, sich von der Last der auf diese Weise rekonstruierten Vergangenheit radikal zu befreien. Nicht zufällig steht im Zentrum des vielleicht berühmtesten aller Bernhardschen Monologe, der Suada des Fürsten Saurau aus dem Roman *Verstörung* (1967), die Vernichtung des gesamten Familienbesitzes durch den eigenen Sohn, die Saurau allerdings in Form eines Traumes erlebt. Und was der Fürst als Handlung seines Nachfahren lediglich in der Phantasie durchspielt, wird in der etwa zugleich entstandenen Erzählung *Ungenach* (1968) auch in der Realität vollzogen. Robert, das perspektivische Zentrum des aus verschiedenen Notaten, Briefen und monologischen Reflexionen zusammengesetzten Textes, versucht, sich über die "Abschenkung" (Ung, 7) des Familienerbes von all dem zu befreien, aus dem er herausgewachsen ist. Es geht ihm dabei ausdrücklich nicht nur um die Aufgabe eines Wohnraums und eines konkreten Besitztums: "alles was mit Ungenach zusammenhängt, diese ganze Geschichte" (Ung, 20), will der Nachkomme vernichten, um sich "von einer solchen Riesenhaftigkeit nicht erdrücken" zu lassen (Ung, 43). Und die beschriebene "Abschenkung" hat in der österreichischen Geschichte dieses Jahrhunderts sogar ein entferntes Vorbild. Der Philosoph Ludwig Wittgenstein, der selbst aus einer wohlhabenden Familie stammte, verzichtete auf einen Großteil seines Erbes und verschenkte es statt dessen an seine Geschwister und vor allem an bedürftige Künstler.[12]

Die Beziehung Thomas Bernhards zu Leben und Denken Wittgensteins ist in der Forschung immer wieder angesprochen worden. Bernhard Sorg vermutet in diesem Zusammenhang, der Philosoph sei Bernhard "als der *exemplarische österreichische Intellektuelle* dieses Jahrhunderts"[13] erschienen. Bernhard selbst weist jedoch eine allzu enge Verbindung zu Wittgenstein zurück: "Wenn man unbedingt gemeinsame Punkte finden will", sagt der Autor in einem Gespräch, "die gibt es nur in der 'Korrektur', der Geschichte eines Architekten, der für seine Schwester ein Haus entwirft, so wie Wittgenstein es gemacht hat".[14] Ludwig Witt-

---

12 Vgl. dazu Kurt Wuchterl, Adolf Hübner, *Ludwig Wittgenstein* (Reinbek: Rowohlt, 1979), S. 52.

13 Bernhard Sorg, *Thomas Bernhard*, 2., neubearb. Aufl. (München: Beck, 1992), S. 106.

14 Zit. nach: *Von einer Katastrophe in die andere: 13 Gespräche mit Thomas Bernhard*, Sepp Dreissinger, Hrsg. (Weitra: Bibliothek der Provinz, 1992), S. 100. Alfred Barthofer hat die Bezugspunkte, die in Bernhards Text auszumachen sind, in einer detaillierten Studie aufgeführt: "Wittgenstein mit Maske. Dichtung und Wahrheit in Thomas Bernhards Roman 'Korrektur'", *Österreich in Geschichte und Literatur*, 23 (1979), S. 186-207.

genstein baute in der Tat nach Abschluß des *Tractatus logico-philosophicus*, als er die Philosophie fürs erste aufgegeben und vorübergehend als Lehrer gearbeitet hatte, zusammen mit dem Architekten Paul Engelmann, einem Loos-Schüler, für seine Schwester Margarete Stonborough-Wittgenstein in Wien ein Haus, das heute als eines der ungewöhnlichsten Dokumente der österreichischen Architektur des 20. Jahrhunderts angesehen wird. Es ist ein ornamentloses, radikal geometrisiertes Gebäude, das grundsätzlich aus toten Materialien besteht. Nichts anderes als "hausgewordene Logik" sei dabei entstanden, kommentierte Wittgensteins Lieblingsschwester Hermine den Wohnraum,[15] in den Margarete Stonborough-Wittgenstein wohl nicht zufällig niemals eingezogen ist.

Der Roman *Korrektur* ist ein gutes Beispiel dafür, wie der Autor Realitätselemente aufgreift und sie dann seinem ureigenen künstlerischen Konzept einfügt. Auch bei ihm geht es um einen Sohn aus wohlhabender Familie, der sich intensiv mit Philosophie und Wissenschaft beschäftigt. Auch Roithamer, so heißt die Romanfigur, verzichtet darauf, das Familienerbe weiterzuführen; statt dessen baut er mit dem Erlös aus dem Verkauf ein Wohngebäude für seine Schwester. Doch das von ihm errichtete Haus führt Wittgensteins "Liebe zur Geometrie" zu einem kaum mehr überbietbaren Extrem: es hat die Form eines Kegels. Und wie so oft in Bernhards Werk erfahren wir die gesamte Geschichte aus der Retrospektive, in Form der literarischen Rekonstruktion eines nicht ganz geklärten vergangenen Ablaufzusammenhangs. Roithamer stellt seinen Kegel nämlich zwar fertig, doch kurz darauf stirbt die Schwester, für die er eigentlich gedacht war. Daraufhin nimmt sich der Konstrukteur des mittlerweile zwecklos gewordenen Bauwerks das Leben – nicht ohne zuvor die Geschichte seines Scheiterns schriftlich niederzulegen. Dieses ungeordnete Konvolut von Manuskriptblättern hinterläßt er einem Jugendfreund, der nun anhand der ihm bekannten Fakten und der schriftlichen Aufzeichnungen des Verstorbenen an jene "Ursachenforschung" (Kw, 136) geht, die im Mittelpunkt zahlreicher Texte von Thomas Bernhard steht: immer wieder versuchen seine Protagonisten nach einem irritierenden Ereignis auf vielfältige Weise, die Ursachen für die eingetretene Situation herauszufinden, ohne letztlich zu einer wirklich befriedigenden Erklärung zu gelangen.

Korrektur besteht aus zwei Teilabschnitten von ähnlichem Umfang. Der erste Teil, der nach seinem Schauplatz "Die höllersche Dachkammer" heißt (K, 7), ist aus der Ich-Perspektive des hinterbliebenen Freundes geschrieben; er enthält Beobachtungen und Reflexionen des Erzählers, während sich dieser an die Aufarbeitung des Roithamerschen Nachlasses macht. Im zweiten Teil folgt unter dem Titel "Sichten und Ordnen" (K, 193) die Edition der aufgefundenen Schriften; hier ist der Ich-Erzähler nur mehr in Form der für Bernhards zitierte Monologe so typischen Inquit-Formeln ("so Roithamer" etc.) und des stets wiederkehrenden

---

15 Zit. nach: Wuchterl und Hübner, *Ludwig Wittgenstein*, S. 103.

Hinweises, welche Formulierung durch Unterstreichung hervorgehoben worden sei, wahrnehmbar, ansonsten wird der Leser durch die weitgehend (mit Ausnahme eines kurzen Einschubs des Ich-Erzählers, vgl. K, 288-89) unkommentierte Wiedergabe von Roithamers Manuskript vollständig in die Perspektive des Verstorbenen hineingezogen.

So gesehen, besteht das äußere Geschehen des Romans aus der Annäherung von Roithamers Freund an dessen Lebensbeschreibung und aus seinem Versuch, Ordnung in die schriftlichen Aufzeichnungen des Verstorbenen zu bringen. Was sich jedoch in Wahrheit vollzieht, immer wieder aufgegriffen und in seinen einzelnen Elementen über das ganze Buch verteilt[16], ist der Versuch, den Ablauf der Ereignisse und vor allem das Ende dieses Lebens, den stattgefundenen Selbstmord Roithamers, verständlich zu machen, das vereinzelte Geschehnis einem nachvollziehbaren Kausalgefüge einzupassen. So charakterisiert bereits der Ich-Erzähler Roithamers Schriften zum einen als Herleitungsversuch der eigenen Existenz aus dem Herkunftsort, der in Bernhards Buch "Altensam" heißt, zum anderen aber als Versuch einer Rekonstruktion des grundlegenden Scheiterns dieser Existenz: ihr Thema sei einerseits "Altensam als die Ursache alles dessen, was Roithamer gewesen ist, [...] als ein ganz und gar außergewöhnlicher, tatsächlich nur auf seine Wissenschaft bezogener Charakter", andererseits aber finde sich in ihr eine Beschreibung der "Ursache dessen, was ihn gleichzeitig und mit derselben Intensität [...] abgetötet und vernichtet hat" (K, 158). Deshalb stehen die ersten Überlegungen zu Altensam auch bereits am Beginn des im zweiten Romanteil edierten Nachlasses, und sie werden ausdrücklich in den Kontext einer grundlegenden Selbstreflexion des Verfassers gerückt. Durch sein "Studieren von Altensam", so formuliert es Roithamer, sei es ihm möglich geworden, "Altensam zu durchschauen und dadurch sich selbst zu durchschauen und zu erkennen" (K, 194).

In den Charakterisierungen Altensams, die der Protagonist von *Korrektur* abgibt, spiegelt sich die Grundbefindlichkeit der meisten Figuren in Bernhards Texten. Wie sie bezeichnet auch Roithamer seine Kindheit als Zeit der lebensentscheidenden seelischen Verletzungen und Beschädigungen. Für ihn ist der Raum seiner Familie und seiner Herkunft der Inbegriff von Unfreiheit und absoluter Gefährdung. Er habe ihn stets nur "als Kindheitskerker empfunden", schreibt er (K, 233), der Name "Altensam" bedeute für ihn zugleich die "Vernichtung" seiner Person, "des Wesens des ihm Ausgelieferten, Schutzlosen" (K, 230). Auf für Bernhards Texte charakteristische Weise wird Roithamers Elternhaus mit

---

16 Bei Bernhard seien "die traditionellen kausalen Beziehungen zwischen den narrativen Elementen zugunsten textueller Beziehungen, die vom Leser erst konkretisiert werden müssen, aufgehoben", schreibt Madeleine Rietra, "Zur Poetik von Thomas Bernhards Roman 'Korrektur'", *In Sachen Thomas Bernhard*, Kurt Bartsch u.a., Hrsg., (Königstein/Ts.: Athenäum, 1983), S. 107-23; hier S. 121.

Begriffen der Isolation des einzelnen charakterisiert, als ein Ort, an dem keine Kommunikation zustande kommt und die Antwort auf alle Kontaktversuche unausweichlich ausbleibt: "Verständlichmachung" sei in Altensam immer unmöglich gewesen und werde es immer sein, schreibt Roithamer; dabei habe er sich doch "zeitlebens bemüht, sich Altensam zu nähern, sich dort verständlich zu machen" (K, 193).

Dabei ist das Bild, das Roithamer von Vater und Mutter zeichnet, durchaus unterschiedlich. Seinen Vater beschreibt er als überaus schwache, kaum präsente Familieninstanz, die Erinnerung an ihn verbindet er mit Vorstellungen der Antwortlosigkeit und der Ablehnung des auf die väterliche Anerkennung angewiesenen Kindes: "nichts als Weggehen von mir, mich nicht zur Kenntnisnehmen" (K, 267). Während der Sohn "naturgemäß" zu seinem Vater gehe, wenn "Fragen zu stellen" seien, habe Roithamer in bezug auf seinen Vater gewußt, "daß keine meiner Fragen von ihm beantwortet wird" (K, 263). Es sei ein "Jahrzehnte andauernder Zustand der Zurückweisung und der Abweisung" gewesen (K, 267).

Besonders negativ beschreibt Roithamer jedoch seine Mutter. Sie ist für ihn die Inkarnation alles ihm feindlich Gesinnten. Ihr Ziel war, so schreibt er, "nichts anderes, als mich zu gewinnen um den Preis der Vernichtung dessen, das meine Persönlichkeit, meinen Charakter, meinen Kopf ausmacht" (K, 317-18). Mit seiner Mutter verbindet er die Vorstellung absoluter menschlicher Inkompatibilität, des ihm Entgegengesetzten: "nicht eine einzige Stunde" seines Lebens habe er allein mit ihr "*in Harmonie* [...] verbracht" (K, 308). Sie habe ihn stets "in ihre Gefühlswelt hineinziehen" wollen, ihn aus seiner "eigenen, dieser Gefühlswelt entgegengesetzten verdrängen, [...] in die ihrige abzudrängen versucht" (K, 292). Wieder artikuliert sich auf diese Weise die Angst vor Selbstverlust und Bedrohung der eigenen Identität: sie war "immer gegen alles, was ich war, eingestellt" (K, 297). Vor allem aber ordnet ihr Roithamer zugleich ein Merkmal zu, das zu den Standardeigenschaften negativ wahrgenommener Weiblichkeit gehört: seine Mutter sei "nur ein bestimmtes Gefühl ohne Verstand" gewesen, behauptet er, während ihm selbst "die sogenannte Gefühlswelt [...] immer verdächtig und immer verhaßt gewesen" sei (K, 292).

Angesichts dieser Beschreibung seines Herkunftsbereichs formuliert es Roithamer als seine Lebensaufgabe, sich von dem Territorium, aus dem er kommt, abzusetzen: von allem, in das er "hineingezwungen worden war von Anfang an [...], wegzukommen in das Andere", das ihm "verwehrt und verweigert und verboten gewesen war" (K, 200). Deutlich verrät die Formulierung, wie sehr mit dem elterlichen Besitz nicht nur ein topographisch identifizierbarer Raum, sondern eine geistige Einflußsphäre, der Inbegriff alles Ererbten und in der Kindheit Vorgefundenen bezeichnet werden soll: Roithamer habe sich immer "gegen dieses *durch und durch Altensam*" gewehrt, heißt es schon zu Beginn des Buches, "nur nicht Altensam verfallen, nicht an Altensam hängenbleiben" (K, 33). Ins Grundsätzliche übertragen, entsteht einer jener apodiktisch vorgetragenen Sätze in der "wir"-Form, die im Verlauf von Bernhards literarischer Produktion zu einer Art "Aphoristik des Existierens" zusammengetragen werden,[17] und in ihm ist zugleich das für die literarische Welt dieses Autors typische Szenario der Selbstwerdung festgehalten: "Wir kommen in eine uns vorgegebene, aber nicht auf uns vorbereitete Welt und müssen mit dieser Welt fertig werden", schreibt Roithamer, denn sie wolle "uns in jedem Fall, weil von unseren Vorgängern gemacht, angreifen und zerstören und letztenendes vernichten". Deshalb müßten wir sie "zu einer Welt machen nach unseren Vorstellungen, [...] so daß wir nach einiger Zeit sagen können, *wir leben in unserer Welt, nicht in der uns vorgegebenen*" (K, 237).

Einen entscheidenden räumlichen Stützpunkt dieses "Anderen", in dem sich die Individualität des einzelnen gegen die Übermacht der vorgegebenen Existenzbedingungen auszubilden vermag, stellt für Roithamer die sogenannte "höllersche Dachkammer" dar, ein Raum hoch oben im Haus des mit ihm befreundeten Tierpräparators Höller. Charakteristisch für das gesamte literarische Personal des Autors ist dabei, daß auch Roithamers Refugium ausdrücklich unter dem Signum des geschriebenen Worts steht: er nennt die Dachkammer seine "Bücher- und Schriftenzuflucht" (K, 301), denn dort habe er "alle Bücher und Schriften", die er in Altensam gehabt habe, "in Sicherheit gebracht" (K, 302). Die höllersche Dachkammer ist also insbesondere der Ort der Sprache, über die sich der einzelne selbst konstituiert, mit deren Hilfe er sich in der Welt einrichtet. Dort vollzieht Roithamer jene Identifikation mit den Worten der großen Philosophen und Schriftsteller, die auch im Leben der anderen Hauptfiguren Bernhards eine für ihre Selbstwerdung ausschlaggebende Rolle spielt; immer wieder beschwören die Protagonisten dieses Autors "Autoritäten der Geistesgeschichte als Bürgen für die Authentizität ihrer Stimmungen, Befindlichkeiten und Erfahrungen".[18]

In *Korrektur* faßt Bernhard diesen Vorgang in ein einprägsames Bild: Roithamer hat nämlich, wie er berichtet, aus den für ihn "wichtigsten Büchern und Schriften" die ihm "wichtigsten Seiten herausgetrennt und an die Wände der höllerschen Dachkammer geheftet", so wie er sich auch schon in seiner Kindheit die Wände seines Altensamer Zimmers mit den ihm "wichtigsten Gedanken anderer zugeklebt und zugeheftet" habe (K, 301). Pascal, Montaigne, Schopenhauer, Novalis, Dostojewski und Valéry werden genannt, die ganze Galerie der literarischen Gewährsmänner, aus denen sich Bernhards Figuren den geistigen Bezugsrahmen ihrer Existenz zimmern. Das geschriebene Wort, mit dem sich Roithamer buchstäblich ummantelt, dient dem einzelnen also gewissermaßen als Behausung – und als Mittel der Gegenwehr, hinter dem er sich angesichts der fortwährend behaupteten Bedrohungen verschanzt: "alles, was ich zu meinem Denken und

---

17 Vgl. Mittermayer, *Thomas Bernhard*, S. 191.
18 Christian Klug, *Thomas Bernhards Theaterstücke* (Stuttgart: Metzler, 1991), S. 37.

*Wider*denken gebraucht habe, [...] alle fremden und durch alle fremden auch alle eigenen Gedanken immer wieder" (K, 301).

Vor allem aber vollzieht sich in der höllerschen Dachkammer die Planung jenes Bauwerks, das zu Roithamers lebensentscheidendem Projekt werden soll: das "Ideen- und Konstruktionszimmer für den Bau des Kegels" nennt sie der Ich-Erzähler, als er es eben betreten hat (K, 16). Auch die Errichtung dieses Kegels wird mit der Idee einer Überwindung von Roithamers Herkunftsbereich in Verbindung gebracht: "Die Vollendung des Kegels ist dann gleichzeitig auch die Vernichtung von Altensam", postuliert Roithamer (K, 225). Um anzudeuten, daß mit dem Namen "Altensam" eigentlich der gesamte "das geschichtliche Erbe verkörpernde Raumbesitz"[19] indiziert ist, von dem sich der einzelne abzugrenzen hat, montiert Bernhard das literarische Geschehen immer wieder an Stichworten der österreichischen und der internationalen Geschichte. Josef König hat darauf hingewiesen, daß sich in Roithamers Familie die historische Abfolge der dominanten Gesellschaftsschichten in Österreich spiegelt: Sein Vater stammt aus dem Landadel, seine erste Frau aus dem Großbürgertum, seine zweite Frau, Roithamers Mutter, aus dem Kleinbürgertum.[20] "Geschichte als Marter, Herkunft als Marter", sei Altensam für ihn gewesen, formuliert Roithamer unmißverständlich (K, 272). Wie viele andere Figuren dieses Autors sieht er deshalb in der kompromißlosen "Vernichtung des Überkommenen"[21] den einzigen Weg zur Loslösung von der als obsessiv empfundenen Vergangenheit. Die Hinwendung zur reinen geometrischen Form, die er mit seinem Bauwerk vollzieht, entspricht dabei der Praxis von politischen Bewegungen, die sich ebenfalls um einen radikalen Bruch mit dem Bestehenden bemühen: so folgten etwa die Architekten der Französischen Revolution wie der von Roithamer als Vorbild zitierte Étienne-Louis Boullée (1728-99) in ihren Konzepten ausdrücklich "den Gesetzen einer einfachen und strengen Geometrie".[22] Und Roithamer will auch sie noch überbieten, denn noch niemals sei der Bau eines Projekts wie das seine gelungen: *"nicht in Frankreich, nicht in Rußland"*, wie er in Anspielung auf die paradigmatischen Revolutionsbewegungen der europäischen Neuzeit schreibt (K, 289).

Mit Geschichte verbunden ist nicht zuletzt das Grundstück, auf dem der Kegel errichtet werden soll: er gehörte anfangs, "nach der Enteignung des aristo-

---

19 Gabriele Kucher, *Thomas Mann und Heimito von Doderer: Mythos und Geschichte. Auflösung als Zusammenfassung im modernen Roman* (Nürnberg: Hans Carl, 1981), S. 220-28; hier S. 223.

20 Vgl. Josef König, *"Nichts als ein Totenmaskenball": Studien zum Verständnis der ästhetischen Intentionen im Werk Thomas Bernhards* (Bern, Frankfurt am Main, New York: Lang, 1983), S. 95-99.

21 Kucher, *Thomas Mann und Heimito von Doderer*, S. 224.

22 Jean Starobinski, *1789: Die Embleme der Vernunft*, Friedrich A. Kittler, Hrsg. (Paderborn, München, Wien, Zürich: UTB, 1981), S. 59.

kratischen Vorbesitzers, eines Habsburgers, dem Staate" (K, 20). Auf einem Stück
Boden, den er der Verfügungsgewalt des Staates entzogen hat, nachdem zuvor
bereits die jahrhundertelang dominierende Herrscherdynastie der einstigen
Monarchie ihren Einfluß darauf verloren hatte, setzt Bernhards Protagonist also
der "Herkunft als Marter" sein Bauwerk entgegen – als deklariertes Dokument
der Selbstbestätigung: "Der Kegel, *mein Beweis*" (K, 225). Von Anfang an wird
die Errichtung des ungewöhnlichen Bauwerks mit der Vorstellung von
Individualität assoziiert: "an und in dem Kegel Roithamers", denkt der Ich-
Erzähler, sei alles "das Eigenartigste" (K, 113). Roithamer habe darauf abgezielt,
eine Konstruktion zu verwirklichen, "*die einmalig in der Welt und auf jeden Fall
einmalig in der sogenannten Bauwelt ist*" (K, 47). So wird der Bau des Kegels
ausdrücklich zum Dokument einer spektakulären Selbstsetzung – wiederum im
Zeichen der Totalopposition gegen alle Überlieferung und gegen alle vorgegebenen
Existenzbedingungen: Nach den Worten des Ich-Erzählers sei es Roithamer um
den Versuch gegangen, "sich selbst gegen alle Vernunft und gegen alles
Entgegenkommen schließlich doch ein Exempel zu statuieren" (K, 123).

Auf besonders vielschichtige Weise mit Bedeutung aufgeladen ist der genaue
Standort des Bauwerks: es ist die mathematisch errechnete "*Mitte des
Kobernaußerwaldes*" (K, 53). Man kann angesichts eines (Bau-)Projekts, das der
Markierung einer Zentralposition dient, an den Vorwurf der Familienmitglieder
gegenüber Roithamer denken, er sei "eine exzentrische Natur", den dieser im
Moment des Erinnerns zugleich wütend zurückweist: er sei "nicht und niemals
exzentrisch" gewesen, das sei "eine von allen immer wieder vorgebrachte
Beschuldigung als Verleumdung" (K, 242). Der "Verlust der Mitte" erscheint im
Text außerdem im Zusammenhang mit der Klage über den Niedergang von
Roithamers Herkunftsland: Österreich, "dieser einstige Mittelpunkt Europas", sei
heute nur mehr "ein geistes- und kulturgeschichtlicher Ausverkaufsrest, eine
liegengebliebene Staatsware" (K, 30), schreibt der Ich-Erzähler. Er formuliert
damit eine frühe Variante der großen Österreich-Schelten, die vor allem in den
späten Texten des Autors einen wesentlichen Bestandteil seines Schreibens bilden,
und er blendet zugleich auf die sogenannte "Politische Morgenandacht" (1966)
zurück, in der Bernhard in essayistischer Form darüber klagt, "von was für
glänzenden, den ganzen Erdball überstrahlenden und erwärmenden Höhen" die
österreichische Politik "im Laufe von nur einem einzigen halben Jahrhundert in
ihr endgültiges Nichts gestürzt" sei.[23] Nicht zuletzt erinnert der Versuch, die Mitte
zu markieren, aber auch an den Verlust orientierender Zentren in den Weltbildern
von Bernhards Protagonisten, der besonders in seinen frühen Texten immer wieder

---

23 Thomas Bernhard, "Politische Morgenandacht", *Wort in der Zeit*, 12 (1966), S. 11-13;
    hier S. 11-12.

beklagt wird. Darin spiegle sich das "Bedürfnis des Menschen nach einem Bezugspunkt in der Welt, nach einem Weltmittelpunkt", schreibt Gudrun Mauch;[24] der Bau des Kegels sei demnach Ausdruck der Sehnsucht, sich "einen Mittelpunkt in einer Welt ohne Maßstäbe und Richtlinien zu schaffen".[25]

Der zweite Teil der Standortangabe (*"des Kobernaußerwaldes"*) läßt wiederum an das in Bernhards Texten immer wieder aufgegriffene Projekt der Naturbeherrschung denken. Wie sich etwa an dem bereits sechs Jahre vor *Korrektur* erschienenen Prosatext "Watten" zeigen läßt, fungiert das Territorium des Waldes bei Bernhard häufig als Zeichen für die sich dem menschlichen Einfluß bedrohlich widersetzende Natur, in dem Menschen die Orientierung verlieren – und damit zugleich die Kontrolle über ihre Existenz; in *Watten* nimmt sich der Papiermacher Siller, dessen Schicksal das Geschehen im Text untergründig motiviert, als Folge eines derartigen Orientierungsverlusts das Leben.[26]

Die Auseinandersetzung zwischen Geist und Natur schlägt sich in dem Roman allerdings nicht nur in der Errichtung des Roithamerschen Kegels nieder. In besonderem Maße verbindet sie sich mit der Figur des Tierpräparators Höller, in dessen Haus die äußere "Handlung" des Romans abläuft. Schon die berufliche Tätigkeit Höllers wird für den Erzähler zum "Anlaß für verschiedene Betrachtungsweisen über Natur und Kunst und Natur", als er beobachtet, wie "mitten in der doch von solchen Hunderten und Tausenden von Noch-Naturgeschöpfen strotzenden Natur [...] die Naturgeschöpfe durch die Hand Höllers zu Kunstgeschöpfen inmitten der Natur" gemacht werden (K, 173-74). Aber auch der Bau des Höllerhauses steht im Zeichen des Kampfes "zwischen dem Willen des Geistes und der Notwendigkeit der Natur", der nach Georg Simmel "nur in einer einzigen Kunst" zu einem "wirklichen Frieden" gekommen sei: nämlich "in der Baukunst".[27] Das an einer gefährlichen Engstelle des Flusses Aurach errichtete Gebäude repräsentiert den Idealfall einer Konstruktion, die so stabil angelegt ist, daß sie den Naturgewalten nicht mehr zum Opfer fallen kann, und Bernhards Erzähler betont an dieser Stelle besonders auffällig die Rolle rationaler Analyse und Planung: Höller habe sein Haus so konstruiert, "daß es gegen alle Naturgewalttätigkeiten *immun* sei"; es sei "unter Bedachtnahme auf alles, was mit dem

---

24 Gudrun Mauch, "Thomas Bernhards Roman 'Korrektur'. Zum autobiographisch fundierten Pessimismus Thomas Bernhards", *Amsterdamer Beiträge zur Neueren Germanistik*, 14 (1982), S. 87-106; hier S. 96.

25 Gudrun Mauch, "Thomas Bernhards Roman 'Korrektur'. Die Spannung zwischen dem erzählenden und dem erlebenden Erzähler", *Österreich in Geschichte und Literatur*, 23 (1979), S. 207-19; hier S. 217.

26 Vgl. Mittermayer, *Thomas Bernhard*, S. 59.

27 Georg Simmel, *Philosophische Kultur: Über das Abenteuer, die Geschlechter und die Krise der Moderne*, mit einem Nachwort von Jürgen Habermas (Berlin: Duncker & Humblot, 1983), S. 106.

Anschwellen und dem Wildwerden der Aurach und den mit den Muren zusammenhängenden verheerenden Möglichkeiten erdacht und entworfen und gebaut worden" (K, 108-109).

Roithamer habe deshalb das Höllerhaus im doppelten Sinn als Ausgangspunkt für sein Bauprojekt genommen: als Planungsort, indem er den Kegel (wie besprochen) in der höllerschen Dachkammer entworfen habe, aber auch als "Vorbild" für die "Planung und Verwirklichung" seines eigenen Bauwerks. Der Kegel sei "zweifellos aus dem Höllerhaus, aus der höllerschen Dachkammer", betont der Ich-Erzähler (K, 99). Der *Germanist* Hans Höller (manche Bernhard-Forscher haben auch Bernhard-Namen) schreibt in diesem Zusammenhang, die Bauwerke in diesem Roman seien nicht zuletzt "Gleichnisse über das Verhältnis von Kunst und Natur und über die gefährdete Stellung des Ich, das, wenn man es so sehen will, eingezwängt ist zwischen der katastrophalen Gewalt der Geschichte und der Dunkelheit des Unbewußten".[28]

Die entscheidende Funktion des Kegels ist jedoch auf Roithamers Schwester gerichtet, auf die einzige Person aus Altensam, mit der sich Bernhards Protagonist wirklich verbunden fühlte. Roithamers Schwester ist überdeutlich als Gegenfigur zu seiner Mutter gezeichnet. Anders als in der Beziehung zur Mutter habe zwischen den Geschwistern ständig "Harmonie" (K, 308) geherrscht und "eine besonders tiefe Übereinstimmung" der Anschauungen (K, 309). Im Gegensatz zur Mutter wird die Schwester als Inbegriff von Aufmerksamkeit und Zuwendung charakterisiert. Sie habe immer Anteil an seiner "Geistesarbeit" genommen, schreibt Roithamer (K, 310). Zu jeder Zeit sei sie bereit gewesen, mit ihrem Bruder den Inhalt eines Artikels, den er ihr zeigen wollte, "zu besprechen", so "wie sie ja immer zuhören hatte können zum Unterschied von unserer Mutter, die niemals zuhören hat können" (K, 309). Wenn "wir die Einsamkeit nicht mehr ertragen können", steht in Roithamers Nachlaß, "*schreiben wir, dem geliebten Menschen, der uns am tiefsten vertraut ist,* [...] damit wir nicht mehr allein, sondern zu zweit sind", und so habe auch er stets seiner Schwester geschrieben, "sie solle herkommen", damit er "gerettet" sei (K, 327). Dieses lebensnotwendige Wesen versucht Bernhards Hauptfigur also in einem Wohngebäude aufzubewahren, dessen Räume ihrem "Wesen [...] vollkommen entsprechen" (K, 214). Mitten im Wald soll jener einzige Mensch für ihn da sein, von dem er sich geliebt und verstanden weiß.

Dabei fällt die Begründung auf, die Roithamer in diesem Zusammenhang für sein Unternehmen angibt: "Die Idee ist gewesen, meine Schwester vollkommen glücklich zu machen durch eine vollkommene ganz auf sie bezogene Konstruktion", schreibt Roithamer. Und als müßte er jeden Gedanken an einen Fehlschlag von vornherein verscheuchen, fügt er noch hinzu: "Wenn sie erst den Kegel

---

28 Hans Höller, *Thomas Bernhard* (Reinbek: Rowohlt, 1993), S. 89-90.

sieht, *muß sie glücklich sein"* (K, 223). Die angestrebte "Konstruktion" ist damit das Vehikel einer Strategie, der alle Menschen in ihrer frühesten Lebenszeit folgen, wenn sie, hilflos auf die Zuwendung des anderen angewiesen, ein "Begehren nach dem Begehren des anderen" entwickeln, wie es in der strukturalen Psychoanalyse heißt, den Wunsch, vom anderen (gewöhnlich von der Mutter) erwünscht zu sein. Um sich der beruhigenden Anwesenheit dieses anderen sicher sein zu können, will das Kleinkind dasjenige sein, was seinem lebensnotwendigen Gegenüber zur Vervollkommnung von dessen Glück mangelt.[29] Roithamers Kegel ist dabei buchstäblich als eine Art Maschine intendiert, welche die ersehnte Zuwendung des lebensnotwendigen Gegenübers mit verläßlicher Zwangsläufigkeit bewirkt – das ist der eigentliche Sinn des zuvor zitierten Satzes: "Die Idee ist gewesen, zu beweisen, daß eine solche Konstruktion, die vollkommenes Glück verursachen muß, möglich ist" (K, 223). Auch die Absicht der Selbstverwirk-lichung, von der im Zusammenhang mit dem Kegelbau schon die Rede war, bezieht Bernhards Protagonist an dieser Stelle ausdrücklich auf den Menschen, von dessen Glück er auch das eigene abhängig sieht: "Wir verwirklichen die Idee, um uns selbst zu verwirklichen für einen *geliebten Menschen"* (K, 224).

Nachdem die dauerhafte Verbindung mit dem einzigen geliebten Menschen aus seiner Familie nicht zustande gekommen ist, setzt Roithamer zunächst eine Reihe von Aktivitäten, mit deren Hilfe er das Vorgefallene und seine Umstände zu bewältigen sucht. Wie er sagt, zu seiner "Beruhigung" und zur "Ablenkung" vom Tod der Schwester, beschäftigt er sich mit einer Studie über den Stechapfel, "den sogenannten Datura stramonium" (K, 343) – ein giftiges Obst, wie Burghard Damerau anmerkt, als "eine auf den Kopf gestellte Reminiszenz an den biblischen Apfel von Eva und Adam".[30] Gegen Ende des Buches häufen sich Zitate aus dem Bereich der Statik, Grundsätze zum Problem der Aufrechterhaltung des Gleich-gewichts und zum Eintritt des Kippens von physikalischen Körpern (z.B. K, 346): "Zur stabilen Stützung eines Körpers ist es notwendig, daß er mindestens drei Auflagepunkte hat, die nicht in einer Geraden liegen", lautet jener Satz, der dem Buch schon als Motto vorangestellt ist, und "Ein Körper kippt nicht, wenn das Standortmoment größer ist als das Kippmoment" steht am Ende der entspre-chenden Zitatenreihe (K, 348). Tatsächlich versucht hier ein Erfolgloser, sein Scheitern theoretisch zu verarbeiten,[31] es sind jedoch nicht mehr als hilflose Kommentare zu einem Geschehensablauf, der längst zum Kippen einer gesamten Existenzanlage geführt hat. "Die Menschen werden immer wieder mit etwas konfrontiert, das sie in Erregung und in Unruhe versetzt, augenblicklich immer

---

29 Vgl. Helga Gallas, *Das Textbegehren des "Michael Kohlhaas": Die Sprache des Unbe-wußten und der Sinn der Literatur* (Reinbek: Rowohlt, 1981), S. 76.
30 Burghard Damerau, *Selbstbehauptungen und Grenzen: Zu Thomas Bernhard* (Würz-burg: Königshausen & Neumann, 1996), S. 173.
31 Vgl. Ebenda, S. 189.

vor allem dann, [...] wenn sie glauben, ins Gleichgewicht zu kommen", hat der Ich-Erzähler bereits an einer viel früheren Stelle des Romans festgehalten (K, 163) – ein Satz, der eine der Kernsituationen im Werk von Thomas Bernhard beschreibt. Wichtigstes Dokument von Roithamers Auseinandersetzung mit dem Fehlschlag seines Lebensprojekts ist die schon genannte Studie, die Bernhards Lesern erst die wesentlichen Informationen über die katastrophal ausgegangene Entwicklung rund um den Kegel und seine geplante Bewohnerin zugänglich macht. Auch dieses Manuskript sei jedoch "nichts anderes als eine Verrücktheit", stellt sein Verfasser am Ende fest (K, 356). Je mehr er versucht habe, die abgelaufenen Vorgänge und seine Wahrnehmung davon niederzuschreiben, desto deutlicher habe er erkannt, daß alles, was er in dem Manuskript beschrieben habe, "anders ist, daß immer alles anders ist, als beschrieben, das Tatsächliche anders als das Beschriebene" (K, 355). Wie viele Protagonisten Bernhards hat auch Roithamer das untilgbare Gefühl, mit seinen schriftlichen Aufzeichnungen die Wirklichkeit zu verfehlen: er habe "nicht nur Teile falsch beschrieben", er sehe, daß er "alles falsch beschrieben" habe, denn es sei "das Entgegengesetzte" (K, 356). Die Inadäquanz zwischen Sprache und Realität, die Unmöglichkeit, das jeweils individuell Empfundene sprachlich zu vermitteln, gehört zu den Grunderfahrungen des Autors Thomas Bernhard: "Verständlichmachen ist unmöglich, das gibt es nicht", stellt er schon in dem filmischen Monolog *Drei Tage* (1971) fest.[32] "Die Wahrheit, denke ich, kennt nur der Betroffene, will er sie mitteilen, wird er automatisch zum Lügner. Alles Mitgeteilte kann nur Fälschung und Verfälschung sein", formuliert der Erzähler der autobiographischen Erzählung *Der Keller* (1976).

Roithamer versucht zwar mehrfach, seine Studie nochmals zu korrigieren, doch dabei vermittelt sich ihm stets nur das Gefühl, daß er jeweils immer "alles vernichtet" habe. "Nach und nach ist dann immer wieder ein anderes Manuskript entstanden", schreibt er, doch jede Verbesserung sei letztlich Verschlechterung gewesen. "Jede Korrektur sei Zerstörung, Vernichtung, so Roithamer". Letztlich habe er erkannt, "daß es aber das Höchste sei, kein neues mehr entstehen zu lassen, nichts mehr zu korrigieren, zu vernichten" (K, 356). So stehen am Ende des Buches Gesten der Annihilation, der Abdankung jenes Menschen, der sich über ein grandioses (Bau-)Werk ein "Exempel" (K, 123) statuieren wollte. Da es diejenige nicht mehr gibt, für die der Kegel ursprünglich bestimmt war, überläßt Roithamer sein Werk jenen Kräften, denen die Baukunst stets ihre Schöpfungen abgewinnt: er wird es "der Natur überlassen, gänzlich" (K, 345). Aber auch an sich selbst vollzieht er, wie er sagt, die *"eigentliche wesentliche Korrektur"*, den *"Selbstmord"* (K, 326). Die bittere Bilanz seines fehlgegangenen Lebens lautet: "die größte Verrücktheit, so Roithamer, ist es gewesen, den Kegel zu bauen und dieses Manuskript über Altensam zu schreiben, und diese beiden Verrücktheiten,

---

32   Thomas Bernhard, *Der Italiener* (Frankfurt am Main: Suhrkamp, 1989), S. 80.

die eine aus der andern und beide mit der größten Rücksichtslosigkeit, *haben mich umgebracht*" (K, 357).

3.

Es ist nicht verwunderlich, daß ein Roman wie *Korrektur*, der so viele hermeneutische Anschlußmöglichkeiten anbietet, auch eine große Anzahl der unterschiedlichsten Deutungsversuche provoziert hat. Häufig beziehen sich die literaturwissenschaftlichen Kommentare dabei vor allem auf die in dem Buch thematisierte Auseinandersetzung mit dem historischen Erbe, das dem einzelnen als Ausgangsbedingung seiner Existenz vorgegeben ist. Josef König bezeichnet etwa Bernhards Schreiben bis hin zu *Korrektur* als eine zusammenhängende "Partitur von Traditionsaufnahme, ihrer Umwertung und eines Vernichtungsversuches" alles Überlieferten.[33] Hans Höller nennt Roithamers Bauwerk eine "geschichtslose rationalistische Gegen-Utopie" zum Komplex von Roithamers Herkunft.[34] Für Hartmut Reinhardt ist die Errichtung des Kegels der "Versuch, sich der Verbindlichkeit einer Tradition zu entziehen, deren Zeit abgelaufen ist", indem ihr ein Werk entgegengestellt wird, "das nicht geschichtlich vermittelt sein darf". Damit verbunden sieht er auch die Ursachen für den letalen Ausgang des gesamten Unternehmens: die "Einsicht in die Unaufhebbarkeit der eigenen Herkunftsbedingungen" könnte für Roithamers Freitod verantwortlich sein; kein Versuch des Subjekts, "den Kerker seiner geschichtlich-gesellschaftlichen Konditionierung zu sprengen", könne die Befreiung bringen, "es sei denn der selbstgewählte Tod".[35]

Immer wieder wird in den Interpretationen des Romans natürlich die Beziehung zwischen Roithamer und seiner Schwester angesprochen. Der Kegel, in dem Bernhards Protagonist den einzigen geliebten Menschen aus dem Kontext seiner Familie für sich "behausen" will, steht nach Meinung von Burghard Damerau "für die Sehnsucht nach *unumstößlicher Übereinstimmung* zwischen zwei Menschen",[36] er ist ein "Gebäude gewordener Wunsch nach Synthese als haltbarer Harmonie".[37] In diesem Zusammenhang sieht Damerau auch die Erwähnung der Philosophie Hegels, die Roithamer in der höllerschen Dachkammer für sich "*entdeckt*" habe (K, 9): nach Hegel vollziehe sich die historische Bewegung des Geistes bekannt-

---

33 König, *"Nichts als ein Totenmaskenball"*, S. 57.
34 Höller, *Thomas Bernhard*, S. 91.
35 Hartmut Reinhardt, "Das kranke Subjekt. Überlegungen zur monologischen Reduktion bei Thomas Bernhard", *Germanisch-Romanische Monatsschrift*, N.F., 26 (1976), S. 334-56; hier S. 350-51.
36 Damrau, *Selbstbehauptungen und Grenzen*, S. 171.
37 Ebenda, S. 174.

lich "als dialektische Bewegung durch Synthesen, als Bewegung, in der Gegensätze aufgehoben – zugleich erhöht, getilgt und bewahrt – werden".[38] Für Bernhard Sorg strukturiert das Inzest-Tabu unübersehbar Bernhards Roman; der Kegel stehe "als Sexualsymbol gleichermaßen für männliches und weibliches Genitale", er sei zugleich Ausdruck "der angestrebten, aber tatsächlich als unmöglich erkannten Vereinigung mit dem einzigen geliebten Menschen". Die sexuelle Utopie der Bernhardschen Texte, so liest Sorg die Beziehung zwischen Bruder und Schwester, ziele "auf eine gerade von sexuellem Verlangen als Paradigma brutalisiert-entgeistigter Beziehungen befreite Gemeinschaft, die der von Geschwistern ähneln soll".[39]

Ausgehend von solchen Überlegungen und angesichts der auffälligen Denunziation der Mutter als Ursache allen Unglücks in Roithamers Leben liegt der Gedanke an eine künstlerische Auseinandersetzung mit autobiographischen Traumata des Autors Bernhard nahe. Urs Bugmann führt die literarische Phantasie *Korrektur* mit psychoanalytischen Deutungsmethoden auf "narzisstische Kränkungen" aus der Frühzeit des Lebens zurück,[40] und er sieht in der deutlichen "Polarisierung der beiden Frauengestalten" Mutter und Schwester einen Ausdruck der "Widersprüchlichkeit von Bernhards Gefühlen gegenüber seiner Mutter".[41] Andreas Gößling vertritt die These, daß in *Korrektur*, aber auch in Bernhards anderen Büchern der fiktionale Text "als *symbolische* Biographie eine eher private *Auto*biographie überdeckt und mystifiziert", die in erster Linie "von den psychischen Problemen, neurotischen Deformationen eines Subjektes handelt, das die in der Kindheit erlittenen Wunden umfälscht" in Lebensgeschichten tragisch scheiternder Geistesmenschen.[42] In *Korrektur* weise die schiere Quantität des von der Mutter handelnden Erinnerungsmaterials darauf hin, daß das imaginierende Ich "auf seiner 'Roithamer' genannten Stufe ganz unter dem Einfluß der dämonisierten Mutterinstanz" denke.[43] Die in dem Roman "verbildlichte subjektive Wahrheit" laute letztlich: "daß das erinnernde Ich vaterlos aufwuchs, auf die 'Mutter' als 'Mittelpunkt' fixiert, und daß es daher zu keiner stabilen männlichen Identität fand".[44]

Vor allem ist Bernhards Roman nicht zuletzt ein Buch über die Vergeblichkeit, den lebensnotwendigen "geliebten Menschen", der vor allem in den späteren

---

38 Ebenda, S. 171.
39 Sorg, *Thomas Bernhard*, S. 103.
40 Urs Bugmann, *Bewältigungsversuch: Thomas Bernhards autobiographische Schriften* (Bern, Frankfurt am Main, Las Vegas: Lang, 1981), S. 190.
41 Ebenda, S. 177.
42 Andreas Gößling, *Thomas Bernhards frühe Prosakunst: Entfaltung und Zerfall seines ästhetischen Verfahrens in den Romanen Frost – Verstörung – Korrektur* (New York: De Gruyter, 1987), S. 296-70.
43 Ebenda, S. 369.
44 Ebenda, S. 372-73.

Texten des Autors eine immer wichtigere thematische Bedeutung gewinnt, für sich zu gewinnen. Mit großem sprachlichem Aufwand wird stets betont, wie sehr es dem Konstrukteur des seltsamen Wohngebäudes darum gegangen sei, daß sein Produkt der vorgesehenen Bewohnerin vollkommen "entspreche": "Die Annahme, daß die Konzeption des Kegels genau dem Bedürfnis meiner Schwester, genau ihrem Charakter entspricht, ihrer Natur. [...] Ihren Augen und Ohren entsprechend, Gehör, Gefühl, Verstand, Wachsamkeit, Aufmerksamkeit. Entsprechend" (K, 332; vgl. K, 214). Doch das Resultat seiner Geistesanstrengungen ist eine rein rational konzipierte, radikal geometrisierte Figur, auf deren Lebensferne Andreas Gößling zu Recht hingewiesen hat: es ist eine "starr-duale Konstruktion, in der das Statische, Tote seinen Widerpart dominiert":[45] "Steine, Ziegel, Glas, Eisen, sonst nichts" (K, 222). Deshalb hat auch Ria Endres, die vehemente Bernhard-Kritikerin, Roithamers Bauwerk in die "Serie männlicher Vernichtungsmaschinen" eingereiht, von denen sie Bernhards Texte durchzogen sieht.[46] Der Roman *Korrektur* ist (wie auch viele andere Texte Bernhards) ein trauriges Dokument der Unmöglichkeit, sich einer anderen Person im innersten anzunähern und ihr absolut "entsprechende" Lebensbedingungen zu schaffen, sie "glücklich" (K, 223) zu machen. Bernhards Freund Wieland Schmied berichtet, wie der Autor mit ihm vor der Berliner Nationalgalerie Mies van der Rohes gestanden und sich von der seiner Ansicht nach menschenfeindlichen Konzeption des Gebäudes abgestoßen gezeigt habe.[47] Ausgerechnet auf diesen Architekten beruft sich ironischerweise die Hauptfigur von *Korrektur*: "*Nichts* aus den Schriften von Neutra", läßt Bernhard Roithamer notieren, "*alles* von Mies van der Rohe" (K, 211).

Margarete Kohlenbach liest den Roman darüber hinaus als Beispiel für einen großangelegten "Bewältigungsversuch", für die schwierige Auseinandersetzung mit einem katastrophalen Vorfall, der erst in einen kausalen Zusammenhang eingeordnet werden muß. Roithamers Studie habe im Grunde den Zweck, "sich über die Bedeutung und die Logik des ganzen Kegelprojektes, ja seines ganzen Lebensweges Klarheit zu verschaffen".[48] Auch Bernhards Ich-Erzähler spricht von der "*Krankheit der Nachdenkens*" (K, 36), die ihn befallen habe, von seiner "Erinnerungskrankheit" (K, 155). Tatsächlich gehört *Korrektur* in die Reihe jener Texte des Autors, in denen seine Figuren verzweifelt nach den Ursachen für irritierende Ereignisse und Entwicklungen aus der Vergangenheit suchen. "Man suche hinter chaotischen oder wenigstens hinter merkwürdigen, jedenfalls hinter

---

45 Ebenda, S. 325.

46 Ria Endres, *Am Ende angekommen: Dargestellt am wahnhaften Dunkel der Männerporträts des Thomas Bernhard* (Frankfurt am Main: Fischer, 1980), S. 67.

47 Mitteilung in einer öffentlichen Diskussion im Rahmen der Bernhard-Tage Ohlsdorf, 19. Oktober 1996.

48 Margarete Kohlenbach, *Das Ende der Vollkommenheit: Zum Verständnis von Thomas Bernhards "Korrektur"* (Tübingen: Narr, 1986), S. 135.

außergewöhnlichen Zuständen naturgemäß immer gleich nach der Ursache", sagt schon Konrad, der Protagonist aus Bernhards zuvor erschienenem Roman *Das Kalkwerk* (1970), doch dabei komme man "immer nur auf Ersatzursachen", nie auf die wirklichen (Kw, 135-36). Auch Roithamer schreibt in seiner Studie, man müsse "immer wieder versuchen, auf die Ursachen zu kommen und von den Ursachen auf die Wirkungen dieser Ursachen", doch das Frustrierende daran sei zum einen die Unvollständigkeit der gewonnenen Resultate, zum anderen die Subjektivität der eigenen Position: "daß [...] nichts vollkommen zu erfassen und zu erklären ist, daß ich mir immer sagen muß, das ist alles *von mir aus*, nicht *von den Andern aus*" (K, 324).

Auf vielfältige Weise zeugt der Roman von dem Bemühen Roithamers, aber auch seines Nachlaßverwalters, in der Fülle der auseinanderfallenden Wahrnehmungselemente Kohärenz zu stiften. Schon zu Beginn des Buches definiert der Ich-Erzähler seine Arbeit an dem Manuskript als den Versuch, dessen "ursprünglichen, von Roithamer vorgesehenen Zusammenhalt wiederherzustellen" (K, 17); noch handle es sich nämlich "um Hunderte und Tausende von Bruchstücken, zusammenhängenden einerseits, überhaupt nicht zusammenhängenden andererseits" (K, 180). Auffällig ist dabei vor allem, wie sehr Roithamer daran gelegen ist, eine zwingende Verbindung zwischen dem Tod seiner Schwester und dem Kegelbau zu etablieren. "Wahrscheinlich hat der Bau des Kegels bewirkt, daß ihre Todeskrankheit zum Ausbruch gekommen ist", schreibt er (K, 347). Nachdem er sich eingestehen muß, daß die Wirkung der Fertigstellung des Kegels "eine andere ist, als die erwartete" (K, 351), deutet er den Tod der Schwester zur eigentlichen Vollendung des Projekts um, und er formuliert seinen Befund als allgemeingültiges Axiom einer höchst eigenwilligen Theorie: "das Bauwerk als Kunstwerk ist erst vollendet, indem der Tod eingetreten ist dessen, für den es gebaut und vollendet worden ist" (K, 345); "Denn allerhöchstes Glück ist nur im Tod" (K, 346). Auch der Kegelbau selbst wird mit ähnlichen Vokabeln in einen konsequenten Ablaufzusammenhang eingepaßt: "Der Kegel ist Folgerichtigkeit meiner (meiner Schwester) Natur" (K, 345). Nach Kohlenbach sind diese Rekonstruktionsversuche von dem Bedürfnis motiviert, den überraschenden Tod der geplanten Kegelbewohnerin zu verarbeiten: der Verlust der Schwester "muß notwendig sein und in Zusammenhang mit dem Kegelbau stehen", er darf nicht sinnlos sein.[49] Wenn ihr Tod gewissermaßen als Endpunkt des Kegelbaus gedeutet wird, ist das schmerzvolle Ereignis kein Zufall mehr, "es widerfährt [Roithamer] nicht von außen, er kann es dank dieser gewagten, 'überanstrengten' Konstruktion als eigenes Werk betrachten".[50]

---

49 Ebenda, S. 138-39.
50 Ebenda, S. 149.

Eine Analyse verdient schließlich auch die Konfiguration Roithamer vs. Ich-Erzähler, das Verhältnis des Protagonisten zu der literarischen Vermittlerfigur zwischen ihm und dem Leser. Die beiden lebenslangen Freunde sind auf besonders subtile Weise aufeinander bezogen. Der Ich-Erzähler wurde als Sohn eines Arztes geboren. Er ist in der kleinbürgerlichen Welt des Dorfes Stocket aufgewachsen, Roithamer hingegen im feudalen Altensam. Die Eltern des einen haben jeweils auch die Erziehung und Entwicklung des anderen beeinflußt: Für den Erzähler sei Altensam immer attraktiv gewesen, dessen "alles in [ihm] befestigende Mauern" ihm gleichzeitig "Geist und Gefühl" geöffnet hätten und wo "alles unten in Stocket Unerreichbare aufeinmal erreichbar" geworden sei (K, 78). Roithamer habe hingegen immer Interesse an allem gezeigt, "was mit Krankheiten und hier in ununterbrochener Wechselbeziehung mit Körper- und mit Geisteskrankheiten zusammenhängt", zeitlebens hätte ihn "neben seiner Wissenschaft nichts mehr interessiert [...] als die *Menschenkrankheiten*" (K, 79). So wird das Elternhaus des jeweils Anderen zum Zeichen für die Ausfüllung des eigenen Mangels: die Freunde hätten, schreibt der Erzähler, im eigenen Zuhause "nur das gesucht und [...] erhofft", was dort "nicht zu finden gewesen" sei; "unsere Anlagen fühlten wir im andern Zuhause auf die wunderbarste Weise anerkannt" (K, 82).

Nach der Schulzeit (K, 133-40) gingen die beiden gemeinsam nach Cambridge. Wie stets bei Bernhard ist auch in diesem Fall die jeweilige Berufswahl signifikant. Roithamer studierte Genetik und spezialisierte sich auf "Erbänderungen" (K, 334) – ein Spezialgebiet, das mit dem später unternommenen Versuch korrespondiert, "sich aus der Determiniertheit der eigenen Erbanlagen loszulösen".[51] Der Erzähler hingegen befaßte sich (wie viele Bernhard-Figuren) mit Mathematik (K, 335), einer Wissenschaft, die auch in anderen Texten des Autors immer wieder als Paradigma einer perfekten gedanklichen Auseinandersetzung mit der Wirklichkeit angesprochen wird: in der Mathematik sei "alles ein Kinderspiel", sagt etwa der Maler Strauch in *Frost*, "denn in ihr ist alles *vorhanden*" (F, 81). Während dieser Zeit hätten die beiden nun eine derart enge Beziehung entwickelt, erinnert sich der Erzähler, daß diese "von Außenstehenden als absolutes Aufgehen in einem anderen Menschen bezeichnet" wurde (K, 124). Damit besteht zwischen ihnen eine Konstellation, die in Bernhards Werk immer wiederkehrt: "Die Selbstfindung des Ichs meist in Gestalt mißlingender Abgrenzungsversuche bis hin zum Aufgesogenwerden durch das Gegenüber" gehöre zu den wichtigsten Themen im Werk dieses Autors, schreibt zusammenfassend Eva Marquardt.[52] Jahrelang sei er von Roithamers Denken "ausgelöscht gewesen", sagt der Erzähler, sein Denken sei "in Wirklichkeit das Denken Roithamers gewesen". Erst in der letzten Zeit sei

---

51 Bugmann, *Bewältigungsversuch*, S. 172.
52 Eva Marquardt, *Gegenrichtung: Entwicklungstendenzen in der Erzählprosa Thomas Bernhards* (Tübingen: Niemeyer, 1990), S. 168.

er "aus der langjährigen [...] Kerkerhaft des roithamerschen Gedankengefängnisses [...] herausgetreten" (K, 38). Umso prekärer gestaltet sich für den Erzähler die Wiederannäherung an die Gedankenwelt des Verstorbenen. Als er die höllersche Dachkammer betritt, beschreibt er den Vorgang buchstäblich als Eintritt in Roithamers Innenwelt: er geht "soweit, zu sagen, daß die Dachkammer Roithamer ist" (K, 25), denn sie sei, so fügt er später hinzu, "ganz von dem Geist Roithamers erfüllt" (K, 288). So sieht er die Auseinandersetzung mit dem Roithamerschen Nachlaß als "für mich schädlich", wie er sagt, sie habe eine "zerstörerische", eine "tödliche Wirkung" (K, 156). Die Irritation des Erzählers angesichts der Konfrontation mit den Schriften seines Freundes läßt also erkennen, wie groß die Nähe zu dem Verstorbenen noch immer ist – und vor allem wie bedrohlich: nichts anderes habe sein Freund "im Sinn gehabt", so der Erzähler, "indem er mir den Nachlaß vermachte, als mich zu zerstören, weil ich ganz in seine Entwicklung gehörte" (K, 160). Letztlich habe er ihn "dadurch vollständig an sich gebracht" (K, 161).

Die Tatsache, daß der "*beste Freund*" Roithamers (K, 125) in dessen schriftlichem Nachlaß kein einziges Mal vorkommt, signalisiert nicht nur, wie wenig die proklamierte Ablösung schon gelungen ist. Vielleicht ist sie auch ein Indiz dafür, wie sehr die beiden, der Ich-Erzähler und der Selbstmörder, letztlich in eins fallen, als zwei Positionen in Bernhards literarischem Apparat der Selbstreflexion. Vielleicht sind sie tatsächlich ineinanderprojizierte Aspekte desselben imaginierenden Bewußtseins, das in Gestalt Roithamers einen Versuch der Annäherung an und gleichzeitig der Distanzierung von einer bis in die letzte verhängnisvolle Konsequenz ausphantasierten Existenzmöglichkeit unternimmt. Schon in *Frost* sei Bernhards Technik der Rollenprosa, so Christian Klug, ein Mittel, "um hinter dem Maskenspiel eines scheinbar souveränen und seiner selbst gewissen Ichs die Einsprüche eines individuellen und kollektiven Unbewußten kenntlich zu machen".[53] Die flexible Variation des Abstands zwischen dem Erzähler und der von ihm beobachteten Hauptfigur, der "Wechsel von Identifikation und Distanz" ziele dabei im Grunde auf eine bestimmte Form der "nichttheoretisierenden Selbsterkenntnis durch Teilhabe".[54]

4.

In seinen späteren Texten greift Thomas Bernhard immer wieder auf inhaltliche Aspekte zurück, die er schon in *Korrektur* (und in anderen Büchern aus seinen

---

53 Christian Klug, "Thomas Bernhards Roman 'Frost' (1963): Problemgehalt, Erzähltechnik und literaturgeschichtlicher Standort", *Der deutsche Roman nach 1945*, Manfred Brauneck, Hrsg. (Bamberg: Buchner, 1993), S. 119-35; hier S. 128.
54 Ebenda, S. 130.

früheren Jahren) durchgespielt hat. Auch in der Erzählung *Ja* (1978) geht es um einen "entsprechenden" Menschen, durch dessen Anwesenheit die Existenz einzig erträglich wird: "Wenn wir nur einen Menschen in unserer Nähe haben, mit welchem wir letztenendes *alles* besprechen können, halten wir es aus, sonst nicht", lautet der Kernsatz des Textes (Ja, 81). In diesem Fall ist es eine Perserin, die sich in der unmittelbaren Umgebung des Ich-Erzählers anzusiedeln gedenkt und dabei vorübergehend zu einem "idealen Partner für Geist und Gemüt" wird (Ja, 136); durch die Begegnung mit ihr wird er "aus der längsten Isolation und Verzweiflung der letzten Jahre herausgerettet" (Ja, 66), und die schriftliche Aufzeichnung ihres tragischen Endes (sie begeht am Ende Selbstmord) wird ebenfalls zum Mittel der eigenen Rettung: er wolle, schreibt der Ich-Erzähler, einerseits die Erinnerung an die Perserin festhalten, andererseits aber seinen Zustand verbessern, seine "Existenz verlängern" (Ja, 128).

Darüber hinaus ist *Ja* ein weiterer Bernhard-Text übers Bauen. Zum einen reflektiert der Autor darin in kaum verschleiertem autobiographischem Selbstbezug die Zeit seiner eigenen Ansiedelung im oberösterreichischen Salzkammergut:[55] Der Ich-Erzähler von *Ja* hat sich, so berichtet er, eine "Ruine" gekauft, die er restauriert und bewohnbar gemacht habe, mit der Absicht, "daß ich einen Platz für mich allein in der Welt hatte, der abzugrenzen und abzusperren gewesen war" (Ja, 57). Zum anderen baut auch der Lebensgefährte der Perserin, *"ein hochqualifizierter Ingenieur und weltberühmter Kraftwerkebauer"* (Ja, 13), für dieselbe ein Haus, dessen Beschreibung in manchem an Roithamers Kegel erinnert. Erneut fällt nämlich der Plan für das Gebäude wegen seiner "geradezu kühnen Merkwürdigkeit" auf. Und noch deutlicher als in *Korrektur* wird die Errichtung des Hauses mit äußerster Skepsis geschildert: das Bauwerk sei deutlich "von einem in höchst eigenwilligen total egoistischen Gefühlen und Gedanken fühlenden und denkenden Manne" entworfen worden. "Nicht die geringste Spur eines weiblichen Einflusses" (Ja, 107).

In Bernhards zuletzt publiziertem Roman *Auslöschung: Ein Zerfall* (1986) erscheint die Handlungsstruktur von *Korrektur* noch einmal in variierter Form. Der Protagonist dieses längsten aller Bernhardschen Prosatexte, Franz-Josef Murau, ist durch einen Autounfall, bei dem seine Eltern und sein Bruder ums Leben gekommen sind, zum Erben von Wolfsegg geworden, einem umfangreichen Familienbesitz, den er allerdings nicht weiterführen wird: nach dem Begräbnis der Verwandten schenkt er ihn der Israelitischen Kultusgemeinde in Wien. Auch Murau hat den Plan, über seinen "Herkunftskomplex" eine umfangreiche Schrift zu verfassen. *"Auslöschung"* werde er diesen Bericht nennen, denn alles, was er darin aufschreibe, "wird ausgelöscht, meine ganze Familie wird in ihm ausgelöscht, ihre Zeit wird darin ausgelöscht, Wolfsegg wird ausgelöscht in

---

55   Vgl. dazu Höller, *Thomas Bernhard*, S. 94.

meinem Bericht auf meine Weise" (Aus, 201). In verallgemeinernder Formulierung verbindet Bernhards Protagonist die Aufzeichnung seiner Herkunftsrecherchen auch in "Auslöschung" mit der Notwendigkeit der Selbstbewahrung: "Wir tragen alle ein Wolfsegg mit uns herum", schreibt Murau, "und haben den Willen, es auszulöschen zu unserer Errettung" (Aus, 199).

Ähnlich wie in *Korrektur*, aber mit wesentlich konkreteren Anspielungen versehen, wird in diesem Text der "abzuschenkende" Familienbesitz erneut zum Zeichen für einen historisch-geographisch identifizierbaren Überlieferungszusammenhang. "Die Geschichte von Wolfsegg belastet mich in einer vernichtenden Weise", schreibt Murau (Aus, 108), und er erweitert die "Wolfseggbeschimpfung" zu einer "Beschimpfung alles Österreichischen und schließlich dazu auch noch alles Deutschen, ja letzten Endes alles Mitteleuropäischen" (Aus, 111). Der Autor setzt dabei eindeutige historische Bezugsmarken: "Wolfsegg ist während der Naziherrschaft eine Hochburg des Nationalsozialismus, gleichzeitig eine Hochburg des Katholizismus gewesen" (Aus, 196). Mit Hilfe der beiden Schlagwörter "Katholizismus" und "Nationalsozialismus" denunziert Murau in seinem "Bericht" eine autoritäre Erziehungs-tradition, die in Österreich den Charakter der Menschen und damit den des gesamten Landes geprägt hätten: "Der österreichische Mensch ist durch und durch ein nationalsozialistisch-katholischer von Natur aus", schreibt er etwa in der Mitte des Buches. "Katholizismus und Nationalsozialismus haben sich in diesem Volk und in diesem Land immer die Waage gehalten" (Aus, 292).

An *Korrektur* erinnert nicht zuletzt Muraus Beschreibung seiner Eltern. Wieder lesen wir von einem schwachen Vater und einer auf zerstörerische Weise dominanten Mutter. Doch auch diese Vaterfigur wird zeichenhaft mit einer historischen Entwicklung in Verbindung gebracht. Seinen eigentlichen Lebensraum habe das Büro gebildet, schreibt Murau. Dort habe er jedoch im Laufe der Zeit völlig seine Individualität verloren: "Das Büro hat sein Gesicht zu dem ausdruckslosen gemacht, das er zuletzt gehabt hat, dachte ich. Das Büro hat ihn letzten Endes vernichtet" (Aus, 605). In Muraus Vater verkörpert sich also nicht nur die "vaterlose Gesellschaft", die Alexander Mitscherlich nach dem Zweiten Weltkrieg auf vielfältige Weise beschrieben hat,[56] sondern vor allem auch die universale Herrschaft der Bürokratie. "Ganz Europa läßt sich seit einem Jahrhundert von den Leitzordnern unterdrücken und die Unterdrückung der Leitzordner verschärft sich", schreibt Murau. "Bald wird ganz Europa von den Leitzordnern nicht nur beherrscht, sondern vernichtet sein" (Aus, 606).

Seine Mutter macht Murau hingegen als "*das personifizierte Böse*" (Aus, 569) für alle negativen Entwicklungen in seinem Leben verantwortlich – wie Roithamer in *Korrektur*: "Das Böse auf Wolfsegg, wenn wir es auf seinen Ursprung zurück-

---

56 Vgl. dazu Alexander Mitscherlich, *Auf dem Weg zur vaterlosen Gesellschaft: Ideen zur Sozialpsychologie* (München: Piper, 1963).

führten, führte immer auf unsere Mutter zurück, *sie* war der Ausgangspunkt" (Aus, 297). Doch unmittelbar danach läßt eine kurze Bemerkung aufhorchen, die erstmals in Bernhards Werk auf die psychologische Funktion solcher Denunziationsmethoden hinweist: "Aber es wäre völlig unsinnig, ihr allein die Schuld an diesem Bösen in die Schuhe zu schieben, wie wir das tun, weil wir keine andere Wahl haben, weil uns ein anderes Denken viel zu schwierig ist, zu kompliziert, einfach unmöglich; wir vereinfachen die Sache und sagen, *sie ist ein böser Mensch, unsere Mutter*, und haben daraus einen lebenslänglichen Gedanken gemacht" (Aus, 298). Muraus Erkenntnis läßt sich auch auf alle analogen Simplifikationen rückbeziehen, die von den Hauptfiguren dieses Autors zu immer perfekter reproduzierbaren Erklärungsmustern für das Scheitern ihrer hochfliegenden Lebensplanungen ausgearbeitet werden – und damit auch auf *Korrektur*. Immerhin spricht auch Roithamer schon von seinem "durch und durch komplizierten, ständig auf Vereinfachung abzielenden, aber sich dadurch immer mehr und mehr und immer weiter und weiter von Vereinfachung entfernenden [...] Wesen" (K, 156), das er an dieser Stelle für die rücksichtslose Art seines Umgangs mit anderen Menschen verantwortlich macht.

In zwei längeren Prosatexten aus der späteren Zeit setzt sich Bernhard nochmals mit dem Verlust eines lebensnotwendigen (weiblichen) Menschen auseinander. In *Der Untergeher* (1983) versucht der Erzähler, die möglichen Ursachen für den Suizid seines Freundes und Studienkollegen Wertheimer herauszufinden. Eine davon wird bereits im Motto des Buches angedeutet: "Lange vorausberechneter Selbstmord, dachte ich, kein spontaner Akt von Verzweiflung" (Ug, 7, dann auch 76). Wertheimer könnte damit nämlich auf den überraschenden Weggang seiner Schwester, die gegen seinen Willen einen Schweizer Großindustriellen heiratete, reagiert haben. Nach dem Tod der Eltern hatte er sie zunächst vollkommen "an sich gekettet" (Ug, 38) und einen "vollkommen sicheren Kerker" für sie gebaut (Ug, 66), weil sie seiner Überzeugung nach "für ihn geboren worden sei, um bei ihm zu bleiben, sozusagen um ihn zu schützen" (Ug, 43). Vielleicht habe er sie durch die Wahl des Ortes seines Selbstmords (unmittelbar in der Nähe ihres Hauses) "in ein lebenslängliches Schuldgefühl" stürzen wollen, denkt der Erzähler (Ug, 76).

In *Alte Meister* (1985) schließlich hat der zweiundachtzigjährige Musikschriftsteller Reger den Tod seiner Frau zu verarbeiten, die jahrzehntelang ein unverzichtbarer Bestandteil seines Existenzgefüges gewesen ist: "Wir sind urplötzlich von dem Menschen getrennt, dem wir *im Grunde alles* verdanken und der uns tatsächlich alles gegeben hat" (AM, 249). Nur langsam gelingt es ihm, die Herrschaft über sich selbst zurückzugewinnen. Doch aus dem Erlebnis der tiefsten Verzweiflung erwächst ihm das Gefühl einer gänzlichen Loslösung von allen Bindungen und Rücksichten, die sein Denken zuvor eingeengt haben. "Mit dem Tod meiner Frau bin ich frei geworden, sagte er, und wenn ich sage *frei*, so meine

ich *gänzlich frei, zur Gänze frei, vollkommen frei*" (AM, 300). Ähnlich wie der
Erzähler des autobiographischen Bandes *Der Keller* gelangt er in den Zustand
einer fundamentalen Gleichgültigkeit gegenüber allem, womit er noch konfrontiert
werden mag: "*Ich kann jetzt alles an mich herankommen lassen, wirklich alles,
ohne daß ich mich dagegen wehren muß*" (AM, 301). "Mein besonderes Kennzeichen heute ist die Gleich*gültigkeit*", heißt es in *Der Keller*, "und es ist das
Bewußtsein der Gleich*wertigkeit* alles dessen, das jemals gewesen ist und das ist
und das sein wird. Es gibt keine hohen und höheren und höchsten Werte, das hat
sich alles erledigt" (Ke, 166).

Scheinbar ganz ähnlich lautet die abschließende Erkenntnis Roithamers in
Korrektur: "*es ist alles gleich*", schreibt er "auf den letzten Zettel" (K, 87). Und
doch zieht er daraus eine völlig andere Konsequenz. Der Protagonist des früheren
Romans ist zu Regers stoischer Gelassenheit noch nicht imstande – auch wenn
sich die Bilanz seines Lebens mit der des alten Musikphilosophen deckt: "wir
haben nichts erreicht, als was alle andern auch erreicht haben, indem wir das
Außerordentliche verwirklicht und vollendet haben"; nichts als "Alleinsein"
(K, 362).

Caroline Markolin
Concordia University

"Weil Liebe und Kunst einen Ursprung haben": Poetisierte Überlegungen zur Kunst in Jutta (Julian) Schuttings *Liebesroman* (1983)

> *"Der Liebe Reich ist aufgethan,*
> *Die Fabel fängt zu spinnen an [...]"*
> Novalis, *Heinrich von Ofterdingen*

IN SEINEM 1822 ERSCHIENENEN BUCH *De l'amour* hat sich Stendhal jener Form der Liebe gewidmet, die er als "Kristallisation"[1] bezeichnete: "Die Kristallisation setzt während einer Liebe fast nie aus. Betrachten wir den Verlauf. Solange man dem geliebten Wesen noch nicht nahegekommen ist, wirkt die Kristallisation im Bereich der *Phantasie*. Nur die Einbildungskraft versichert uns, daß die geliebte Frau jene Vollkommenheit besitzt".[2] Weil sich die feinen Nuancen des Liebesgefühls nur voll entfalten, solange die Erfüllung der Sehnsucht ins Unerfüllbare gerückt ist, muß es – Stendhals Liebestheorie zufolge – das ganze Bemühen des leidenschaftlich Liebenden sein, die Vereinigung mit dem geliebten Wesen immer weiter hinauszuzögern. Stendhal, der "Liebhaber der Liebe",[3] wie ihn Ortega y Gasset nennt, ist der Ansicht, daß die entflammte und brennende Leidenschaft mit deren Erfüllung erlischt.

In den zwanziger und dreißiger Jahren unseres Jahrhunderts wurde im Zuge einer Stendhal-Renaissance[4] der Versuch *Über die Liebe* in einer Zeit neu rezipiert,

---

1 Stendhal, *Über die Liebe*, Walter Hoyer, Übers. (Frankfurt am Main: Insel, 1975). Die Bildlegende für die "Kristallisation" ist folgende: "In den Salzburger Salzgruben wirft man in die Tiefe eines verlassenen Schachtes einen entblätterten Zweig; zwei oder drei Monate später zieht man ihn über und über mit funkelnden Kristallen bedeckt wieder heraus; selbst die kleinsten Zweiglein, nicht größer als die Krallen einer Meise, sind überzogen mit zahllosen schillernden, blitzenden Diamanten; man erkennt den einfältigen Zweig gar nicht wieder" (S. 45).

2 Stendhal, *Über die Liebe*, S. 53.

3 José Ortega y Gasset, *Über die Liebe*, Helene Weyl, Übers. (Stuttgart: Deutsche Verlagsanstalt, 1993), S. 103. Vgl. Ortega y Gassets Kontrapunkt zu Stendhals "Kristallisations"-Theorie, S. 110ff.

4 Vgl. Alfred Andersch, "Die Liebe in der modernen Literatur", *Magnum,* 16 (1958), S. 46-47, über die Rezeption der Stendhal-Ausgaben des Georg Müller-Verlags und des Insel-Verlags.

in der entsprechend den radikal veränderten Wertbegriffen der "Klassischen Moderne"[5] entfremdete Liebesdarstellungen die idealistischen, einheits- und sinnstiftenden Liebesvorstellungen der klassisch-romantischen Ära desillusionierten. Im *Mann ohne Eigenschaften* hat Musil das Liebesbegehren, die "echte Liebeskrankheit",[6] heftig ironisiert. Ulrichs scheiternder Versuch, sich mit Gerda zu vereinigen, endet nur noch in der achselzuckenden Frage: "'Wohin soll uns das führen?'"[7] Und in der Kafkaschen Roman- und Denkwelt sind Liebesgeschichten schon gar nicht mehr erzählbar.

In den darauf folgenden Dekaden hat die fortschreitende Aufklärung auch die Liebe weiter "entzaubert". Ichbezogen beschäftigten sich seit Mitte der siebziger Jahre Autorinnen und Autoren der "Neuen Subjektivität", die die Aufmerksamkeit wieder auf sensualistische Erfahrungsbereiche lenkten, mit den eigenen (authentischen) erotischen Empfindungsmöglichkeiten. Die Abwendung vom Mann und von der Liebesleidenschaft markiert ein vom Feminismus geprägtes "Ende der Beziehungen", wie Volker Hage den "Zustand der Liebe in neueren Romanen und Erzählungen"[8] am Ende der siebziger Jahre beschreibt. Die verletzten, zugerichteten, schmerzenden Körper werden in der Literatur der achtziger Jahre zu "Metaphern des Ich-Zerfalls" und Zeichen für die "Narben familiärer, pädagogischer, erotischer, und institutionaler Gewaltverhältnisse".[9] In Patrick Süskinds Roman *Das Parfum*[10] wird die unwiderstehliche erotische Anziehung eines Mädchens verkehrt in das leidenschaftliche Verlangen nach dem eigenen Geliebt- und Vergöttertwerden. Im selben Zeitraum, in dem Elfriede Jelineks Roman *Lust*[11] als das extremste Zeugnis des Liebesverlusts in der deutsch-sprachigen Gegenwartsliteratur erscheint, ist das "panische Entsetzen angesichts einer fortschrei-

---

5   Vgl. Manfred Lange, *Die Liebe in Hermann Brochs Romanen: Untersuchungen zu dem epischen Werk des Dichters* (Regensburg: Wallhalla und Praetoria Verlag, 1966).

6   Robert Musil, *Der Mann ohne Eigenschaften* (Reinbek: Rowohlt, 1978), S. 123.

7   Musil, *Der Mann ohne Eigenschaften*, S. 311.

8   Volker Hage, "Das Ende der Beziehungen. Über den Zustand der Liebe in neueren Romanen und Erzählungen: eine Bestandsaufnahme", in: Michael Zeller, Hrsg., *Aufbrüche: Abschiede: Studien zur deutschen Literatur seit 1968* (Stuttgart: Klett, 1979), S. 14-25. Volker Hage führt eine Reihe von Publikationen der deutschsprachigen Literatur der siebziger Jahre an, in denen die Trennung von einander entfremdeten Partnern im Zentrum steht, u.a. Peter Handke, *Die linkshändige Frau* (1976), Nicolas Born, *Die erdabgewandte Seite der Geschichte* (1976), Uve Schmidt, *Ende einer Ehe* (1978), Botho Strauß, *Die Widmung* (1977), Hannelies Taschau, *Landfriede* (1978), Vera Stefan, *Häutungen* (1975) und Karin Petersen, "Das fette Jahr" (1978).

9   Hubert Winkels, *Einschnitte: Zur Literatur der 80er Jahre* (Köln: Kiepenheuer & Witsch, 1988), S. 19. Winkels zeigt die Motive von "Körperlust und Körperleid" an literarischen Beispielen von Markus Werner, Elfriede Jelinek, Anne Duden, Jochen Beyse, Bodo Kirchhoff und Bodo Morshäuser.

10   Patrick Süskind, *Das Parfum: Die Geschichte eines Mörders* (Zürich: Diogenes, 1985).

11   Elfriede Jelinek, *Lust* (Reinbek: Rowohlt, 1989).

tenden Lähmung des erotischen Begehrens"[12] eines der bedeutendsten Leitmotive in den Romanen von Botho Strauß. Dieses "erotische" Begehren erweist sich in Strauß' Darstellungen[13] jedoch als spannungsloses, nur auf den Geschlechtsgenuß fixiertes Verlangen.

Als Zeichen eines umfassenden kulturellen Wandels bekundete auch die Literatur der letzten fünfzehn Jahre ein neues Interesse an metaphysischen Sinnpotentialen. Die Vorrangigkeit des Politisch-Gesellschaftlichen in der deutschen Literatur der letzten Jahrzehnte sowie die Akzentuierung des Ästhetisch-Formalen in der österreichischen Literatur haben im Bewußtsein eines Mangels[14] seit Anfang der achtziger Jahre literarische Werke provoziert, deren philosophische Implikationen die Tendenz zu neuen Sinnstiftungsversuchen bestätigen. Das Magisch-Mythisch-Metaphysische der Liebe, das unstillbare Sehnen und Begehren, das spannungsgeladene Verzögern der Vereinigung, kurz: die "Kristallisation", sind in den österreichischen Künstlerromanen von Gert Jonke (*Der ferne Klang*, 1979), Jutta (Julian) Schutting (*Liebesroman*, 1983) und Robert Schneider (*Schlafes Bruder*, 1992) wieder ganz in die Mitte gerückt.[15] Unter der Prämisse, daß nur die unerfüllt bleibende Liebe vollendete Kunst hervorbringt, beschreiben diese Romane neben der Vermittlung einer Erzähltheorie den poetisch-ästhetischen Zusammenhang von Liebe und Kunst.

Im *Liebesroman*[16] erzählt Julian[17] Schutting von der Liebe eines Mannes zu einer Frau, die "nicht weiß, wie zu lieben ist" (17). Und der Mann, der diese Frau heillos liebt, ist einer, "der die[se] Wahrheit nicht ertragen kann" (123). Dem Thema der

---

12 Claus Sommerhage, "Odeon oder der verschollene Krug. Über Botho Strauß' romantische Poetik der Erinnerung", *Sinn und Form*, 1 (1991), S. 179.

13 Vgl. u.a. Botho Strauß, *Der Kongreß* (München: dtv 1989), S. 134.

14 Vgl. Hanns-Josef Ortheil, *Schauprozesse: Beiträge zu einer Kultur der achtziger Jahre* (München: Piper, 1990), S. 193ff.

15 Im selben Jahr, in dem Schuttings *Liebesroman* in Österreich erschien, konstatierte Volker Hage über die "Deutsche Literatur 1983": "Von der Liebe kaum ein großes Wort [...] Erotik kommt in der deutschen Prosa dieser Jahre nicht vor", in: *Deutsche Literatur 1983: Ein Jahresüberblick*, Volker Hage, Hrsg. (Stuttgart: Reclam, 1984), S. 18.

16 Jutta Schutting, *Liebesroman* (Salzburg, Wien: Residenz, 1983). Seitenverweise im Text. Während Schuttings frühere Prosawerke in Übereinstimmung mit den avantgardistischen Strömungen in der österreichischen Literatur seit Beginn der sechziger Jahre noch einer experimentellen Schreibweise verpflichtet waren, gehört der *Liebesroman* im Kontext der Werkgeschichte des Autors zu jenen Werken, die die für die deutschsprachige Literatur seit Mitte der siebziger Jahre bezeichnende "Rückkehr zum Erzählen" realisieren. Dabei zeigt aber gerade der *Liebesroman*, daß und wie Schutting trotz dieser "Tendenzwende" die stilistische und formale Besonderheit seiner literarischen Schreibweise beibehalten hat. Schuttings lyrisch-poetischer Erzählton ist auch charakteristisch für jüngste Publikationen, wie *Wasserfarben* (1991) oder *Katzentage* (1995).

17 1989 entschloß sich Jutta Schutting zu einer Geschlechtsumwandlung und wechselte somit auch ihren Vornamen.

unerwiderten Liebe gemäß sind ER und SIE, die beiden Figuren des Romans, kontrastiv angelegt. ER ist Maler, jung, leidenschaftlich, schwärmerisch und schwermütig. SIE, zirka zehn Jahre älter als er, ist eine elegante Dame, sie geht zu Empfängen und Modeschauen, sie ist launisch und hochmütig. Ohne wie er ein Künstler zu sein, ist sie in der Gesellschafts- und Kunstwelt angesehen. SIE lebt in einer Welt der Namen von berühmten Haute Couturiers, Juwelieren und Parfumeurs. ER bewegt sich in der Sprachwelt der "Zeitwörter der Liebe" (67). Wenn er mit ihr spricht, nennt er sie "gnädige Frau"; in seinen Gedanken und in seiner Vorstellung dagegen ist sie für ihn – im Sinne des Wortes – "die Geliebte".

Erzählt wird der *Liebesroman* aus der Perspektive des Mannes, dessen Anstrengung und Ziel es ist, diese Frau dazu zu bewegen, seine Liebe zu erwidern. Daß sich diese Liebe aber nicht erfüllt, nicht erfüllen kann und darf, erfährt während des ganzen Romangeschehens hindurch nur der Leser, dem der Autor die Vergeblichkeit dieses Liebens über die Poetik, über die literarischen Verfahrensweisen wie über die Motivik und Metaphorik des Romans zu erkennen gibt. Der "Held" des Romans, der Liebende, schwebt dagegen in der Vorstellung, daß die Geliebte ihn *NOCH NICHT* liebt. Er täuscht sich über die Wirklichkeit seiner unerwiderten Liebe hinweg, indem er "die kleinste Divergenz mit künstlichem Traumlicht überstrahlt" (232) und alle Gesten und Worte der Geliebten zu seinen Gunsten deutet. Dank seiner Einbildungskraft gelingt ihm diese "schmerzstillende Auslegung" (182), und alles um sie verwandelt sich dem Künstler "in Bilder der Liebe" (191). Nicht nur zeigen diese Imaginationen, "wie radikal die Phantasie, was nicht ist und daher ja doch ist, wahr macht" (64), sondern in diesem Kampf zwischen Illusion und Wahrheit entsteht zugleich eine "Traumwirklichkeit" (7), die dem Leser die Welt der Vorstellung als Reich der Liebe *und* der Poesie eröffnet. So wie der Maler-Künstler "mit wenigen Strichen korrigiert, was seinem Auge wehtut" (302), so korrigiert der Liebende die schmerzhafte Wirklichkeit seines Hoffens und Wartens mit seinen Phantasie- und Gedankenspielen. Auf sein Bild von ihr verwiesen, existiert die Geliebte so nur in der Einbildung. Mit der Phantasiegestalt, die der Liebende, als Künstler, in seiner Vorstellung entwirft, deutet der Roman auf den ästhetisch-poetischen Vorgang des Erfindens und Entwerfens der beiden Romangestalten. Zu Kunstfiguren stilisiert, deshalb auch namenlos, führen sie das idealisierende und ästhetisierende Spiel von Liebe *und* Kunst vor Augen. Um dieses Doppelspiel von Ideal und Wahrheit auch im formalen Bereich darzustellen, hat Schutting die Wirklichkeit sprachlich in der "dann-würde-ich-Form", in "wie-wenn"- und "als-ob"-Vorstellungen maskiert.[18]

---

18   Vgl. Beth Bjorklund, "Architectonic 'As If': Interview with Jutta Schutting", *The Literary Review*, 25 (1982), S. 274-80. Über den Transformationsakt der Kunst schreibt Bjorklund: "The poet transforms the empirical world into another medium, that of language. Through that process the subject matter is emancipated from what it was and at the same time legitimized on another level by being made into art. The laws of art are

Wie buchstäblich ausgeschlossen diese Liebe ist, erfährt der Leser über die Körpersprache der beiden Figuren. Die "gefalteten Hände",[19] die "verschränkten Arme",[20] die "übereinandergeschlagenen Beine"[21] oder die "geschlossenen Augen"[22] der Geliebten verraten ihm, wie sich diese Frau der Liebe verschließt. Und die Erniedrigung des Mannes äußert sich darin, daß er vor der Frau "kniet",[23] vor ihr "kauert",[24] vor ihr immer nur "gebeugt" sitzt.[25] Nur ein einziges Mal lehnt er sich entspannt zurück "für all die Male, die er sich vergeblich zurücklehnt" (204). Um den Abstand zu ihr zu verringern, lehnt er sich in seiner Vorstellung immer "an"[26] sie, sie dagegen lehnt sich "gegen" (94) ihn. Als Liebender ist nicht nur sein Inneres, sondern auch sein Äußeres bewegt. Die Liebe bewegt ihn in ein "Hin und Her",[27] ein "Steigen und Sinken" (36), und "Schwingen" (137) und "Schweben" (306). Die Geliebte dagegen ist ungerührt. Weil sie die weitausschweifenden Herzensbewegungen nicht kennt, finden wir sie oft in der Position der Schlafenden, der Liegenden oder der Ruhenden.

Auch die Metaphernfelder des Romans sind so gewählt, daß sie – den beiden Figuren antithetisch zugeordnet – die Aussichtslosigkeit dieser Liebe bildhaft begleiten. So gehört bezeichnenderweise die vielfach eingesetzte Feuermetaphorik zu ihm, der in Liebe entbrannt "in diesem Herzbrand verbrennt" (97), und bedeutungsvoll wird seine Liebe allegorisiert als eine "am eigenen Feuer sich entzündende Flamme" (14). Die Geliebte dagegen ist ein "in sich zurückfließender See" (92), das "Eismeer" (219), das seine brennende Sehnsucht löschende "Wasser" (145); sie verkörpert die "Meerfrau" (173), die unerfüllbare "Liebe zu einem Fischunterleib" (98). Bildzitate aus heiligen Schriften[28] und Märchen heben diese

---

different from the laws of life. The basic situation of the poet is the 'as if' condition. In these 'as if' moments, reality is transformed into art" (S. 277).

19 Vgl. *Liebesroman*, S. 92, 160, 168.
20 Vgl. ebenda, S. 82, 92, 160.
21 Vgl. ebenda, S. 40, 90, 92, 107, 108, 113, 114, 115, 131.
22 Vgl. ebenda, S. 127, 168.
23 Vgl. ebenda, S. 89, 131, 137, 151, 152, 205.
24 Vgl. ebenda, S. 27, 120, 121, 153, 160,
25 Vgl. ebenda, S. 153, 293.
26 Vgl. ebenda, S. 14, 31, 38, 48, 57, 77.
27 Vgl. ebenda, S. 5, 13, 16, 21, 26, 45, 82, 130, 149.
28 Zur vielfach erforschten, "tief verwurzelten Gemeinsamkeit" zwischen der Sprache der Liebe und dem erotischen Vokabular der Mystiker, siehe auch Ortega y Gasset, *Über die Liebe*, S. 132ff. Die nicht übersehbare "Wiederkehr der Religion in der deutschsprachigen Gegenwartsliteratur" äußert sich in religiös aufgeladenen Gehalten von Wörtern und Motiven, vgl. den gleichnamigen Aufsatz von Joan Bleiken, in: Helmut Kreuzer, *Pluralismus und Postmodernismus* (Frankfurt am Main: Lang, 1994), S. 80-103. Vgl. dazu auch Martina Wagner-Egelhaaf, *Mystik und Moderne: Die visionäre Ästhetik in der deutschen Literatur* (Stuttgart: Metzler, 1989) und Dietmar Kamper und Christoph Wulf, *Das Heilige: Seine Spur in der Moderne* (Frankurt am Main: Athenäum, 1987), S. 15ff.

Liebe ins Religiöse und Zauberhafte. Die Unermeßlichkeit des Liebens wird getragen von einer variationsreichen Leuchtmetaphorik und kosmischen Bildern: die Geliebte erscheint dem Liebenden als sein Stern, seine Sonne, sein Himmel – "'mondsüchtig'" (25) wartet er ungeduldig jeden Morgen auf den Aufgang des Mondes. Das Schmerzhafte und Quälende seines Bangens[29] ist ablesbar in den zahlreichen Bildern von Krankheit und Tod. In den Nächten von "Liebesfieber" (10) geschüttelt, Herzklopfen und Atemnot (vgl.12), wenn er bei ihr ist, dann wieder der "ziehende Schmerz"[30] des Fernseins von der Unerreichbaren sind Motive, die die zeitlose Idee von der Liebe als Krankheit auch in diesem Liebesroman wiederholen. Als Gleichnis für die Aussperrung dieser Liebe gilt die breit angelegte Gefängnismetaphorik.[31] Im Bild sehen wir den Liebenden in Handschellen, mit Eisenringen, hinter Gitterstäben. Indem der in seiner Liebe Gefangene aber keine Ausbruchsversuche unternimmt, sondern "überall dort, wo eine Gittertür leicht zu öffnen wäre [...] sogleich weiter [geht]" (71), metaphorisiert der Roman das produktionsästhetische Paradox, daß sich die künstlerische Einbildungskraft erst im Gefesseltsein an eine Idee total entfesselt und umgekehrt die entfesselte Phantasie sich an eine Idee bindet, um Welt und Erkenntnis zu erschließen.[32] Über die Gefängnismetaphorik führt der *Liebesroman* vor Augen, wie die regen Phantasiespiele eines von einer Idee Ergriffenen die Schöpfungen und Erfindungen im Freiraum der Kunst garantieren.

Um den thematischen und poetologischen Zusammenhang von Liebe und Kunst auf metaphorischer und sprachlicher Ebene zu bekräftigen, hat Schutting aus dem Bildervorrat der traditionellen Liebesliteratur konventionelle Formeln und Stimmungstopoi entnommen und im Spiel mit den vertrauten Mustern des Genres alltagssprachliche Redensarten, in denen jahrhundertelange Erfahrungen über die Liebe wie deren Drängen zum stilisierten Ausdruck verborgen liegen, gleichwertig in den *Liebesroman* eingegliedert. Befreit von ihrer Phraseologie und vom Kli-

---

29 In *Zuhörerbehelligungen* (Graz: Droschl 1990), Schuttings Grazer Poetikvorlesungen vom Wintersemester 1989, schreibt der Autor: "es ist mir aber lieb, einen bestimmten seelischen Zustand indirekt wiederzugeben, n i c h t in poetischen Bildern, sondern gespiegelt in Bildlegenden von Realitäten, die eine ähnliche Qualität haben – erst ihre Gesamtheit, das ihnen Gemeinsame, darf zu einer Metapher werden, z.B. für Liebesbange" (S. 74).

30 Vgl. *Liebesroman*, S. 7, 14, 17, 28, 84, 110.

31 Vgl. die Darstellung des einsamen, am Zwiespalt von Kunst und Leben leidenden Künstlers der Romantik und der Moderne bei Herbert Marcuse, "Der deutsche Künstlerroman", in: *Schriften* (Frankfurt am Main: Suhrkamp, 1978), Bd. 1, S. 85ff.

32 Vgl. dagegen Ortega y Gassets Theorie der Einengung von Welt und Erkenntnis durch die Liebesleidenschaft (*Über die Liebe*, S.120ff). Nach Schopenhauers Theorie wurzelt die Anziehung der Liebenden allein im Geschlechtstrieb, der "im Auftrag der Gattung" das Bewußtsein täuscht, vgl. Arthur Schopenhauer, "Metaphysik der Geschlechtsliebe", in: *Die Welt als Wille und Vorstellung* (Frankfurt am Main: Suhrkamp, 1960), Bd. 2, S. 678-718.

scheehaften gelöst, gewinnen die verbrauchten Metaphern und die kaum noch beachteten Motive in der neuen Umgebung eine gesteigerte poetische Kraft. Die literarischen und sprachlichen Anspielungen des Romans sowie die Aufwertung von Versatzstücken aus der Trivial- und Popularkultur[33] bringen das Werk zwar in die Nähe postmodernen Erzählens, aber die hohe Lyrizität, die extrem verdichtete chiffrenreiche Sprache, die vertrackte Satzarchitektur mit komplexen hypotaktischen und parataktischen Konstruktionen[34] und die "Ein-Satz-Simultanbilder"[35] widersetzen sich der leichten Lesbarkeit, die im postmodernen Text die Kluft zwischen Hoch- und Alltagskultur zu schließen sucht.[36] Der anspruchsvolle – sperrige – Stil des *Liebesromans* reflektiert vielmehr auf formaler Ebene die Widerstände und Rückschläge eines leidenschaftlichen, vergeblichen Liebens.

Von Anfang an sind die Motive und Bilder dieser Liebesgeschichte mit einer Bedeutung verknüpft, die sich durch das ganze Romangeschehen hindurch nicht mehr verändert. Da im Bildbereich, als Handlungsträger des Romans, keine Entwicklung stattfindet, entsteht der Eindruck der Gleichzeitigkeit. Indem diese Methode der simultanen Bildsetzung einen gewohnten sukzessiven Handlungsablauf, das Fortschreiten einer Geschichte, verhindert, erweist sich dieses Verfahren als geeignetes Statement gegen das traditionelle Erzählen.[37] Zugleich hat die Simultaneität eine inhaltliche Signalfunktion, denn der "Held" des Romans, als Liebender und Künstler typisiert, will – geängstigt vor dem "jedem Anfang schon innewohnenden Ende" (6) – mithilfe seiner Vorstellungskraft die Zeit anhalten und damit die Vergänglichkeit bannen. Dieser *nunc stans* zielt, als idealisierter, ewiger Augenblick der Liebe *und* der Kunst, auf "die Fortdauer dieses

---

33 "Anleihen möchte seine Liebe machen bei Film- und Romanszenen, in welchem der leidenschaftlich Liebende [...]" (*Liebesroman*, S. 50).

34 In "Verkappte Rechtfertigung", *Zeitgenössische Literatur für Zeitgenossen* (Salzburg, Wien: Residenz, 1981), schreibt Schutting, der Grund für die Wahl dieses Stils sei es, "in einer einzigen Satzeinheit das Nebeneinander, Ineinander und Übereinander eines komplizierten Sachverhalts wiederzugeben, statt es in seine Wirklichkeit verfälschten Schritt-nach-Schritt-Sätzen zu demontieren" (S. 145). Walter Hinck bezeichnet in seinem Artikel "Ein Dauerton der Verzückung". Jutta Schuttings *Liebesroman* den Stil des Textes als "Gespreiztheit", *Frankfurter Allgemeine Zeitung*, 13. Oktober 1983.

35 Jutta Schutting, "Täglich neue Wahrheitsproben. Rede anläßlich der Verleihung des Anton Wildgans-Preises 1984", *Die Presse*, 14.-15. April 1984, Spectrum, S. 4.

36 Vgl. Paul Michael Lützeler, "Von der Spätmoderne zur Postmoderne. Die deutschsprachige Literatur der achtziger Jahre", *German Quarterly*, 63, 3-4 (1990), S. 350-58: "Jener Spannungs- und Schwebezustand zwischen ästhetischer Moderne und Postmoderne [...] war die Besonderheit der Literatur der achtziger Jahre" (S. 356).

37 Die kritische Überprüfung des Erzählens, als Charakteristikum der österreichischen Literatur der "Moderne", wurde unmittelbar nach 1945 wieder aufgenommen, z.B. bei Ilse Aichinger und Ingeborg Bachmann, und fortgesetzt in den experimentellen Arbeiten der *Wiener Gruppe*, in den Werken der formalistisch orientierten Autoren des *Forum Stadtpark Graz* sowie in der österreichischen Literatur der Gegenwart.

Jetzt für eine kleine Weile" (8). Im Roman wird dieser Zeitstillstand der "wie in einem Brennspiegel in einem einzigen Augenblick gesammelten Liebe" (45) auch als "stille stehende Zeit der Kunst" (218) benannt. Auf poetologischer Ebene entspricht dem ästhetischen Festhalten des Jetzt, dem Bild-Augenblick, das simultane Erzählverfahren.

Die thematische und formale Spannung von Augenblick und Vergänglichkeit wird im Text wieder symbolhaft begleitet von äußeren Zeichen. Naturgemäß sucht die männliche Romanfigur, der Liebende, immer den Platz "neben"[38] oder "Seite an Seite"[39] mit der Geliebten, denn im Neben-ihr-Hergehen erfährt er den "unversehens eintretenden Stillstand der Zeit" (15), und "kaum daß er sich neben sie setzt, ist alle Vernichtung der Welt gutgemacht" (22). In jenen Momenten aber, in denen es seiner Einbildungskraft mißlingt, die Zeit anzuhalten und er deshalb in die Zeitlichkeit gerät, geht er in seiner Vorstellung folgerichtig "hinter"[40] ihr. Da sich im Hinter-ihr-Gehen zugleich der Abstand zur Geliebten vergrößert, deutet er dies als Abschied. Im Text heißt es dazu: "und vergrößert sich dann der Abstand zwischen ihnen, daß sein Blick sie *als Ganzes* festhält, erschrickt er: niemals dürfte er ihr nachschauen, wenn sie auf immer von ihm gehen sollte, diesen ihm dann das Herz zerreißenden Bewegungen müßte er nachstürzen" (m.H.; 51). In der Panik, ihre Liebe zu versäumen, schafft der Liebende in seiner Vorstellung Bilder, die jede zu große Distanz zur Geliebten sofort verringern. Indem der Maler-Künstler die Frau – für ihn Geliebte und Kunstfigur in einem – immer nur in Einzelheiten wahrnimmt, indem "sein Auge [...] das, was es liebt, in Einzelbilder zerlegt" (53), glückt es ihm, die Geliebte nicht als Ganzes sehen zu können, was einer Trennung[41] von ihr gleichkäme. Dieser Methode des Betrachtens von Einzelteilen korrespondieren im Roman die "in Zeitlupe abgespulten Ausschnitte" (120). In 138 Szenen werden dem Leser – wie Filmclips – Bild-Ausschnitte dieser Liebesgeschichte, beispielsweise "mit ihr auf einem Markt" (15), "in einem Café" (17), "in ihrer Bibliothek" (26), "in der Oper" (31) oder "dann wieder Speisezimmer" (182) vorgeführt. Wie das simultane Erzählverfahren verhindert auch diese Ausschnitt-Technik einen lückenlosen chronologischen Handlungszusammenhang. Das Szenen- und Ausschnitthafte, die offene Form des Romans, versteht

---

38 Vgl. *Liebesroman*, S. 12, 16, 22, 37, 55, 76, 91, 98, 101, 103, 108, 120, 129, 130, 174, 177, 197.
39 Vgl. ebenda, S. 13, 16, 48, 79, 149, 265.
40 Vgl. ebenda, S. 33, 51, 77, 137, 190, 211, 228.
41 Vgl. Gerhard Zeillinger, *Die Kindheit und der Kindheitstopos: Untersuchungen zur Biographie und Poetik des österreichischen Schriftstellers Julian (Jutta) Schutting*, Diss., Wien, 1992 (maschinenschriftlich). Zeillinger interpretiert die Trennungsangst von der Geliebten biographisch-psychoanalytisch als Trennungsangst von der Mutter (S. 166-77). Zeillingers umfangreiche Arbeit ist die erste ausführliche Studie in der wissenschaftlichen Schutting-Rezeption.

sich als kritische (postmoderne) Antwort auf ein traditionelles lineares Erzählen innerhalb einer geschlossenen Fiktionswelt.

Die unbeirrte Anstrengung des Liebenden, sich der Geliebten zu nähern, sein ihr "Entgegensinken" (12, 157), "Entgegenwachsen" (14), "Entgegenschwellen" (116), "Entgegenzittern" (133), sein unentwegtes Auf-sie-Zugehen hält vor dem aufregenden Augenblick, in dem er die Frau berühren könnte, an. Weil er aber die so heftig Begehrte nicht berühren darf, tastet er nach ihr mit den Augen, umkreist sie gleichsam mit seinem Blick, "umwandert sie als das Gelobte Land" (183). Seine Drehbewegungen um sie, seine "Umkreisungen des erhitzende Kälte strahlenden Irrlichts" (96) führen vor Augen, wie die Liebe das Geliebte beständig umwirbt. Dabei ist die weibliche Romanfigur so angelegt, daß sie – unfähig zu lieben – sich gegen die Annäherungsversuche des Drängenden sperrt. Ihre Drohung "'kommen Sie mir nicht zu nahe!'" (93) benennt mehr als nur die Gemütserregung einer "gnädigen Frau", indem ihre Verweigerung das Konzept des Berührungsverbots – das "'Berühren verboten!' der Kunstgalerien" (194) – bekräftigt. In einem Brief des Mannes an die Geliebte hat Julian Schutting die poetologisch-ästhetische Dimension der Annäherung und des Berührungsverbots verschlüsselt: "oft, wenn ich mitten in einer Annäherung angelangt bin, gerät das Farbband an eine blinde Stelle und schreibt, solange ich mir auf die Finger schaue, ins Leere, ich muß dann, als wäre ich zu weit gegangen, diese paar Worte zurückgehen, um Ihnen ein zweites Mal nahezutreten" (71).

Das Berührungsverbot stimuliert naturgemäß die Vorstellungskraft des Liebenden nur noch mehr. Aber alle seine Phantasiebilder, in denen er die Geliebte berührt, tragen die Botschaft in sich, daß die Erfüllung dieser Liebe fatale Folgen hätte. Die Vorstellung, die Geliebte zu umarmen, erlebt der Liebende als "eine Eintracht von Atemlosigkeit und Atemstille" (237), und der Gedanke an die Erwiderung seiner Liebe läßt ihn "das Herz aussetzen" (69); die Erfüllung bewahrt in sich "das herzbrechende Entsetzen, würde solches Lieben wahr" (202). Sein glühendes Verlangen, die Geliebte zu küssen, narrt ihn bis in den Schlaf: "So weit, so unüberwindlich ist selbst im Traum der Weg von ihrer Wange zu ihrem Mund" (49). Schon der Gedanke, die Geliebte zu küssen, durchschlägt ihn "wie ein Blitz" (13), und würde er sie in Wirklichkeit küssen, so würde ihm "der Tod die Augen schließen" (78). Auch für sie wäre die Berührung ihrer Lippen ein "ihr die Augen schließender Kuß" (201). Schutting hat aus dem reichen Erfahrungsbereich der Liebe Bilder (z.B. das Küssen mit geschlossenen Augen) und Formeln (z.B. das gebrochene Herz)[42] entnommen und so umgedeutet, daß sie in Zusammenhang mit der Todesmetaphorik, im Umkreis der Liebesthematik selbst ein Klischee, die

---

42 Vgl. insbesondere das Liebesvokabular des Pietismus und der literarischen "Empfind-samkeit".

Bedrohung der Kunst durch die "vernünftige" Realität thematisieren[43] – "ihr Beharren, erst vernünftig geworden könne er sie wiedersehen, habe endlich seiner Liebe das Genick gebrochen" (270). Im *Liebesroman* verkörpert die zur Liebe unfähige Frau mit ihrer phantasie- und poesielosen Welt diese Gefahr für die Kunst. Weil diese Frau zu berühren einem Sich-Einlassen der Poesie auf die "Prosa der Verhältnisse" (Hegel, *Ästhetik*) gleichkäme, weil das Erfassen ihrer blassen Welt – die Vereinigung mit ihr – das Ende des liebenden und künstlerischen Phantasierens, den Verlust der Bilder, ja den Tod der Kunst bedeutete – "schwarz wird es einem vor den Augen" (86) – trägt die Frauenfigur dieses Romans immer schwarz: "schwarzes Kleid" (84), "schwarzes Seidencape" (137), "schwarze Schuhe" (191), "schwarze Strümpfe" (21).

Die Spannung von Wunsch und Angst spiegelt sich auch in der Sehnsucht des Mannes, die Hand der Geliebten zu berühren. Aber wieder droht ihm die Geliebte bei dem Versuch, dies zu tun, mit den Worten: "'lassen Sie das, oder ich gehe sofort wieder weg!'" (160). Es ist für die genau durchdachte Poetik des Werkes bezeichnend, daß das Berührungsverbot die Berührung des Handgelenks der Frau ausschließt, denn dort ist der Puls, das Leben: "[...] und hat er die Fingerspitzen an ihrem Handgelenk, fühlt er Unendlichkeit fließen" (15), und an einem Faschingstag zeichnet er ihr eine brennende Kerze so auf das Handgelenk, "daß die Flamme von ihrem Puls belebt bleibt als seiner Liebe leuchtendes ewiges Licht" (39). Der Kuß auf den Mund und die Berührung der Hand – stereotype Motive innerhalb der traditionellen Liebesliteratur – erhalten im Rahmen der Liebeskonzeption des Romans ein bedeutendes Ausmaß. Struktur- und handlungstragend eingesetzt legen diese Motive, als "stumm sich erneuerndes Signal" (166), die funktionale Bildsetzung als Technik des Erzählens frei und dienen zugleich dem Versuch, die Liebesthematik in poetisch vermittelte Überlegungen zur Kunst überzuführen. Die Phantasiebilder der Romanfigur verraten, daß der Kuß – in der Vorstellung "Reliquie" (20) und "tödliches Gegengift" (170) – in Wahrheit "nur Langeweile" (251) ist. Und im Zusammenhang mit der Berührung der Hand der Geliebten heißt es: "'in dem von ihr geweckten Liebesbedürfnis zerfällt jede jemals in einer Liebesbewegung ergriffene Hand'" (12). Das Bild von der Hand, die bei der Berührung zerfällt, metaphorisiert die Idee, daß der Mann, der Maler-Künstler, bereits mit der Berührung der Hand der Geliebten gleichzeitig ihre Welt be-greifen würde. Um das zu vermeiden, ist seine Liebe "zur Stilisierung gezwungen" (102). Auf poetologischer und kunstästhetischer Ebene entspricht dem Trachten, "liebend zu erhöhen" (245), der Akt des Ästhetisierens durch den

---

43 Vgl. Christa und Peter Bürger, Hrsg., *Postmoderne: Alltag, Allegorie und Avantgarde* (Frankfurt am Main: Suhrkamp, 1987). Christa Bürger problematisiert in ihrem Aufsatz "Das Verschwinden der Kunst. Die Postmoderne-Debatte in den USA" (S. 34-55) die Aufhebung der Grenzen zwischen Alltagskultur und Kunst als Zeichen der Postmoderne.

Kunstschaffenden, der die Wirklichkeit verklärt und stilisiert, wenn sein "Kunstverstand traumwandelnd Kunst hervorbringt" (30). Der *Liebesroman* will zeigen, daß die Liebe *und* die künstlerische Gestaltung "Anteil haben an einer Transfiguration" (54). In der männlichen Romanfigur hat Schutting den Liebenden, der sich der Übereinstimmung von Phantasie und Wirklichkeit widersetzt, und den Künstler, der die Abbildung und Nachahmung der Wirklichkeit verweigert, in einer einzigen Gestalt vereint. Die Verweigerung der Mimesis ist als ästhetisches Programm in die Methode des Künstlers – nachts zeichnet er "Landschaften seiner Liebe" (145) – eingeschrieben, der die Bilder, die er von der Geliebten entwirft, niemals fertigstellt, denn: "mit dem letzten Strich [wäre] die Geliebte auf immer aus der Wirklichkeit verschwunden" (30), und: "welche Trauer atmete dann jeder Punkt" (191). Wie der Liebende in der Liebe "das Glück der Erfülltheit mit Unerfüllbarem" (6) erfährt, so verspricht auch in der Kunst nur das Unvollständige Dauer. Was diese Idee für die Erzählkunst bedeutet, benennt Schutting als eine Theorie des Erzählens noch einmal in einem späteren Roman. In *Das Herz eines Löwen* heißt es unmißverständlich: "fleischgewordene Poesie ist grauenhaft".[44] Die variationsreichen Bilder des Romans, die ihren Impuls aus der Idee der Unerreichbarkeit der Geliebten erhalten, führen dem Leser die "Verwandlung von Liebesleidenschaft" (31) so vor Augen, daß die Phantasie als die schöpferische Kraft des Erfindungsgeistes des Künstlers sichtbar wird. Der künstlerische Schöpfungsakt, der Entstehungsprozeß wie die Entstehungsbedingungen des Werkes, die der Roman mitthematisiert, werden dabei in Bildern von Zeugung und Geburt versinnbildlicht.

Die erste Begegnung mit der Geliebten findet in der Vorstellung des Mannes lange vor dem Zeitpunkt statt, in dem er sie zum ersten Mal sieht. In der Auslage eines Andenkenladens in einem Schweizer Wintersportort erblickt er hinter dem Glas einen Stein, "etwas größer als ein Medaillon", und plötzlich weiß er, "wie sie aussieht, wer sie ist" (11). In diesem Augenblick "wacht sie zum ersten Mal in ihm auf und beginnt sich zu rühren" (ebenda), und sie wird ihm "zu der einzigen Frau, die ein Mann geboren hat" (38).[45] Erschaffen durch seinen Blick (er ist ja Maler) und "in einer kühlen Zeugung als erste Bildwerdung seinem Kopf entsprungen" (162), belebt er die Geliebte als Werk seiner Phantasie mit seinen Vorstellungsbildern. So gleicht der "Held" des Romans dem Pygmalion, dem –

---

44   Salzburg, Wien: Residenz, 1985, S. 94.

45   Vgl. Kafkas Geburtsmetaphorik in seiner Bemerkung über die Entstehung des "Urteils": "die Geschichte ist wie eine regelrechte Geburt mit Schmutz und Schleim aus mir herausgekommen", in: Franz Kafka, *Tagebücher 1910-1923* (Frankfurt am Main: Fischer, 1973), S. 186. Vgl. auch die Metaphorik um Phantasie und Poesie in Friedrich Schlegels *Lucinde* (Frankfurt am Main: Ullstein, 1980): "Jede Idee öffnet ihren Schoß und entfaltet sich in unzähligen Geburten" (S. 14).

verliebt in sein eigenes aus Stein geschaffenem Geschöpf – sich dank der Hilfe der Venus sein Wunschbild in Fleisch und Blut verwandelte, nicht ahnend, daß die ersehnte Erfüllung den Verlust des Begehrten bedeutet. Mit dem Erkennen, daß mit dem Abhandenkommen des Bildes von der Geliebten auch die Liebe verlorengeht, demonstriert der *Liebesroman*, daß auch ein Kunstwerk, geschöpft aus der Phantasie, mit dem Verlust der Imaginationen er-schöpft ist. Deshalb ist der Roman so lange nicht zu Ende, solange es dem Schriftsteller gelingt, die Phantasie seines "Helden" beständig an der Liebe zur Geliebten zu entzünden, um mit immer neuen Vorstellungsbildern die Liebesgeschichte, den Roman, das Kunstwerk fortzusetzen. Um die Kunst auch über das geschriebene Werk hinaus zu bewahren, endet der Roman mit einem Zeichen der Geliebten, mit dem sie dem Mann zu verstehen gibt, "er müsse sich nur noch ein klein wenig gedulden" (313). Jedenfalls deutet er, der auch diesmal nicht von ihr Abschied nehmen kann, den Blick ihrer Augen als solches. So wiederholt die fragmentarische Form des Romans die ästhetisch-poetologische Metapher der Unerreichbarkeit der Frau auch in seinem offenen Schluß.

Die Gestaltung der weiblichen Romanfigur, der Geliebten, als imaginiertes Bild des Liebenden wie als Schöpfung des Maler-Künstlers und letztendlich des Schriftstellers Julian Schutting selbst, öffnet dem Leser noch eine weitere poetologische Dimension des Romans, denn: wie erst unter dem Blick des Mannes die Geliebte gleichsam "aufwacht" (29), so hat das Auge genauso die Wahl, "mit einer Bewegung von ihr weg, ihre Schönheit zum Erlöschen zu bringen" (54). Über den idealisierenden und ästhetisierenden Aspekt der Liebe hinausgehend, bekräftigt dieses Bild die Vorstellung, daß die Geliebte, die Kunstfigur, ja überhaupt nur durch den künstlerischen Schöpfungsakt existiert. In Anlehnung an die berühmten Verse "stirb ab ich, sô ist si tôt" von Walther von der Vogelweide[46] finden wir gleich zu Beginn des *Liebesromans* die der Minnekonzeption des Hohen Minnesangs entsprechende Textstelle: "denn so gewiß du außerhalb meiner bist und wirklich neben mir bist, immer noch dort bist, wohin es mich zieht, so bist du ganz gewiß auch in mir, *bist erst* durch dein in mir festgehaltenes Bild" (m.H.; 8). Das bestätigt noch einmal, daß der Roman von Anfang an über den thematischen Zusammenhang von Liebe und Kunst das Spiel des Erzählens, das Erfinden und Gestalten, im Rollenspiel der beiden Figuren veranschaulicht.

Der *Liebesroman* ist in intensiver Auseinandersetzung mit Stoffen und Motiven aus der überlieferten Liebesliteratur verfaßt. Beim intertextuellen Verfahren – einem Strukturmerkmal postmoderner Prosa[47] – handelt es sich "nicht um eine

---

46 Vgl. Peter Wapnewski, Hrsg., *Walther von der Vogelweide: Gedichte* (Frankfurt am Main: Fischer, 1962), Lied: "Lange swigen des hat ich gedaht", Nr. 14.

47 Vgl. Ingrid Hoesterey, *Verschlungene Schriftzeichen: Intertextualität von Literatur und Kunst in der Moderne/Postmoderne* (Frankfurt am Main: Athenäum, 1988), S. 166ff.

historische Analogie [...], sondern um die ironische Brechung in der Anspielung".[48] Dieses Anspielen, das Zitieren "mit Ironie und ohne Unschuld",[49] erweist sich auch in Schuttings Roman als heiteres Spiel mit Traditionselementen: als ER wieder einmal, wie viele Liebende der Weltliteratur, unter ihrem Fenster auf sie wartet, wirft "die gnädige Frau"[50] ihm ein Portemonnaie zu: "ein funkelnder Schauer geht über ihm nieder, Krug Wasser, der Nachtruhe gießen will in die Herzensergießungen eines liebeskranken Katers" (151). Die im *Liebesroman* ausgestaltete Metapher der unerfüllt bleibenden Liebe steht ebenso in enger Beziehung zur Liebeskonzeption der mittelhochdeutschen Liebes-Dichtung.[51] Auch die Kunst des Hohen Minnesangs gewinnt ihren Impuls aus dem Begehren und der Sehnsucht eines Mannes nach einer unerreichbaren Frau, die sein treues Werben gleichgültig abweist – "das Berennen der Gralsburg [...] ist ein Selbstzweck" (25).[52] Der entsagungsvolle Dienst – "läutet das Telephon, ruft ihn die Geliebte von neuem in diesen Ritterdienst" (284) – ist nicht nur Anlaß zu Minneklage und Leidgesang, sondern der eigentliche Ansporn zum Lobpreis der Geliebten und der Liebe. Im fiktiven Rollenspiel der mittelhochdeutschen Lyrik ist die Frau absichtsvoll entrückt und der Mann, als unfreies Wesen an die "hohe frouwe" gebunden, total auf die Geliebte ausgerichtet. Der Ausschließlichkeit der leidenschaftlichen Liebe entsprechend, sind auch die Figuren des *Liebesromans*, ER und SIE, namenlos wie im "Hohen Sang", die alleinigen Bild- und Handlungsträger. Die Bezugnahme des zeitgenössischen Textes zu Liebesauffassungen der Frühromantik[53] und des Sturm und Drang, insbesondere der *Werther*-Dichtung[54] – "'wenn sie mich bis heute abend nicht liebt, erschieße ich mich!'" (98) – ist thematisch naheliegend.

---

48 Paul Michael Lützeler, "Von der Präsenz der Geschichte. Postmoderne Konstellationen in der Erzählliteratur der Gegenwart", *Neue Rundschau*, 104, (1993), S. 91-106; hier S. 104.

49 Vgl. Umberto Eco, *Nachschrift zum "Namen der Rose"* (München: Hanser, 1984), S. 78.

50 Vgl. die Szene in Eichendorffs *Aus dem Leben eines Taugenichts* (Stuttgart: Reclam, 1970): die "schöne gnädige Frau", die am Schloßfenster zur Musik vorbeitanzt und der Taugenichts, der sehnsüchtig hinaufblickt zu dem "hellerleuchteten Fenster" (S. 20).

51 Ulrich Müller u.a. haben in ihren drei Sammelbänden *Mittelalterrezeption* (Göppingen: Kümmerle Verlag, 1979, 1982, 1988), die Aufnahme und Neubearbeitung der mittelalterlichen Literatur vom 18. Jahrhundert bis in die Gegenwart anschaulich belegt.

52 1994 veröffentlichte Schutting das Theater-Libretto *Gralslicht* (Salzburg, Wien: Residenz). Die Suche nach Heil und Erlösung wird in diesem Text von der Metapher des Grals auf die Liebe übertragen.

53 Vgl. Paul Kluckhohns Werk *Die Auffassung der Liebe in der Literatur des 18. Jahrhunderts* [1922)] (3. Aufl., Tübingen: Niemeyer, 1966). Kluckhohns Darstellung der Liebestheorien von der Antike bis zur Romantik stellt immer noch das wichtigste Grundlagenwerk zur Erforschung literarischer Liebeskonzeptionen dar.

54 Auch im *Werther* (er ist ebenfalls Maler und Zeichner) ist das Ideal der Frau eine Projektion des Liebenden. Aus der Unerfüllbarkeit wächst seine Liebe ins Unermeßliche, vgl. Klaus R. Scherpe, *Werther und Wertherwirkung: Zum Syndrom bürgerlicher Gesellschaftsordnung im 18. Jahrhundert* (Bad Homburg: Gehlen, 1970).

Auch Goethes Werther wagt es bis zum Ende nicht, Lotte, sein in der Einbildungskraft geschaffenes Frauenideal, zu umarmen. Am Tag, an dem er sie zum ersten Mal küßt – "Die Welt verging ihnen"[55] – entschließt sich Werther, diese Welt zu verlassen. So lebt auch die Werther-Liebe erst im Schmerz der Unerfüllbarkeit. Die Sehnsucht als seelischer *und* ästhetischer Impuls, die Phantasie als geistige *und* poetologische Kategorie ("'Wo ist die Liebe?'" – "'In der Einbildung'"),[56] die Thematisierung des Schöpfungscharakters von Liebe *und* Kunst haben als ästhetische Konzeptionen der Frühromantik insofern eine Vorbildfunktion, als sie vor dem Hintergrund der Sinn- und Legitimationskrise der aufklärerischen Kultur[57] auch die heutigen kulturellen und gesellschaftlichen Bedingungen beleuchten. Die intertextuelle Erzähltechnik wie das rezipierende Verfahren dienen in Schuttings Werk einer Kritik an der Fortschrittsideologie unserer Zeit, in der auch die Schriftsteller die romantische Liebe entzauberten. In der Anstrengung des Maler-Künstlers, die Geliebte, die die aufgeklärte Welt repräsentiert, lieben zu machen, äußert sich der Vorschlag eines zeitgenössischen Schriftstellers, eine zweckrationale, "vernünftigen" Gesetzen unterworfene, inhumane Gesellschaft durch die Kunst zu humanisieren. In Anlehnung an den unerfüllbaren Dichtertraum vom Entwurf einer aus dem Geist der Liebe und der Kunst geborenen Gesellschaft[58] wie in Übereinstimmung mit kunsttheoretischen Überlegungen der Gegenwartsphilosophie, die die Diskussion um den Erkenntniswert von Kunst wieder aufgenommen hat, thematisiert die poetisch-ästhetische Konzeption des *Liebesromans* entgegen postmodernen Proklamierungen vom Ende der Wirkungskraft utopischer Entwürfe den hohen Stellenwert und das ethisch-

---

55 Johann Wolfgang Goethe, *Die Leiden des jungen Werther* (Frankfurt am Main: Insel, 1982), S. 151.

56 Novalis, *Heinrich von Ofterdingen* (Stuttgart: Reclam, 1965), S. 136. In Klingsohrs Märchen entspringt die Poesie aus der Verbindung von Eros und Phantasie. Auch in *Die Lehrlinge zu Sais* thematisiert Novalis die Erkenntniskraft von Liebe und Kunst. Vgl. auch die Utopie der Erfüllung in Schlegels die Dichtungstheorie reflektierenden Roman *Lucinde* (Frankfurt am Main: Ullstein, 1980). In *Lucinde* liegt die Erfüllung der Liebe in der Anlage der beiden Romanfiguren als Künstler und ideale Vertreter des romantischen Lebensgefühls. Julius ist (so auch der Held im *Liebesroman*) Maler. Lucinde, in derselben Lebens- und Denksphäre wie der Geliebte lebend, ist dem Mann "die zärtlichste Geliebte und die beste Gesellschaft [...] und auch eine vollkommene Freundin" (*Lucinde*, S. 15). Dagegen ist die "gnädige Frau" im *Liebesroman* poesielos und daher liebesunfähig. In E.T.A. Hoffmanns Kreisler-Fragmenten ist die von frühromantisch-idealistischen Liebeskonzeptionen entfernte Darstellung der unerfüllbaren Liebe des Künstlers bereits kritisch von Ironie durchdrungen.

57 Manfred Frank hat sich in seinen *Vorlesungen über die Neue Mythologie (Der kommende Gott, 1982; Gott im Exil, 1988; Kaltes Herz: Unendliche Fahrt, 1989)* ausführlich mit der Romantikrezeption befaßt. Nach Frank ist die deutsche Romantik die erste Epoche, die die Krise der Aufklärung literarisch reflektiert habe, vgl. *Der kommende Gott* (Frankfurt am Main: Suhrkamp, 1982), S. 10ff.

58 Vgl. Herbert Marcuse, *Der deutsche Künstlerroman*, S. 85ff.

gesellschaftliche Potential von Kunst und Literatur. Die von Philosophen unserer Gegenwart in Angriff genommene Dekonstruktion des Vernunftbegriffs berührt die Liebesthematik auch insofern, als die Liebe, die "als ein reißender, die Vernunft [...] wegreißender Fluß in den Tag tritt" (10), sich wie die Kunst der Übermacht des vernünftigen Diskurses widersetzt. Im unbändigen Verlangen des Künstlers und Liebenden nach dem entrückten Objekt des Begehrens[59] reflektiert der *Liebesroman* nicht nur die unentwegte Suche nach dem ontologisch aufgeschobenen, verlorenen Sinn, sondern im Spannungsfeld von Sinnverlust und Sinngewinn veranschaulicht der Roman über die Konzeption der unerfüllten Liebe, daß und wie aus der Entsagung, aus der Abwesenheit,[60] Kunst entsteht.[61]

Mit der Aufnahme von Kunstfiguren bekannter Liebesgeschichten wie Philemon und Baucis[62] oder Tristan und Isolde,[63] mit der Aktualisierung von Liebeskonzeptionen, die ihre Leidenschaft aus dem Verbot der Erfüllung geschöpft haben, mit Wort- und Bildzitaten aus Schriften jener Zeiten, "in denen es passionierte Liebe gegeben hat" (102), hat Julian Schutting die Thematik des Liebesverbots für die zeitgenössische Literatur, die solche Tabus nicht mehr kennt, wiederentdeckt, wobei die Auseinandersetzung mit den literarischen Vorbildern zugleich die dichtungstheoretische Position des Autors ästhetisch vermittelt.

Indem im *Liebesroman*, als Polarisierung zweier Lebenssphären, die Kunst-, Gefühls- und Vorstellungswelt des Maler-Künstlers von der oberflächlichen, ge-

---

59 Was Derrida *différance* nennt. Derridas semiologisch determinierte Überlegungen zur *différance* lassen sich im *Liebesroman* auf das Deutungsdilemma der männlichen Figur beim Auslegen und Interpretieren der Worte und Gesten der Geliebten anwenden.

60 Peter Handke hat den poetisch-ästhetischen Begriff der Abwesenheit in seinen Werken ausführlich gestaltet, vgl. Axel Gellhaus, "Das allmähliche Verblassen der Schrift. Zur Prosa von Peter Handke und Christoph Ransmayr," *Poetica*, 22 (1990), S. 106-42.

61 Zum Zusammenhang von Kunst und Kulturprozeß, vgl. u.a. Sigmund Freud, "Der Dichter und das Phantasieren", in: Sigmund Freud, *Studienausgabe*, Alexander Mitscherlich u.a., Hrsg. (Frankfurt am Main: Suhrkamp, 1982), Bd. 10, S. 171-79. Jacques Lacan hat den Ansatz Freuds (das Unbewußte als Text) mit seiner linguistisch beeinfußten Psychoanalyse in den poststrukturalistischen Diskurs aufgenommen, vgl. dazu Hermann Lang, *Die Sprache und das Unbewußte: Jacques Lacans Grundlegung der Psychoanalyse* (Frankfurt am Main: Suhrkamp, 1973).

62 Vgl. *Liebesroman*, S. 127.

63 An einem Abend hört ER mit der Geliebten Ausschnitte aus *Tristan und Isolde*: "auch wenn Sie, gnädige Frau, noch während des Vorspiels eingeschlafen zu sein und bis zum Ende des Liebestodes durchgeschlafen zu haben bestreiten, sind Sie für mich ja doch, noch ehe leidenschaftliches Lieben sich Ihnen ankündigen konnte, auf dem Diwan eingeschlafen, um sich Brangänes 'Habet acht' in einem liebestraumlosen Schlaf als Warnung vor der Liebe deutend, dem Zugriff der Leidenschaft zu entziehen und alle Liebesklagen und auch Verfluchungen nicht absterbender Liebe in einem leichten Schlaf totzuschlafen". Weil die Geliebte auch diese Liebe verschläft, hat er nur noch die Hoffnung, das Eindringen der Musik "in ihren Schlaf sei ein Liebestrank, heimlich in ihr Ohr gegossen!" (*Liebesroman*, S. 196).

Karin U. Herrmann
University of Arkansas, Fayetteville

Krankende Körper, verwesende Natur:
Elfriede Jelineks *Oh Wildnis, oh Schutz vor ihr* (1985)

MIT DEM ERSCHEINEN IHRES ROMANS *Lust* im Jahre 1989 erhielt Elfriede Jelinek, Österreichs häufig kritisierte und heftig umstrittene Autorin, endlich die literarische Aufmerksamkeit, die ihren männlichen Kollegen Thomas Bernhard, Peter Handke und Werner Schwab längst von seiten der Kritiker und Literaturwissenschaftler gezollt wurde. Ihre nachfolgende Prosa *Wolken Heim* (1993) und *Die Kinder der Toten* (1996) und ihre Theaterstücke *Todtnauberg* (1991), *Raststätte* (1995) und *Stecken, Stab und Stangl – Eine Handarbeit* (1996) fanden denn auch relativ schnell literarische Beachtung, und Jelinek gilt mittlerweile als eine etablierte, wenn auch weiterhin kontrovers diskutierte Autorin. So wurde sie 1996 in *Der Spiegel* noch immer als "Österreichs derzeit berühmteste und bestgehaßte Schriftstellerin" tituliert.[1] Diese Kritik an ihren Werken hat sich sowohl an der Wahl ihrer Themen als auch an dem von ihr gewählten Schreibstil entzündet, wobei sie auf der einen Seite wegen ihres "unweiblichen" Schreibstils und ihres "kalten, bösen Blicks"[2] kritisiert wird, während andere sie als eine Verräterin an der weiblichen Sache sehen, indem sie Jelineks Darstellungen von Pornographie, Masochismus und Selbstverstümmelung als Teilhaberschaft an weiblicher Unterdrückung betrachten. Wegen ihrer negativen Entwürfe von Weiblichkeit, Gesellschaft und Natur und der Ausweglosigkeit ihrer Charaktere wird Jelinik häufig die Erstellung einer negativen Utopie vorgeworfen, die "unmenschlich, lieblos und zynisch" sei.[3] Des weiteren werden ihr ihr "Sarkasmus, ihr kalter höhnischer Blick auf die Verhältnisse, ihre Negativität, ihr eisiger Haß" verübelt.[4] Obwohl alle ihre Werke aus einer feministischen Perspektive geschrieben sind, richtet sich Jelineks Augenmerk jedoch hauptsächlich auf die materiellen Umstände der Arbeiterklasse in einer kapitalistischen Gesellschaft,

---

1   *Der Spiegel*, 15. April 1996, S. 258.
2   Siehe Christa Gürtler, "Der böse Blick der Elfriede Jelinek. Dürfen Frauen so schreiben?", *Frauenbilder-Frauenrollen-Frauenforschung* (Veröffentlichungen des Historischen Instituts der Akademie Salzburg, 1987), S. 50-62.
3   "'Elegant und gnadenlos'. Interview von Sigrid Löffler mit Elfriede Jelinek", *Brigitte*, 28. Juni 1989, S. 96.
4   Brigitte Lehmann, "Oh Kälte, oh Schutz vor ihr. Ein Gespräch mit Elfriede Jelinek", *Lesezirkel*, 15 (1985,) S. 3.

da sie als engagierte Marxistin an "das Primat der gesellschaftlichen Verhältnisse"[5] glaubt, wobei dieser Blick immer auch die untergeordnete Stellung von Frauen miteinschließt. Somit beschränkt sich Jelinek in ihrer Gesellschaftskritik nicht auf eine feministische Untersuchung, sondern verbindet diese mit einer marxistischen Fragestellung. Doch während sie Kritik übt an den Praktiken der kapitalistischen Marktwirtschaft, weist ihre Kritik über einen rein marxistischen Ansatz hinaus und trägt insofern einer postmodernen Sichtweise Rechnung, als die Autorin in ihren Werken weder die Aussicht auf eine gesellschaftliche Revolution bietet noch auf einen individuellen Ausbruch aus gesellschaftlichen Verhältnissen Hoffnung macht. Statt dessen dekonstruiert sie die bestehenden Herrschaftsstrukturen mit den Mitteln der Herrschenden, indem sie sich deren Sprache bedient und durch groteske Überzeichnungen und Satire die vorherrschenden Machtverhältnisse als solche entlarvt.

In ihrem 1975 erschienenen Roman *Die Liebhaberinnen*, und verstärkt in ihrer bisher wenig beachteten Prosa *Oh Wildnis, oh Schutz vor ihr* aus dem Jahr 1985, erweitert Jelinek ihre Analyse nun um einen Kritikpunkt, nämlich den der Auseinandersetzung mit der Umweltzerstörung. Von ihrer politischen Arbeit als aktive Umweltbeschützerin beeinflußt, zieht Jelinek in *Oh Wildnis, oh Schutz vor ihr* eine direkte Verbindung zwischen den Unterdrückungsmechanismen, die die Natur zu kapitalistischen Zwecken ausnützen, und denen, die Frauen innerhalb einer patriarchalen Gesellschaft dominieren, wobei sie die Analogie von Frau beziehungsweise Weiblichkeit und Natur als eine ideologische Zuschreibung und als ein gesellschaftliches Konstrukt entlarvt.[6] In ihrer Verknüpfung von marxistisch-feministischen und ökologischen Ansätzen greift sie eine Analyse auf, die in dieser Form zuerst von Ökofeministinnen in den siebziger Jahren in den USA theoretisiert wurde. Deshalb soll im folgenden, ausgehend von Jelineks marxistisch-feministischer Position, untersucht werden, inwiefern ein ökofeministischer Ansatz zu einer Interpretation von *Oh Wildnis, oh Schutz vor ihr* beitragen und inwieweit dieser den marxistisch-feministischen Diskurs erweitern kann.

Wie eingangs erwähnt, beschäftigen sich Jelineks Romane und Theaterstücke, im Gegensatz zur gängigen feministischen Literatur, nicht primär mit dem Geschlechterkampf, sondern setzen sich hauptsächlich mit den gesellschaftlichen und ökonomischen Bedingungen der Geschlechterbeziehungen auseinander. Ihrer Meinung nach muß eine Analyse der Unterdrückung von Frauen ebenso eine Auseinandersetzung mit kapitalistischen Strukturen beinhalten, da im kapitalistischen

---

5 "Gespräch mit Elfriede Jelinek vom Münchener Literaturarbeitskreis", *mamas pfirsiche*, 9-10 (1978), S. 179.

6 Obwohl Simone de Beauvoir schon 1949 in ihrer Arbeit *Das andere Geschlecht* auf diese Analogie verwies, begann eine gründliche Auseinandersetzung damit erst Anfang der siebziger Jahre, die den Beginn der neueren feministischen Bewegung und der Umweltbewegung in den USA und Europa markieren.

Patriarchat beide dialektisch miteinander verbunden sind. Zillah Eisenstein, eine marxistische Theoretikerin, weist auf diese Verknüpfung hin, wenn sie sagt:

> To the extent the concern with profit and the concern with societal controls are inextricably connected (but cannot be reduced to each other), patriarchy and capitalism become an *integral progress*, specific elements of each system are necessitated by the other. [...] patriarchy (as male supremacy) provides the sexual hierarchial ordering of society for political control and as a political system cannot be reduced to its economic structure; while capitalism as an economic class system driven by the pursuit of profit feeds off the patriarchal ordering. Together they form the political economy of the society, not merely one or another, but a particular blend of the two.[7]

Während das Patriarchat also an der Erhaltung der Geschlechterhierarchie interessiert ist, ist die zentrale Voraussetzung des kapitalistischen Systems die Verfügbarkeit über natürliche Ressourcen, d.h. von Produktionsmitteln, die möglichst investitionsfrei und billig verfügbar sein sollen.[8] Darunter fallen sowohl menschliche Arbeitskräfte als auch Natur- und Bodenschätze, die den Interessen der Kapitalverwerter dienlich gemacht werden sollen. Dies ist der Punkt, an dem sich marxistische und ökofeministische Interessen verknüpfen, die Jelinek in *Oh Wildnis, oh Schutz vor ihr* kritisiert.

Ausgehend von den USA hat sich in den siebziger Jahren eine intensive Diskussion über die gemeinsamen Unterdrückungsmechanismen, die sich auf Natur und Weiblichkeit auswirken, unter der losen Bezeichnung des Ökofeminismus entwickelt.[9] Der Begriff selbst wurde 1974 von der französischen Schriftstellerin Françoise d'Eaubonne geprägt, die als Antwort auf die weltweite Aufrüstung Frauen dazu aufrufen wollte, eine weltweite ökologische Revolution zu beginnen. Damit wurde zum ersten Mal darauf aufmerksam gemacht, daß eine Befreiung aus unterdrückenden und verdinglichenden Strukturen nicht nur eine feministische Zielsetzung beinhaltet, sondern auch eine ökologische Frage ist. Warum dies gerade für Frauen von Interesse sei, faßt Maria Mies wie folgt zusammen: "Was Natur, Frauen und die Dritte Welt verbindet, ist die Tatsache, daß diese Bereiche der Wirklichkeit seit der Renaissance die wichtigsten Kolonien des Weißen

---

7   Zillah Eisenstein, "Developing a Theory of Capitalist Patriarchy and Socialist Feminism", *Capitalist Patriarchy and the Case for Socialist Feminism*, Zillah Eisenstein, Hrsg. (London: Monthly Review Press, 1979), S. 28.

8   Für eine genauere Analyse kapitalistischer Praktiken aus ökologischer Sicht siehe James O'Connor, "Capitalism, Nature, Socialism: A Theoretical Introduction", *Capitalism, Nature, Socialism*, 1 (1988), S. 12-27 und Barbara Johnston, "Resource Management in the Virgin Islands: Eco-Imperialism and Environmental Alienation", *Capitalism, Nature, Socialism*, 3-4, 12 (1992).

9   Hinter diesem Namen verbirgt sich jedoch keinesfalls eine einheitliche Position, sondern im Gegenteil werden darunter Vertreterinnen und Vertreter verschiedener theoretischer Ansätze zusammengefaßt.

Mannes sind. Auf ihrer gewaltsamen Unterwerfung und Ausbeutung beruht sein Menschenbild, seine Zivilisation, [...] sein Modell von immerwährendem ökonomischen Wachstum, sein Begriff von Freiheit und Emanzipation".[10] Deshalb richtet sich die ökofeministische Kritik hauptsächlich gegen eine kapitalistisch-patriarchalische Ideologie, die sowohl Frauen als auch die Natur aufgrund ihrer angeblichen Nähe zueinander als das Andere aus ihrem Diskurs ausgrenzt und diese Nähe als Basis einer hierarchischen Gesellschaftsordnung verortet. Feministische Theoretikerinnen und Theoretiker der letzten zwanzig Jahre haben wiederholt auf die im Patriarchat traditionell erstellte Verbindung von Frau und Natur hingewiesen. Anstatt diese Zuschreibung jedoch als "natürlich" zu akzeptieren, werden seit den siebziger Jahren wiederholt Stimmen laut, die der historischen Entwicklung dieses Entsprechungsverhältnisses nachspüren und im Überdenken dieser beiden Sphären eine parallel verlaufende, sich verschärfende Verachtung und Unterdrückung entdecken, die sie dem rationalistischen, dualistischen Denken seit Ende des 18. Jahrhunderts anlasten.[11] Val Plumwood, eine führende ökofeministische Theoretikerin, erläutert die Verbindung zwischen einem rationalistischen Weltbild und der gleichzeitigen Geringschätzung von Frauen wie folgt:

> Humans have both biological and mental characteristics, but the mental rather than the biological have been taken to be characteristic of the human and to give what is "fully and authentically" human. [...] It is not necessarily denied that humans have some material or animal component – rather, it is seen in this framework as alien or inessential to them, not part of their fully or truly human nature. The human essence is often seen as lying in maximizing control over the natural sphere (both within and without) and in qualities such as rationality, freedom, and transcendence of the material sphere. These qualities are also identified as masculine, and hence the *oppositional* model of the human coincides or converges with a masculine model in which the characteristics attributed are those of the masculine ideal.[12]

Demzufolge wird in einem patriarchalischen Weltbild die biologische Seite des Menschen nicht verleugnet, sondern zugunsten intellektueller Fähigkeiten unter-

---

10 Maria Mies, "Konturen einer ökofeministischen Gesellschaft. Versuch eines Entwurfs", *Frauen und Ökologie: Gegen den Machbarkeitswahn*, Die Grünen im Bundestag, Hrsg. (Köln, 1987), S. 39.

11 Siehe Carolyn Merchant, *The Death of Nature: Women, Ecology and the Scientific Revolution* (San Francisco: Harper & Row, 1980); Christine Kulke, Hrsg., *Rationalität und sinnliche Vernunft: Frauen in der patriarchalen Realität* (Berlin: publica, 1985); Val Plumwood, "Nature, Self and Gender: Feminism, Environmental Philosophy, and the Critique of Rationalism", *Hypatia* (Spring 1991), S. 3-27; Sherry Ortner, "Is Woman to Man as Nature to Culture?", *Women, Culture, and Society*, Michelle Zimbalist Rosaldo und Louise Lamphere, Hrsg. (Stanford: Stanford University Press, 1974) S. 67-87

12 Plumwood, "Nature, Self and Gender", S. 17.

drückt. Auf diese Weise werden bestimmte Qualitäten wie Emotionalität und Fürsorge, die nicht in diese rationalistische Auffassungsweise passen, in den Bereich des Anderen, des Privaten, des Weiblichen verdrängt. Gleichzeitig zeigt sich im öffentlichen Bereich in der Verdinglichung von natürlichen Rohstoffen und menschlichen Arbeitskräften eine Ideologie, die mit der Zuschreibung von Natürlichkeit den Billigcharakter von Produkten vorwegnimmt und damit deren Ausbeutung sanktioniert. Claudia von Werlhof, eine der führenden deutschen ökofeministischen Theoretikerinnen, beschreibt diese Anwendung von Natürlichkeit auf menschliche Arbeitskräfte, wenn sie sagt: "Von der Logik eines Produktionsprozesses her gesehen, der die möglichst billige Verfügbarkeit von Natur voraussetzt, besteht also eine Tendenz, jeweils möglichst viele Ressourcen, Produkte und vor allem Menschen so zu behandeln, als wären sie eine solche Natur, die im Prinzip *gratis*, wie bisher noch Luft z.B., zur Verfügung steht. Ideologisch äußert sich das darin, daß sie zur Natur erklärt werden, und d.h. in der Neuzeit: zur Sache, zum Objekt, zum Nicht-Menschen".[13] Durch die "Natürlichkeit" der menschlichen Arbeitskraft und der Natur- und Bodenschätze wird eine Wertverminderung vorgenommen, die sich auch auf die biologische Reproduktionskraft des weiblichen Geschlechts übertragen läßt und für die verminderte Wertschätzung der Frau nicht nur als Produktionskraft, sondern auch als Reproduktionskraft verantwortlich gemacht werden kann. Mary Mellor analysiert diese Unterdrückungsstrategie wie folgt: "By separating off production from reproduction and from nature, patriarchal capitalism has created a sphere of 'false' freedom that ignores biological and ecological parameters. It is a sphere which can exploit nature without paying attention to [...] the conditions of production itself".[14] Diese Sphäre der falschen Freiheit kann jedoch nur durch die Kontrolle über die Produktions- und Reproduktionsmechanismen aufrechterhalten werden. Wirklicher Fortschritt läge also nur in der Befreiung von biologischer Natur und in der Hinwendung zu künstlicher, steuerbarer Technologie, oder, wie Adorno bemerkt: "Grenzenlos Natur zu beherrschen, den Kosmos in ein unendliches Jagdgebiet zu verwandeln, war der Wunschtraum der Jahrtausende".[15] Die Umsetzung dieses Traumes begründet sich jedoch in einem forschungstechnischen Ansatz, der in seiner bisherigen Praxis zu der Zerstörung der Umwelt und der Geringschätzung von weiblicher Reproduktivität geführt hat.

Jelinek teilt die Analyse von Ökofeministinnen insoweit, als daß auch sie die ausbeuterischen Praktiken eines kapitalistisch-patriachalischen Machtgefüges und deren Auswirkungen auf Frauen und die Umwelt kritisch beleuchtet. Während

---

13 Claudia von Werlhof, *Männliche Natur und künstliches Geschlecht* (Wien: Wiener Frauenverlag, 1991), S. 151.
14 Mary Mellor, "Eco-Feminism and Eco-Socialism. Dilemmas of Essentialism and materialism", *Capitalism, Nature, Socialism*, 3-4, 12 (1992), S. 51.
15 Theodor W. Adorno, *Ästhetische Theorie* (Frankfurt am Main: Suhrkamp, 1970), S. 264.

jedoch Theoretikerinnen wie Karen Warren und Val Plumwood als mögliche Veränderungstrategie eine "Ethik der Fürsorge" anbieten und dafür eintreten, daß Raum gemacht wird für "a central place for values of care, love, friendship, trust, and appropriate reciprocity – values that presuppose that our relationships to others are central who to we are",[16] verweigert Jelinek ihren Roman- und Theaterfiguren diese Utopie als eine politische und historische Unmöglichkeit. Für sie konstituiert die Ausübung von Kontrolle über Reproduktionsmechanismen und deren Ausbeutung einen Gewaltakt, der sämtliche Beziehungsmuster im öffentlichen wie in privaten Bereich durchdringt und in deren Verdinglichung resultiert, ja sie voraussetzt. Somit erscheinen ihre Charaktere nicht als selbstbestimmte, autonome Wesen, die eine Umwertung gesellschaftlicher Wertvorstellungen erstreben können. Statt dessen beleuchtet Jelinek deren immer schon vorhandene Einbindung in die gegebenen Herrschaftsstrukturen. Es geht ihr weniger um individuelle Schicksale oder psychologische Charakterstudien als um die Aufdeckung einer bestimmten Ideologie. Ihre Romanfiguren erhalten einen Vorzeigecharakter, indem sie sie ent-individualisiert, d.h. jeglicher persönlicher Charakteristika entkleidet, um so herrschende Denkmuster und Mythologisierungen zu verdeutlichen. Für Jelinek existiert das "bürgerliche Subjekt" nicht, da ihre Figuren keine Geschichte, keine Identität im bürgerlichen Sinn haben. Deshalb sind ihre Romanheldinnen und -helden auch keine Menschen, sondern, wie sie selbst sagt, "Kunstfiguren, die auf das Archetypische und Reliefartige wie bei einem Holzschnitt reduziert sind, oder ausschließlich Vertreter ihrer Klasse".[17] Anstatt die Kategorien, die im patriarchalisch-kapitalistischen Diskurs entwertet werden, positiv neu zu besetzen, wie es sich ein Zweig der Ökofeministinnen zum Programm gemacht hat,[18] bezieht sich Jelineks Kritik hauptsächlich auf den Mangel an einer differenzierten Auseinandersetzung mit Kategorien wie "Mann" und "Frau" innerhalb eines ökonomischen Systems, das sich geschlechtsübergreifend auf das menschliche Subjekt allgemein und nicht nur auf die Underdrückung von Frauen auswirkt. Sie ist nicht daran interessiert, ein "neues" Frauenbild als Gegenpol zu dem des männlichen Diskurses zu erstellen, da dies voraussetzen würde, daß es ein authentisches, repräsentierbares Frauenbild gibt. Sie ist vielmehr daran interessiert, die materiellen Bedingungen weiblicher Existenz aufzuzeigen, um dadurch gesellschaftliche

---

16 Karen Warren, "The Power and Promise of Ecological Feminism", *Environmental Ethics*, 12, 2 (1990), S. 83. Weiteres zum Thema bei Deane Curtin, "Toward an Ecological Ethic of Care", *Hypatia* (Spring 1991), S. 60-74 und Roger J.H. King, "Caring about Nature: Feminist Ethics and the Environment", *Hypatia* (Spring 1991) S. 75-89.

17 Josef-Hermann Sauter, "Interviews mit Barbara Frischmuth, Elfriede Jelinek, Michael Scharang", *Weimarer Beiträge*, 27, 6 (1981), S. 113.

18 Siehe dazu Radikalökofeministinnen wie Susan Griffin, *Women and Nature: The Roaring Inside Her* (New York: Harper & Row, 1978), Mary Daly, *Gyn/Ecology* (Boston: Beacon Press, 1978) und Andrée Collard und Joyce Contrucci, *Rape of the Wild* (Bloomington: Indiana University Press, 1989).

und ideologische Unterdrückungsmechanismen zu entlarven. In ihrem Interview mit Sauter sagt sie dazu: "Ich würde sagen, das Beste und Positivste, was ich mit meiner Literatur zu erreichen hoffe, ist eine Bewußtmachung. Durch die Übertreibung von Zuständen will ich einen Aha-Effekt beim Leser erreichen. Indem die Dinge verfremdet oder übertrieben und anders als gewohnt auftreten, stoße ich ihn mit der Nase auf die Mechanismen".[19] Diese brechtschen Züge tragende Verfremdung gelingt ihr durch die Wahl ihrer sprachlichen und stilistischen Mittel. Sie benutzt absichtlich schockierende, graphische und an Pornographie grenzende Beschreibungen, die sie der Welt der Medien, des Fernsehens, der Comicstrips, Beatlessongs und der Science Fiction entlehnt. Des weiteren arbeitet sie, die sich selbst als "Sprachkomponistin" bezeichnet, wiederholt mit Alliterationen, Wortspielen und Kalauern, um durch dieses Spiel der verdinglichten Sprache einen Freiraum zu schaffen: "[...] ich will die Sprache sich selbst in Schreiben und Sprechen entlarven lassen".[20] Dies kulminiert für sie in einer ständigen Suche nach geeigneten, unverbrauchten, ästhetischen Formen für ihre politischen Inhalte, einer Abkehr von vorgegebenen Stilen und Formen, einem Mißtrauen gegenüber Allgemeinverständlichkeit sowie scharfer Kritik am Herrschaftsinstrument Sprache.

Obwohl Jelinek von einem sozialen Gefüge ausgeht, in dem letztlich jeder machtlos und gefangen ist, beleuchtet sie gleichzeitig die Mechanismen, mit denen dieselben Menschen, die unter einem ausbeuterischen System leiden, dessen Status quo reproduzieren und an der Macht erhalten. In *Dialektik der Aufklärung* kritisieren Adorno und Horkheimer moderne Gesellschaftsstrukturen und weisen darauf hin, daß dem bürgerlichen Selbst das Fundament zur Herrschaft entzogen wäre, würden die Arbeiter und Frauen dieses Selbst nicht wiederholt durch ihre Einordnung in die Herrschaftsstruktur aufrechterhalten.[21] Jelinek überträgt diese These auf ihre Texte, indem bei ihr jede Person gleichzeitig als Opfer und Hüter der Strukturen erscheint, die es unterdrückt und geknechtet halten. Dieses Thema wird von ihr besonders stark in ihren Romanen *Die Liebhaberinnen* und *Die Klavierspielerin* ausgeführt, und während sie schon im erstgenannten Roman auf die Verknüpfung von weiblicher Natur mit pflanzlicher Natur eingeht, greift Jelinek in *Oh Wildnis, oh Schutz vor ihr* aktiv in die ökologische Debatte ein. Doch geht es ihr dabei mehr um die Entschleierung eines verdinglichten Naturbegriffs als um eine wie immer geartete Aussöhnung mit Natur. Durch die Verweigerung eines positiv besetzten Naturbegriffs und durch das Transparentmachen eines

---

19 Sauter, "Interviews", S. 116.
20 "Wir leben auf einem Berg von Leichen und Schmerz: Theater-Heute-Gespräch mit Elfriede Jelinek von Peter von Becker", *Theater Heute*, 9 (1992), S. 2.
21 Siehe besonders das Kapitel von Max Horkheimer und Theodor W. Adorno, "Odysseus oder Mythos und Aufklärung", *Dialektik der Aufklärung* (Frankfurt am Main: Fischer, 1991), S. 50-87.

immer schon vorhandenen menschlichen Eingriffs in Natur entkleidet sie Vorstellungen von Natur ihres "natürlichen" Inhalts und entlarvt sie als Konstrukte.
Sowohl in *Die Liebhaberinnen* als auch in *Oh Wildnis, oh Schutz vor ihr* wird die Vorstellung von dörflicher Idylle und heiler Natur als schöner Schein enttarnt.
Jelineks Anliegen in *Oh Wildnis, oh Schutz vor ihr* ist es, den Topos der "natura loquitur" auszulöschen und die Unlesbarkeit des Buchs der Natur aufzuzeigen.
Auf die Frage: "Was schreiben Sie jetzt?", antwortet sie deshalb: "Das ist eine experimentelle Prosa und heißt *Oh Wildnis, oh Schutz vor ihr*. Eine Art Gegenentwurf zu den positiven Naturschilderungen: eine zerstörerische Natur, mit der Leute umgehen, die sie besitzen, und Leute, die in ihr arbeiten".[22] Wie schon die Thematik des Romans die Schwierigkeit der Entschlüsselung von Begriffen wie Natur und menschliche Natur aufzeigt, entzieht sich der Text selbst einer griffigen Bedeutungsebene. Die Auflösung der tradierten Lesbarkeit von Natur spiegelt sich in der Auflösung konventioneller Schreibwesen wider. Jelineks Herrschaftskritik stürzt in einer Überfülle an Bildern auf die Leser ein. Die Überschriften der drei Textabschnitte der Prosa *Oh Wildnis, oh Schutz vor ihr* können mit Blick auf die Filmwelt als Regieanweisungen gelesen werden. Gleichzeitig werden ihnen, als ob willkürlichen Interpretationsansätzen zuvorgekommen werden soll, Lesestrategien in Form von Untertiteln beigegeben. Die drei Textabschnitte lauten: "1. Aussentag: Gedicht. 2. Innen. Tag. Keine Geschichte zum Erzählen. 3. Aussen. Nacht. Herrliche Prosa! Wertvolle Preise!" Obwohl alle drei Abschnitte lose geordnete Inhaltsbezüge haben – im 1. Abschnitt monologisiert der arbeitslose Holzfäller Erich auf einem Arbeitsgang, im 2. dreht sich die Handlung um die alternde Dichterin Aichholzer ("die Aichholzerin"), im 3. richtet sich der Blick auf die Welt der Besitzerklasse –, liegt die eigentliche Wirkung nicht in der Handlung, sondern in der sprachlichen Weiterführung und Exegese von Themen wie Natur, Sexualität, Gewalt und Ausbeutung. Anhand des Holzfällers Erich und der Aichholzerin (die versucht, das "Wesen" von Natur in ihren Gedichten einzufangen) zeigt Jelinek, wie sich die bestehenden Herrschaftsstrukturen in die Körper ihrer Objekte einschreiben. Jede der Figuren in *Oh Wildnis, oh Schutz vor ihr* lebt von der unterschiedlich gearteten – Ausbeutung von Natur, während jeder dieser Eingriffe in die Natur Spuren hinterläßt, die sowohl die menschlichen Körper als auch den pflanzlichen Naturkörper zerstören. Anstatt Natur als idyllischen Ort der Harmonie oder auch nur als Freizeitausgleich zum beruflichen Alltag anzubieten, zeigt die Autorin eine direkte Korrelation zwischen der Entfremdung des Menschen von seiner Arbeit und der Entfremdung des Menschen von Natur, ohne die Möglichkeit einer ursprünglischen Harmonie herzustellen. Sie bedient sich dabei der Technik der Personifizierung von Natur, während sie

---

22 Elfriede Jelinek, "Die kultivierte Neurose" [Interview mit Hanna Molden], *Cosmopolitan*, 5 (1985), S. 32.

gleichzeitig Menschen einen Objektstatus gibt, um so eine etwaige Hegemonie des Menschen über die Natur zu negieren. Jedoch wird Natur nicht als romantische Nährerin oder Spenderin dargestellt, wie es etwa in Diskurs der Romantiker des 19. Jahrhunderts geschah, sondern sie wird als armseliger, abgenützter Sitz von Ausbeutung und Unterdrückung gezeigt: "Die Natur ist schmutzig, wo man mit ihr in Berührung kommt".[23] Im Gegensatz zu der "schönen Landschaft" in *Die Liebhaberinnen*, gegen die das menschliche Elend gesetzt wird, erscheint Landschaft in *Oh Wildnis, oh Schutz vor ihr* als ebenso zerstört wie die Beziehungsmuster innerhalb kapitalistischer Verhältnisse. Deshalb entwirft Jelinek in ihrer Prosa ein radikales Gegenkonzept zur literarischen Naturmystik. Doch im Gegensatz zu ökofeministischen Annäherungsbemühungen an eine "ursprüngliche" Natur oder einer Gegenüberstellung von Natur und Kultur/Technologie wird bei Jelinek Natur nicht als Gegenpol zur menschlichen Sphäre begriffen, sondern als immer schon mit ihr Verflochtenes. Für die Autorin gibt es nichts "Natürliches" an der Natur, da sie, ebenso wie der weibliche Körper, immer schon vom Gewalt implizierenden kapitalistisch-patriarchalischen Diskurs besetzt ist.

Für Jelinek resultiert körperliche Gewalt aus gesellschaftlichen Herrschaftsstrukturen. Sie durchdringt alle Ebenen, ist jedoch klassen- und geschlechtsspezifisch geprägt. Schon in *Die Liebhaberinnen* porträtiert Jelinek die Kindheit von Erich (als "erich"), dem Holzfäller aus *Oh Wildnis, oh Schutz vor ihr*, als eine von Gewalt und Ausbeutung bestimmte. Im Aufzeigen der verdinglichten Arbeitsverhältnisse der Dorfbewohner entschleiert Jelinek den Mythos des idyllischen Land- und Dorflebens und analysiert statt dessen, wie der Verlust über die Kontrolle am Arbeitsplatz sich in körperlicher Gewalt innerhalb der Familie niederschlägt. Da dem Vater Erichs die Kontrolle über seine Arbeit entzogen ist, kompensiert er sie mit der Ausbildung patriarchalischer Machtverhältnisse innerhalb seiner Familie. Indem er regelmäßig seine Frau schlägt, die wiederum regelmäßig ihre Ohnmacht an Erich ausläßt, verschafft sich der Vater ein Gefühl der persönlichen Macht, das ihm in der Öffentlichkeit verwehrt bleibt. Erichs einzige Erfahrung von familiären und emotionalen Bindungen ist somit immer schon geprägt von Gewalthandlungen: "erich hat nicht nur wenig, sondern gar keine liebe zu verteidigen. nicht einmal seine engsten angehörigen, die sich für ihn und seine prügel mehr als einmal die hand verstaucht haben, dürfen darauf zählen, auf die liebe erichs. erich möchte gerne seinen vatta und seine mutta erschlagen, was er sich aber nicht traut. schön ist es stattdessen ein hundchen, eine katze oder ein kleinkind zu quälen, wenn es niemand sieht".[24] Deshalb ist Erichs einzige mög-

---

23 Elfriede Jelinek, *Oh Wildnis, oh Schutz vor ihr* (Reinbek: Rowohlt, 1985), S. 9. Alle weitere Zitate beziehen sich auf diese Ausgabe und werden im Text mit W bezeichnet.
24 Elfriede Jelinek, *Die Liebhaberinnen* (Reinbek: Rowohlt, 1975), S. 89. Alle weiteren Zitate beziehen sich auf diese Ausgabe und werden im Text mit L bezeichnet.

liche Reaktion, als Paula ihn in der Hoffnung auf spätere Heirat mit Liebe konfrontiert, die körperliche Gewalt: "hier herrscht das gesetz des unterleibs, zum
unterschied vom gesetz des waldes, das bei der arbeit zur anwendung kommt. [...]
paula hat sich sehr auf die liebe gefreut, die sie aber nicht bekommt. Noch lange,
nachdem erich gegangen ist, sucht paula zwischen den pfosten, in der vergam-
melten futterkrippe, im heu und in der jauchenrinne nach der liebe. aber paula tut
nur die möse weh" (L, 90-91). Jelinek verweist damit nachdrücklich auf die sich
ständig reproduzierenden Gewaltstrukturen in einer Gesellschaft, die durch Unterdrückung und Ausbeutung bestimmt ist, und beleuchtet diese Fortführung im
privaten Bereich. Erichs Körper ist von Spuren der Schläge (=Liebe) seiner Mutter
gezeichnet, und er wiederum hinterläßt seine Spuren (=Liebe) auf dem Körper
seiner Frau und später auf dem seiner Kinder. Da dies seine einzige Erfahrung mit
Liebe und Familie bildet, betrachtet er körperliche Spuren als einzigen Beweis
seiner "Eigentümerschaft". Weibliches Begehren muß für Jelinek zwangsläufig
an den herrschenden Umständen scheitern, in denen "nichts möglich ist zwischen
Männern und Frauen, weil das eine Begehren immer das andere zum Verlöschen
bringt und eigentlich nicht steigert. Die weibliche Lust läßt sich, zusammen mit
dem Mann, nicht realisieren".[25] Durch die Bewußtmachung der Nichterzählbarkeit
von Liebe und sexuellem Begehren aus weiblicher Sicht entlarvt Jelinek die
Machtverhältnisse zwischen den Geschlechtern, die sich nicht nur auf politischer
Ebene abspielen, sondern gerade auch in der Begegnung der Körper inskribiert
sind und die jeden sexuellen Akt zu einem Gewaltakt machen.

Dieselben Strukturen von Ausbeutung und Gewalt charakterisieren Erichs
Verhältnis zu seiner Arbeit. Anhand der Naturauffassung des Holzfällers Erich
demystifiziert Jelinek den Begriff von Natur als mythischem Ort zugunsten eines
instrumentellen Naturbegriffs. Dies geschieht in Anlehnung an Roland Barthes'
Analyse von Mythos und mythischer Sprache als ent-politisiertem Ort in dessen
Band *Mythologies*, auf den Jelinek im Text auch immer wieder anspielt.[26] Barthes
selbst wählt das Beispiel eines Holzfällers, um der mythologisierten Meta-Sprache
der bürgerlichen Welt die Möglichkeit einer politischen Sprache entgegenzuhalten.
Er sagt:

> If I am a woodcutter and am led to name the tree which I am felling, whatever the
> form of my sentence, I "speak the tree", I do not speak about it. This means that my

---

25 Interview mit Roland Gross, *Süddeutsche Zeitung,* 15, 20. Januar 1987, S. 10.
26 Siehe Konstanze Fiedl, "Natur und Kunst. Zu neueren Texten Elfriede Jelineks, *"Das
    Schreiben der Frauen in Österreich seit 1950,* Walter Buchebner Literaturprojekt, Bd.
    4 (Wien: Böhlau, 1991), S. 95-104, worin sie auf die Wiederverwertung Barthes' in *Oh
    Wildnis, oh Schutz vor ihr* aufmerksam macht: "Den Beginn des einschlägigen Auf-
    satzen von Roland Barthes, 'Ich glaube, daß das Auto heute das genau Äquivalent der
    großen gothischen Kathedralen ist', hat Jelinek in 'Oh Wildnis' versteckt: 'Gerade wird
    für eine Automarke geworben wie für eine gothische Kathedrale'".

language is operational, transitively linked to its object; between the tree and myself, there is nothing but my labor, that is to say, an action. This is a political language: it represents Nature for me only inasmuch as I am going to transform it, it is a language thanks to which I "*act the object*"; the tree is not an image for me, it is simply the meaning of my action.[27]

Diese Betrachtungsweise von Natur als Rohstoff, die sich nicht in menschlicher Reflexion über Natur sondern in Arbeit an ihr entäußert, entspricht auch dem von Adorno entwickelten Naturkonzept des mit der Natur als Produktionsmittel Arbeitenden, das Natur nicht zum ästhetisierten Objekt stilisiert, sondern in ihr Arbeitsmaterial und Broterwerb sieht. Adorno beschreibt eben diese Arbeitsauffassung, wenn er sagt: "[...] agrarische Berufe, in denen die erscheinende Natur unmittelbar Aktionsobjekt ist, haben, wie man weiß, wenig Gefühl für die Landschaft".[28] Dies findet sich auch in Erichs Betrachtungsweise, die rein zweckmäßig ist: "Er entnimmt der Natur seit Jahren Bäume. Es hält sich nichts auf die Dauer fest in dieser dehnbaren Imitation einer Erde" (W, 54). Erichs Gefühl für die Natur ist funktionalisiert und instrumentalisiert, da sie seinen Lebensunterhalt ausmacht, der wiederum darin besteht, Natur und Landschaft zu zerstören. Deshalb bietet Natur für ihn weder eine Zuflucht vor dem Alltag, da sie sein Alltag ist, noch eine Heimat, da sie durch Industrieabgase vergiftet und durch achtlose Forstpraktiken vernichtet ist. Diese Entmythologisierung von Natur als Heimat gilt auch für die übrigen Dorfbewohner, wie Heike Weinbach beschreibt: "Es gibt keinen Ort, zu dem sie entfliehen können, denn die Natur ist überall vergiftet, und eine Natur außerhalb der Gesellschaft existiert nicht. Das Entfliehen in die Natur selbst bedeutet, wieder mit denselben Qualen konfrontiert zu werden; die Natur tritt ihnen als Widerschein des gesellschaftlichen Lebens entgegen".[29] Dieser entfremdete Naturbegriff erlaubt Erich keine Reflexionsmöglichkeit ästhetischer oder philosophischer Art, sondern: "Die Natur ist ihm ein Rätsel, er verdient an ihr" (W, 8-9). Das Rätselhafte an Natur entspricht für Erich jedoch nicht dem geheimnisvollen Mysterium, mit dem die Romantiker den Begriff von Natur ausstatteten, sondern bezieht sich für ihn auf das konkret bedrohliche Element seiner Arbeit. Für ihn besteht Natur aus Wildnis, die bezähmt werden muß, und, wie der Titel der Prosa schon besagt, vor der er sich schützen muß, denn "schreckliche Schwerkraftgesetze werfen Bäume auf Leute" (W, 23), und "Je weniger die Natur bearbeitet wird, desto unheimlicher bietet sie sich dar" (W, 54). Für Erich stellt Natur die unberechenbare Arbeitsstätte dar, die ihn immer

---

27 Roland Barthes, *Mythologies* (New York: Noonday Press, 1991) S. 134.
28 Adorno, *Ästhetische Theorie*, S. 102.
29 Heike Weinbach, "Volkstöne und Plastikfladen. Elfriede Jelineks Satire *Oh Wildnis, oh Schutz vor ihr*", *Augen-Blick 5: Heimat*, Marburger Hefte zur Medienwissenschaft (März 1988), S. 83.

wieder körperlich bedroht und ihre Spuren an seinem Körper hinterläßt: "Blutende Naturwunden auch in meinen Handflächen lieber Heiland lieber Engrosist. [...] Dieses läufige Land vernichtet mich, ist hinter mir her. [...] denn leider trug ich zahlreiche schwere Verletzungsspuren aus dem Holz heraus. Furchtbarster Gemeinheiten machte dieser Wald sich schuldig, äußerlich ist er freilich beeindruckend in seiner vielbewachsenen Gesamtheit und Gangart" (W, 12-13). Somit ist Erichs Naturauffassung durch eine wechselseitige Ausbeutung und Zerstörung bestimmt. Die körperliche Arbeit des Holzfällens hinterläßt ihre destruktiven Spuren am Erichkörper in demselben Maße, wie Erich durch sein kommerzielles Holzfällen den Waldkörper seiner regenerierenden Fähigkeiten beraubt. Er, der seinen Lebensunterhalt damit verdient, Natur zu zerstören, wird gleichzeitig von ihr zerstört und das im Auftrag einer Industrie, die von beidem, Natur- und Menschenzerstörung, profitiert.

Die destruktiven Ausmaße eines solchen Systems mit seiner gegenseitigen Zerstörung und Gewalt werden besonders deutlich, wenn Jelinek die – in patriarchalischen Gesellschaften oft stumm unterstellte – Analogie zwischen Weiblichkeit und Natur beleuchtet. Indem sie wiederholt dieselbe Terminologie für Frauen, Liebes- und Sexualakte benutzt, die den Naturdiskurs beherrschen, deckt die Autorin die Mechanismen auf, mit denen Frauen im Patriarchat aufgrund ihrer biologischen Funktionen Natur gleichgesetzt and damit entwertet werden. Gleichzeitig weist Jelinek auf die Gemeinsamkeit der zerstörerischen Spuren hin, die kapitalistische und patriarchalische Praktiken auf dem pflanzlichen und weiblichen Körper hinterlassen. Yvonne Spielmann verdeutlicht dies wie folgt: "[...] als Naturwesen definiert, führt eine direkte Linie vom Körper der Frau zu Fäulnis und Verwesung; hingegen die Körperbeherrschung des Mannes über sportlichen Drill zur Naturbeherrschung und Umweltzerstörung. In Jelineks Romanen arbeiten sich die Liebhaber an der Natur wie am Werkstück Frau ab, bis sie nachhaltige Spuren, irreparable Schäden hinterlassen haben".[30] Jelinek benutzt daher bewußt Vergleiche aus der pflanzlichen Natur, um die Herrschaftsideologie, der beide, Frau und Natur, unterliegen, zu beleuchten. So beschreibt sie die sexuelle Gewalt, die Ehemänner "in ihrer übrigens ganz normalen Gier" an ihren Frauen ausüben mit dem Vokabular des Holzarbeiters, der seine Arbeitshandlung, das Baumfällen, ausübt: "Knackend in ihrer übrigens ganz normalen Gier, werden die Leibäste der Frauen unter ihnen gespalten, die Axt fährt in sie. Blutig klaffen die Strünke" (W, 74). Beide Handlungen hinterlassen blutige Spuren, beide Taten erweisen sich als zerstörerisch und gewalttätig. Durch die Verknüpfung von privater Handlung mit Arbeitsvorgang hebt Jelinek die Trennung zwischen öffentlichem und privatem

---

30 Yvonne Spielmann, "Ein unerhörtes Sprachlabor", in: *Gegen den schönen Schein: Texte zu Elfriede Jelinek*, Christa Gürtler, Hrsg. (Frankfurt: Verlag Neue Kritik, 1990), S. 31-32.

Bereich auf und kritisiert beide als Macht- und Gewaltbereich des Mannes, dem sowohl die Frau als Naturwesen als auch die pflanzliche Natur unterstehen. "Ob Frau, ob Wiesenknöterich, beide gedeihen sie nach einem einzigen Prinzip, sind zum Abpflücken da, diese Blumen" (W, 31).

Doch kritisiert Jelinek keineswegs nur die Gewaltausübung auf Seiten der Männer, sondern sie entblößt ebenso die Mittäterschaft und Aufrechterhaltung dieser Machtstrukturen auf weiblicher Seite. So beschreibt sie in *Die Liebhaberinnen* die Bestrafung Paulas durch deren Mutter, die als Stellvertreterin einer gesellschaftlich festgelegten Ordnung handelt, innerhalb derer sich die Dorfbewohnerinnen bewegen und aus der nicht auszubrechen ist:

> paula setzt vertrauen in die weiblichkeit ihrer mutta, das enttäuscht wird.
> die mutta spitzt paula an und hämmert sie in den grund und boden hinein. [...]
> paula hat bisher nur axtschläge im wald so laut widerhallen hören. es wäre eine
> lustige arbeit, das paulaerschlagen, würde sie nicht mit soviel haß ausgeführt. liebe
> verbindet, aber haß, der trennt. die mutta von paula haßt paula wegen des kindes
> in deren bauch. verschiedene wichtige organe paulas zerbrechen unter dieser be-
> handlung. (L, 95)

Dieser schonungslose, ausbeuterische Zugriff auf den weiblichen Körper führt unweigerlich zu dessen Zerstörung, weshalb in Jelineks Texten der weibliche Körper als Ort der Verwesung und Fäulnis, als verrottende Natur dargestellt wird. Erfolgt diese Zerstörung nicht durch den natürlichen Verschleißprozeß des Waren- und Arbeitsprodukts Frau, so geschieht es infolge einer verinnerlichten Selbstzerstörung, wie etwa in *Die Klavierspielerin*, oder einer Selbstauflösung, wie etwa in *Krankheit oder Moderne Frauen*. In *Die Liebhaberinnen* äußert sich dies an Paulas Mutter, die an Krebs leidet, und an einer Dorfbewohnerin, deren Beliebigkeitsstatus stellvertretend für das Schicksal aller Dorfbewohnerinnen steht, denn: "sie wurde direkt vom ladentisch zum traualtar geführt. jetzt hat sie einige gefährlich aussehende krankheitssymptome. der arzt kann nichts finden. sie hat ihr glück gefunden" (L, 69). Auch in *Oh Wildnis, oh Schutz vor ihr* zerfallen die weiblichen Körper durch die Krankheitssymptome der sie verdinglichenden Gesellschaft. Erichs Schwester leidet an Krebs ("Der Krebs arbeitet schon jahrelang mühevoll in diesem Trog aus Frau. Jetzt ist sein Teig aufgegangen" [W, 61].) Und auch die Aichholzerin lebt nur noch mühsam in "der Bruchbude ihres Leibes versteckt" (W, 184): "Ihr Körper ist ein hermetisches System sorgsam erfundener Krankheiten (bitte um Mitleid!), die besser erfunden sind als ihre Gedichte, denn diese Krankheiten sind einleuchtend, beachtet man ihr hohes Alter. Allerdings sind auch die Krankheiten untereinander uneins und ungereimt" (W, 186), denn: "Eine alte Frau ist bekanntlich das schwächste Glied in der Kette Natur, dieser Ladenkette zu Billigstpreisen. Jeder kann darin seine Sauereien machen und noch Geld dafür verlangen" (W, 189). Anhand der Aichholzerin verdeutlicht Jelinek noch einmal, was ihr schon in *Die Liebhaberinnen* zum Hauptanliegen wurde: die Enthüllung der materialistisch bedingten Zustände innerhalb der gegenwärtigen Gesellschaftsstruktur, deren Verwertungs- und Verschleißökonomie sich nicht nur auf die Produktionsherstellungen, sondern auch auf die Körperlichkeit der menschlichen Subjekte innerhalb dieses Systems negativ auswirkt.

Im Gegensatz dazu steht das idyllisierende Naturbild der privilegierten bürgerlichen Klasse, die ihren Naturbegriff aus Theorien des Naturschönen und der Naturästhetik bezieht. Adorno setzt sich mit der bürgerlichen Rezeption von Natur als dem Naturschönen auseinander und weist auf diese anders konzipierte Naturerfahrung hin, wenn er sagt: "Sie bezieht sich auf Natur einzig als Erscheinung, nie als Stoff von Arbeit und Reproduktion des Lebens, geschweige denn als das Substrat von Wissenschaft. Wie die Kunsterfahrung ist die ästhetische von der Natur eine von *Bildern*. Natur als erscheinendes Schönes wird nicht als Aktionsobjekt wahrgenommen" (m.H.).[31] Diese Naturerfahrung bezieht sich ausschließlich auf einen künstlichen Entwurf von Natur und bildet einen anderen Naturbegriff wie der eines Holzfällers oder eines Försters. Jelinek verdeutlicht diese Auffassung anhand der Aichholzerin, die versucht, "Zucker auf den ruhig dahinfließenden Lebkuchen Natur" zu pinseln (W, 99). Sie, die einst durch ihr Verhältnis mit einem faschistoiden und heimatverbundenen Philosophen berühmt wurde, versucht nun im Alter, sich durch Naturlyrik einen eigenen Namen zu machen: "Sie bildet als ihre ureigenste Aufgabe die Natur naturgetreu ab. Die Natur trägt einen gemeinsamen Anzug mit der Kunst, und so kann immer nur einer von den beiden vor Publikum auftreten" (W, 95). Jelinek kritisiert in der Figur der Aichholzerin die Naturempfindung des gebildeten Bürgertums, indem die Autorin – unter anderem auch durch Rekurs auf Kants Kategorie des Erhabenen – zeigt, wie schnell das Erhabene in einer konsumorientierten Gesellschaft ins Lächerliche abkippen kann: "Einer sagt, daß eine Wolke zu ihm spricht, ein Berggipfel klingt, Wetter tobt, ausgerechnet zu ihm! Das nenne ich Dichtung!" (W, 57); "Die Natur ist Reklame. Die Kunst ist auch Reklame. Und was man darüber sagen könnte, ist ebenfalls Reklame" (W, 127). Durch die Bewußtmachung des bürgerlichen Naturbegriffs als Konsumgut wird das Naturschöne als immer schon während Schein dekonstruiert, der von der Medienwelt als "Realität" verkauft und vermarktet wird: "Ärmliches Moos, kümmerliche Flechte, nirgends das Echte vom Bildschirm" (W, 7). Marlies Janz erläutert diese Substitution von "echter" Natur durch Kunstprodukte wie folgt: "Warenwelt und Kulturindustrie sind zur 'zweiten Natur' geworden, und so wie Künstliches – eine Plastikwelt – sich als Natur geriert, erscheint umgekehrt die Natur als reines Artefakt, als Ware und Verbrauchsgegenstand. Natürlichkeit und Künstlichkeit

31 Adorno, *Ästhetische Theorie*, S. 103.

sind ineinander übergegangen und haben sich vertauscht".[32] Dieser Konstrukt-charakter von Naturrepräsentation wird deutlich, wenn Jelinek den subjektiven Filterungsprozeß von Naturwahrnehmung im Hinblick auf die Kunstproduktion beschreibt, der den Arbeitsprozeß der Aichholzerin begleitet: "Zum Beispiel was ist der Wald im eigentlichen Sinn, den sie jeden Tag sieht? Angnehme *Einbildung*, köstliche Ungereimheit, die sie zu reimen vermag" (m.H.; W, 182). Diese Vor-stellung von Natur ersetzt für die Dichterin eine wirkliche Naturerfahrung, die sich unter anderem auch mit den unschönen Seiten von Natur auseinandersetzen müßte, wie z.B.: "unten liegen tote Tiere und verwesen in Schichten, die sie aus sich selbst gebildet haben. Die Natur, das Sargassomeer der Leiden und Leichen" (ebenda). Statt dessen besteht die Dichterin auf der Erstellung von romantischer Naturlyrik, die sich an einem mystifizierenden Naturbegriff orientiert. Am Beispiel der Aichholzerin enthüllt Jelinek die Diskrepanz von Ideologie und Realität, deren Vermischung in ein neuromantisches Naturbewußtsein sie als gefährlichen Schein entlarvt, da es das ausbeutbare Potential von Natur als Kunstprodukt und Marken-artikel verdeckt. So fragt die Autorin an anderer Stelle im Text: "Was soll das eigentlich heißen: die Natur besiegen oder besingen? Wo sieht man hier noch Natur? Nicht einmal genügend für die Dichtkunst ist vorhanden. Wo ist hier Natur wie die Dichtung sie strengstens verzerrt sieht, aber teuer verkaufen möchte?" (W, 121). Jelineks Kritik an dieser ganz anderen Art von Naturausbeutung wirkt besonders stark auf dem Hintergrund der vielzähligen Heimat- und Natur-dichtungen, die gerade in Österreich große Verbreitung fanden, und die sich hauptsächlich aus der artifiziellen Darstellung einer heilen und gesunden ländlichen Welt speisen.[33] Doch "die Kunst ist ein Schleim. In ihr ist niemand daheim" (W, 122). Weder Kunst noch Natur noch Heimat bilden für Jelinek Be-griffe, die mit einem "natürlichen" Inhalt gefüllt werden können, da sie durch die herrschenden Umstände zerstört und entfremdet sind, ohne daß eine Rückführung in eine Ganzheitlichkeit möglich wäre. Anstatt nun aber diese Tendenz als Verlust zu beklagen, zeigt Jelinek die Unmöglichkeit einer Verabsolutierung von Begriffen wie Kunst und Natur, indem sie die gewinnträchtigen Absichten derer entschleiert, die die Mythologisierung von Kunst und Natur als instanzgebende Wertvorstel-lungen betreiben.

Dem durch Arbeit geprägten Naturverständnis der Dorfbewohner und dem ästhetisierten Naturbild der Aichholzerin stehen der Kaufhauskönig und seine

---

32 Marlies Janz, *Elfriede Jelinek* (Stuttgart, Weimar: Metzler, 1996) S. 104.

33 Für eine Auseinandersetzung mit diesem Thema und einer Kritik daran siehe Jürgen Koppensteiner, "Anti-Heimatliteratur in Österreich. Zur literarischen Heimatwelle der siebziger Jahre", *Modern Austrian Literature,* 15, 2 (1982), S. 1-11, und Karlheinz Rossbacher, "Dorf und Landschaft in der Literatur nach 1945. Thesen zum Stellenwert des Regionalen und drei Beispiele aus der österreichischen Literatur", *Modern Austrian Literature*, 15, 2 (1982), S. 12-27.

Managerin als Vertreter der Besitzerklasse gegenüber, die mitschuldig an der Unterdrückung und Ausbeutung der Dorfbewohner ist. Während der Kaufhaus-besitzer und sein Konzern für die Umweltzerstörung in Erichs Dorf verantwortlich ist, besitzt dieselbe Natur als Jagd- und Sportgebiet gleichzeitig einen hohen Stellungswert für sie, für deren Erhalt sie sich aktiv einsetzen. "Die Managerin bedauert das Waldsterben mehr als du und ich. Sie hat ja auch mehr vom Wald als der Betriebsame, der mehr vom Betriebssport hat. Jedem das Kleine. Die Managerin behauptet wütend, niemand solle mehr auf Holznachschub zählen dürfen, denn: die armen Bäume, na, wo sollen *wir* uns jetzt hinsetzen?" (m.H.; W, 57). In dieser Besorgnis äußert sich gleichzeitig der Wunsch nach einer be-zähmbaren, kontrollierbaren Natur, denn nur als solche kann sie den Interessen der Besitzerklasse dienlich sein. Auch dem Kaufhausbesitzer, einem begeisterten Jäger, der oft mit einer großen Gesellschaft in das Dorf fährt, liegt viel an der Erhaltung der domestizierten Natur, da die Zerstörung dieser Art von Natur sein privates Freizeitvergnügen vernichten würde. Deshalb setzt er sich für die Erhal-tung des Stückchen Umwelt ein, das seinen privaten Besitz von Wald- und Forst-gebieten bildet.

> [...] hier kommt er auch schon, ohne durch etwas eigens gekennzeichnet sein zu müssen (jeder kennt ihn ja!), als durch seine Zuneigung zur Natur, Natur, die er sich selbst zueignet hat. Ob Tier oder Wald, egal, der Mann glost noch unter seinem kleinen Dach aus echtem Menschenhaar (sein Toupet) vor Wut wegen der Wald-vernichtung durch Industrie- und Menschenabgase, die er den ganzen Tag schon mitansehen mußte. Was wird aus seinem Besitz? Bald wird er bis in die hohe Tatra zum Jagen fahren müssen. Sollen denn ein Lebenswerk und ein Lebensstandard vergebens gewesen sein? (W, 278)

Jelinek entblößt anhand des Kaufhausbesitzers die Ideologie der herrschenden Klasse, die Natur als ausbeutbaren Rohstoff und Natur als regenerierenden Erholungsort, als Kapitalinvestition versteht. Unabhängige Natur, eine unberührte Natur, wie sie den Visionen der Naturschützer vorschwebt, wird als kommer-zialisiertes Warengut decouvriert. Selbst Tiere unterliegen den Gesetzen der Warenhandelsgesellschaft, indem sie eigens für den Jagdsport gezüchtet und gehalten werden: "Die verderbliche Ware von Tieren schiebt sich, kunstvoll um des Sportes willen vermehrt durchs Dickicht. Ihr Untergang in einem heißen Schwall von Gedärmen und Adern ist beschlossen. Das Wild wird eigens für den Schußwechsel herangezüchtet, vernichtet die Wälder und wird schließlich selbst der Endverwertung zugeführt, so lautet der Kreislauf der Natur und deren Nutznießer" (W, 264). Jelinek kritisiert die Grausamkeit und Absurdität des Jagdsportes als Freizeitbeschäftigung, während sie gleichzeitig auf die Komplizen-schaft der Naturschützer mit der herrschenden Klasse hinweist. Es kommt ihr darauf an, "die Profiteure beim Namen" zu nennen, die an dem Landschaftsschutz verdienen.[34] So zieht sie in ihrem Roman bewußt die Verbindung zwischen der österreichischen Besitzerklasse, die sich in ihrer Freizeit zur Regeneration in die Wälder begibt und der ökologischen Bewegung, die eben diese Wälder in ihre "ursprüngliche" Wildnis überführen will. Beide Gruppierungen verbindet die äußerliche Absicht des Naturschutzes, doch zu gänzlich anderen Zwecken: "Der Hochadel sitzt, fertig zum Abknallen von Lebewesen [...] Sie nennen sich einfache Bauern. So verbirgt man sich als Verfolger vorm Wild. [...] Millionen unterschreiben unterdessen Volksbegehren für eine schöne Natur, die den Millionären gehört, die ebenfalls unterschreiben, es geht um ihren angestammten Besitz!" (W, 276). Auf diese Weise kritisiert Jelinek ein ihrer Meinung nach falsch verstandenes Bewußtsein von Umweltschutz, das den wirklichen Besitzverhältnissen keine Rechnung trägt und statt dessen Natur als "ursprüngliche Wildnis" mythologisiert.

In einer auf die Spitze getriebenen Entsprechung von kapitalistischer Naturbeherrschung und menschlicher Verdinglichung verknüpft Jelinek im letzten Kapitel ihrer Prosa die Ware Natur mit der Ware Mensch. Während die Managerin sich an der vom Kaufhausbesitzer veranstalteten Jagd in Erichs Dorf beteiligt, macht sie gleichzeitig Jagd auf den Körper Erichs "Nun, wer kommt da von der Höh auf uns zu? Es ist Erich, der Holzfäller, *das Schnellgericht*" (W, 247); "[...] Erich der Holzfäller, wird bis über die Vorderräder in diese Frau einsinken, und sie wird ihn großzügig entlohnen, er ist nämlich keiner, den man kennt. Das heißt, er wird nichts zu plaudern haben. Andere Geschmacklosigkeiten sind ihm freilich zuzutrauen, freut sich die Frau auf *diesen bekannten Bereich der Natur*" (W, 258); "[...] Die Frau greift nach ihrer Handtasche aus seltener Tierhaut und wühlt in ihrer Brieftasche, schon wieder kein Geld! Nein, es reicht doch. Vielleicht erwartet er sofort den Zuschuß zu *seiner Tierkörperverwertung*, und auch noch in bar" (alle m.H.; W, 272). Jelinek überzeichnet hier bewußt die Parallele zwischen dem Tierkörper Erich und den zur Jagd freigegebenen Tierkörpern, und um dies noch weiterzuführen, wird Erich am Ende des Romans von einem Leibwächter erschossen, der ihn für ein Stück Wild hält. Anstatt diese Verbindung von Macht- und Verdinglichungsstrukturen im öffentlichen Bereich mit Gewalt- und Unterdrückungsmechanismen im privaten Bereich verschönern oder positiv umwerten zu wollen, beläßt Jelinek ihre Werke in ihrer Ausweglosigkeit. Denn es ist nicht ihre Absicht, einen wie auch immer gearteten utopischen Entwurf einer befreiten Gesellschaft zu erstellen. Sie lehnt jede Vereinnahmung durch programmatische Lösungsentwürfe ab und beleuchtet statt dessen systematisch bestehende Gewalt- und Machtmonopole. Jelineks Texte bilden eine wirksame Herrschaftskritik, gerade indem sie ihren Leserinnen und Lesen keine neuen Identifikationsangebote macht, weshalb Marlies Janz' Einschätzung von Jelineks Strategie zuzustimmen ist, wenn sie sagt: "Jelinek begegnet den patriarchalisch geprägten Weiblichkeits-

---

34 "Gespräch mit Elfriede Jelinek", *Arbeiterkampf*, 12. Januar 1986.

bildern nicht mit der abstrakten Behauptung weiblicher Alterität, sondern mit der Aneignung und Sinnentleerung dieser Bilder. Sie bleiben, absurd, geworden, schließlich als leere Hülle zurück".[35] Durch eben diese Sinnentleerung, Jelineks bewußt knapp gehaltene Erzählweise, durch das Aussparen von Didaktisierungen und die Verweigerung jeglicher Verschönerungen oder Verharmlosungen zwingt Jelinek die Leserinnen und Leser zu einem gesellschaftskritischen Lesen. Diese Erzählstrategie ist wirksam, da die Autorin sie konsequent alle Diskursebenen überschreitend vorantreibt und weder für Nostalgie noch für neue Mystifizierungen Raum läßt. Statt dessen führt die Überzeichnung der gesellschaftlich kodierten Verhaltensweisen zu einer Bewußtmachung von verdinglichenden sozialen und politischen Kontrollmechanismen. Wenn Marlies Janz Jelineks Roman *Die Ausgesperrten* abschließend so zusammenfaßt: "*Die Ausgesperrten* destruieren den existentialistischen Mythos vom freien 'Selbstentwurf' des Einzelnen, den marxistischen Mythos von der Arbeiterschaft als revolutionärem Subjekt und den feministischen Mythos von den Frauen als 'subversivem' Potential [52]", so gilt dies ebenso für *Oh Wildnis, oh Schutz vor ihr.* Dem könnte hier nur noch zugefügt werden, daß Jelinek in letzterem Roman auch noch den ökologischen Mythos von unberührter Natur und Natur als Naturschönem ad absurdum führt.

---

35 Marlies Janz, "Falsche Spiegel. Über die Umkehrung als Verfahren bei Elfriede Jelinek", in: Gürtler, *Gegen den schönen Schein*, S. 82.

Maria-Regina Kecht

Rice University

Bilder der inneren Wahrheit: Fremdsein und Heimatsuche: W. Anna Mitgutsch, *Das andere Gesicht* (1986)

MEHR ALS EINE DEKADE ist bereits vergangen, seitdem W. Anna Mitgutsch die internationale Kritik mit ihrem Erstlingsroman *Die Züchtigung* in Staunen versetzte und zu ungeteiltem Lob herausforderte. Die außerordentliche Leistung des Debüts wurde zum Maßstab für alle weiteren Werke der Autorin, einem Maßstab, dem schwerlich zu entsprechen war. Inzwischen sind vier Romane erschienen – *Das andere Gesicht* (1986), *Ausgrenzung* (1989), *In fremden Städten* (1992) und *Abschied von Jerusalem* (1995) –, aber kein einziger konnte soviel kritische Aufmerksamkeit auf sich ziehen wie der erste, und dies ungeachtet der Tatsache, daß sich bei Mitgutsch allmählich eine werkübergreifende künstlerische Intention und eine durchgängige psychologische Thematik herauskristallisierten. Mitgutschs Beitrag zur österreichischen Literatur des ausklingenden 20. Jahrhunderts ist vor allem in ihrer Analyse der weiblichen Befindlichkeit in einem männlich bestimmten Umfeld zu suchen und in ihrer konsequenten Thematisierung weiblicher Entfremdung und Marginalisierung. Obwohl es in ihren Romanen stets um Erkenntnissuche geht, wäre es unangebracht, ihr Werk als Selbstfindungsliteratur einzustufen. Die Autorin bemerkte in einem Interview: "Ich schreibe, weil ich selbst vor einem Problem stehe oder vor etwas stehe, das ich nur schreibend überwinden kann [...]. Manche Themen müssen immer wieder angegangen werden. Es ist oft zudem, etwas bewältigen zu müssen, um nicht selbst überwältigt zu werden. Und das ist für mich das Schreiben".[1]

Will man Zwischenbilanz ziehen und einen Überblick gewinnen, dann scheint vor allem Mitgutschs wenig beachteter zweiter Roman *Das andere Gesicht*, der nur ein Jahr nach *Die Züchtigung* im Claassen Verlag erschien, ein ungewöhnlich programmatisches Werk zu sein, in dem auf sehr komplexe Weise Mitgutschs psychologische Auseinandersetzungen mit der weiblichen Erfahrung von Identitätsbruch, Fremdsein und Heimatsuche vorgegeben sind. Aus nicht ganz einsichtigen Gründen ist eine kritische Untersuchung dieses Werks bisher ausgeblieben, daher möchte dieser Aufsatz zum einen diese Leerstelle füllen und zum

---

1 "Gespräch mit W. Anna Mitgutsch" [geführt von M. R. Kecht], *Yearbook of Women in German* (Lincoln: University of Nebraska Press, 1992), Bd. 8, S. 131.

anderen durch die Interpretation dieses Romans zum allgemeinen Verständnis von Mitgutschs Texten beitragen.

Zu den rekurrierenden Schwerpunkten von Mitgutschs bisherigem Gesamtwerk gehören folgende Themen: die Gespaltenheit des weiblichen/menschlichen Ichs; die Projektion eines *alter ego*, einer alternativen Identität; der Konflikt mit dem verdrängten Fremden im Eigenen; das Gefühl der Unbehaustheit und die illusions-besetzte Suche nach Zugehörigkeit; Flucht als verheißungsvolle Existenzweise; und resignierende Erkenntnis des eigenen Vorbeilebens am Leben.

Da Mitgutschs Romane psychologische und psychopathologische Stimmungs-bilder präsentieren, erscheint mir ein Verweisungszusammenhang nützlich, der diesem Themenbereich (Fragen von Fremdsein/Identität/Ichsuche) theoretische Schärfe gibt und eine analytische Lektüre ihrer Texte bereichert. Gerade weil diese Themen bei Mitgutsch immer im Zusammenhang mit Reflexionen zu Sprache und Kommunikation stehen, habe ich zum besseren Textverständnis relevante Über-legungen des französischen Denkers Jacques Lacan und der bulgarisch-fran-zösischen Kritikerin Julia Kristeva ausgewählt. Es geht mir dabei keineswegs darum, ein "lacansches" oder "kristevasches" Interpretationsmodell von Mit-gutschs Roman anzubieten oder gar in einer Art "case study" die Theorien dieser Intellektuellen zu illustrieren und zu bestätigen. Vielmehr soll ein Deutungskontext geschaffen werden, in dem nicht nur *Das andere Gesicht,* sondern, eingedenk seiner programmatischen Bedeutung, Mitgutschs bisheriges Werk überhaupt "verortet" werden und damit stärkeres Profil gewinnen kann.

Ausgehend von einer kurzen Inhaltsangabe des ausgewählten Romans, der nicht allgemein bekannt sein dürfte, möchte ich der eigentlichen Textanalyse die Koordinaten des soeben angesprochenen philosophischen, psychologischen sowie auch des literaturgeschichtlichen Umfelds voranstellen, aus dem sich wertvolle hermeneutische Hilfestellung ergeben sollte.

Das andere Gesicht ist die Geschichte einer äußerst ambivalenten Beziehung zwischen zwei Frauen, die sich schon als kleine Mädchen kennengelernt haben. Sie erzählt von der Freundschaft zwischen der blonden, vernunftbetonten Sonja und der schwarzhaarigen, sensiblen Jana, einer Freundschaft, die Verbundenheit und Entzweiung einschließt. Das Flüchtlingskind Jana, das durch seine Ver-schlossenheit, seine unbändige Phantasie und seine irrationalen Ängste in seiner neuen Umgebung gleich zur Außenseiterin wird, findet Schutz bei der viel mehr in der Wirklichkeit verwurzelten Sonja, die von der rätselhaften Fremdheit Janas angezogen wird. In der Pubertät verliert sich die gemeinsame Vertrautheit, und schließlich bricht Sonja aus Eifersucht die Freundschaft ab, die sie Jahre später wieder aus einer Mischung von Einsamkeit, Neugierde und Schuld sucht. Ein neuer Anfang wird gesetzt durch gemeinsames Reisen in ferne und exotische Länder; beim Reisen verkehren sich auch die Rollen zwischen der realitätsnahen Sonja und ihrer scheinbar lebensschwachen Freundin. Die gegenseitige Abhän-gigkeit und Verstricktheit nimmt noch zu, als sich beide in einen egoistischen

Hippie-Künstler verlieben, der zwar Jana heiratet, sich aber bald der anderen zuwendet. Das von Haß und Verachtung erfüllte Eheleben mit Achim führt Jana an den Rand des Todes, nachdem sie schon ihren Sohn verloren hat und von ihrer Freundin und anderen im Stich gelassen worden ist. Sonjas Leben verläuft weniger dramatisch aber nicht unbedingt glücklicher, ständig die Wege der Freundin durchquerend, zeitweise sich ganz an sie klammernd und letztlich sich nie vollständig von ihr lösend.

Mit den Jahren verwischen sich die Gegensätze der beiden Frauentypen, allmählich erkennt man von jeder "das andere Gesicht", und Identität erweist sich dann als Fragment, als Bruchstück bzw. als vielfältige Spiegelung und Brechung am anderen.

Das Wesentliche dieses Romans ist, wie ein Rezensent zutreffend bemerkte,

> die immer wieder neu anhebende Analyse der Schicksale der beiden ungleichen Ich-Erzählerinnen, als pausenlose, wellenartige, hartnäckige Annäherung an das Problem des Fremdseins in der Welt. Eines Fremdseins, dem man mit dem Begriff der Entfremdung nicht beikommen kann, denn es meint [...] eine innere Beschaffenheit – krankhaft, oft manisch-depressiv bei der einen, ungewollt vom eigenen Leben distanziert bei der anderen.[2]

Die "Annäherung an das Problem des Fremdseins in der Welt", die Auseinandersetzung mit dem Sich-selbst-Fremdsein als Grundbefindlichkeit stellt Mitgutsch in eine lange Tradition, die gerade in der deutschen Geistesgeschichte vor allem seit der Romantik von Bedeutung ist. Der "Weg, der nach Innen führt" und das Cogito als Schlüssel zur Identität ernsthaft in Frage stellt, wurde von vielen, wie zum Beispiel Novalis und E.T.A. Hoffmann, Jean Paul und Kleist oder auch von den Vertretern des deutschen Idealismus wie Kant, Fichte oder Schelling eingeschlagen. Im 20. Jahrhundert wurde dann in der Philosophie wie in der Psychologie die Zerstörung des einheitlichen, sinnstiftenden Cogito als eines "fundamentum inconcussum" vehement weiterbetrieben. In zahlreichen Theorien – von Freud über Husserl bis zu Lacan oder Kristeva – besitzt das Cogito-Bewußtsein nicht länger das Privileg, Ort der Wahrheit zu sein, sondern es wird als Ort der Verkennung (*méconnaissance*) entlarvt.

Mitgutsch gehört zweifellos zu jenen, die der Dominanz des Bewußtseins skeptisch gegenüberstehen und die Vorstellung von einem Ich als einer dauerhaften, einheitlichen, ontogenetisch begründeten Präsenz ablehnen. Vielmehr drückt sich ihre Ansicht in einem Gedanken aus Husserls *Cartesianischen Meditationen und Pariser Vorträgen* aus:

---

2   E.H. "An den brüchigen Stricken der Träume", *Neue Zürcher Zeitung*, 16. September 1986, S. 22.

[...] es konstituiert sich ein *ego* nicht als *Ich selbst*, sondern als sich in meinem eigenen Ich, meiner Monade *spiegelndes*. Aber das zweite *ego* ist nicht schlechthin da, und eigentlich selbst gegeben, sondern es ist als *alter ego* konstituiert, wobei das durch diesen Ausdruck *alter ego* als Moment angedeutete *ego* Ich selbst in meiner Eigenheit bin. Der Andere verweist seinem konstituierten Sinn nach auf mich selbst, der Andere ist Spiegelung meiner selbst [...]. [3]

Aus unzähligen Texten kennen wir die künstlerische Auseinandersetzung mit Entfremdung und Identitätsverlust; wir sind vertraut mit den verschiedenen Gestaltungen von Dualismus und den dazugehörigen Motiven vom Doppelgänger, vom Schatten, von der Spiegelung, vom Fremden, oder vom Monster. Diese Darstellungen sind meist eine Suche nach Einheit und Aussöhnung bzw. Integration des Ichs. Hinter all diesen Variationen liegt die Idee vom Spiegel und seiner Produktion vom reflektierten Ich, wie es auch die Bewußtseinsphilosophie, die Erkenntnistheorie und die Ich-Psychologie vorgeben. Der Spiegel ist ein anderer Raum, in dem das "Normale" immer als Inversion aber oft auch als Verzerrung/Gebrochenheit aufscheint. Zwischen Subjekt und Spiegelbild herrschen immer Distanz und Differenz. Umgekehrte Symmetrie ist ja auch ein Moment der Andersheit. Die Konstitution des Selbstbewußtseins muß, so meinen viele, als Prozeß der Wiederaneignung vestanden werden, dem eine Phase des Sich-fremd-Seins vorangeht. [4] Das Sich-fremd-Sein wird jedoch nicht ausgelöscht.

Wenn Schriftstellerinnen und Schriftsteller sich bemühen, dem Entfremdungsprozeß in der menschlichen Entwicklung wenigstens fiktional Einhalt zu gebieten, ihn zu verkehren, dann läßt sich da auf eine Suche nach einem Ideal vor oder jenseits der Ich-Formation schließen. Es ist der Versuch, zu einem ursprünglichen, vermeintlich verlorengegangenen Vollkommenheitsideal zurückzufinden, das vor der Ichwerdung vermutet wird.

Um diesen Prozeß der Ichwerdung besser zu verstehen und damit mehr Einsicht in dessen künstlerische Umsetzung im Werk von Mitgutsch zu gewinnen, sei hier auf die Konstruktion des Subjekts von Lacan und das sogenannte Spiegelstadium verwiesen. [5]

Lacan zufolge lassen sich alle späteren Verkennungen des Cogito und das rekurrierende Empfinden der eigenen entfremdeten/entfremdenden Identität von der ersten Begegnung des motorisch noch völlig unkoordinierten Kleinkinds mit seinem illusionären Spiegelbild ableiten. Der Blick in den Spiegel soll ein Wesen

---

3 Edmund Husserl, *Cartesianische Meditationen und Pariser Vorträge: Gesammelte Werke*, Stephan Strasser, Hrsg. (Haag: Nijhoff, 1950), Bd. 1, S. 125.
4 Farideh Aakashe-Böhme, *Frausein – Fremdsein* (Frankfurt am Main: Fischer, 1993), S. 81.
5 Siehe vor allem Jacques Lacan, "Das Spiegelstadium als Bildner der Ichfunktion, wie sie uns in der psychoanalytischen Erfahrung erscheint", in: *Schriften I*, Norbert Haas, Hrsg. (Olten und Freiburg i. Br.: Walter, 1973), S. 61-70.

vermitteln, das körperliche Einheit und Vollkommenheit suggeriert, was zu einer freudigen Identifikation mit dieser imaginären Einheit als Ich führt. "Im Spiegel begrüße [laut Lacan] der real noch völlig hilflose und abhängige Säugling seine künftige körperliche Unversehrtheit. Die Identifikation wäre demnach die Identifikation eines sich über diese Kluft der Differenz zwischen Sein und Sollen hinweg konstituierenden Ichs, das im Spiegel seine Körperimago entdeckt – als Bild einer Vollkommenheit, die ihm im Augenblick, da es sich damit identifizieren soll, gerade völlig mangelt".[6] Das bedeutet auch, daß in dieser Ichwerdung zwei wesentliche Elemente enthalten sind, die für die grundsätzliche Gespaltenheit des Ichs verantwortlich sind, nämlich, das Konstatieren der Ähnlichkeit mit dem Bild und das Übergehen oder Verleugnen einer die Identifikation eigentlich motivierenden Andersheit des Spiegelbildes. Das Ich wird dadurch in eine Dimension der Fiktion situiert,

> die wesentlich durch ihren *illusionären* Charakter bestimmt ist und die eine *entfremdende* Wirkung auf die weitere Entwicklung und Existenz des Subjekts ständig ausüben wird. [... Das Ich entsteht nämlich] nicht nur aus der Identifikation mit einem anderen, sondern aus der Verinnerlichung einer *Beziehung*, die erst duch ihre Heterogenität wirksam wird. Das Gefühl der Identität und sogar der Realität, die das Subjekt durch sein Ich bekommt, birgt also in sich die Irrealität, Täuschung und Nichtidentität, die zur gleichen Zeit und auch später in verschiedener Weise zutage treten.[7]

Die psychische Welt des einzelnen läßt diese grundsätzliche Täuschung in Vergessenheit versinken; gute Sozialisierung enthält auch ein Verdrängen der inneren Gespaltenheit. Wenn aber die vorgeblich einheitliche Seinsgewißheit in ihre Teile auseinandergerissen und eine Psychose ausgelebt wird, dann löst sich das Ich auf in den Phantasien vom "zerstückelten Körper".

Die Begegnung mit seinem Spiegelbild und die Einverleibung des Anderen als Ich führt jedoch nicht unweigerlich zum jubelnden Stolz auf seine vermeintliche, vollkommene Identität, sondern kann auch Ängste und Verlustempfindung auslösen, hinter denen sich die Erinnerung an eine frühere vollkommene Einheit zwischen Körper und Welt/Mutter verbirgt. Die verinnerlichte Beziehung zum Ich ist daher, wie schon früher erwähnt, immer konfliktbeladen und aggressionsbesetzt.

In Doppelgänger-Phantasien, wie wir sie aus der Literatur kennen und auch bei Mitgutsch entdecken, kommt es häufig zu einer Ablehnung, einer Verneinung der Dominanz des Ideal-Ichs (und letztlich der sozialisierten Identität). Der Andere

---

6 Hanna Gekle, *Tod im Spiegel: Zu Lacans Theorie des Imaginären* (Frankfurt am Main: Suhrkamp, 1996), S. 42-43.
7 Samuel Weber, *Rückkehr zu Freud: Jacques Lacans Entstellung der Psychoanalyse* (Fankfurt am Main: Ullstein, 1978), S. 15.

oder das *alter ego* zeigt den Versuch der Nicht-Identifikation mit dem Spiegelbild, den Versuch des Widerstands gegen die "zwangsläufige" Entwicklung und damit die Bemühung, dem "drohenden" einheitlichen Ich und der "Erfüllung" zu entkommen: "Das Spiegelbild gibt eine Identität vor, auf das hin sich das Subjekt entwerfen muß; sie zwingt seine brüchige Entwicklung unter das Diktat einer Ordnung, deren Postulat eines Sollens jede individuelle Entfaltung im Keim zu ersticken droht".[8] In der Verweigerung des Subjekts wird also dem Anderen oder Fremden eine subversive Funktion zugeschrieben, welche die restriktive Einheit des sozialisierten Ichs unterminieren will, um etwas weniger Fixiertes, Starres an Identität aufzudecken, das weniger "genormt" ist und *vor* dem Fall in die Entfremdung noch vorhanden war. Diese Sehnsucht nach etwas *ursprünglich* Einheitlichem und daher Vollkommenem führt meist zu unbewußt gespeicherten frühesten Kindheitserfahrungen, in denen der Nexus zur Mutter, die noch nicht existente Separatheit zwischen Körper und Welt mit dem verlorenen Paradies gleichgesetzt werden. Die Sehnsucht komplementiert die Empfindung, Fremdsein als eine Art Schicksal ständig mit sich herumzutragen.

Wenn wir die Prämisse akzeptieren, daß sich das Ich also über den Anderen konstituiert und somit Fremderfahrung der Selbsterfahrung vorgänglich ist, dann müssen wir uns mit dem Fremden in uns selbst auseinandersetzen:

> Der Fremde, Figur des Hasses und des anderen, ist weder das romantische Opfer unserer heimischen Bequemlichkeit noch der Eindringling, der für alle Übel des Gemeinwesens die Verantwortung trägt. [...] Auf befremdliche Weise ist der Fremde in uns selbst: er ist die verborgene Seite unserer Identität, der Raum, der unsere Bleibe zunichte macht, die Zeit, in der das Einverständnis und die Sympathie zugrunde gehen. Wenn wir ihn in uns erkennen, verhindern wir, daß wir ihn selbst verabscheuen. Als Symptom, das gerade das "wir" problematisch, vielleicht sogar unmöglich macht, entsteht der Fremde, wenn in mir das Bewußtsein meiner Differenz auftaucht, und er hört auf zu bestehen, wenn wir uns alle als Fremde erkennen, widerspenstig gegen Bindungen und Gemeinschaften.[9]

Julia Kristevas theoretische Beschäftigung mit den Problemen der Fremdheit ist, wie das obige Zitat andeutet, für unsere Analyse von besonderem Interesse, weil sie sich bemüht, das Fremde in den eigenen Seelenhaushalt zu integrieren, und weil sie die erste ist, die dabei den Frauen besondere Aufmerksamkeit widmet. Ausgehend davon, daß das andere mein eigenes Unbewußtes ist, "plädiert Kristeva für einen Umgang mit dem Fremden, der in einer Ethik des Respekts für das Unversöhnbare in uns selbst gründet".[10]

---

8   Gekle, *Tod im Spiegel*, S. 56.
9   Julia Kristeva, *Fremde sind wir uns selbst* (Frankfurt am Main: Suhrkamp, 1990), S. 11.
10 Einführende Worte zu Kristevas Text *Fremde sind wir uns selbst*; kein Autor, ohne Seitenangabe.

Genau dieses Anliegen wird von Mitgutsch geteilt und im Roman *Das andere Gesicht* sowie in ihren anderen Werken problematisiert. Einen Zugang zum Verständnis der literarischen Schilderung des "Unversöhnbaren in uns selbst" schaffen wir uns über die Assoziationskette von der Einsicht einer Mitgutschschen Protagonistin "Ich gehöre dahin, wo ich nicht bin" zu Rimbauds "Ich ist ein anderer" über Lacans "Ich bin, wo ich nicht denke" zu Kristevas "Der Fremde ist in uns selbst. Und wenn wir den Fremden fliehen oder bekämpfen, kämpfen wir gegen unser Unbewußtes – dieses 'Uneigene' unseres nicht möglichen 'Eigenen'".[11]

Die psychologische Komplexität von Mitgutschs zweitem Roman rührt zum Teil daher, daß die Autorin gleich zwei, sich überschneidende Bereiche schafft, in denen die menschliche Dualität bzw. Gespaltenheit eingehendst beleuchtet wird: einerseits werden die Freundinnen Jana und Sonja als miteinander verbundene, gegensätzliche (intrasubjektive) Teile *einer* Persönlichkeit dargestellt;[12] andererseits wird Jana (*nomen est omen!*) als selbständige Person gezeichnet, die sich in ständigem Konflikt mit ihrem Spiegelbild befindet, es ablehnt und schließlich zerstört.

So sehr sich Sonja und Jana gegenseitig anziehen und zur Selbstdefinition brauchen, so stark ist die gegenseitige Verachtung. Die eigene Überlegenheit wird besonders dann hervorgehoben, wenn die Bedrängung durch die Andersartigkeit der Freundin unerträglich zu werden droht.

Sonja, die auf Vernunft, klare Logik, und Ordnung beharrt, scheint sozial gut eingegliedert. Trotzdem empfindet sie häufig Entfremdung von ihrem Ich und sieht sich dann selbst als Objekt von außen; sie ahnt ihre große Angst vor Gefühlen und Irrationalem; eine Angst, die ihr den "Eingang zum Leben" verwehrt. Das "geordnete" Dasein – von Familie über Studium zu fester Stelle – wird um einen gewissen Preis gekauft, denn das Leben zieht vorbei an Sonja wie auf einer Kinoleinwand, wobei auch selbstvergessene Augenblicke der Identifikation nicht über die Zuschauerrolle hinwegtäuschen können. Die Andersheit von Jana erlaubt

---

11 Ebenda, S. 209.
12 In einem Interview meinte Mitgutsch: "[Jana und Sonja] sind zwei – jede in ihrer Weise defizitäre – weibliche Existenzweisen, wobei ich mich der Jana näher neige. Aber ich glaube, daß beide das haben, was die andere nicht hat. Es gibt für eine Frau nicht viele Möglichkeiten, sich voll zu entfalten. Man muß immer Kompromisse machen, man muß immer dort zurückstecken, wo man weiterkönnte, um einer anderen Sache willen, von der man eben auch glaubt, daß sie zur weiblichen Existenz gehört [...]. Idealerweise wäre dieses letzte Bild im Roman, wo Sonja erkennt, daß diese andere, ganz fremde Existenz ein Teil von ihr sein könnte, eine Bereicherung sein könnte, ein Anfang. Dieses Konvergieren kommt einer Utopie von mir nahe. Gleichzeitig kann ich mir noch nicht vorstellen, so eine Frau zu schaffen, weil ich mir selbst noch nicht vorstellen kann, daß es diese ideale Existenzweise für Frauen gibt". Kecht, "Gespräch mit W. Anna Mitgutsch", S. 136-37.

Sonja eine verlockende Annäherung an menschliches Verhalten und Empfinden, das aus ihrer eigenen Welt ausgeschlossen bleiben sollte. Bisweilen kann sich Sonja auch die Motivation ihrer Anziehung eingestehen und den verleugneten Teil ihres Ichs mit Widerwillen wahrhaben. Wenn jedoch die Angst vor Ansteckung zu groß wird, glaubt Sonja, sich durch Hochmut und Haß gegenüber dem Fremden schützen zu müssen. "Das *eigene Fremde im anderen* hat den Reiz des Verbotenen. Indem man sich den Verlockungen verschließt, reagiert man mit verstärkten Abwehrmechanismen", so schreibt die Soziologin F. Akashe-Böhme. Denn, so setzt sie fort, "das Fremde wird nicht verachtet, weil es etwas Verachtenswertes wäre, sondern weil man in ihm etwas findet, was man selbst ist, aber sich selbst nicht gestattet zu sein [...]. Die Reaktion auf das *eigene Fremde in mir*, sofern ich es als solches wahrnehme, ist zunächst Abwehr".[13]

Abwehr ist auch die dominante Reaktion, die Jana ihrer Freundin entgegenbringt. Abgesehen von der realen Hilfestellung, die Jana vor allem in ihrer Kindheit von Sonja gewährt wurde, braucht Jana ihre Freundin, um sich selbst zu definieren und ihre Eigenheiten trotz aller Zweifel als überlegen hinzustellen. Sonja wird als Kontrapunkt gesehen, in dem all jene Werte konzentriert sind, die von Jana verachtet werden, auch wenn sie verzweifelt ihren Platz im sozial anerkannten Gefüge von Ordnung und "Normalität" sucht. Sonja wird zur dominanten Vertreterin hochnäsiger Fürsorglichkeit, hinter der sich Macht und Manipulation verstecken, und zur Verfechterin unwiderlegbarer Vernunft. Um dem wachsenden Ich-Verlust entgegenzusteuern, muß Jana ihre vermeintliche Eigenständigkeit und die Richtigkeit ihres Weges unterstreichen:

> Ist es verwunderlich, daß es mich reizte, ohne ihren Schutz auszukommen und das zu werden, wovor sie mich lange fürsorglich beschützt hatte, wohl wissend, daß es der Rohstoff war, aus dem ich bestand, ein vernunftloses Tier, eine Barbarin in schmutzigen grellen Kleidern mit unerlaubt wirrem schwarzen Haar, zügellos und unberechenbar, ungebildet und unbeherrscht, eine Fremde mit dem Schmutz der Tiefebene an den Fersen? Nur daß ich ihr, der Erbin einer langen Väterreihe von alter Kultur die Musik voraushatte, konnte sie nicht verstehen, und so versuchte sie, mich wegzudrängen mit ihrem überlegenen Wissen und einem Verstand, der keine Geheimnisse zuließ.[14]

In der Schilderung dieser seltsamen Freundschaft macht Mitgutsch klar, daß eine beiderseitige Abhängigkeit die Frauen verbindet, die Symbiose jedoch Jana zum Wirt und Sonja zum Parasiten macht. Sonjas Wohlbefinden ist also von der anderen abhängig, was maskiert wird durch Vorwände der selbstlosen Hilfe. Die Befriedigung der einen geht auf Kosten der Auszehrung der anderen. Den

---

13 Akashe-Böhme, *Frausein – Fremdsein*, S. 30.
14 Waltraud Anna Mitgutsch, *Das andere Gesicht* (Düsseldorf: Claassen, 1986), S. 193-94. Weitere Seitenangaben im Text.

Ermahnungen des eigenen Gewissens weicht Sonja immer wieder aus: "Wie du versuchst, dir alles Fremde einzuverleiben, als hättest du nichts eigenes, als müßtest du dir schnell ein Stück fremdes Leben aneignen, um deine eigene Dürftigkeit zu verdecken [...]. Aber niemand erlaubt dir so sehr wie Jana, deine Lieblingsrolle zu spielen, deshalb läufst du ihr immer wieder nach, du Beschützerin, du Vampir, stiehlst dich immer wieder in ihr Leben, damit sie dich daran teilnehmen läßt" (233).

Das Leben der beiden wird – trotz oder gerade wegen ihrer Gegensätzlichkeit – in zahlreichen Textpassagen als unauflösbar verbunden charakterisiert (7, 8, 41, 79, 86, 112, 133-34, 159, 180-81, 182-83, 198, 203, 213-14, 233, 269, 327, 333). Wie auch das obige Zitat darlegt, erscheint besonders bei Sonja das Eigene als leere Hülle, das unbedingt mit Fremdem angefüllt werden muß, um dem Dasein Sinn zu verleihen. Kaum ist das Fremde jedoch eingedrungen, verwandelt sich die Nähe in destruktive Rivalität, die jede Hoffnung auf Dialog vereitelt. Wenn Sonja gleich anfangs bemerkt, "[Jana und sie] hätten aus Versehen zusammen nur ein einziges Leben bekommen und nie gelernt, miteinander zu teilen" (8), dann berührt sie damit einen wesentlichen Aspekt der psychologischen Problematik vom Anderen im/als Ich. Bei Kristeva finden wir eine bildhafte Begründung der Unmöglichkeit von Kommunikation zwischen Sonja und Jana. Da heißt es:

> Die, die ihre Wurzeln niemals verloren haben, scheinen [den Fremden] keinem Wort zugänglich, das ihren Standpunkt relativieren könnte. Wenn man selbst entwurzelt ist, wozu soll es dann gut sein, mit denen zu sprechen, die glauben, mit ihren eigenen Füßen auf ihrem eigenen Boden zu stehen? Das Ohr öffnet sich Einwänden nur, wenn der Körper den Boden unter den Füßen verliert. Um einen Mißklang zu hören, muß man leicht ins Straucheln gekommen, schwankend über einen Abgrund gegangen sein.[15]

Die Dynamik zwischen den Freundinnen bestätigt diese lebendige Beschreibung Kristevas, denn bejahende Nähe und Vertrautheit verspüren die beiden wirklich nur dann, wenn Sonja durch die Umstände gezwungen wird, ihre Angst vor Gefühlen zu konfrontieren; wenn sie ihrer Feigheit, sich dem Leben auszuliefern, nicht mehr ausweichen kann und sich für kurze Zeit wenigstens dem Fremden ausliefert. In solchen Augenblicken beginnt Jana zu hoffen, selbst als Fremde noch eine Gleichgesinnte zu finden.

Die Gespaltenheit der menschlichen Identität, die Mitgutsch auf die Persönlichkeitsstrukturen ihrer zwei Heldinnen überträgt, macht Jana zur verdrängten und verleugneten Anderen von Sonja; sie ist deren "anderes Gesicht". Gleichzeitig will die Autorin noch mehr in die Tiefe schürfen und dem Wesen des Fremden nachspüren, indem sie Janas Lebensgeschichte in den Vordergrund rückt und sie

---

15 Kristeva, *Fremde sind wir uns selbst*, S. 27.

gleich zweistimmig und aus zwei Perspektiven – von Jana selbst und von Sonja – erzählen läßt. Wir kommen dadurch einer Welt näher, in der die Ichwerdung eines Mädchens *vor* dem Spiegel halt macht und ihm damit der Einstieg als Subjekt mit sozialer Identität in die sogenannte symbolische Ordnung verwehrt bleibt. Gerade weil Jana der entfremdenden Ichkonstituierung – dem Sich-Sehen mit den Augen der Anderen, dem Sich-selbst-zum-Objekt-Werden – zu entgehen sucht, wird sie in Mitgutschs Geschichte von Spiegelerlebnissen geradezu verfolgt.

Alle wesentlichen Lebenserfahrungen Janas werden erzählerisch mit dem Spiegelmotiv ausgedrückt. Das Motiv ist kein eindeutiges, denn der Spiegel bringt Jana Glück wie Unglück; seine glänzende Fläche kann hell und dunkel sein, in ihr kann Vollkommenheit abgebildet sein, aber sie kann, metaphorisch gesprochen, auch in tausend Scherben zerbrechen. Im Spiegel versteckt sich Janas *alter ego*, das es meist schlecht mit ihr meint und bedrohlich wirkt. Gleichzeitig wird der Spiegel zum Lebensspiegel, der Janas Gesicht reflektiert und all ihren erlebten Schmerz und Verlust aufzeigt, den sie in ihre Seelentiefen hinunter gleiten ließ. Selten kann Jana das Spiegelbild ertragen, auch wenn die erste Begegnung mit dem Spiegel, im Rückblick jedenfalls, reines Entzücken ausgelöst haben soll.

"Das Kind in der blanken Scheibe lacht. Das bist du, das ist Mama, ist du, ist ich, ist sie und wir. Einmal Jana, zweimal Jana. Noch ein Spiegel, dreimal Jana. Alles ist rund und richtig und vollkommen" (20-21). Das Kennenlernen der Imago der Anderen und die damit verbundene Ichwerdung findet hier über die Triade Jana, Spiegelbild, Mutter statt. Jana lernt "sich" durch die mütterliche Bestätigung kennen und kann für nur einen Augenblick an der Illusion der projizierten Vollkommenheit festhalten. Denn dann heißt es schon: "Manchmal freilich zerspringt die Welt, birst, splittert, brüllt und verschlingt alles in einem schwarzen Loch" (21). Gerade weil das Ich aus der Fremdkonstitution durch sein Spiegelbild entsteht, schwebt es, laut Lacan, in ständiger Gefahr, auseinanderzufallen. Der Stabilisierung des Ichs wirken Selbstentfremdung und Selbstzerstörung entgegen. Jana gelingt es in ihrem Leben nicht, sich mithilfe der in der ersten Spiegelszene erfahrenen narzißtischen Größenidee von den Kräften der Desintegration zu befreien; selten ist sie imstande, zu sich selbst "ich" zu sagen (siehe 31, 211, 316, 326).

Janas Erinnerung an die oben zitierte Spiegelszene mag auch deshalb verklärtes Glück beschreiben, weil für sie das Erlebnis der Vollkommenheit identisch ist mit der empfundenen Einheit zwischen sich und ihrer Mutter, einer Einheit, die durch die trügerische Doppelung im Spiegel gefestigt wird: "Das Phantasma körperlicher Vollkommenheit jedenfalls ist von Anfang nicht nur ein Phantasma. Es ist für das Kind eine Realität: in der Gegenwart der Mutter, die dem Kind vollkommen und mit allen irdischen Gütern ausgestattet vorkommen muß. Phantasmatisch ist diese Vollkommenheit insoweit, als das Kind sich mit der Mutter identisch setzt und eine zunehmende Differenzierung zwischen sich und der Mutter nicht vollzogen werden kann".[16] Diese zur Entwicklung notwendige Differenzierung kann, wie wir aus Mitgutschs Roman wissen, von Jana gar nicht vollzogen werden, weil ihre Beziehung zur Mutter von allem Anfang an keine solide, tragende, sondern eine zerbrechliche, von Verrat und Vereinsamung belastete ist. Ein Leben lang zehrt Jana von dieser Verkennung von einheitlicher Identität, denn alles Spätere ist nur Enttäuschung und stetiges Erinnern an den Verlust des Glücks, genau wie es Julia Kristeva beschreibt: "Wer kennt ihn nicht, den Fremden, der rückgewendet zu dem verlorenen Land seiner Tränen überlebt. In seiner melancholischen Liebe zu einem verlorenen Raum vermag er sich nicht damit abzufinden, eine Zeit, ein Stadium verlassen zu haben. Das verlorene Paradies ist ein Trugbild der Vergangenheit, das er niemals wiederfinden wird [...]".[17]

Es scheint mir, daß Mitgutsch auch in ihrem zweiten Roman die Schuld für das Unglück der Tochter bei der Mutter ansiedelt, auch wenn nicht explizit darauf eingegangen wird.[18] Gerade das Spiegelmotiv, das wiederholt Jana mit ihrer Mutter in Verbindung setzt, verweist auf eine psychologische Verstrickung, aus der sich Jana nicht lösen, geschweige denn als Subjekt hervorgehen kann. Zwei Beispiele mögen zur Illustration genügen: Nachdem die Familie in ein deutschsprachiges Land geflohen ist, zieht sich Jana aufgrund der vielen Konflikte mit Gleichaltrigen ins Haus zurück und sucht in ihrer depressiven Mutter eine Spielgefährtin. Bei ihren Spielen wird die Mutter zur "weinenden Prinzessin, [die] im Schlafzimmerspiegel gefangen" (58) ist, sich manchmal auch gar nicht erlösen läßt:

> Dann saß sie im Schlafzimmerspiegel und erkannte mich nicht, weinte und wollte mich näher zu sich heranziehen, in den Spiegel hinein. Da bekam ich Angst [...]. Den Rückzug hatte ich von ihr gelernt, das Ungreifbarwerden und [...] das Aushalten des schmerzhaften Zustands, wenn man wie aus dem Spiegel auf die anderen blickte und ihre Konturen hart und fremd und eindeutig wurden [...]. Nie hatten wir darüber gesprochen, aber ich wußte aus Andeutungen und aus ihrem Blick, der auch mich manchmal traf, daß sie jetzt, der Schwerkraft enthoben, in ihrem unantastbaren Kristallgebäude eingeschlossen war [...]. (59-60)

Jana und ihre Mutter sind zu einem gewissem Grad Komplizinnen in ihrer isolierten Welt, verbunden in ihrer gemeinsamen Sache gegen alle anderen, aber wenn Jana ihre Angst zu überwinden sucht und ihrer Mutter ins "Kristallgebäude" nachfolgen will, dann versinkt sie ins Nichts: "Denn wieder einmal hatte [die Mutter] mich betrogen und irregeführt" (62). Jana findet weder das Glück aus der

---

16 Gekle, *Tod im Spiegel*, S. 62.
17 Kristeva, *Fremde sind wir uns Selbst*, S. 19.
18 Es dürfte allgemein bekannt sein, daß in den meisten psychologischen Kreisen, auch in den Lehren Lacans, für die negative Entwicklung der Kinder die Mutter verantwortlich gemacht wird. Die Dominanz einer männlichen Perspektive ist offensichtlich; weniger verständlich ist, daß sich Frauen diesen Behauptungen unkritisch anschließen.

frühesten Kindheit noch den Weg zur Ichbildung. Die Mutter besetzt den Spiegel, verstellt damit Janas eigene Reflexion und ihre Projektion einer Identität. Wenn Jana später auf Anweisung einer Psychologin hin das Bild ihrer Mutter aus dem Spiegel reißen will, wird sie bitter enttäuscht: "Gehorsam riß ich das Bild aus dem Spiegel, das schmale leidende Gesicht, die müden sanften Augen. Reiß es heraus, und du wirst dich selber sehen, neu geboren. Nichts sah ich im Halbdunkel, das Leuchten der Wiedergeburt blieb aus" (106). Die Position des *alter ego* bleibt unbesetzt, und so geht Janas Suche nach der fehlenden Hälfte zum vollkommenen Ich weiter.

Obwohl Jana durch die Begegnung mit Achim, einem arroganten, groben *artiste manqué*, glaubt, am Ziel ihrer Träume angekommen zu sein, wird sie auch hier zutiefst enttäuscht, ja so verletzt, daß sie selbst die Bruchstücke ihres zerstörten Ichs loslassen will. Am Anfang der Ehe sieht sie sich "stehen vor einem festlichen Spiegel und [sie denkt] schöner war ich nie, und doch liegt am Ende der Nacht der Spiegel in Scherben [...] und [sie steht] im Morgengrauen mit blutigen Fäusten vor den schwarzen und silbrig glänzenden Scherben [...]" (154).

Janas Eindrücke von Achim werden einem berückenden Spiegelbild im Wasser gleichgestellt, das rasch zerrinnt und einem "verschleierten Bild meiner selbst [gleicht], mein leuchtender Schatten, von allem befreit, was mich niederdrückte [...] Mir selber lief ich ja nach, meinen in einem selbstgeschaffenen Gott Fleisch gewordenen Träumen" (179). Mit diesem deutlichen Verweis auf Ovids Narziß, die Urgestalt tragischen Liebesverlangens und Inkarnation der Doppeldeutigkeit des Ichs als Anderer, betont Mitgutsch die Aussichtslosigkeit von Janas Suche. Wie Narziß Bild und Wirklichkeit nicht unterscheiden kann und mit der Einsicht seiner Verkennung seinen Untergang besiegelt, so muß Jana ihre Bemühung, für sich ein Ich durch Projektion zu gewinnen, mit psychischer Selbstauflösung bezahlen.

Projektionen und Verkennungen sind für Jana die Maßstäbe, an denen die Erfahrungen der Wirklichkeit immer wieder versagen. Das nostalgisch verklärte Glück der frühesten Kindheit und die einstmals empfundene Geborgenheit werden, wie schon erwähnt, zu einem emotionalen Fixpunkt, dem Heimat entspricht. Was gilt ist die subjektive Wahrnehmung, aus der sich alle weiteren Vorstellungen von Zugehörigkeit und Angekommensein entwickeln. Daher muß die Zukunft für Jana der Erinnerung ans Paradies ähneln, einer Märchenwelt, in der es ein großes weißes Haus mit einer Sonnenuhr inmitten eines überwucherten Gartens geben wird. Aber diese naiven Träume können Janas Einsicht in ihre Grundbefindlichkeit nicht verstellen: " [...] heimatlos und unstet, schon lange Fremde im eigenen Haus, fremd selbst in der eigenen Sprache, mit undeutlichen, verschwommenen Erinnerungen an mehr Geborgenheit als die gekannte, nie sicher, ob die Erinnerung nicht bloßes Wunschbild war?" (207).

Das Trauma der ersten Flucht, die sie um das Heimathaus, die Muttersprache und die vertraute Welt brachte, wird umgewandelt in dauerndes Wegwollen, ein sehnsuchtsvolles Fliehen vor all den Orten, die keine Heimat bieten. Nur in der Fremde, die durch exotische Namen allein an eine Märchenwelt erinnert, fühlt sich Jana zu Hause; besonders dann, wenn sie erlebt, daß andere, sonst fest Verwurzelte, sich fremd fühlen und ins Straucheln kommen: "Jana betrieb [das Reisen] wie einen Beruf, wie eine Besessenheit, die sie jeden Morgen weitertrieb. Als suche sie etwas Bestimmtes [...] und jedesmal gegen Ende einer Reise das Elend, das sie grundlos überfiel, als habe sie wieder nicht gefunden, was sie suchte" (125).

Auch wenn die Fluchtwege nicht zum erstrebten Ziel führen, an dem Gleichgesinnte Janas Fremdheit und Einsamkeit wiederkennen und sie deshalb in ihre Gemeinschaft aufnehmen würden, dann weiß Jana jedoch genau, daß Sinnschöpfung für sie einzig auf der Flucht möglich ist, ob es nun aus dem Land ist, in dem sie lebt, oder aus der vernunftsregulierten Umwelt, in der sie sich von einer fremden Sprache und fremden Blicken bedroht fühlt. Es gilt für sie, was Kristeva über den Fremden schlechthin bemerkt hat: "Keinem Ort zugehörig, keiner Zeit, keiner Liebe. Der Ursprung ist verloren, die Verwurzelung unmöglich, eine Erinnerung, die sich immer tiefer gräbt, eine Gegenwart mit offenem Horizont. Der Raum des Fremden ist ein fahrender Zug, ein fliegendes Flugzeug, der jedes Anhalten ausschließende Transit selbst".[19]

Das Nichtdazugehören gehört zu Janas fundamentalen Erfahrungen: als Kind wird sie aufgrund ihrer fremden Sprache und ihrer Schüchternheit von den anderen ausgeschlossen; später verweigert sie sich der feindlich gesinnten, umgebenden Welt und zieht sich zurück in Schweigen, was bald die Einsamkeit zur Verrücktheit steigert. In Konflikten mit anderen wird sie bewußt verletzt mit Schimpfwörtern für Fremde und Ausländer.

Bisweilen können andere der Fremdheit Janas etwas Verführerisches abgewinnen und bieten ihr ein gewisses Maß an Vertrautheit an, aber die Nähe der Fremden wird zur Bedrohung, und Jana bleibt zurück mit Ablehnung und Demütigungen. Da "erkannte ich, daß dieser Haß der Preis war, mit dem ich am Ende immer wieder die Nähe bezahlen mußte, diese blitzschnelle Wendung, in der die Faszination an der Fremden in Widerwillen umschlug" (93).

Exotismus verwandelt sich also rasch in Xenophobie, wenn das Fremde die eigene Überlegenheit in Frage stellt und die Gültigkeit der eigenen Werte und Normen zu unterminieren droht. Solche "unverschämten" Einbrüche in die eigene, sozial gefestigte Identität werden mit Aggressionen bekämpft, um den Fremden rasch wieder an seinen "gehörigen" Platz am Rande zu verweisen.

---

19 Kristeva, *Fremde sind wir uns selbst*, S. 17.

Die Dynamik solchen Verhaltens Jana gegenüber läßt sich am besten an Sonjas Reaktionen aufzeigen. Bei ihr kommt die Mischung von Anziehung und Verachtung aufgrund ihrer selbstgewählten Beschützerrolle besonders kraß zum Ausdruck:

> Sie war so schutzlos, so verwundbar und so verführbar. Ihre Schwäche war es, die mich anzog, ihre Formbarkeit, ihre Beeinflußbarkeit. Sie hatte soviel Talent zu gläubiger Hingabe, ein so starkes Bedürfnis, sich in der Geborgenheit eines andern auszuruhen, und soviel Angst. (148)

> Ich verachtete sie, ich haßte sie, ich verspürte oft eine Lust, ihr weh zu tun, sie schien mit diesem demütigen Blick geradezu darum zu betteln. Ohne es zu bemerken, lernte ich sie zu behandeln, wie Achim sie behandelte, wie einen Gegenstand, man nimmt ihn sowenig als möglich wahr, manchmal gibt man ihm einen Tritt. (265)

Die Hilflosigkeit des fremden Mädchens appelliert an Generösität, die der anderen wieder Bestätigung ihrer karitativen Eigenschaften und ihrer moralischen Noblesse vermittelt. Aber sie verleitet auch zur Manipulation und zur Mißachtung der Andersartigkeit, was dann zu vermeintlicher Aufsässigkeit und zum Rückzug Janas führt. Die Herabwürdigung und Verachtung der anderen werden gerechtfertigt durch deren Verweigerung der Anpassung, das Nicht-Aufgeben des Fremdseins. Sobald die andere zum Objektstatus reduziert worden ist, läßt sich jede menschlich entwürdigende Handlungsweise rationalisieren. In Sonja jedenfalls sitzt die Ablehnung tiefer als ihre Faszination am Fremden, denn selbst im Unterbewußten überwiegen die negativen Bilder: "Oft sah ich sie im Traum in ihrem ausgebleichten zehenlangen Batikkleid, mit ihrem schwarzen strähnigen Haar, eine zottelige Wilde, immer auf der Flucht. Aber das Tageslicht verdrängte sie wieder" (304).

Es ist die so erniedrigende Verdinglichung und Kategorisierung, die Jana im Blick ihrer Zeitgenossen zu erkennen wähnt und sie zu panikartiger Flucht treibt. Mißtrauen und Ablehnung in den Augen der anderen sind kaum zu ertragen, und Jana fühlt sich gezwungen, diesen entfremdenden Blick auf ihr "Ich" nachzuvollziehen: "[...] und ich [...] betrachtete mich mit fremden Augen, mißtrauisch und fasziniert wie sie, und wurde, zu mir zurückkehrend, in mich einkehrend, von einer Scham erfüllt, die mich immer wieder in die luftlose, schmutzige Hölle stieß, in der ich dem Bild, das sie sich von mir machten, zum ersten Mal begegnet war" (94). Es ist schwer zu bestimmen, was Mitgutsch hier als schrecklicher darstellt: die Entwürdigung, die Jana von anderen zuteil wird, oder ihre Scham aus dem Empfinden von Verrat am eigenen Selbst.

Dieser empfundene Selbstverrat kommt fast einer Selbstzerstörung gleich, wann immer Jana ihr starkes Bedürfnis nach Zugehörigkeit, nach einem "Platz im Leben" zu erfüllen sucht. Die Sehnsucht nach Aufgehobensein in einer Gruppe verlangt das Annehmen einer falschen Identität, nur um "gleich" wie die anderen zu sein, "nur um zu den andern, die mir ihre Sprache und ihre Werte aufgedrückt hatten, zu sagen, seht her, auch ich gehöre irgendwo dazu, aber zu euch gehöre ich nicht" (272). Wenn sich die Gemeinsamkeiten wieder als Illusion herausstellen, dann sind die Schmerzen ob der dauerhaften Marginalität wieder umso ärger. Auf diese Weise kann keine Identität bestätigt und Fremdheit/Andersheit auch nicht in Kreativität verwandelt werden.

Aus der Außenseiterposition resultiert übergroße Einsamkeit, die mit Hochmut übertüncht wird. Jana lebt, wie alle Protagonistinnen von Mitgutsch, im Niemandsland, zwischen den Grenzen, zwischen den Sprachen, zwischen Vergangenheit und Zukunft, aber nicht in der Gegenwart, immer in der Schwebe, auf dem Weg zu einem unbekannten Ziel. Zutreffend sieht sie sich selbst als Grenzgängerin: "Ich war staatenlos geworden, denn in meinem Land wurden keine Pässe ausgestellt, und drüben mochte man Fremde nicht. Ich verrichtete meine Pflichten schnell, geduckt, ohne mich umzuschauen, ohne mich offen aufzulehnen, aber voll Verachtung" (76).

Als Fremde im Niemandsland fehlt es Jana auch an Möglichkeiten zur Kommunikation, vor allem deshalb, weil ihre Denk- und Ausdrucksweise anderen unverständlich bleibt und sie selbst mit größter Anstrengung die fremde Sprache nicht beherrschen kann.[20] Die Dialogunfähigkeit scheint oberflächlich betrachtet ihren Ursprung in Janas Verlust der Muttersprache zu haben, der mit dem Verschwinden ihres vertrauten Bezugsnetzes einherging und die Eingewöhnung in

---

20 Zum Themenkreis Sprache/Sprachlosigkeit bei Mitgutsch möchte ich auf die relevante Aussage der Autorin im bereits früher erwähnten Interview verweisen. Da reflektierte Mitgutsch: "Zunächst zur Sprache: Sprache ist Bewußtsein. Alle meine Heldinnen fühlen sich fremd und sind von ihrer Umwelt entfremdet. Das ist ein Bewußtseinszustand, das heißt, es besteht eine Mauer zwischen dem Bewußtsein meiner Heldinnen und dem Bewußtsein der anderen. Und dieses Anderssein in der Realitätserfahrung kann sich, muß sich in der Sprache niederschlagen. Da meine Heldinnen aber sehr wenig eigenständig, wenig selbstbewußt sind, kann sich ihr Anderssein und ihr Sich-Selbstbehaupten-Müssen, um überhaupt existieren zu können, nicht anders ausdrücken als in einem Bewußtsein, das nicht zum Dialog wird, sondern das in sich drinnen bleibt, und das ist eben dann eine Sprache, die anders ist, die ständig versucht, die Realität, die anders ist, festzumachen, zumindest als eine Gegenwelt. Aber zugleich das Bewußtsein, daß diese Welt nicht mitgeteilt werden kann, daß da immer eine Wand besteht zwischen meinem Bewußtsein und dem der anderen. Das ist dann das Paradox [...] es ist eine lyrische Sprache, eine Sprache nicht realitäthaltig im realistischen Sinn, wo die Bilder ineinander schwimmen, obwohl sie dann doch präzis sein müssen, um Gefühle zu transportieren. Das ist eine Sprache, die sehr viel Kraft kostet beim Schreiben, aber doch nie eine Sprache sein kann von einem Menschen, der voll in der Realität steht. Ich-Werdung bedeutet also für meine Heldinnen, dieses lyrische In-Sich-Sein und In-Sich-Leiden zu überwinden. Und gleichzeitig bedeutet das für mich als Schriftstellerin dann, die lyrische Sprache fahren zu lassen und mich in die Realität zu begeben, wenn meine Heldinnen diese Grenze überschreiten wollen. Und das ist ein Dilemma [...]." Kecht, "Gespräch mit W. Anna Mitgutsch", S. 136.

der fremden, deutschen Welt erschwerte. Auf den zweiten Blick hin erkennt man, daß es tatsächlich der Verlust der Muttersprache ist – aber nicht im linguistischen, sondern im psychologischen Sinne –, der einen tiefen Riß in Jana hinterlassen hat und sie zu einem lebenslangen Festhalten an den geretteten Erinnerungen jener Sprache veranlaßt.

So verstanden ist die Muttersprache prä- und nonverbal. In ihr sind die Welt und das kindliche Ich in körperlich empfundenem Einklang: es existiert noch keine Trennung zwischen Innen und Außen, Selbst und Anderem; es gibt daher noch keinen Signifikationsprozeß, kein differentielles Spiel der Zeichen zwischen Absenz und Präsenz, das einen reinen oder "wahren" Begriff ausschließt. In diesem vor- und außersprachlichen Stadium geschieht die narzißtische Identifikation scheinbar in aller Stummheit – überwältigend ist jedoch die Präsenz von Klängen, Farben, Gerüchen und Rhythmen.

> Am Anfang, ganz am Anfang, war das Paradies. Ohne Zeit, ohne Sätze, die bezeichneten und erklärten, überhaupt ohne Worte. Nur Klänge, Töne, nur Gerüche und ungebändigte Farben, die aus den Dingen traten, in die man hineinsteigen konnte wie in bunte Pfützen [...]. Alles war ohne Warum und ohne Ende, ewig und vollkommen, goldene Nachmittage, rund und träge glitten sie in den glasgrünen Abend hinein. Und immer war eine warme große Hand in der Nähe, ein Körper, sicher und weich wie eine Decke, dunkel wie die Nacht. (20)

Kristeva hat diese Empfindungswelt als semiotischen Bereich bezeichnet, der dem sogenannten symbolischen Bereich der sprachlichen Ordnung nicht nur vorausgeht, sondern ihn auch stets durch seine unterdrückte Triebkraft bedrängt und unterminiert. Der Subjektwerdung des einzelnen, die ja erst im symbolischen Bereich stattfindet, steht die primäre Undifferenziertheit als Hindernis entgegen.

Für Mitgutschs Heldinnen wie für Jana wird dieses Hindernis aber auch zur Chance, sich der präödipalen Mutter-"sprache" auszuliefern, sich in ihr zu versenken und damit das Fremdsein in der symbolischen Ordnung abzustreifen wie eine geborgte Hülle, die gar nicht paßt. Die Rückkehr zu den Bildern der inneren Wahrheit, die für Jana lebensnotwendig scheint, macht sie jedoch in der Gesellschaft der anderen lebensuntauglich, ja bringt sie in die Psychiatrie. Was es für den Fremden bedeutet, nicht seine Muttersprache sprechen zu können, drückt Kristeva schillernd aus: "Nicht seine Muttersprache sprechen. In Klängen, Logiken leben, die von dem nächtlichen Gedächtnis des Körpers, dem bittersüßen Schlaf der Kindheit abgeschnitten sind. Sie in sich tragen wie eine geheime Gruft oder wie ein behindertes Kind, geliebt und unnütz – diese Sprache von einst, die verblaßt, aber euch nie verläßt".[21]

Wenn Jana sich anfänglich gegen "die derben Laute der menschlichen Sprache" (24) wehrt und sich in ihrer Klang-, Farb- und Phantasiewelt einnistet, in der

---

21 Kristeva, *Fremde sind wir uns selbst*, S. 24.

Empfindungen auch ohne Worte zum Ausdruck kommen, dann flüchtet sie später als Jugendliche in die Musik des Klavierspielens und, sobald ihr auch dieses Ausdrucksmittel verboten wird, sieht sie den Rückzug ins Schweigen als die einzige Rettung. Jenseits der Sprachgrenze kann Jana aufatmen:

> Dann kamen meine Vertrauten, die Wolken, die Vögel, die Bäume vor dem Fenster, der Tod, die Sehnsucht nach Flucht und die Erinnerungen in der alten Sprache, die ich langsam vergaß. Übrig blieb ein bunter, schillernder Bilderhaufen, der sich mit meinen Träumen verwob, mein letzter heimlicher Spielplatz. Hierher konnten sie mich nicht verfolgen, hierher kam nur, wen ich selber einließ. (75)

Die fremden Wörter, die das Kind Jana wie die fremden, bedrohlichen Blicke mit Angst erfüllen, wirken vor allem deshalb so beunruhigend, weil die Dinge ihren Namen verloren haben und sich damit die Verbindung zwischen Ding, Wort/Laut, und Bedeutung aufgelöst hat. Es gibt also "kein zärtliches Sichzusammenfügen von Ding und Namen wie in der Kindheit" (73) mehr:

> Was war denn so beängstigend an meinem Bedürfnis zu schweigen, beinahe wunschlos in der Musik unterzutauchen, kurze Zeit frei von Angst, und die Bilder nachklingen zu lassen, ohne erneut nach Sinn suchen zu müssen, krampfhaft nach Wörtern zu graben, um das Unverständliche, Unzerteilbare zu benennen. Ja, das vor allem war es, wogegen ich mich wehrte, gegen die Bezeichnungen, mit denen sie der Zustände habhaft werden wollten, der Bilder und Töne, die sie bis zur Unkenntlichkeit verstümmelten bei dem Versuch, sie mit groben Expertenhänden in der Wirklichkeit festzuzurren. (163)

So wie es Jana nicht gelingt, an der im Spiegelstadium angebotenen Projektion eines einheitlichen Ichs, einer ganzheitlichen Identität festzuhalten, so ist sie nicht willens, in den Zeichen die Konvention der Zusammengehörigkeit zwischen Signifikant und Signifikat anzuerkennen. Für sie dominiert auf bedrückende Weise die Willkür des Sprachsystems, dem zufolge Laute Worte bilden, die auf Dinge verweisen, aber nicht mit ihnen zusammenfallen. Die Sprache schafft sich ein eigenes Universum, nämlich das Universum der Zeichen, aber damit verzichtet sie auf die Unmittelbarkeit des Seins. Und gerade dies versucht Jana in Erinnerung an ihre prä- und nonverbale Existenz einzuholen.

Das in seinem Sozialverhalten als "abnormal" eingestufte Kind irritiert durch seine fehlende Logik, seine Vorliebe für Irrationales, seine Imitation von Naturlauten, sein Singen von Nonsens-Versen, und seine seltsamen Spiele, in denen es die Identität von Dingen, wie die von einem Stein oder einer Schneeflocke, annimmt. Auffällig ist aber auch Janas besonderer Spürsinn und ihre Empfindsamkeit, vor allem für das Leiden anderer: "Es war, als hätte sie nur einen Blick für das Unsichtbare, ein Ohr für das Ungesagte, das Unsagbare" (43).

Der zunehmende Rückzug aus der Sprachordnung und der vernunftgeregelten Welt führt zu einer sich verstärkenden Andersartigkeit, die von den meisten als krank betrachtet wird. Ihrer eigenen Spur folgend, versucht Jana sich in ihr Reich zu retten und dort das Paradies zu finden. Der Rückzug verspricht zwar innere Befreiung, aber schlägt jäh in Verlust und Einsamkeit um, was Jana ins Leere stürzen läßt. Dort verschwinden dann auch die inneren Bilder und keine Töne sind mehr zu hören. Damit verlöscht auch die Hoffnung auf Sinngehalt, der dem "bunten, schillernden Bilderhaufen" der verblaßten Muttersprache noch innewohnte. "Warum also habt ihr die mütterliche Quelle der Worte abgeschnitten?" so fragt Kristeva vorwurfsvoll,

> Das Schweigen ist euch nicht nur aufgezwungen worden, es ruht in euch: Weigerung zu sprechen, Halbschlaf, der mit einer Angst verbunden ist, die stumm bleiben will, Privatbesitz eurer hochmütigen und gekränkten Verschwiegenheit, schneidendes Licht – das ist euer Schweigen [...]. Nichts sagen, nichts ist zu sagen, nichts ist sagbar [...]. Schweigen, das den Geist leer macht und den Kopf mit Niedergeschlagenheit erfüllt, so wie der Blick trauriger Frauen, der in irgendeiner inexistenten Ewigkeit verhaftet ist.[22]

Das Ausmaß an Selbstverschulden ist auch Jana klar, und im Rückblick auf ihr Leben zieht sie, sich selbst mit einem Instrument vergleichend, resigniert Bilanz: "Nicht ein einziges Lied habe ich zustande gebracht in all den Jahren, kein einziges Mal haben die Saiten von selber gesungen, sie haben gewartet, ichlos, selbstlos, regungslos und bereit, aber unfähig, aus sich selber zu schwingen, langsam erlahmend, doch niemals genügsam, nur immer verzweifelter und zur Stummheit verdammt" (317).

Es gehört zu den eindrucksvollsten Qualitäten dieses Romans, wie Mitgutsch Janas psychologisch bedingte Kommunikationsschwierigkeiten und ihr sensibles Wesen, dieses lyrische Instrument ohne äußeren Klangraum, auch in der Erzählstruktur und im Stil versinnbildlicht. Fast könnte man meinen, daß das Thema von Identität und Ich-Verkennung als narrative Metapher wiederkehrt. Denn, wie ja bereits erwähnt wurde, wird die Geschichte zweistimmig erzählt, alternierend von Sonja und von Jana, betont abwechselnd zwischen Vernunftsbetontem, Rationalem (vom symbolischen Bereich) und Vorbewußtem, Irrationalem (vom semiotischen Bereich). Die kontrapunktische Zweistimmigkeit hat komplementäre Wirkung.
Janas Kapitel sind selbstversunkene, selbstbezogene, traurig-distanzierte Reflexionen über ihr Leben; es sind dies überwiegend bilderreiche, assoziative innere Monologe, die an niemanden gerichtet sind und auf kein Echo mehr warten. Ins Märchenhafte schweifen die Schilderungen aus, wenn Jana von ihrer verlorenen Heimat und von ihrer illusionären Beziehung zu Achim spricht. Es geht

---

22 Ebenda, S. 25-26.

hier um das behutsame Vorbeiziehenlassen des eigenen Lebens, um sich dabei vielleicht selbst orten zu können.

Sonjas Kapitel zielen ebenfalls auf Ichfindung ab, aber der Weg zum Eigenen muß über das Fremde führen. Und so wird die Geschichte der seltsamen Freundschaft in erster Linie zur Geschichte Janas. Geschickt läßt Mitgutsch Sonja den Anfang setzen und somit Jana schon als *andere* (in der dritten Person) einführen. Sonja bestimmt den ganzen Roman hindurch die Richtung (Erlebnisauswahl, Chronologie etc.) und spricht auch das Schlußwort. Eindeutig wird damit ihre Dominanz bestätigt.

Sonja mag dreist erscheinen, wenn sie glaubt, die Geschichte Janas erzählen zu können, denn sie könnte damit den Fehler der Bevormundung wiederholen, indem die andere beschrieben, kategorisiert, und beurteilt wird. Durch Sonjas Deutung und Projektion kommt es natürlich auch zur Fiktion und Verkennung. Immer noch Altruismus vortäuschend, nämlich, "damit man [Janas] Fremdheit besser verstünde" (20), geht Sonja an ihr Projekt heran. Allmählich kommt das Eingeständnis hinzu, ihre eigene Faszination an der Fremden und damit *sich selber* besser verstehen zu wollen. Und so schreibt Sonja ihre Version von Janas Geschichte.

Sonja bemüht sich um verschiedene Erzählansätze, sie sucht angestrengt nach dem passenden Genre, was wohl vorsichtigen Annäherungen an Janas Identität gleichkommt. Sonja ist sich dabei ihres nur teilweise gelungenen Einfangens von Janas Wirklichkeit bewußt. Weiterhin ahnt sie, daß Janas Wesen durch eine Art Parabel besser wiedergegeben werden kann als durch streng empirische Berichterstattung. Mit diesem Empfinden kommt sie der Welt Janas um vieles näher. Besonders am Anfang und am Ende ihrer Ausführungen verwandelt Sonja Janas Geschichte in ein Märchen, dessen Irrealität der Wahrheit zu entsprechen scheint. Jana wird in diesem kleinen Kunstmärchen zu einem betörend schönen Kind, das Geister zu sich nehmen, um "es die Kunst ihres traurigen Gesangs zu lehren, es in den Bäumen zu wiegen und sich mit ihm vom Wind über die Felder tragen zu lassen" (24). Die Seele lebt also fortan in den Bäumen und erklingt im Gesang der Geister, während "der Körper und alles, was die Geister zurückgelassen hatten, weil es in den Baumwipfeln keinen Platz fand, unter den Menschen [blieb]" (ebenda). Sonjas überraschend einfühlsame Schilderung kommt der Stimmung der Bilder, die Jana von sich und ihrem Leben malt, außerordentlich nahe, und so verblüfft auch das Ende des Märchens nicht:

> Der Ton war ihr abhanden gekommen [...] sie hatte sich die Stimme verdorben im Umgang mit den Menschen. Sie suchte und suchte [...]. Aber sie hatte die Richtung verloren, und schließlich verlernte sie auch alle Lieder. Die Musik war ihr fremd geworden. Sie besaß nur mehr einen langgezogenen Klageton [...]. Vielleicht sangen die Geister in den Bäumen um ihr Haus, als sie endlich die Freiheit gewann, zu ihrer gestohlenen Seele in die alte Heimat zu fliegen. (316)

Beide Erzählerinnen lassen uns teilhaben an einem Erkenntnisprozeß, der einer psychoanalytischen Selbstanalyse gleicht, die unbedingt eines Zuhörers bedarf. Janas *discours imaginaire* ist an eine internalisierte *Imago* gerichtet, die nicht präsent ist. Die *Imago* ist das *alter ego*, das projiziert wird auf dem Fundament der ursprünglichen Ichwerdung durch Entfremdung/Alterität. Sonja macht sich anfänglich Gedanken, wie sie ihre Geschichte für zuhörende Freunde interessant machen könnte, ohne sich selbst zuviel Blöße zu geben. Allmählich vergißt sie jedoch, daß ihr *discours* an diese Zuhörer gerichtet ist, und sie beginnt Jana, die Fremde in sich selbst, anzusprechen. Durch das Erzählen gelingt es Sonja, einen Weg zu finden "durch die Fremdheit hindurch" (20), was nicht nur die Fremdheit Janas, sondern vor allem ihre eigene Entfremdung meint.

Diese Deutung findet ihre Bestätigung im Romanschluß, wo Sonja sagt, "Ich glaube, es ist das erste Mal, daß ich mir im Traum selber begegnet bin. Dabei war ich auf der Suche nach Jana [...] es erschien mein Gesicht, dunkel, geheimnisvoll, und zugleich Janas, obwohl wir einander kaum ähnlich sind. Ich prallte zurück. Ich näherte mich wieder ungläubig, ja, es war mein Spiegelbild. Als ich aufwachte, war ich sehr glücklich" (332-33). Wir dürfen annehmen, daß Sonja begonnen hat, ihr abgelehntes *alter ego* zu bejahen, weil sie im Traum ihr anderes Gesicht erkennt und damit die Verbundenheit der beiden Persönlichkeitshälften erahnt. Auf Sonjas Erkenntnisweg trifft zu, was Akashe-Böhme zur Begegnung mit dem Fremden bemerkt hat: "Das Fremde kann nur dann in seiner Andersheit anerkannt werden, wenn die Reaktion auf das eigene Fremde in mir positiv wäre, wenn ich das Fremde in mir also weder enteigne, noch verdingliche und auslösche, sondern annehme und mich mit ihm auseinandersetze".[23]

In keinem anderen Roman schildert Mitgutsch die Notwendigkeit des Akzeptierens des *eigenen Fremden* ausführlicher und eindrucksvoller als in ihrem zweiten. Der Roman setzt beim gespaltenen Wesen des einzelnen an, um die individuelle, innere Begegnung mit dem Fremden auf seine Substanz hin zu untersuchen; einer hermeneutischen Vorstufe gleich, als ob alle späteren Werke auf diese grundsätzlichen Erkenntnisse bauen und deshalb den Rahmen der Fremdbegegnung weiter stecken könnten. Mit ihrer eingangs zitierten Begründung für ihre literarische Tätigkeit, daß "manche Themen immer wieder angegangen werden [müssen ... und] etwas bewältigen zu müssen, um nicht selbst überwältigt zu werden", gibt Mitgutsch auch eine Erklärung für die Variationen ihrer anspruchsvollen Auseinandersetzung mit ihrem bevorzugten Themenkomplex.

In jedem ihrer Romane ist weibliche Identität gefährdet durch schmerzhafte Beziehungslosigkeit, deren Wurzeln in ihrem Anderssein, in ihrer Abweichung von der Norm, in ihrer Nichteignung für gesellschaftlich vorbestimmte Rollen

---

23 Akashe-Böhme, *Frausein – Fremdsein*, S. 30-31.

liegt. Von Jana zieht Mitgutsch ihren thematischen Bogen zu Marta, der allein-
erziehenden Mutter eines behinderten Kindes in *Ausgrenzung,* zu Lillian, der in
Österreich lebenden amerikanischen Emigrantin in *In fremden Städten,* und zu
Dvorah, der österreichischen Jüdin, die in der geteilten Stadt Jerusalem der
trügerischen Identität eines anderen verfällt (*Abschied von Jerusalem*). Die
Protagonistinnen erleben die Qual der Sprachlosigkeit und der Heimatlosigkeit
in sich selbst. Sie sind Grenzgängerinnen zwischen Welten und Sprachen. Stets
aufs neue stellt sich ihnen die Frage der Zugehörigkeit, auf die es außer innerer
Zerrissenheit – zwischen gesellschaftlicher Akzeptanz und Selbstverleugnung –
keine gültige Antwort gibt; was ihnen bleibt ist eine von Mißtrauen und Angst
geprägte Existenz im Zwischenraum und die Suche nach einem (Aus)weg nach
einem Anderswo. Dabei, so meint Kristeva, hält solche Menschen kein Hindernis
auf, "und alle Leiden, alle Beleidigungen, alle Zurückweisungen sind [ihnen]
gleichgültig auf der Suche nach diesem unsichtbaren und verheißenen Territorium,
diesem Land, das nicht existiert, aber das in [ihren] Träumen auftaucht und das
man wohl ein Jenseits nennen muß".[24]

Mitgutschs Werk drückt meiner Ansicht nach die nicht erlöschte Hoffnung auf
eine verständnisvollere, tolerantere Gesellschaft aus, die aber erst dann entstehen
kann, wenn eine subjektive, gefühls- und sinnesbezogene Wahrheitsfindung
anerkannt wird, die sich gegen gängige normierende und oft menschenverachtende
Kategorien auch erfolgreich zur Wehr setzen kann. Die Hoffnung der Autorin
bezieht sich auf den restaurativen Wert, den sie den Kräften der Phantasie, der
Sinnesempfindungen und des non-verbalen Ausdrucks – als Kontrapunkt zu
Vernunft, Logik, und reduzierend sprachlicher Benennung – beimißt, um damit
der Individualität, der *Eigen-Art* des Menschen größere Entfaltungsmöglichkeiten
einzuräumen. Wenn dieser für Mitgutsch "lyrische Modus" des Bewußtseins –
der in etwa dem semiotischen Bereich in Kristevas Denkmodell entspricht – mehr
Geltungskraft gewinnen könnte als bereicherndes Anderssein in der Realitätserfahrung, dann könnte dem gewohnten Blickwinkel eine Alternative
entgegenhalten werden. Erst dann könnte das Fremde bewußten Einlaß in die
Wirklichkeitserfahrung jedes einzelnen finden.

In einem tropischen Land trifft Jana auf eine Priesterin, die auf Krankheiten,
Geburten und den Tod der Menschen Einfluß haben soll und der die Menschen
deshalb große Ehrfurcht entgegenbringen. In Janas Augen sieht die Frau "nicht
wie eine Priesterin aus, sondern wie eine von früher Krankheit und von Einsamkeit
heimgesuchte Frau, eine Ausgestoßene, eine Fremde" (228). Hier hat also der
"Sonderweg" einen Status erreicht, den Jana gerne im Ansatz zumindest genossen
hätte, denn man zollt ihr als Fremder keinen Respekt. Das Wunschbild bleibt in
einer anderen Kultur angesiedelt, weit weg von der westlichen Wirklichkeit.

---

24 Kristeva, *Fremde sind wir uns selbst,* S. 15.

Mitgutsch weiß um den langen und beschwerlichen Weg, der gesellschaftlichen Veränderungen vorausgeht, und wir sind sicherlich noch weit davon entfernt, die folgende Ansicht Kristevas als *opinio communis* zu betrachten bzw. die Herausforderung, von der sie spricht, anzunehmen, aber die Lektüre von Mitgutschs Romanen mag zu ernsthafter Reflexion anregen, welche dann die Bilder der inneren Wahrheit in Zeichen realer Wirklichkeit verwandelt.

Ob Zwang oder Wahl, psychologische Entwicklung oder politisches Schicksal, diese Situation, *verschieden, anders zu sein,* kann als Krönung der menschlichen Autonomie erscheinen [...] und damit als herausragende Illustration des Wesentlichsten, Grundlegendsten, das die Zivilisation aufzuweisen hat. Auf der anderen Seite fordert der Fremde, indem er ausdrücklich sichtbar, ostentativ, den Ort der Differenz besetzt, ebenso seine eigene Identität wie die der Gruppe heraus, eine Herausforderung, die wenige unter uns fähig sind anzunehmen.[25]

---

25 Ebenda, S. 50.

Waltraud Maierhofer
University of Iowa

Leidenschaftslose Liebe lernen: Julian Schuttings *Hundegeschichte* (1986) – eine Absage an den Bildungsroman?

DIE GESCHICHTE DES ROMANS ist die Geschichte der Krise des Romans.[1] Er war immer eine offene Form, und wiederholt brachen neue Inhalte jüngst etablierte Traditionen auf. Gerade deshalb erwies sich der Roman immer wieder als das geeignetste Erzählmedium, das aufgrund seiner formalen Ungebundenheit verschiedenste Inhalte und Schreibweisen aufnehmen konnte. Für den Roman gab es nie eine verbindliche Ästhetik, jeder innovative Romancier, jede anspruchsvolle Romanautorin hatte seine oder ihre eigene Vision, was ein Roman war. Schon Romanciers des frühen 20. Jahrhunderts glaubten nicht mehr (und nicht nur im deutschsprachigen Roman) an Romanhelden und ihre Geschichte mit einem Beginn und einem Ende, an die Erzählbarkeit der Welt insgesamt. In Rilkes *Die Aufzeichnungen des Malte Laurids Brigge* heißt es: "Daß man erzählte, wirklich erzählte, das muß vor meiner Zeit gewesen sein".[2] Dennoch gibt es weiterhin Erzählungen und Romane. Julian Schutting,[3] vorwiegend Lyriker, schreibt (bisher) keine Romane im klassischen Sinn als Lebensgeschichte einer Hauptfigur. Anders als der früher publizierte *Liebesroman* (1983)[4] wird seine *Hundegeschichte* (1986)[5] nirgends ein "Roman" genannt. Es ist eine Idylle, ein Bild, ein sprachspielerischer Aufsatz über Zuneigung, Liebe und Abschied, über die Sprache und das Schreiben und gerade deshalb repräsentativ für Schuttings Werk. Es kann auch ein Roman sein. Mit 190 Seiten erreicht diese Prosa einen Umfang, in dem man üblicherweise mangels anderer verbindlicher Kennzeichen das Kriterium eines modernen

---

1   Eine umgearbeitete Fassung dieses Aufsatzes, die sich mehr der Beschreibungs- und Sprechweise widmet, erscheint 1999 in englischer Sprache in: Harriet Murphy, Hrsg., *Critical Essays on Jutta/Julian Schutting* (Riverside: Ariadne).

2   Rainer Maria Rilke, *Werke* (Frankfurt am Main: Insel, 1980), Bd. III/1, S. 244.

3   Obwohl in diesem Aufsatz zumeist von Texten die Rede ist, die vor 1990 unter dem Namen Jutta Schutting veröffentlicht wurden, verwende ich den Namen Julian, da dies dem Wunsch Schuttings entspricht, der angeordnet hat, daß ältere Werke zwar unter dem ursprünglichen Namen auf dem Markt bleiben, aber Neuauflagen ebenso wie alle neuen Werke unter dem Namen Julian Schutting erscheinen.

4   Jutta (Julian) Schutting, *Liebesroman* (Salzburg, Wien: Residenz, 1983).

5   Jutta (Julian) Schutting, *Hundegeschichte* (Salzburg, Wien: Residenz, 1986). Darauf bezügliche Seitenangaben im folgenden in Klammern. Ich danke Anne Schreiber für ihre kritische Lektüre und ihre Hinweise.

Romans erblickt,[6] die oft erst von den Verlegern, nicht von den Autoren als solche kategorisiert werden, damit sie leichter einem Regal in den Buchhandlungen oder einer Rubrik in den Verlagsprogrammen zuzuordnen sind. *Hundegeschichte* ironisiert, so möchte ich argumentieren, die Tradition des Romans, insbesondere des Entwicklungs- oder Bildungsromans, wenn auch vielleicht nicht der Intention, so doch dem Resultat nach. Ist doch der sogenannte Bildungsroman, wie Todd Kontje nachgewiesen hat, die Gattung, die mit der Moderne auftrat, und es ist nicht verwunderlich, daß er verstärkter Kritik ausgesetzt ist und von anderen Schreibformen verdrängt wird, da die Moderne von der Postmoderne abgelöst wird.[7] Deshalb gebührt der *Hundegeschichte* ein Platz in der Betrachtung des österreichischen Romans der Gegenwart gegen Ende des 20. Jahrhunderts.

Etwa bis zur Mitte des 18. Jahrhunderts wurde der Roman oft schlicht mit dem Sujet der Liebesgeschichte identifiziert und umgekehrt eine Liebesgeschichte "Roman" genannt, erst danach rückte der Roman, der die innere Entwicklung eines Charakters in der Konfrontation mit unterschiedlichen äußeren Ereignissen schildert, ins Zentrum der kritischen Diskussion, die sich für den Aufstieg des Romans zur Kunstform einsetzte. Aus der vielfältigen Geschichte der Romanästhetik[8] sei hier Hegel herausgegriffen. In seiner Ästhetik löst das "Romanhafte im modernen Sinne" das Romantische, nämlich die "Ritter- und Schäferromane", ab.[9] Im Zentrum des "Romanhaften" stehe meist ein junger Mann, der seine Ideale gegen die äußere Ordnung und den gewöhnlichen "Weltlauf" durchsetze: "Nun gilt es, ein Loch in diese Ordnung der Dinge hineinzustoßen, die Welt zu verändern, zu verbessern oder ihr zum Trotz sich wenigstens einen Himmel auf Erden herauszuschneiden: das Mädchen, wie es sein soll, sich zu suchen, es zu finden, und es nun den schlimmen Verwandten oder sonstigen Mißverhältnissen abzugewinnen, abzuerobern, und abzutrotzen".[10] Das Ziel besteht in seiner Heirat, die vorhergehende Irrtümer und Widerstände überwindet, und seiner Einordnung in die "Prosa der Wirklichkeit", in die bürgerliche Gesellschaft mit ihren Institutionen und Ordnungen, nämlich "Familie, bürgerliche Gesellschaft, Staat, Gesetze, Berufsgeschäfte usf."[11] Hegel spielt hier auf Goethes *Wilhelm Meisters Lehrjahre*

---

6   Roland Heger, *Der österreichische Roman des 20. Jahrhunderts. 1. Teil* (Wien: Wilhelm Braumüller, 1971), S. 8 nennt 200 Seiten als Kriterium, aber Peter Handkes Romane seien etwas kürzer.

7   Vgl. Todd Kontje, *The German Bildungsroman: History of a National Genre.* (Columbia: Camden House, 1993), S. 111.

8   Einen historischen Überblick gibt: *Deutsche Romantheorien: Beiträge zur historischen Poetik des Romans in Deutschland*, Reinhold Grimm, Hrsg. (Frankfurt am Main: Athenäum, 1960), S. 8.

9   Georg Wilhelm Friedrich Hegel, *Vorlesungen über die Ästhetik: Erster und zweiter Teil*, Rüdiger Bubner, Hrsg. (Stuttgart: Reclam, 1971), S. 658.

10   Ebenda, S. 658-59.

11   Ebenda, S. 658.

(1795-96) an, wenn er fortfährt: "Diese Kämpfe nun aber sind in der modernen Welt nichts weiteres als die Lehrjahre, die Erziehung des Individuums an der vorhandenen Wirklichkeit, und erhalten dadurch ihren wahren Sinn".[12] In der Literaturwissenschaft hat sich dafür der Begriff Bildungsroman eingebürgert, der in der wissenschaftlichen Diskussion noch immer gegenwärtig, aber umstritten ist, da er sich je nach Auslegung auf sehr viele Romane, nur ganz wenige, oder vielleicht gar keinen anwenden läßt.[13]

Die große Passion, die solche Kämpfe nötig macht, ist jedoch in der postmodernen Single-Gesellschaft, in der mehr Menschen mit einem Tier als mit einem anderen Menschen leben, ein Anachronismus. In einem Interview meinte Schutting, daß es "Passionen heutzutage immer weniger" gebe.[14] Wo das, was Hegel die "unendlichen Rechte des Herzens"[15] nannte, nicht mehr erlebt wird und zu einengenden Beschränkungen führt, kann die schreibende Auseinandersetzung nicht in "Romanhaftem" in diesem Sinn resultieren. Romanautoren des 20. Jahrhunderts von Thomas Mann bis Thomas Bernhard thematisieren vornehmlich vereinzelte, vereinsamte und isolierte Individuen,[16] bei Schutting liest man von der Überwindung dieser Phänomene. Während Thomas Bernhard und andere zeitgenössische Autoren sich von traditionellen Themen wie Liebe, Idee, Tätigkeit und Natur distanziert haben,[17] steht das Thema Liebe in fast allen Texten Schuttings im Vordergrund. *Hundegeschichte* schildert jedoch keine männlich-weibliche Liebesgeschichte, wie sie seit *Heliodor* den Roman bestimmt hat, sondern mischt Liebesbekenntnis und Tierporträt. Aber gerade indem Schutting auf das traditionelle "Liebesobjekt" verzichtet, gelingt ihm die unromantisierte Darstellung eines Liebeslernprozesses des Ich-Erzählers.

Hundegeschichte beschreibt die Beziehung zwischen einer Erzählerfigur und dem Hund, den sie/er für ein Jahr in Pflege nimmt. Das Geschlecht der Erzählerfigur bleibt auffallend unbestimmt und scheint unwichtig, obwohl der Text deutliche autobiographische Nuancen hat. (Der/die Erzähler/in ist ein/e nicht mehr ganz junge/r, kinderlose/r, in Wien lebende/r Schriftsteller/in.) Ich werde im fol-

---

12 Ebenda, S. 659.

13 Auf diese Diskussion kann hier nicht näher eingegangen werden; vgl. James N. Hardin, *Reflection and Action: Essays on the Bildungsroman* (Columbia: University of South Carolina Press, 1991).

14 Julian Schutting, "'[...] daß die Wahrheit der Kunst nur verhüllt aus sich heraustritt'" [Gespräch in Wien am 23. November 1990], in: Regula Venske, *Das Verschwinden des Mannes in der weiblichen Schreibmaschine: Männerbilder in der Literatur von Frauen* (Hamburg, Zürich: Luchterhand, 1991), S. 179-88; hier S. 182.

15 Hegel, *Ästhetik*, S. 658.

16 Vgl. Vorwort in: *Deutsche Romane des 20. Jahrhunderts: Neue Interpretationen*, Paul Michael Lützeler, Hrsg. (Königstein/Ts.: Athenäum, 1983), S. 10.

17 Vgl. Karlheinz Rossbacher, "Thomas Bernhard: *Das Kalkwerk* (1970)," in: ebenda, S. 383.

genden der Lesbarkeit halber und weil im Text männliche Pronomen und Vergleiche überwiegen,[18] die männliche Form verwenden. Der "Roman" ihrer Beziehung ist vorwiegend im Präsens, wird aber aus der rückschauenden Perspektive erzählt[19] und beginnt damit, daß der Erzähler "das Hundetier" (5), das er später abwechselnd Polly, Paula, Pauline oder Apollonia nennt, zum Tierarzt bringt, um sie sterilisieren zu lassen. Nur zufällig wurde er von der Eigentümerin Franziska um diesen Gefallen gebeten. Nach der Operation bringt er den Hund in seine Wohnung, wo sich nun beide auf die neue Situation einstellen müssen, auf die unbekannte Umgebung bzw. die ungewohnte Wohnungsgenossin. Der Rest des Buches ist im wesentlichen eine Reihe von detaillierten Beschreibungen in der Form von Abschnitten (nicht numerierten Kapiteln), die durch Stichworte voneinander abgesetzt sind und die verschiedensten Aspekte des Lebens mit diesem Hund und dessen Eigenarten rekapitulieren. Dazu gehören die humorvollen Beschreibungen von Pollys Spielen und kleinen Tricks, ihren Ängsten und Begierden sowie Reflexionen über die wachsende Zuneigung zu dem Hund. Die kleinen Verhaltensstudien beschreiben unter anderem, wie Polly Aufzugfahren lernt, ihr Jagdverhalten und Verhalten anderen Leuten gegenüber, gemeinsame Spaziergänge, ihre Schlafgewohnheiten, ihr Verhalten, wenn der Erzähler an der Schreibmaschine sitzt oder sie zu Lesungen mitnimmt, ihre "Essensfreuden" (36) und "Nasenfreuden" (31), Begegnungen mit anderen Hunden, ihre Reaktion auf Fernsehen und Telephon, Autofahren, "Geschäfte" machen (98), den Aufenthalt in Venedig, schließlich ihr Verhalten in verschiedenen Jahreszeiten. Dies alles wird mit solcher Präzision und Sprachkunst beschrieben, daß man ein anschauliches Bild sowohl vom Verhalten und Wesen eines Hundes im allgemeinen als auch von Pollys Eigenarten und Neigungen bekommt. *Hundegeschichte* ist Schuttings bisher "schönstes Deskriptionskunstwerk".[20] Die bildkräftige Sprache erinnert an seine Prosagedichte oder an Rilkes *Malte Laurids Brigge* mit seiner eigentümlichen Position zwischen Roman und Prosagedicht.[21]

Die Beschreibung nähert sich ihrem Gegenüber durch genaue Beobachtung und setzt drastisch ein mit den Vorbereitungen zur Operation und dem Aufwachen daraus:

---

18 Vgl. in der Selbstidentifizierung als "Verräter und Mordbeihelfer" (8), "ein Schriftsteller" (90), "Vormund und Lehrer" (104, 147), "Rechtslehrer," dem "Allwissenden" (104) oder einfach "einem" (91, 149); in den Vergleichen tauchen allerdings auch "Mutter" (22) und Eltern (43) auf.

19 Bezeichnend dafür sind Formulierungen wie "ich weiß es nicht mehr, wie wenig mußt du mir noch bedeutet haben" (5).

20 Susanne Ledanff, "Begabung zu leidenschaftsloser Liebe. Jutta Schuttings Entdeckungen aus einem Hundejahr", *Süddeutsche Zeitung*, 4. Dezember 1986, Beilage "Literatur", S. 11.

21 Vgl. Judith Ryan: "Rainer Maria Rilke: *Die Aufzeichnungen des Malte Laurids Brigge* (1910), in: Lützeler, *Deutsche Romane des 20. Jahrhunderts*, S. 75.

und da steht der Tierarzt schon in der Tür, sagt etwas von einer verletzten Katze zu mir herüber, seine nasale Stimme, die des geträumten Peinigers, jagt sie aus dem Schlaf auf, sie taumelt dahin, fällt zusammen, flügellahme Flugversuche, auf eingeknickten Beinen rutscht sie wie knieend die Wand dahin, es wirft sie nochmals um, wieder fährt sie in Zuckungen auf, ohnmächtig hängt dir die Zunge heraus, und welche Augen, verdreht und starr und, allzu fern noch einem Bei-Sinnensein, nicht von dieser Welt, und doch ist in ihnen eine tollwütig ins Erwachen drängende Todesangst, beklagenswertes Bild des Irrsinns du, Kampf eines im Hochwasser ertrinkenden Rehs, er komme gleich, schließt die Tür hinter sich, das dürfte sie, zurücksinkend in den Ohnmachtsschlaf, noch erreichen, und wie gern würde ich mich erinnern, dir Zärtliches zugeflüstert, dir die Hand aufgelegt zu haben. (6)

Dieser Satzbau, der Beobachtungen reiht und verschachtelt und in dem das Erzählperfekt wechselt mit der vergegenwärtigenden Anrede im Präsens, ist typisch für *Hundegeschichte* und für die bisherige Erzählprosa Schuttings. Die langen Reihungen mit Kleinschreibung am Satzanfang und gelegentlichen Kommas oder gar keinem Satzzeichen am Ende eines Absatzes lassen den Eindruck eines sprachkünstlerischen Mosaiks entstehen, in dem die Chronologie des Erzählens unwichtig ist. Schutting beschrieb einmal Schreiben als Kampf gegen das Nacheinander von Ereignissen und Wahrnehmungen, als "die Bemühung, die Gleichzeitigkeit von Beobachtetem, Gedachtem und Gefühltem beisammenzulassen, statt sie in einem Nacheinander zu verfälschen".[22] Dies gilt nicht nur für die Lyrik, sondern auch für die Erzählprosa. In der Ästhetik des Romans läßt sich der Kampf gegen das Nacheinander zurückverfolgen mindestens bis zu Karl Gutzkow und seinem "Roman des Nebeneinander". Schon bei Goethe war der Roman nicht mehr eine kontinuierlich und chronologisch erzählte Geschichte.

Der Erzähler bringt Polly noch zu einer Kontrolluntersuchung, läßt sie dann jedoch "nach einem die Wahrheit verleugnenden kurzen Abschied" (9) bei ihrer Eigentümerin Franziska, und fährt nach Italien, denn er scheint Pläne für ein "neues Leben" (ebenda) zu haben, in denen kein Platz für einen Hund ist. Eine Operation am eigenen Körper erwähnt er nur kurz, und er scheint die Hündin vergessen zu haben (ebenda). Inzwischen hat Franziska anscheinend – Details dieser Hintergrundgeschichte werden übergangen – wegen eines Auslandsaufenthalts Polly für ein Jahr zu einer anderen "Betreuerin" gegeben (ebenda). Als der Erzähler beiläufig erfährt, Polly sei aggressiv geworden, es werde sogar erwogen, sie einzuschläfern, unterdrückt er noch seine Gefühle: "mein Herz hält sich ganz starr" (ebenda). Erst als er gebeten wird, sie nochmals für einen Tag zu sich zu nehmen und zum Tierarzt zu bringen, nähert er sich seinen Emotionen und bekennt: "Bange vor dem Wiedersehen, erst recht bang wird mir durch die Verän-

---

22 Julian Schutting, *Zuhörerbehelligungen: Vorlesungen zur Poetik* (Graz: Droschl, 1990), S. 117.

derung, die in ihr vorgeht, als die Überbringer gegangen sind – wer sie so frei bei mir sitzen sähe, müßte meinen, wir gehörten seit langem zusammen" (ebenda). Der nächste Abschied bringt weitere Gefühlswirren und läßt ihn zunächst noch die neue Liebe vor der Öffentlichkeit verleugnen: er bietet an, den Hund für einige Tage ins Gebirge mitzunehmen: "wir lassen uns nichts anmerken, bis wir allein sind; aber wie kann ich früher bestenfalls wohlwollende Sympathie, wie man sie für jeden freundlichen Hund hat, für dich aufgebracht haben?" (10). In den Reflexionen fällt hier noch nicht das Wort "Liebe", wird jedoch später großzügig gebraucht (46, 72, 86), aber die Bezeichnung "Fügung" (10) erinnert an schicksalhafte Begegnungen in Liebesromanen.

Nun beginnt ihre gemeinsame Zeit, in der der Erzähler Polly erzieht, Polly für ihn das "Idealbild" (ebenda) von einem Hund belebt und dieser eine Fülle von Emotionen dem Hund gegenüber entdeckt und in Sprache faßt. Die ersten Wochen des "Zusammenlebens" (ebenda) – der Erzähler hat sich anscheinend bereiterklärt, Polly für das Jahr zu sich zu nehmen, in dem die Eigentümerin abwesend ist – interpretiert der Erzähler als Pollys "Hundwerdung" (ebenda), als die Zeit, in der er lernt und sich verändert, selbstbewußt und eigensinnig wird, ja sogar liebenswerte, "beinahe menschliche Züge" (11) gewinnt. Der Erzähler findet durch das Zusammenleben, durch "die mir angeborene [...] aber seit längerem verschüttete Zärtlichkeit", Zugang "zu einem neuen Gefühlsleben" (11-12). Er spricht von der "neuen Seelenlage" wie von einer Prüfung, die er sich auferlegt. Er scheint selbst überrascht über die Freude, die der Hund ihn immer wieder erleben und in Worte fassen läßt. In der Schilderung kleiner Intimszenen wie dem "Bauchi-Bauchi" (73) klingt die Zärtlichkeit für das Tier glaubhaft nach. Für ihn als Schriftsteller spielt die Sprache eine große Rolle, und durch das Sprechen zu dem Hund entdeckt er so etwas anachronistisches wie Humanität wieder: "[...] und sooft ich zu meiner Erquickung die häufigsten Sätze derer aneinanderreihe, welche wie ich von deinem Zauber angerührt werden, zieht kindlichste Menschenliebe in mich ein, ein kindisches Zutrauen zur menschlichen Güte" (72). Umgekehrt wie in Thomas Bernhards *Die Verstörung* destruieren Schreibender und ein "anderes Wesen" nicht einander, sondern richten sich gegenseitig auf. Der Erzähler stellt auch dankbar fest, wie angenehm Pollys Gegenwart seine Fähigkeit zu schreiben und zu arbeiten beeinflußt.

Der Text ist ein Monolog in Du-Form, in dem der Erzähler in den Beschreibungen des Hundes und ihres gemeinsamen Lebens zugleich über seine eigene Reaktion und Zuneigung zu Polly reflektiert. Oft ist dies eine Art von "Gedankenlesen": der Erzähler stellt sich vor, was Polly "denkt" und fühlt. Hier ein besonders lebendiges und "herziges" – so bin ich versucht, mit Schutting zu sagen – Beispiel:

> was es heißt, aus seinem Glauben zu fallen; aus dem Sinken in immer tiefere Verzweiflung unversehens hinaufgetragen zu werden in höchstes Glück, dergleichen

und mehr kann Paula uns Menschen nachfühlen, wenn wir durch eine Gasse mit vielen Heurigenschenken gehen und noch lange nicht einkehren, weil ich, mich als ein Dramaturg ihres Glücks erprobend, durch retardierende Momente ihr Gefühlsleben in weitausschwingende Bewegungen versetze, ihrem Körper, ihren Augen und Ohren ablesend und ablauschend einen inneren Monolog:

> jöo, frischer Schweinsbraten! duu! wieso gehst du weiter?
> ach so, daaa gehören wir hin! was – da auch nicht?
> jaaa, hier ists noch schöner – mach schon, komm schon!
> nein, das kannst du mir nicht antun!
> daß Menschen solcher Gemeinheit fähig sind!
> nichts? du stellst mich ja nur auf die Probe, gelt?
> das hätt ich nicht von dir gedacht!
> was hab ich dir getan, daß du mich so leiden läßt!
> aber bitte, jetzt, du mußt doch ein Einsehen haben!
> ju-huu! il est un dieu, il est un dieu! (37)

Der Erzähler fängt an, Pollys Anhänglichkeit und Emotionalität und ebenso sein eigenes Mit-ihr-Reden zu brauchen, besonders da er sich "solcher Herzensergießung"[23] einem Hund gegenüber nicht "schämen" muß (43). Er leidet, wenn sie sich bei einem Ausflug an einem "einsame[n] Sonntag" für kurze Zeit selbständig macht und es geniest, ihren "Freuden" nachzustreben, "als ginge mein Kummer dich nichts an" (ebenda). Obwohl die letzte Spekulation im Konjunktiv steht, vermittelt der Erzähler den Eindruck, sich unsicher zu sein, ob Polly seine Zuneigung erwidert, und er stellt sie wiederholt in Frage. Streckenweise scheint er zuversichtlich, daß Polly ihn als seinen neuen, geliebten Besitzer sieht, aber dahinter lauern nagende Zweifel über ihre Treue. Er verwöhnt nämlich den Hund nicht nur, und die folgende Reflexion verdeutlicht, daß er es sich bewußt nicht leicht macht: "[...] welch ein Anspruch, man wolle *trotz allem* geliebt werden über alles, keinesfalls gern gehabt werden wie alle die, welche lieb zu ihr sind, ja man müsse, wenn man wirklich geliebt wird, als der einzige und Eigentliche erkannt werden auch in herzlosen Verkleidungen, weil ja doch auch in diesen die herzlichste Liebe sich verborgen hält und dies, wer liebt, auch spürt" (46). Die Überwindung von Pollys Ängsten, zum Beispiel vor dem Autofahren und vor dem Wasser, schreibt er einzig ihrer Liebe zu ihm, ihrem Erzieher, zu und ist stolz auf ihre gemeinsame Leistung (86). Am Schluß, als das Pflegejahr abgelaufen ist und Pollys Eigentümerin zurückkommt, erkennt der Erzähler deutlich und resignierend ihre Ambivalenz: "da Loyalität nicht eine deiner Erztugenden ist, fällt es dir nicht

---

23 Eine Anspielung auf die von Wackenroder und Tieck anonym herausgegebene Prosasammlung *Herzensergießungen eines kunstliebenden Klosterbruders* (1797), die Geschichte einer Bekehrung zum katholischen Glauben durch die Macht der Liebe und der Musik. Die Anspielung weiterführend ließe sich sagen, der Erzähler der *Hundegeschichte* bekehrt sich zum Glauben an die Liebe.

schwer, uns für unterschiedliche Qualitäten annähernd gleich gern zu haben, nämlich *den* ein wenig mehr, bei dem du gerade bist" (186). Diese Liebesgeschichte braucht kein *Werther*-Ende. Kontrastiert mit dem Hundeverhalten macht Eifersucht nur lachen (166-67). Die Atmosphäre ist von Anfang an eine interessante Mischung der neuentdeckten Freude als Hundebesitzer und der Trauer im Hintergrund, daß diese Beziehung auf relativ kurze Zeit beschränkt ist.

In wunderbar detaillierter Weise stellt der Erzähler dar, wie er und Polly aufeinander reagieren; natürlich bleibt dieses Porträt immer aus der Perspektive des Erzählers, auch wenn er sich in Pollys "Bewußtseinsstrom" versetzt. Anthropomorphisierend spricht er der Hündin menschliche Empfindungen zu und scheint dieses Verfahren nicht in Frage zu stellen. Andererseits scheint er die Beziehung mit Polly zwar ernst zu nehmen, aber über dieser Ernsthaftigkeit liegt immer eine Spur von Humor. Er lacht zum Beispiel über die Anzahl zärtlicher Namen für Polly (128). Die Aufzählung phantasievoller Namen füllt fast eine Seite, und einige der schönsten sind "Herzensherz", "Hasenpfote", "Blödhund", "Pfuischwein" und "Ohrwaschelwesen" (128-29). Weitere finden sich durch den ganzen Text. Diese Namenspiele sind immer wieder überraschend und in ihrer Verkürzung von Beschreibungen und Situationen, die sie andeuten, die Ergänzung der vorherrschenden langen, verschachtelten Sätze. Gleichzeitig weisen auf die Augenblicke hin, wo der Erzähler Dinge neu sieht und sie sich damit aneignet. Solche Augenblicke, wo "Benennendes und Benanntes" noch "keine unauflösliche Gemeinschaft eingegangen" sind und das Ding erst das wird, "was es ist, sobald es vom Betrachter mit einem Namen gekennzeichnet wird",[24] standen auch in Schuttings Prosastücken in der Sammlung *Das Herz eines Löwen* (1985) immer wieder im Mittelpunkt. *Hundegeschichte* setzt die dort angefangenen Sehübungen und – so wäre zu ergänzen – die Schule des Empfindens und Fühlens fort. Ihr Anfang, "Die Vorgeschichte" (5), ist ein solches Suchen, eine "langsame Blickeinstellung auf ein zunächst befremdliches Gegenüber", wie sie für Schuttings Erzählweise charakteristisch ist.[25] Das Bemühen um genaueste Wiedergabe von Beobachtungen und die Suche nach einem neuen Sehen kennzeichneten schon Schuttings frühe Prosa *Baum in O.* (1973),[26] und die präzise Sprache für Emotionen bzw. gerade anstatt "peinlich wirkende[n] Gefühlsausbrüche[n]",[27] läßt sich zurück-

---

24 Schutting, "Der Onkel aus Amerika", in: *Das Herz eines Löwen: Betrachtungen* (Salzburg, Wien: Residenz, 1985), S. 74-95; hier S. 95.
25 Ledanff, "Begabung zur leidenschaftsloser Liebe", S. 11.
26 Jutta (Julian) Schutting, *Baum in O.* (Wien: Europa, 1973).
27 Karol Sauerland, "Jutta/Julian Schutting", in: *Kritisches Lexikon zur deutschsprachigen Gegenwartsliteratur*, Heinz Ludwig Arnold, Hrsg. (München: Edition text + kritik, 1978ff.), 50. Nlg., S. 2.

verfolgen bis zu den Liebesgedichten *In der Sprache der Inseln* (1973).[28] Gleichzeitig geben zärtliche, aber "unlogische" Namen Anlaß zu Reflexionen über die Sprache wie etwa "die unlösbare Frage, ob die Liebe ihre alogische Natur am besten darin kundtut, daß sie Menschenkinder durch Namensgebung in gleich herzige kleine Tiere verwandelt" (91-92). Der Erzähler gibt vor, sich manchmal selbst nicht ganz ernst zu nehmen, wenn er etwa manche Spiele als "dumme Scherze" (139) charakterisiert, wehrt aber auch mögliche "humorlose Skrupel" (90) von Beobachtern ab. Er lacht über sein eigenes Verhalten, wenn er Pollys "Gedanken" imaginiert und ihr seine Selbstkritik in den Mund legt (111).

Diese "Geschichte" ist breiter angelegt als Schuttings andere Erzählungen, von denen auch in einigen Begegnungen mit Tieren eine entscheidende und überraschende Rolle spielen. In der vielschichtigen Erzählung, die das Tierporträt mit autobiographischen Aspekten verbindet, geschieht die Reflexion über das Verhältnis von Herr und Hund in einer so differenzierten Form, daß *Hundegeschichte* sich als ein Nachdenken über Beziehungen und Liebe im allgemeinen und sogar als ein ironisches Spiel mit dem Muster der konventionellen männlich-weiblichen Liebesgeschichte lesen läßt.[29] Die Sprache erinnert an Liebende, an "die Privatsprache zärtlich einander zu Kindern verkleinernder Liebender" (90), und der Erzähler nennt einmal sein Reden mit Polly die "Vergröberung und Karikatur" anderer "Liebesmonolog[e]" (151). Er spricht von sich und Polly als dem "Paar" (125) oder vergleicht ihrer beider Anblick mit einer surrealistisch verfremdeten "Photographie eines Hochzeitspaares aus der Urgroßväterzeit" (143) und bezeichnet ihr gemeinsames Jahr gar als "heilige[n] Bund" (88) und vergleicht ihr Zusammenleben mit einer Ehe (90).

Hundegeschichte hat keine Handlung im Sinn des traditionellen Romans, der Ereignisse erzählt, die einen Bezug zueinander und zur Hauptfigur haben und diesen in eine fiktive Welt einbidnen. Diese Kriterien erfüllen nur der Anfang und die letzten Abschnitte, die die Tage beschreiben, bevor und nachdem der Erzähler Polly zurückgibt, und wie er mit dem Abschied und mit den folgenden Wiederbegegnungen umgeht. Forderte Hegel für den Roman noch die "Totalität einer Welt- und Lebensanschauung", so war schon für Georg Lukács eine solche Totalität nicht mehr sinnfällig gegeben.[30] Schuttings Text verzichtet ganz auf diesen alten Anspruch des Romans, ein Totalbild zu geben. Nur wenige andere Personen tauchen schattenhaft, nur mit den Vornamen benannt, am Rande des Bildes auf: die Freundinnen Franziska, Marianne und Christine. Die komplexe Umwelt ist

---

28 Jutta (Julian) Schutting, *In der Sprache der Inseln: Gedichte*, Mit einem Vorwort von Ernst Schönwiese (Salzburg: Otto Müller, 1973).

29 Ich danke Gerald Chapple für einen Hinweis in dieser Richtung.

30 Vgl. Georg Lukács, *Die Theorie des Romans: Ein geschichtsphilosophischer Versuch über die Formen der großen Epik.* 5. Aufl. (Neuwied, Berlin: Luchterhand, 1971), S. 1, 51, 77-78, 81-82.

reduziert auf Stimmen, die ab und zu in der Erinnerung auftauchen und in den Monolog verwoben sind, etwa: "[...] vielleicht bist du mir laut Hausordnung untersagt – nein, das ist ein Besuch! / [...] jetzt ist er aber schon ganz Ihr Hund geworden – können Sie ihn nicht einfach behalten? / ein so ein lieber Kerl, man merkt ihn überhaupt nicht, wie heißt du denn? / wo ist denn heute die Paula, Sie werden sie doch nicht allein lassen?" (15).[31]

Wies der traditionelle Roman eine Vielzahl von Figuren, ihrer Charakterisierung und ihren Interaktionen auf, so verzichtet Schutting gerade darauf. Er bemerkte in einem Interview, die Figuren hätten sich in der Gegenwartsliteratur "oder überhaupt in der Kunst aufzulösen begonnen".[32] Wo sich die Figuren auflösen, kann es keine Liebesgeschichte zwischen Individuen geben. Von daher ist es konsequent, daß das "Objekt" der Liebe in dieser Romanze nicht mehr ein Mann oder eine Frau ist, sondern ein Tier. Der Ich-Erzähler ist kein abenteuernder Held, der die Leserschaft in eine mehr oder weniger fiktive Welt entführt, sondern ein nur unscharf umrissener Jemand, der seine Reflexionen und einen Aspekt seines Lebens mitteilt. War der Roman schon immer offen für Reflexion, so überwiegt sie hier deutlich die Handlung. Nicht eine Ereigniskette, sondern die Reihung von Momentaufnahmen des Lebens mit Polly und Reflexionen konstituieren die Struktur des Texts. Die Trennung des Erzählers von Polly am Ende ist weniger ein Abschluß der "Geschichte" als wieder eine Reflexion über die Beziehung zu dem Tier. Wo die Figuren sich auflösen, wird auch epische Breite fragwürdig, denn sie erfordert ein ordnendes Bewußtsein oder, wie es im Text heißt, "ein verläßliches Weltbild" (104), das der Erzähler sich selbst abspricht. Dieser negiert ferner ausdrücklich die erzieherische Wirkung von Literatur (162). Das Konzept der Erziehung zu einer allseitig gebildeten Roman-Persönlichkeit wird zur Farce, Erziehung ist eine unendliche Aufgabe, zerfällt in verschiedenste Aspekte, und ist von vornherein zum Scheitern verurteilt. Es sei denn, so scheint Schutting spielerisch zu experimentieren, sie erfolgt durch einen Hund. Dadurch fällt wie nebenbei auch die Geschlechterproblematik und der Geschlechterkampf weg.

Hundegeschichte schließt damit thematisch und formal an Schuttings *Liebesroman* an, der, obwohl der Titel Leseerwartungen an eine erfundene Handlung und ein abgerundetes Charakterbild wecken mag, ebenfalls ein "Reflexionsmonolog" ist, in dem ein unglücklich verliebter Maler über "das Wesen und die Möglichkeiten der Liebe nachdenkt".[33] Wichtigstes Thema der *Hundegeschichte* ist ebenfalls die Liebe, aber ist dort die nicht erwiderte Liebe wie eine Krankheit, die den Maler erniedrigt und fast entmündigt, so erlebt hier der Erzähler die "aus

---

31 Ein weiteres ausführliches Beispiel findet sich S. 42
32 Schutting, in: Venske, *Das Verschwinden des Mannes*, S. 179.
33 Lutz Hagestedt: "Jutta Schutting", in: *Neues Handbuch der deutschsprachigen Gegenwartsliteratur seit 1945*, Dietz-Rüdiger Moser, Hrsg. (München: Nymphenburger, 1990), S. 577.

erloschenem Herzen aufzubringende Liebe" (25) und das Gefühl, gebraucht zu werden, als neuen Anfang. Den Hund ansprechend bekennt er:

> welche eine Befreiung, [...] durch dich und an dir die Begabung zu entdecken zu leidenschaftsloser Liebe und zu einer Fürsorglichkeit, die zum ersten Mal nicht bloß eine Qualität der Liebe, die die Liebe ist, ist; [...] das alles macht aus neuer Daseins-berechtigung eine Daseinsfreude, denn auch wie Beistandleisten und Mitgefühl fühlt sich an, was mich zugleich wie liebliche Natur beschwingt, und so erziehst du mich vor allem zu Bescheidenheit [...]. (ebenda)

Er beobachtet die "Metamorphose" des ängstlichen in einen lieben und wehrhaften Hund (186). Unter seinen Augen lernt Polly, ihre Angst vor anderen Hunden, vor dem Autofahren, vor dem Wasser, vor dem klingelnden Telefon, oder der Haus-glocke zu überwinden und entwickelt ihre Fähigkeiten als "Wach- und Melde-hund" (123). Erst sind die "pädagogischen Erfolge" (141) nur klein, denn jede besiegte Angst legt eine neue frei, jede Marotte wird durch eine neue ersetzt ("einstmals fernsehsüchtig, nun aber wirtshausabhängig" [152]), aber nach Ablauf des Jahres gesteht die Eigentümerin Franziska dem Erzähler, Polly sei "ein anderer Hund geworden" (175). Auch der Erzähler verändert sich. Er bekennt, Mißerfolge in der Liebe (57) und schmerzhafte Trennungen (180) hinter sich zu haben und deutet sogar Selbstmordgedanken an (25). Meint Franziska in der abrupt einset-zenden und nur indirekt rekapitulierten "Vorgeschichte" noch, sein "Herz sei nicht so weich", und er sei deshalb besser geeignet, Polly zur Sterilisation zu begleiten (5), so entwickelt er in diesem Jahr seine "Liebesbegabung" und eine zärtliche und innige Freundschaft zu Polly, die er als seine anvertraute "Mündel" (102) betrachtet. Indem der Erzähler dem Hund hilft, Ängstlichkeit und Feigheit zu überwinden, und ihn zu seinem konstanten Bezugswesen macht, lernt er selber viel, zum Beispiel wahre Freunde zu erkennen und Wichtiges zu unterscheiden (24). Vor allem lernt er ein "neues Lebensgefühl, zumindest auf Zeit keine andere Liebe zu brauchen als die für ein Tier und zum ersten Mal seit langem das Leben ohne weltverändernde Liebe ganz gut zu vertragen als das, was es ist" (25). Karol Sauerland nannte deshalb *Hundegeschichte* eine "Ergänzung oder besser Um-kehrung des *Liebesromans*".[34] Die auf *Hundegeschichte* folgenden Gedichtbände *Traumreden*[35] und *Aufhellungen*[36] setzen das Thema Liebe fort, "diesmal jedoch ihre Vergänglichkeit, gegen die der Glaube an das Bleibende der Liebe gesetzt wird",[37] Einswerdung und Trennung, wobei aber eine Wiederbegegnung ange-deutet ist. Das Gedicht "Sätze"[38] variiert die Überlegungen der *Hundegeschichte*,

---

34 Sauerland, "Jutta/Julian Schutting", S. 9.
35 Jutta (Julian) Schutting, *Traumreden: Gedichte* (Salzburg, Wien: Residenz, 1987).
36 Julian Schutting, *Aufhellungen* (Salzburg, Wien: Residenz, 1990).
37 Sauerland, ebenda.
38 Siehe Schutting, *Traumreden*, S. 108-109.

wie daß sich Liebende aus der Alltagssprache ihre eigene geheimnisvolle, aber gut funktionierende Sprache schaffen (90-91).

In *Gralslicht* (1994), einer "lyrische[n] Lese-Oper",[39] führt Schutting die Reflexionen über Liebe und Liebesunfähigkeit weiter, diesmal anhand der Opernfiguren Parsifal und Don Giovanni, deren "Männerphantasien" Kundry korrigiert. *Hundegeschichte* setzt gerade nicht die Festschreibung von Geschlechterrollen fort; das Verhältnis von Herr und Hund ist übertragbar auf die traditionell männlichen und weiblichen Rollen in Beziehungen ("'sag, Pauline, bin ich dein Ein und Alles?'" [153]) und kann als deren Ironisierung verstanden werden oder als ein Hinweis auf die heutige Veränderung der Familienstrukturen, da der Erzähler die von Polly ausgelösten Emotionen mit den von Kindern verursachten vergleicht (43, 92).

Nicht zufällig scheint in diesem Zusammenhang, daß der Erzähler die Frage nach dem Geschlecht Pollys als nur scheinwichtig, indiskret, und "ärgerniserregend" ablehnt (49-50). Schuttings Konzentration auf "leidenschaftlose Liebe" zu einem Hund ließe sich als Rückzug aus der (patriarchalischen) Gesellschaft verstehen, in der es zur Sozialisation eines Mannes gehört, sich ein Mädchen zu "erobern", das noch dazu nicht ein unverwechselbares Individuum ist, sondern bestimmten Normen und Idealvorstellungen entspricht. Gerade dies hatte Hegel als romanhaft bestimmt. *Hundegeschichte* läßt sich also lesen als Absage an diese "Entwicklungsroman-Mythen",[40] wie sie Schutting in *Gralslicht* ironisch apostrophiert.

Die Erziehung des angeblich neurotischen Hundes, die sich der Erzähler am Anfang des Jahres vorgenommen hat (17), wird zur Selbsterziehung; an ihrem Ende steht das Fazit, die Zeit mit dem Hund, diese "erste Lebensgemeinschaft" (179), habe eine tiefgreifende Veränderung des Erzählers bewirkt:

> frei von Zweifeln, mir könnte die Begabung zu lieben abhandengekommen sein, ist sie mir eine Genesung gewesen von dem zu lange praktizierten Glauben, das Leben wäre so kalt und öd, wie es ist [...] und so könnte mir die wahre Liebe nicht mehr die sein, welche, hungernd nach Gegenliebe, in vielen Liebeswundern sich vermehrt, bis der andere sie endlich haben will, sondern nur mehr eine, welche, gezeugt von der Liebenswürdigkeit des anderen, eine gleichstimmige Vorahnung wäre der liebevollen Entwicklung, die beiden, liebend und geliebt, beschieden ist. (179-80)

Er sieht Polly als "Erzieherin" zum Abschiednehmen, im übertragenen Sinn zu "dem, was in der Fachsprache 'sich lösen' heißt" (98), wie unter dem Stichwort "Geschäfte" ironisch beschrieben. So wie der Hund nach der Rückgabe an Fran-

---

39 Julian Schutting, *Gralslicht: Ein Theater-Libretto* (Salzburg, Wien: Residenz, 1994), S. 5.
40 Ebenda, S. 92.

ziska zwar Rückfälle in früheres Verhalten erleidet, aber nicht mehr der verstörte, bissige, unberechenbare Hund ist, als der er früher galt, so scheint der Erzähler verwandelt in einen fürsorglichen, ausgeglichenen und friedfertigen Menschen, der gelernt hat, von sich abzusehen und auf Empfindlichkeiten Rücksicht zu nehmen, der darüber hinaus resignierend erkennt, daß ein ähnliches Verhältnis, wo der eine ganz auf den anderen bezogen ist, zwischen zwei Menschen nicht gelingen kann. Es bleibt allerdings offen, was von dem Gelernten er auf die angedeutete, aber ausgesparte menschliche Liebesbeziehung ("du weißt schon, mit wem" [165]) übertragen kann. Er weiß, daß der Hund ein leichterer Umgang als die angedeutete Partnerin ist: "Erheiterung, daß von dir zurückgewiesen zu werden nichts bedeutet und wenigstens alles, was ich von dir will, mit ein wenig Beharrlichkeit zu erzwingen ist!" (ebenda). Und schon am Anfang ihres Zusammenlebens reflektiert er ausführlich über die Vorzüge, die es hat, sich an einen genügsamen Hund zu gewöhnen im Unterschied zu einem anderen Menschen (18).

Eine Weile wünscht er und räsonniert, warum Franziska ihm Polly nun ganz überlassen sollte (172, 175), aber schließlich lernt er, Besitzansprüche aufzugeben. Der Abschied ist zugleich nötig und unausweichlich und wird doch nie endgültig, denn der Erzähler besucht Polly und Franziska, Polly bleibt weiterhin öfters bei ihm über Nacht, er sorgt wieder für sie, wenn Franziska auf Reisen geht (186). Der Hund (und, so ist zu ergänzen, der Erzähler) haben gelernt, "zwei Leben und Lieben" zu vereinigen (189). In der Imagination bleibt Polly bei ihm und macht ihn sensibler für hilflose Kreaturen. Mit einer solchen Episode, als ihn in Griechenland ein Esel an Polly erinnert, endet *Hundegeschichte* (190).

Die Idee, die Erfahrungen seines "Hundejahr[es]" (169) aufzuschreiben, weist der Erzähler ausdrücklich der Freundin Marianne zu und meint, "von selber nicht daraufgekommen zu sein, möchte ich als wahre Liebe deuten" (ebenda). Die Konservierung und Aneignung durch Beschreiben in "unsere Zeit beschwörende[n] Erinnerungen" (ebenda) erweist sich als richtige Strategie für seine Angst vor Abschied und Verlust. Durch das Schreiben wird Polly zum Hund des Erzählers, "ganz mein Hund" (ebenda), und der notwendige Abschied ist nicht mehr bedrohlich. Das Schreiben, diese "emotionsgeladene Erinnerungsarbeit",[41] hat eine katharstische Wirkung, es hilft den Abschied zu bewältigen und die damit zusammenhängenden Emotionen aufzuarbeiten. Der Erzähler wird sich klar, daß er keinen eigenen anderen Hund will, nur diesen einen: "[...] ich wollte ja auch nie einen eigenen Hund haben, nur dich, mir auf Zeit Zugefallenes, möchte ich behalten". (172) Ein Grund dafür wird nicht angegeben, aber hier füllt vielleicht

---

41 Ledanff, "Begabung zur leidenschaftsloser Liebe", S. 11.

die frühe Erzählung *Der Vater* (1980)[42] eine Lücke, obwohl einer autobiographischen Lesart gegenüber Vorsicht angebracht ist. Der verstorbene Vater des Erzählers/der Erzählerin liebte die Jagd, seine Hunde und seine exzentrischen Launen. Seine Kinder kraulte er wie seine Hunde hinter den Ohren, wenn er gut gelaunt war. Die Erzählerfigur kann um ihren Vater nicht trauern. Sie gibt ihrem Vater die Schuld, daß sie es nie länger in einer Beziehung ausgehalten hat. Sie vergleicht diese Vaterfigur mit einem ehemals bissigen, bösen Hund, der aber nun, alt und müde, seinerseits von den Hunden gebissen, von ihr verbunden und versorgt wird.[43] Sie interpretiert die wenigen Zuwendungen als Unfähigkeit zu lieben. Durch den Prozeß des Schreibens gelingt es ihr, dies zu erkennen und den Vater trotz seiner Fehler anzunehmen.[44] In *Das Herz eines Löwen* (1985) bekannte Schutting sich zur kathartischen Wirkung von Kunst, denn der Künstler könne sich (wie das Kind im Spiel) dem "Grauen" stellen, das normalerweise aus der Wirklichkeit ausgeklammert oder negiert werde.[45]

Die postmoderne Literaturwissenschaft stellt Unterscheidungen zwischen "hoher" und "populärer" Fiktion in Frage. Walter Hinck hat dem *Liebesroman* vorgeworfen, seine "Süßlichkeit" grenze "an Kitsch".[46] Traditionellen Leseerwartungen an einen Roman mag die Tatsache, daß in *Hundegeschichte* ein langes Liebesbekenntnis einem Hund gilt, schockierend vorkommen. Susanne Ledanff hat darauf hingewiesen, ein Tierporträt und das Thema Liebe zu einem Tier würden in der Jugend- und Abenteuerliteratur als geeignetes Thema anerkannt, in anspruchsvoller Prosa wisse man nichts damit anzufangen.[47] Dies mag erklären, warum es bisher wenig Forschung zur *Hundegeschichte* gibt. Die Vielschichtigkeit des Texts läßt solche Einteilungen fragwürdig erscheinen. Schutting setzt sich über die übliche "Schubladenaufteilung"[48] hinweg – mit Absicht, so ist zu vermuten, wenn man seine Poetikvorlesungen *Zuhörerbehelligungen* liest, wo er die Möglichkeit und den Gewinn davon erörtert, "bis an die Grenzen des Kitsches zu gehen, wenn die Expression an künstlerischer Vorsicht Schaden nähme: die Nähe

---

42 Jutta (Julian) Schutting, *Der Vater: Erzählung* (Salzburg, Wien: Residenz, 1980). Vgl. dazu Wolfgang Siegmund, *Vater: Rinderherden, bewegliche Ziele, Automobile und die Jagd* [Zum Buch *Der Vater* von Julian Schutting; mit einer Replik], (Graz: Droschl, 1991).

43 Nach Elisabeth Mader, *Die Darstellung von Kindheit bei deutschsprachigen Romanautorinnen der Gegenwart: Eine pädagogisch-literaturdidaktische Untersuchung* (Frankfurt am Main, Bern, New York, Paris: Lang, 1990), S. 108.

44 Nach ebenda, S. 60-61.

45 Vgl. Schutting, "Der Onkel aus Amerika", in: *Das Herz eines Löwen*, S. 74-95.

46 Walter Hinck, "Ein Dauerton der Verzückung. Jutta Schuttings *Liebesroman*", *Frankfurter Allgemeine Zeitung*, 13. Oktober 1983, S. 53.

47 Ledanff, "Begabung zur leidenschaftsloser Liebe", S. 11.

48 Ebenda.

eines Kunstwerks zum Kitsch macht dann deutlich, was es von ihm trennt".[49] In den Vorlesungen bestimmte er das Verhältnis einiger seiner Gedichte zur Tradition als "Variation",[50] ein Begriff, der in der Musikgeschichte üblich ist, aber nicht in der Literaturwissenschaft, der aber Beachtung verdient in der Diskussion um die Überwindung moderner Erzählformen und der Rückkehr zu traditionellen Erzählweisen, ohne in Epigonalität zu verfallen. Auch von daher liegt es nahe, *Hundegeschichte* als Variation von Traditionen,[51] hier der Liebesgeschichte und des Bildungs- oder Erziehungsromanes, aufzufassen, insbesondere da seine Reflexionen ironische Anspielungen auf Kategorien der klassischen Ästhetik enthalten wie "Pflicht und Neigung" (109), "interesseloses Wohlgefallen" (113), oder "Herzensergießung" (43).

Das humorvolle Aufgreifen literarischer Vorbilder gilt aber nicht nur im allgemeinen, denn *Hundegeschichte* erwähnt ausdrücklich Marie von Ebner-Eschenbachs *Krambambuli* (186). Außerdem scheinen Reminiszenzen an Thomas Manns Idylle *Herr und Hund* auf, in der das Tier das ästhetizistische Schriftstellerleben komplettiert und vermenschlicht, oder auch an Peter Handkes *Kindergeschichte* (1981), in der das Kind für den erwachsenen Erzähler die einzige Kontaktperson ist und ihm andere Formen von Gemeinschaften ersetzt. Die Frage eines möglichen Einflusses von Günter Grass' Roman *Hundejahre* (1963), in dessen mittlerem Teil der Hund Harras eine wichtige Rolle spielt, dessen Charakter und Verhalten mit viel Einfühlung beobachtet und beschrieben werden, wäre weiter zu verfolgen. Bei der Episode von Pollys "Seelenbewegung durch Eichkätzchen", für die einmal die Metapher vom "lieben Gott" (113-14) steht, mag man an Gerhart Hauptmanns *Bahnwärter Thiel* denken.

Inzwischen hat Schutting selbst eine Ergänzung oder wiederum eine Art Variation zur *Hundegeschichte* geliefert, nämlich die Studie *Katzentage*.[52] Es handelt sich um eine kürzere Beschreibung (78 Seiten), die auf einer ähnlichen Situation aufbaut, nämlich daß der Erzähler einige Male auf ein Katzengeschwisterpaar einer in Italien lebenden Freundin, Maria, aufpaßte (8). Hier gibt es keine vergleichbare Liebesgeschichte, es bleibt bei Beobachtungen der zwei Katzen Viola und Blu und später ihrer drei Kätzchen, die ihnen aber weggenommen werden, und ihres Umgangs miteinander sowie dadurch angeregte Reflexionen etwa über den Fortpflanzungstrieb und "Vaterwerdung" (76) oder Katzen in Märchen (44). Der Erzähler entwickelt keine tiefere Beziehung zu den Katzen

---

49 Schutting, *Zuhörerbehelligungen*, S. 51.
50 Vgl. ebenda, S. 11-19, 22-23.
51 In dieser Richtung interpretierte schon Karlheinz Rossbacher die Stifter-Rezeption in Schuttings *Tauchübungen*, "Die Tradition und ihre kritische Erinnerung. Zur Rezeption Adalbert Stifters bei Jutta Schutting," in: *Traditionen in der neueren österreichischen Literatur: Zehn Vorträge*, Hermann Möcker, Hrsg. (Wien: Österreichischer Bundesverlag, 1980), S. 31-45, besonders S. 43-44.
52 Julian Schutting, *Katzentage* (Salzburg, Wien: Residenz, 1995).

(12), und er bekennt vorweg, Katzen seien ihm "als einem Hundemenschen" auch durch dieses experimentelle Miteinander oder seine "Tierstudien" fremd geblieben (8).

Ein wichtiger Aspekt der Sprache in *Hundegeschichte* bleibt noch zu erwähnen, nämlich der Gebrauch von Umgangssprache und Austriazismen. Hier ein besonders ansprechendes Beispiel: "geh, sei nicht fad, tu dich geschmeichelt fühlen, nicht gähnen, also wirds? dann halt nicht, verwöhntes Bledsviech, ich brauch dich nicht!" (152). Für Wörter aus dem Dialekt mögen "Bißgurngesicht" (52), "Ohrengewachel" (63), "Schnaderhüpfel" (72) und Patschen (84) stehen. Ferner verleihen Ortsangaben wie Sievering (23-24), Türkenschanzpark (42), Grinzing (101), Schladming (154) und Wienerwald (159) einen Hauch Lokalkolorit. Der Erzähler greift auf kulturelle Bilder zurück und meint etwa, Kletten stünden Polly "so gut wie unserer Kaiserin Sissy die Sterne oder Schneekristalle im Haar" (59), auf das berühmte Porträt von Franz Winterhalter anspielend. Diese Elemente passen dazu, daß Schutting sich in seinen Poetikvorlesungen einer Gruppe von Schriftstellern zugeordnet hat, die betonen, zwar in deutscher Sprache, aber österreichische Literatur zu schreiben.[53] In diesen Vorlesungen attestierte er der österreichischen Literatur im Unterschied zur deutschen ein hohes Maß an "Verspieltheit",[54] die Verbindung von Lächerlichem und Erhabenem,[55] aber auch die Fähigkeit zur Selbstkritik, alles Merkmale, die seine *Hundegeschichte* auszeichnen. In den Vorlesungen bemerkte Schutting selbstironisch, Österreicher seien (mit wenigen Ausnahmen) nicht begabt zu epischem Schreiben und zum Produzieren von Romanen.[56] Er hält damit anscheinend nicht nur an traditionellen Gattungsbegriffen fest, sondern auch an einer nostalgischen Idee, was ein Roman sei. Andererseits setzte er die verspielte österreichische der ernsten deutschen Literatur entgegen. Der Bildungsroman wurde in der ästhetischen Diskussion und Literaturgeschichtsschreibung des 19. und frühen 20. Jahrhunderts als "die" deutsche Gattung bestimmt, die am besten "nationale" Eigenschaften wie Innerlichkeit und "Geist" ausdrücken konnte.[57] Auch von daher liegt es nahe, *Hundegeschichte* als Schuttings humorvolle, spielerische Absage an den Bildungsroman zu lesen. Auf jeden Fall eröffnet sie eine neue Dimension für die längere Liebesgeschichte in Prosa, für die in der Postmoderne wieder die Bezeichnung Roman stehen kann, selbst wenn dies paradox klingt und der Begriff sich mehr denn je einer starren Definition entzieht.

---

53 Vgl. Julian Schutting, *Leserbelästigungen* (Graz: Droschl, 1993), S. 128.

54 Ebenda, S. 133.

55 Ebenda, S. 130-31.

56 Vgl. ebenda, S. 132. Ähnliche Bemerkungen auch in Julian Schutting, *Der Winter im Anzug: Sprachspaltereien* (Graz, Wien, Köln: Styria, 1993), S. 112: es sei vergeblich, "uns Österreicher [...] zu Romanschriftstellern zu erziehen [...] die Begabung zum Epischen fehlt uns."

57 Vgl. Kontje, *The German Bildungsroman*, S. 23-76.

Jacqueline Vansant
University of Michigan-Dearborn

"Die Orte müßten Trauer tragen": Mapping the Past in Elisabeth Reichart's *Komm über den See* (1988)

IT IS NOT SURPRISING that when Elisabeth Reichart, a trained historian, first started writing fiction she chose themes related to her research on Austria's National-Socialist past. As a writer, Reichart felt a responsibility towards the memory of those persecuted under National Socialism as well as the need to delve into the lasting effects of the myth of Austria's victimhood. However, the author also viewed this responsibility as a burden and the writing of her first two works as a step towards her liberation as a writer:

> Meine Entwicklung ist eigentlich eine Befreiung. Das klingt vielleicht komisch, weil der Krieg immer geblieben ist. Aber ich hatte bei *Februarschatten, Komm über den See* noch das Gefühl, daß ich jemandem gerecht werden muß. Bei *Februarschatten* waren es die getöteten Flüchtlinge und bei *Komm über den See* die Widerstands-kämpferinnen im Salzkammergut. Das war eigentlich eine große Belastung beim Schreiben, weil ich das Gefühl hatte, daß ich nicht nur schreiben kann, was ich schreiben will, sondern ich muß auch schauen, daß ich diesen Menschen gerecht werde.[1]

In her efforts to do those persecuted justice, Reichart has chosen to write neither historical novels set during the Third Reich nor documentary literature. Rather, as someone born in 1953 who did not experience this period herself, she has used contemporary Austria as the backdrop for her fiction. In both *Februarschatten* and *Komm über den See*, the author seeks to recover lost histories of the persecuted and study the psychological effects of not dealing with the past. Since "freeing" herself from this burden, Reichart has delved more deeply into topics she had touched on in earlier works such as female subjectivity, language, and identity and has explored new topics such as language and violence. She has also chosen a variety of genres to develop these topics. Her collection of short stories *La Valse* (1992) includes stories which deal with Austria's fascist past as well as stories which focus on domestic violence and incest. In her novel *Fotze* (1993), she explores the topic of language and (sexual) violence. In her monologue

---

1   Linda DeMeritt and Peter Ensberg, "'Für mich ist die Sprache eigentlich ein Schatz': Interview mit Elisabeth Reichart," *Modern Austrian Literature*, 29, 1 (1996), 16-17.

Sakkorausch (1994), which had been commissioned as part of the *Wiener Fest-wochen*, Reichart creates the inner monologue of the institutionalized philosopher Helene von Druskowitz. In her most recent novel *Nachtmär* (1995), Reichart focuses on betrayal in a circle of friends.

When it appeared in 1988, fifty years after the Anschluss and during a year of commemoration, *Komm über den See* was generally well-received in the German-language press.[2] Since then it has been examined in several academic studies in the context of Austrian literature which deals with its fascist past.[3] Labelled a

---

2   A quick overview of three Austrian newspapers shows that the author received high praise for her efforts regardless of the political leanings or journalistic reputations of the newspaper. Anton Thuswaldner of the *Salzburger Nachrichten*, a well-respected conservative newspaper, praises the book as "ein überlegen durchkomponiertes, von unaufdringlichem Humanitätsanspruch getragenes Buch" (12 March 1988, 28); Kurt Kahl of the tabloid, *Kurier*, finds Reichart expertly expresses thoughts and feelings (18 February 1988, Beilage, 5); and Gerhard Moser of the *Volksstimme*, the paper belonging to the Austrian Communist Party, lauds Reichart's work. He maintains, "Mit *Komm über den See* ist ihr ein in jeder Hinsicht bemerkenswertes, herausragendes Werk gelungen, das die Staatsideologie des Vergessens enthüllt, aber auch in Grauzonen der Geschichtsschreibung des Antifaschismus vordringt" (4 May 1988, Beilage).
     In major German-language newspapers outside Austria, *Komm über den See* was also generally favorably reviewed. Renate Miehe of the *Frankfurter Allgemeine Zeitung* views *Komm über den See* as "ein vielschichtig komponiertes zweites Buch, das die Neugier des Lesers auf ein drittes Buch weckt" (22 March 1988, 28); Gerhard Melzer of the *Neue Zürcher Zeitung* praises Reichart for her language and careful character portrayal. He maintains "*Komm über den See* will nicht politische Tendenzdichtung sein, sondern im Gegenteil: poetische Korrektur blossen Meinungsgeflunkers, behutsame Probe aufs Exempel der <<grossen>> Rhetorik" (1-2 May 1988, 39). Gerd Dardas of the newspaper *Sonntag*, published in the German Democratic Republic, and Gregor Dotzauer of the West-German *DIE ZEIT*, are less enthusiastic. Dardas suggests that Reichart has chosen to deal with too many important topics in too little space (*Sonntag* 5, 1989, 12). The sharpest criticism, however, comes from Gregor Dotzauer of *DIE ZEIT*, who ends his commentary with the following biting statement: "Wie jemand die Notwendigkeit verspürt, nichts zu erzählen und diesem Unternehmen eine Menge Lebenszeit opfert und Schreibtischschweiß (ja, den hat es die Dichterin gekostet); und daß einen dabei die Achtung vor schon geschriebener Literatur offenbar so gar nicht entmutigt – darin liegt auch ein ernsthaftes Rätsel" (12 August 1988, 35). Regardless of the tenor of the reviews, the fact that Reichart's *Komm über den See* was reviewed in the major German-language newspapers indicates the seriousness with which her book was taken.

3   Victoria Hertling briefly discusses it in her article, "Bereitschaft zur Betroffenheit: Neueste österreichische Prosa über die Jahre 1938 bis 1945," *German Studies Review* 14, 2 (1991), 275-91, which surveys Austrian fiction dealing with the National-Socialist past published in 1988 – fifty years after the Anschluss. In his book, *Innerlichkeit und Öffentlichkeit: Österreichische Literatur der achtziger Jahre* (Tübingen: Francke, 1992), Klaus Zeyringer places *Komm über den See* in several contexts. For example, he views it within the context of literature by women who connect the primacy of memory with emancipation and self-actuation, and he cites it as an example of post-Waldheim fiction which attacks the attitude of the president and those like him, as well as a feminist

"story," *Komm über den See* demonstrates the fluidity and sometime arbitrariness of genre labels. In the case of *Komm über den See*, the designation appears determined by perceived market demands rather than clear-cut formal criteria. When asked about it, Reichart explained that the label was an editorial decision which did not necessarily reflect the form of or her desired designation for her prose work.[4] Her editor felt "story" would be more attractive to readers than "novel" which might be off-putting. The arbitrariness of such labels is further demonstrated by the fact that Reichart's first work, *Februarschatten*, which was originally labelled a "novel," has been recently reprinted as a "story." It is conceivable that should *Komm über den See* be reprinted, it could as easily be re-labelled a "novel." The interchangeability of the genre labels "story" and "novel" in relationship to *Komm über den See* points to elasticity of genre designations characteristic of much postmodern literature.

Divided into five chapters of twenty-eight to thirty-six pages, the story/novel focuses on Ruth Berger, who at age forty-five, is starting off on a second career as a history and English teacher. Each chapter is preceded by a short narrative by an unidentified resistance fighter who later is revealed as Anna Zach, the woman Ruth Berger's mother betrayed to the Gestapo. Ruth Berger has been assigned a teaching job as a one-year replacement in Gmunden, Upper Austria, sometime after Kurt Waldheim's election as president. Interested in Austria's National-Socialist past, Ruth Berger sets out to find traces of this past in and around

---

critique of National Socialism. In his article, "Zwischen Anpassung und Widerstand: Bemerkungen zu zeitkritischen Prosawerken von Peter Henisch, Elisabeth Reichart und Gerald Szyszkowitz" (*Modern Austrian Literature* 25, 1 [1992], 41-59), Jürgen Koppensteiner compares *Komm über den See* with two other works as literary responses to the phenomenon of Kurt Waldheim. Two more recent studies provide in-depth examinations of the ways in which Reichart interrogates the past. Maria-Regina Knecht's article, "Resisting Silence: Brigitte Schwaiger and Elisabeth Reichart Attempt to Confront the Past" (in *Gender, Patriarchy, and Fascism in the Third Reich: The Response of Women Writers*, Elaine Martin, ed., [Detroit: Wayne State Press, 1993], pp. 244-73), specifically "addresses the question whether there is a female mode of confronting the fascist past" (246) by examining Brigitte Schwaiger's *Lange Abwesenheit* (1982) and Elisabeth Reichart's *Februarschatten* and *Komm über den See*. Kecht considers Reichart's work a particularly valuable contribution to the body of literature which concerns itself with Austria's past because of the complexity with which she portrays relationships between women and women's relationship to history. Most recently, Jennifer Michaels in her article, "Breaking the Silence: Elisabeth Reichart's Protest Against the Denial of the Nazi Past in Austria" (*German Studies Review*, 19, 1 [1996], 9-27), examines Reichart's dissertation,"Heute ist morgen: Fragen an den kommunistisch organisierten Widerstand im Salzkammergut" (1983), *Februarschatten* (1984), *Komm über den See* (1988), and selected short stories from *La Valse* (1992), which concentrate on "breaking the silence that for many years after the war surrounded the Nazi period in Austria" (9). Michaels considers this the most urgent concern of Reichart in her works to date.

4   Personal conversation with the author on December 16, 1995.

Gmunden. A town where the protagonist spent some time as a child, Gmunden acts as the catalyst for a painful inner journey to her past.

In the space of 188 pages, Reichart touches on many topics which she does not develop fully, a criticism leveled against her by Gerd Dardas of *Sonntag*: "Zu viele wichtige und große Themen werden aufgegriffen, die eigentlich einen Roman verlangt hätten: Antifaschismus und Geschichtsbewältigung, Volks-bildungsmangel, Frauen im Nachkriegsösterreich und ihre Schicksale, Fami-liengeschichte der Elterngeneration, Partnerbeziehungen in der Gegenwart."[5] Dardas maintains that a novel rather than a piece of short fiction would have a more appropriate medium for the wealth of topics Reichart dealt with. However, rather than a question of form, i.e., "story" versus "novel," it is a question of breadth and focus of the work. Instead of an in-depth treatment of each topic, which Reichart shows as interrelated, she focuses on the processes and levels of remembering the past demanded in order to deal with Austria's fascist past.

Through the centrality of geography in her narrative, Reichart represents distinct, albeit related, modes for coming to terms with the legacy of National Socialism. On the one hand, she puts forth an external or public mode of remembering by infusing the geography of Austria's Lake District with history. She maps out an alternate history onto a landscape devoid of traces of resistance and persecution. On the other, she presents an internal, private mode using place as a vehicle for the main protagonist's inner journey to her traumatized past. Reichart maps out a complex geography of memory and identity. Reichart weaves geographical metaphors and similes into her maps to comment on Austria's collective memory, the historiography of the resistance, the discourse surrounding the National-Socialist period, and the structure and processes of memory and trauma.[6] Through explicit intertextual geographical references, Reichart connects herself to Sarah Kirsch and Christa Wolf, two women writers concerned with similar enterprises in their work.

By choosing the Lake District as the site of her novel, Reichart was able to draw on her own research and establish links to the National-Socialist past through a former concentration camp in the area. The work on her dissertation from 1983, entitled "Heute ist Morgen: Fragen an den kommunistisch organisierten Wi-derstand im Salzkammergut," provided her with knowledge of the resistance, particularly female resistance in the area. In addition, Ebensee, the town on the opposite side of Lake Traun from Gmunden, was the site of a concentration camp

---

5 *Sonntag* [Berlin/DDR], No. 5, 1989, 12.
6 In addition, Reichart uses geographical metaphors to discuss female subjectivity and her female protagonist's relationship to language. Reichart's portrayal of Ruth Berger's relationship to language and her use of geographical metaphors are reminiscent of Ingeborg Bachmann. A discussion of this would, however, go beyond the scope of this article.

during the Third Reich. But more than this, Reichart's choice of one of the most beautiful areas in Austria allows her to contrast her Austria to ahistorical representations of an area familiar to most Austrians.

The Lake District with its breathtaking scenery has long lent itself to clichéd images. For example, it has served as the backdrop for many *Heimat*-films.[7] In these films, the area's geography has assumed particular importance as a refuge and escape from a hectic and often decadent modern world.[8] In post-war Austrian *Heimat*-films, as with *Heimat*-texts in general, the landscape was constructed to promote "the abstraction of the nation" through the experience of "one's common appreciation of a locality."[9] Thus, the landscape was constructed to represent the essence of Austrianness, and Austria's countryside served as the basis for a shared concept of national "home" or *Heimat*. Reichart does not reject the beauty of the area nor deny it, but she rejects a definition of *Heimat* rooted solely in its association with the indigenous landscape. By infusing this geography with history, she counters such a definition and promotes a more inclusive concept of *Heimat*. By virtue of the fact that she sets her story in the Lake District and connects the area with the National-Socialist past, Reichart challenges dominant images of the Lake District as a place recent history has passed by. However, her critique goes well beyond this. She illustrates the ways in which place has been constructed to obliterate or erase the past and points to the perniciousness of defining *Heimat* solely by locale.

Reichart has her protagonist approach geography familiar to most Austrians with the eyes of a historian and she becomes a historical topographer for the reader by remapping the familiar. Because of her interest in history, Berger sets out to find traces of the past, which she soon discovers are almost impossible to find: "Und vorher, vorher bin ich auf die Berge gegangen, habe gehofft, mehr zu sehen, aber die dünnere Luft hat die Spuren des Widerstandes, diese schwer zu findenden Spuren, nicht freigelegt."[10] Because of a concerted effort coupled with the passage of time, traces of the period have completely disappeared. Ruth Berger suggests that only a superhuman, almost cataclysmic, force could uncover the past:

---

7   A few of the *Heimat*-films which take place in the Lake District include: *Rendezvous in Salzkammergut* (1948), *Kleiner Schwindel am Wolfgangsee* (1949), *Hoch vom Dachstein* (1953), *Hofjagd in Ischl* (1955), *Verlobung am Wolfgangsee* (1956). For descriptions of these and others, see Gertraud Steiner, *Die Heimat-Macher: Kino in Österreich 1946-1966* (Wien: Verlag für Gesellschaftskritik, 1987).

8   See ibid., p. 46.

9   Celia Applegate, *A Nation of Provincials: The German Idea of Heimat* (Berkeley, Los Angeles, Oxford: University of California Press, 1990), p. 15.

10 Elisabeth Reichart, *Komm über den See* (Frankfurt am Main: Fischer, 1988), p. 92. Henceforth page numbers will be included in the text and refer to this edition.

Die alten Spuren, dachte Ruth, sind nicht mehr zu sehen. Still liegt der See zwischen den Bergen. Die Berge verdunkeln die Wasseroberfläche, der See ist ein blinder Spiegel. Ab und zu finden Taucher Reste aus der Zeit des Faschismus, aber es bedürfte anderer Kräfte, um den Dingen, die hier geschahen, auf den Grund zu gehen; die Taucher kommen nur bis zur Mitte des Sees, weiter hinunter kommt niemand. Der See selbst müßte alles ausspeien, müßte sich in einen Vulkan verwandeln, daß uns im nachhinein Hören und Sehen vergeht. (176)

With the symbolic use of the landscape and a natural disaster, Reichart illustrates the enormity of the enterprise of uncovering the past and indicates the severity of the injustices suffered by those who were persecuted during the Third Reich and forgotten after 1945. By rooting the metaphor in the geography of the Lake District, she clearly implicates Austrians in the covering up of the past. Natural processes alone have not erased traces of the past, but they have been covered up or removed by choice.

Ruth Berger's historical consciousness makes her aware of the erasure of the past through the construction of public space in this resort area.[11] As soon as Ruth Berger arrives in Gmunden, she questions the reality behind the beautiful facade: "Ruth war Gmunden, die Stadt, die so wenig von dieser Zeit an sich hat und doch in der Zeit ist, unheimlich. Sie wurde das Gefühl nicht los, es ist ein Raum, mit Milch getüncht, und jeden Moment können die Fassaden abbröckeln, die Fratzen zum Vorschein kommen, die Menschen übereinander herfallen, wie schon öfter hier" (54).

Although Gmunden gives the appearance of being outside of time, Berger senses another reality and a violent past barely hidden below the surface. The perniciousness of such facades is underscored when one of her friends is institutionalized in a former castle. Berger is reminded how the facades of castles hid the brutality of the National-Socialist regime when they served as places to exterminate those considered unworthy of living (148-49). The reader is led to question what lies behind beautiful facades.

With her protagonist's trip to Ebensee, Reichart puts the concentration camp on the map for the reader and suggests another way in which public space has been constructed to promote forgetting. Merely by removing the two letters "KZ," for concentration camp, she erases the brutalities of the camp and era, and it is almost as if it had never happened: "[U]nd da soll man nicht mißtrauisch werden gegen die Worte, wenn nicht einmal ein Wort wie Glück standhält in der Zeit und vor Ortsnamen nur zwei Großbuchstaben entfernt werden mußten, damit alles wieder in Ordnung war, wie es auch vorher in Ordnung war und vorvorher und eigentlich

---

11 I was helped in my discussion of the construction of place by Patricia Yaeger's "Introduction: Narrating Space," the introduction to a volume she edited, *The Geography of Identity* (Ann Arbor: University of Michigan Press, 1996), pp. 1-38.

immer und es hier nur darauf ankam, sich an jede neue Ordnung zu gewöhnen" (78). In contemplating Austria's return to normalcy after 1945, Berger is struck by the ease with which the past has been erased. Reichart also shows this as being little more than a cosmetic change as people's mentality has basically remained the same. Under a thin facade of decency, the fascist mentality remains. In a so-called democracy, Berger finds a community which is monitored by authoritarian principles. Her every movement is registered by the citizens, in the school the principal exercises strict control over his faculty and students, and there is even an understood blacklist of undesirable writers, including Borchert and Brecht. Through her chance meeting with a freelance journalist doing a report on the Lake District, Berger also learns that a group of prominent male citizens, young and old alike, celebrate the "Reichskristallnacht" as the beginning of the extermination of the Jews.

Reichart shows that concomitant with the obliteration of memory in public space was the elimination of the persecuted from private and public discourse. When Ruth Berger first meets with Anna Zach, who had been active in the resistance, Anna describes the reaction she often heard after she returned from the concentration camp. She was told numerous times that it must not have been so bad or she would not be here (163). Reichart shows that the denial of Zach's experiences in private discourse was paralleled by a public policy of denying the past. "Bereits im Sommer 1945 stand es groß in der österreichischen Presse zu lesen: >Vergessen wir die letzten sieben Jahre! Gemeinsam in die Zukunft!<" (164). Zach equates this silence, or the politics of forgetting, which followed 1945 with a second murder of those persecuted and their memory. "Mit diesem >gemeinsam< wurden die Ermordeten noch einmal ermordet. Die Mörder sind an der Macht. Sie wußten, was sie taten. Es gibt uns nicht in der Realität dieses Landes. Es gibt uns nur auf den Friedhöfen der Namenlosen, in unseren Wohn-küchen oder in Altersheimen" (ibid.). Just as the physical traces of this period have conveniently disappeared or been marginalized, so has the existence of those persecuted been denied in private discourse and a critical analysis of the past been banished from public discourse. The result is a landscape empty of traces of the past. By creating an awareness of the historical void in Lake District, Reichart offers a new perspective on a familiar landscape.

To fill the void, Reichart has her protagonist remap the "empty" landscape by "repopulating" it with those persecuted. The result is twofold: *Heimat* is reclaimed for those persecuted because they stood up for their country, and a more usable concept of *Heimat* for younger generations emerges. Berger imagines Anna Zach's work during the Third Reich:

> Während sie durch Gmunden ging, sah sie Anna Zach vor sich in einem Haus verschwinden, unauffällig wieder herauskommen, einige Häuser weiter der gleiche Vorgang. [...] Hat die sich eine Ausrede zurechtgelegt für den Fall, daß die Gestapo

sie vor einer der Haustüren erwartete? Hatte sie Alpträume in all den allein ver-
brachten Nächten? [...] Ruth sah Anna Zach auf dem Fahrrad durch das Salzkammergut fahren, das Essen für die Männer in den Bergen einsammeln, dieses nötige
Essen im Rucksack verstecken [...]. (133)

Berger's musings about Anna Zach form a historical overlay on an otherwise
ahistorical background. With her questions, she also contemplates the importance
of such "small" contributions.

Reichart complements Berger's efforts to "repopulate" the Lake District through
the short narrative preceding chapter 2. The unidentified speaker, later revealed
as Anna Zach, relates a story of women's involvement in the resistance in the Lake
District. She tells of the men in the resistance leaving for the mountains while the
women stayed behind to continue important work and help the men survive in the
mountains (47). Her testimony makes a part of the resistance and women's
contribution to the resistance in this area visible.

By including specific instances of injustices suffered by and because of area
citizens, the author has her protagonist not only "repopulate" the area but also pose
serious questions concerning the meaning of *Heimat*. On a trip to Ebensee, Berger
recalls having read that the Jewish druggist there was considered "lucky" because
he was able to sell his business and flee (78). Berger also remembers the story of
two resistance fighters she identifies as Mali F. and Hermine J., who made a side
trip to the Lake District on their arduous journey home on foot after their escape
from Ravensbrück.[12] After their horrific experiences, they wanted to enjoy Austria's idyllic landscape and take in its healing potential. When they found out there
had been a concentration camp in Ebensee, they asked a passer-by what had
happened to the prisoners. The man replied "freigelassen hat man sie, statt im See
ertränkt" (79). Berger then asks a question central to the book: "Was war in diesem
Moment mit dem Wort Heimat geschehen, waren die Seen da noch blau, waren
die Berge da noch weiß, ist Heimat diese Landschaft, genügt denn das" (ibid.).
The implied answer to Berger's rhetorical question is clearly an indignant "no."
Because of the injustices suffered by Austrians such as Mali F. and Hermine J.,
Berger feels that this can not be adequate. However, in the context of the post-
Waldheim Austria portrayed, the opposite is shown to be the case. For those who
wish to forget the past, it suffices. For the persecuted, it sadly seems to be all they
have. Since 1945, they have been faced with continued cruelty and the denial of
the severity of their experiences. They have disappeared from public discourse
and been erased from the geography. However, for Reichart, as with her
protagonist, identification with landscape alone cannot serve as one of the con-

---

12 The reference is to two actual resistance fighters, Mali Fritz and Hermine Jursa, who
    wrote of their trip home in *Es lebe das Leben! Tage nach Ravensbrück* (Wien: Verlag
    für Gesellschaftskritik, 1984).

stituents for national identity. An identification with the landscape without the overlay of history would be a betrayal of those persecuted.

Through Ruth Berger's work in the classroom, Reichart suggests the importance of education in nurturing a concept of *Heimat* which connects larger historical events to one's home area. Desiring to make history alive for her students, Berger demonstrates how place can be infused with history through an interest in "Alltagsgeschichte." One student, convinced that history is only associated with famous names and events such as wars which have taken place elsewhere, rebels against having to deal with the history of that area. For him, this appears an exercise suitable for elementary pupils, but not for students at a *Gymnasium*. However, drawing on the stories the children have heard at home, Berger is able to demonstrate how even their community was involved in history and, in this case, in the events of the *Third Reich*:

> Anfangs war es sehr mühsam, sie half ihnen mit Fragen, nach kurzer Zeit aber redeten sie bereits durcheinander, sie ließ es zu, daß sie sich ins Wort fielen, gleichzeitig redeten. All diese Geschichten, die plötzlich aus ihnen herausdrängten – sie versuchte, sich Gesichter und dazugehörende Erzählungen zu merken, die gefallenen Großväter, die Großmütter, die allein die Familien versorgten, die Einkäufe auf Markten, Hunger und Angst und die vielen durchziehenden Fremden. (118-19)

With Berger's personalization of history coupled with the enthusiastic response of the students, Reichart suggests that such stories promote personal involvement, which in turn could promote an engaged historical consciousness of place. As historian Detlev Peukert points out in *Inside Nazi Germany*, engaging one emotionally can facilitate a better understanding of this period: "If, therefore, education about the Third Reich is to be more than a transmission of mere factual knowledge, and is to awaken a sense of involvement and hence commitment to democracy, it is necessary to reconstruct the relevant realms of experience historically and to illuminate the experience through teaching."[13] If the realm of experience is embedded in the proper context, the students could potentially see the immediate connection of their *Heimat* to this part of Austrian history and develop "a sense of involvement" and a "commitment to democracy."

With her geographical similes and metaphors, Reichart adds another dimension to her mapping project. She illustrates pitfalls and dangers in the attempts to map the past onto the landscape. Opening her story with a geographical metaphor, Reichart illustrates the inherent fragmentary nature of any quest to map the past: "Vor jeder: Erinnerung das Wissen: Alle Sätze in dieses Gestern können nur Brücken zu Inseln sein, was sie verbinden, es bleibt für immer getrennt" (7). She

---

13 Detlev Peukert, *Inside Nazi Germany* (New Haven, London: Yale University Press, 1987), pp. 22-23.

likens memory to islands separated forever despite bridges of memory. However, through the gradual disappearance of this introductory sentence in the short introductory narratives before each chapter, she suggests that by sharing the stories across generations a bridge can be created between the past and present, making the memories more lasting.[14]

Reichart also shows that the mapping of the past carries inherent dangers with it no matter how well-meaning one may be. Reichart has Anna Zach use geography typical for the area as a simile both for the position of women in historiography and for the dangers inherent in researching the past. Zach compares the memory of herself and other women in the resistance to caves: "Wir werden wie die Höhlen im Inneren der Berge sein, draußen ein dumpfes Wissen, daß da noch etwas war und ist" (113). As with the caves, their existence is known, although they are not visible. As a result, their history and their existence has almost been forgotten and is definitely out of sight. Zach goes on to liken those interested in this history to spelunkers transfigured by the hidden beauty:

> [M]anche werden in die Höhlen gehen, manches an uns werden sie gerne sehen, wie sie die Wasserfälle, die riesigen Hallen und die Tropfsteingebilde bewundern, werden sie auch an uns vieles finden, das sie bewundern können, aber sie werden rechtzeitig umkehren, bevor ihr Blick die schimmelnden Wände streift und der Fuß im Schlamm steckenblieb, und wer wird es wagen, ihnen daraus einen Vorwurf zu machen, diesen Heraustretenden aus der Übereinkunft des Vergessens, ein Fest werden wir ihnen bereiten, dankbar werden wir sein, wenn der See ausgetrocknet ist. (ibid.)

With the metaphor of the cave, its wonders and its uglier side, the inherent problematic nature of the discovery and recovery of lost histories for both those whose history it is and those writing the history is made very graphic. Those recovering the history, in their quest for role models, may be blind to its complexities and its more sordid side. The former resistance fighter, however, concedes that she and others like her will hardly find fault with those who are willing to break the long silence for such simplification.

Ruth Berger's peregrinations in and around Gmunden, her students' discussion about the area, and the geographical metaphors and similes result in a multidimensional remapping of a well-known area which extends beyond what can be seen with the eye and includes that which has been covered up and denied, or ignored. The combined efforts act as a historical overlay on a landscape which has been made to seem outside of history. The project of remapping honors those persecuted and leaves readers with an awareness of the ways in which Austrian geography has been used to deny history. It also demonstrates the ways in which

---

14 Compare with Kecht, "Resisting silence," p. 257.

one can combine an emotional attachment to this geography with an awareness of history in order to create a more inclusive concept of *Heimat*. Ideally, identification with this more inclusive *Heimat* would ultimately impact on the construction of a national identity, countering any claim to state victimhood.

However, despite the fact that this remapping gives the reader a new vision and version of *Heimat*, it does not provide Ruth access to her traumatized past. Ruth must embark on an inner journey through uncharted territory in order to break out of her psychological paralysis. Reichart distinguishes in this manner between a public mode of coming to terms with the past versus a private mode and suggests the need to draw on different modes of dealing with the past. Reichart does not question the importance of Berger's remapping, rather only its usefulness in dealing with personal trauma regardless of its connection to historical events.

Bessl A. van der Kolk and Onno van der Hart's discussion of traumatic memories offers insight into Reichart's depiction of Ruth Berger's trauma and her inner journey.[15] If we experience something "under extreme conditions, existing meaning schemes may be entirely unable to accommodate frightening experiences" (160). This "causes the memory of these experiences to be stored differently" (ibid.), and they are often inaccessible under normal circumstances. As a child Ruth experienced a series of traumatic events. When the Gestapo arrested Ruth's mother, she told Ruth to run, which led Ruth to feel she had deserted her mother. When her mother returned, she was a broken woman because she had betrayed her friend when her interrogators threatened to do something to her daughter. From her mother Ruth heard that she did it for her, which resulted in Ruth feeling the burden of her mother's guilt. In order to forget the threats of the Gestapo and her ultimate betrayal, Ruth's mother had her rebaptized and renamed from Brigitta to Ruth at the age of four, something which Ruth cannot remember. The well-meaning, but misguided, pedagogy of her aunts who had custody of her after her mother's death only deepened her wounds. In addition, Ruth felt abandoned by her father, an actor who joined the Nazi party and left her and her mother to further his career.

Van der Kolk and van der Hart argue that traumatic memories or "the unassimilated scraps of overwelming experiences" (176) then remain separate from what they term "narrative memory" or those "mental constructs, which people use to make sense out of experience" (160). Reichart presents Ruth's situation as being similar. Much of Ruth's past has remained inaccessible to her. Ruth never received a reasonable explanation for those actions which were cloaked in silence. The silence surrounding these events only exacerbated their traumatic nature. Perhaps

---

15 Bessel A. van der Kolk and Onno van der Hart, "The Intrusive Past: The Flexibility of Memory and the Engraving of Trauma," in *Trauma: Explorations in Memory*, Cathy Caruth, ed., (Baltimore, London: The Johns Hopkins University Press, 1995), p. 158-82. Henceforth, references to this article will be included in the text.

in another society in which one talked more openly about the past, and in which obedience, forgetting, and silence had not played so important a part, Ruth's past would not have been so inaccessible to her. But she has had no opportunity to transform her traumatic memories into narrative memory and no possibility of making sense of her experiences. She appears condemned to repeat certain behaviors since she is afraid of the alternative: "Die verhaßten Wiederholungen, und doch so vertraut, und doch erträglicher als die unbekannten Landschaften hinter der Schleuse der Gewohnheiten – nicht weiterdenken, nur nicht weiterdenken" (138).

At this juncture, it is necessary to point out the differences between van der Kolk and van der Hart's notion of disassociation and Freud's notion of repression. Van der Kolk and van der Hart explain it as follows:

> Repression reflects a vertically layered model of mind: what is repressed is pushed downward, into the unconscious. The subject no longer has access to it. Only symbolic, indirect indications would point to its assumed existence. Dissociation reflects a horizontally layered model of mind: when a subject does not remember a trauma, its "memory" is contained in an alternate stream of consciousness, which may be subconscious or dominate consciousness, e.g., during traumatic reenactments. (168)

For the discussion of Reichart's representation of Ruth Berger's trauma, disassociation appears more appropriate than repression. Rather than actively repressing the past which Reichart shows as the route of the generation of those who were adults at the time of National Socialism, she depicts Berger as suffering from an inability to integrate disassociated memories related to past trauma into narrative memory.

As with the more public remapping of the past, Reichart firmly ties the "private mapping," or transformation of traumatic memories, into narrative memory to place. However, rather than a journey over familiar territory, in this decidedly private mode of coming to terms with the past, Berger's inner journey will lead her across unmarked territory, linking the past and present, and real and imagined places. It is a treacherous trip across a psyche which is unmapped because it has not yet been traversed and is very personal in nature.

Reichart's explicit intertextual references underscore the importance of place, her Gmunden, as the point of embarkation for Berger's inner journey. Although Ruth is unaware of the potential Gmunden holds, Reichart indicates this through the title of the book and the use of the title throughout the book.[16] The title of the book is taken from the final line of Sarah Kirsch's poem "Anziehung" which is an epigraph to Reichart's story. The phrase, "Komm über den See," appears at the

---

16   Compare with Kecht's ("Resisting Silence," pp. 252-53) and Michaels's ("Breaking the Silence," pp. 18-19) discussion of the title.

end of the first chapter, hinting at the journey Berger is about to embark on and suggesting to readers that they should be alerted to the importance of an inner journey and not expect merely the description of a trip to Gmunden. In one of her dreams in which she sees her other self, "Brigitta" (146), the phrase echoes again. Later, when Ruth meets Anna Zach, who confirms her suspicions that she was once called Brigitta and reveals that Ruth/Brigitta's mother betrayed her, she envisions Anna at some point in the future urging her to come across the lake. Ruth also imagines that Anna will tell her the distance across the lake is as far as to herself, i.e., her inner journey will cross "die Kluft zwischen ihrem träumenden und wachenden Ich" (188), or the distance between her traumatic and narrative memories. In the context, the appeal to "cross the lake" makes it clear that Ruth "must cross some treacherous territory of her psyche and make a painful journey into the past before she discovers her own identity."[17] The poem, "Anziehung," in its entirety evokes an image of the process of her traumatic memories breaking up and thawing, the process which will enable Ruth to "cross the lake" and integrate her traumatic memories into narrative memory.[18]

The potential of place is echoed in another explicit intertextual reference. Reichart has a journalist Ruth meets in Gmunden quote from Christa Wolf's *Nachdenken über Christa T.* Reichart chooses the section in which Christa T. is planning a house, seeking self-realization in her plans. The skeptical narrator asks her if she is trying to bury herself there, and Christa T. replies, "Ich grabe mich aus."[19] Although these lines are exactly those Ruth Berger wants to hear, and she comments, "Ein schöner Glaube an die Möglichkeit eines Ortes" (60), she does not see the quotation as having any relationship to herself: "Ich meine, nicht jeder Ort hat solche Bedeutung. Die kann er doch nur haben, wenn man ihn sich gesucht, gewählt hat" (ibid.). Since she did not seek Gmunden out, she does not see or foresee the journey she has embarked upon by coming there. Ironically, unlike Christa T., who is not able to "uncover" herself through a place, Ruth is able to. In Gmunden, pieces of her personal puzzle come together, opening up to her the possibility of dealing with her past.

By quoting Sarah Kirsch and Christa Wolf in connection with her protagonist's inner journey, Reichart not only connects it to place, but to the events of National Socialism. As Jennifer Michaels has pointed out concerning Reichart's use of Kirsch's poem, "Reichart was probably attracted to this poem because of Kirsch's

---

17 Kecht, "Resisting Silence," p. 253.
18 "Nebel zieht auf, das Wetter schlägt um. / Der Mond versammelt Wolken im Kreis. / Das Eis auf dem See hat Risse und reibt sich. / Komm über den See" (Reichart, 5). It appears in Sarah Kirsch's volume *Zaubersprüche* (München: Verlag Langewesche-Brandt, 1972), p. 5.
19 Christa Wolf, *Nachdenken über Christa T.* (Darmstadt: Luchterhand, 1971), p. 191.

own efforts in her life and works to confront the past."[20] The same holds true for Reichart's admiration for Christa Wolf's work. The parallels to her *Kindheits-muster* (1979) are striking, particularly in reference to the primacy of place. The narrator of *Kindheitsmuster* returns to her childhood home in her concerted effort to come to terms with the past and bridge the gap between her present and past self, who, as a teenager, swore allegiance to the Führer.

If Ruth's journey to Gmunden serves as the catalyst for her journey to herself, the site Gmunden with the lake allows the author to bridge consciousness with subconscious and past with present. Ruth constantly experiences feelings of déjà vu on her excursions in the area. In addition, she realizes the letters to her mother she discovered as a child were written by Anna Zach. After Berger finds out from Zach's granddaughter, a student of hers, that Zach is still alive, Berger follows Zach around before going to her house. Through the recurrences of childhood memories in dreams and her waking hours, and through her meeting with Anna Zach, Berger is able to put the puzzle of her past together, allowing her to break the vicious cycle of repetition and to venture out into unknown territory.

Being in Gmunden, where old memories resurface and where Berger meets Anna Zach, brings about a slow change in Berger's dreams which suggests, if we use the Kolk and Hart model, that Berger is integrating her traumatic memory into narrative memory by reshaping her memories. They suggest that "[o]nce flexibility is introduced, the traumatic memory starts losing its power over current experi-ence. By imagining these alternative scenarios, many patients are able to soften the intrusive power of the original, unmitigated horror" (Kolb and Hart, 178). By examining the dreams where the lake plays a role, we can see a slow transformation. In chapter 4, her initial dream with the lake shows her climbing over debris left from the Nazi period and her fears of failure "dancing" around her (115). In a later dream, a fountain on an island appears. In it is the face of someone (herself) she has been trying to identify. However, the face is still inaccessible to her (145-46). In the final dream of the book, the lake becomes both a place of danger and rebirth and many strands of her past come together. Ruth creates new scenarios in this dream, introducing flexibility into her memories. She first envisions her mother returning to health:

> Auf der Uferpromenade sah sie ihre Mutter gehen, sah ihren verwundeten, nackten Körper, bemerkte erst jetzt, daß um ihre Handgelenke Fesseln waren, da lief ein Mädchen auf sie zu und nahm ihr die Fesseln ab. Es war, als hätte das Kind einen Bann gebrochen, immer mehr Menschen kamen jetzt, und alle versuchten, ihr zu helfen. Ruth brachte ihr Kleider; während sie auf die Mutter zueilte, verschwanden die anderen und mit ihnen die Wunden, keine einzige Wunde war zurückgeblieben, keine einzige. Die Mutter freute sich über die neuen Kleider, sie zog eines an, drehte

---

20 Michaels, "Breaking the silence," p. 18.

sich vor Ruth, die sie bewunderte, im Kreis, sie faßten sich an den Händen und tanzten über den See, wie sie noch nie getanzt hatten. (177)

Through the new scenario her feelings of guilt toward her mother can be ameliorated. Rather than bearing the guilt for her mother's suffering, she is possibly the child in the dream who is the mother's savior. In addition, she is able to experience joy with her mother, something which they did not share after her mother's return from the Gestapo.

Her parents' relationship to one another and her troubled relationship with her father are also recast in her dream:

Da kam der Vater, Ruth wollte weggehen, aber die Mutter hielt sie fest. Der See nahm sie mit sich und schwemmte sie in die Traun, das Wasser des Flusses reichte ihnen bis zum Hals, jetzt werden wir alle drei ertrinken. Sie staunte, daß die Eltern keine Angst davor hatten, das also ist das Ziel unseres Treffens, nichts sonst [...] Aber immer wieder geriet sie in einen Strudel, der sie mit sich forttrug und alle Anstrengungen sinnlos machte. Ihr Vater zog sie mit sich nach unten, tauchte mir ihr unter dem Strudel durch – ich hatte solche Angst, daß du mich ertränken wirst –, er strich ihr das nasse Haar aus dem Gesicht, seine Stimme klang traurig: Ich gehöre einer miserablen Generation an, er verdrehte die Augen, klopfte sich an die Brust, mea culpa, mea culpa, mea culpa, Brigitta! (177-78)

In her dream, her mother forces her to come with her and her father, thus restoring the triumvirate destroyed by the Nazis. Her father shows her affection and asks for forgiveness, something he never did as far as we know. However, Ruth pulls away when she hears the name "Brigitta." The name returns her to her inner struggle because even as she silently acknowledges the fact that she was once called Brigitta, it does not solve the mystery surrounding the reason for the name change:

Ruth riß sich wie elektrisiert los, suchte Brigitta, rief nach ihr, statt einer Frauenstimme hörte sie Walter antworten: Du brauchst nicht nach ihr zu rufen, du bist Brigitta! Ich habe es ja schon immer gewußt, daß du eine Lügnerin bist. Sie hörte sich >>nein<< schreien, schloß entsetzt die Augen, aber es war zu spät, das Moor hatte sie wieder, ein Taumeln und Fallen begann, ein Um-sich-Schlagen und Nach-Luft-Ringen – bis es endlich zurückwich und dem See Platz machte, der sie vom Schlamm reinigte und sanft an sein Ufer schwemmte. (178)

The name "Brigitta" draws her back into the "swamp," a metaphor used throughout the book for a condition of losing one's language. However, the lake ultimately "saves" her. The personification of the lake as a healer which purifies her and takes her to shore indicates a clear change in her dreams. The lake is the place where, at least in her dreams, Ruth has the ability to confront and ultimately reshape her past. This gives her the strength to challenge the school principal and seek Anna Zach out again. The principal calls her in and forbids her from inviting Anna Zach, "a criminal element," to her class. Ruth's hesitation and her almost betrayal of Anna make clear the difficulty of breaking old patterns. However, Ruth is able to do it, and this brings her one step further toward her healing process. What remains is to have her suspicions confirmed by Anna and the reason for the name change revealed. Until Anna Zach reveals this, the healing process will not be able to continue. At the moment of disclosure Ruth relives some of the painful moments of her trauma (185). However, unlike her situation as a child when she had no one to talk to, she can share her pain with Anna Zach. With this sharing and telling of her pain comes the possibility of recovery.[21]

Recovery, according to van der Kolk and van der Hart, would mean that "the person does not suffer anymore from the reappearance of traumatic memories in the form of flashbacks, behavioral reenactments, and so on. Instead a story can be told, the person can look back at what happened; he has given it a place in his life history, his autobiography, and thereby in the whole of his personality" (Kolk and Hart, 176). Ruth's inner journey, set off by her return to Gmunden, appears to be a slow and to some extent involuntary move toward the conversion of traumatic memories into narrative memory.

As much as Reichart portrays Ruth Berger's inner journey as very personal because of the individual nature, she also shows the lack of history from which Berger suffers as symptomatic for an entire generation. Berger reflects on the void in her past: "Die eigene Geschichtslosigkeit, aus der später, viel später der Hunger enstand – oder gleich entstand und sich erst später artikulierte? Nicht nur die Mutter, ganz Wien war ohne Gedächtnis. Wir Kinder nannten uns Trümmerkinder, aber woher die Trümmer kamen, wußten wir nicht" (174). The imposed silence concerning the past by the war generation left the following generation without a history. They had the wounds of the past, but no idea where they came from. Reichart suggests that each family has its own history to recover which is embedded in Austria's larger history.

The importance of the knowledge of the past is underscored by powerful geographical images. Moreover, through the externalization of Berger's emotions onto the landscape of Gmunden, Reichart further ties her protagonist's personal trauma to the nation's history. At the same time that Ruth's secret is articulated, Ruth has an apocalyptic vision of Gmunden: "Die Orte, dachte Ruth, müßten Trauer tragen. Und wirklich waren die Farben mit dem Geheimnis verschwunden, war Gmunden überflutet, ragte nur noch die Kirchturmspitze aus dem Wasser, in dem sich keine Sterne mehr spiegeln konnten, standen die Bäume einzeln und verdorrt an den Ufern" (184). Knowing the truth, Ruth can mourn her lost self, her mother, her relationship with her father, those who betrayed the cause under torture, and those who did not. The scores of personal traumas brought about by the horrific circum-

---

21 Cf. Kecht, "Resisting Silence," pp. 265-66.

stances of National Socialism and the concerted effort to remove traces from Austria's landscape add up to a national tragedy which Reichart inscribes onto the landscape.

The public and private mappings of the past in Reichart's *Komm über den See* are attempts to integrate traumatic memories into narrative memory on two levels. Through Ruth Berger's peregrinations in and around Gmunden, Reichart attempts to integrate and change the nation's narrative, and through the oneiric wanderings of her protagonist, Reichart suggests the need for a complementary, but separate, mode to integrate personal traumatic memories into narrative memory. Reichart impresses upon her readers the need to talk openly about the past, to tell the stories of the past, and to inscribe them into a landscape from which they have been knowingly removed, thus presenting readers with a new perspective on *Heimat* and Austria's landscape.

Helga Schreckenberger
University of Vermont

Die weibliche Erfahrung von Fremdsein: Marie-Thérèse Kerschbaumers Roman *Die Fremde* (1992)

UNTERDRÜCKUNG UND WIDERSTAND prägen als thematische Konstanten das bisherige Schaffen der österreichischen Autorin Marie-Thérèse Kerschbaumer.[1] In ihrem ersten, formal experimentellsten Roman *Der Schwimmer* (1976)[2] werden Unterdrückung und Aufstand multiperspektivisch in verschiedenen, ineinander fließenden Erzählsträngen, Situationen und Bildern dargestellt, während in den nachfolgenden, sprachlich und formal ebenfalls anspruchsvollen Werken Unterdrückung und Widerstand von Frauen in patriarchalischen Systemen in den Mittelpunkt rücken, wobei sich zur Parteinahme für Unterdrückte und Ausgegrenzte das Anschreiben gegen das Vergessen und Verdrängen von Geschichte gesellt. So berichtet Kerschbaumer in ihrem bisher bekanntesten Werk *Der weibliche Name des Widerstands* (1980) die authentischen Schicksale von Frauen, die als Opfer des Nationalsozialismus oder im Kampf gegen den Faschismus in den Konzentrationslagern ums Leben kamen; in *Die Schwestern* (1982) zeichnet sie die Lebensläufe von Frauen, zumeist Schwesternpaaren, im Rahmen der sozialen und historischen Verhältnisse der letzten hundert Jahre (1878-1978) nach; und in *Versuchung* (1990) setzt sich die Autorin unter dem Vorwand, den Geschichten weiblicher Widerstandskämpfer im Spanischen Bürgerkrieg nachzuspüren, mit der abnehmenden Bereitschaft der Menschen (und auch ihrer eigenen), Widerstand zu leisten, auseinander.

In dem 1992 veröffentlichten Roman *Die Fremde* führt Kerschbaumer die aus den vorhergehenden Werken bekannten Themen und Motive weiter. Dieses autobiographisch geprägte Werk ist das erste Buch einer geplanten Trilogie (der zweite Teil mit dem Titel *Ausfahrt* erschien 1994) und berichtet vom Aufwachsen des Kindes Barbarina, Tochter einer Österreicherin und eines Kubaners, im Tirol der

---

1   Bereits in dem 1982 veröffentlichten Gespräch mit Hilde Schmölzer bezeichnete Kerschbaumer das Thema der Unterdrückung als das ihr wichtigste, in: Hilde Schmölzer, *Frau sein und schreiben: Österreichische Schriftstellerinnen definieren sich selbst* (Wien: Österreichischer Bundesverlag, 1982), S. 92.

2   Kerschbaumer bezeichnet das Werk als "linguistischen Roman" und verweist auf den Einfluß Roman Jakobsons und des Strukturalismus auf ihr ästhetisches Konzept. Vgl. dazu die essayischen Schriften der Autorin in: Marie-Thérèse Kerschbaumer, *Für mich hat Lesen etwas mit Fließen zu tun* (Wien: Wiener Frauenverlag, 1989).

vierziger und fünfziger Jahre. Die dreijährige Barbarina kommt mit ihrer psychisch angegriffenen Mutter aus dem karibischen Inselparadies Costa Rica nach Tirol, wo beide auf eine engstirnige, unbeugsame Umwelt stoßen. Unfähig, für sich und ihr Kind zu sorgen, liefert sich die Mutter den Behörden aus, die sie von dem Kind trennen und in eine psychiatrische Anstalt einweisen. Barbarina wird später widerwillig von Großvater und Stiefgroßmutter aufgenommen und einer tyrannischen Erziehung unterzogen, die sie in den Zustand der dauernden Entfremdung drängt, aus dem sie sich abwechselnd mittels Anpassung oder Revolte zu befreien sucht.[3]

Kerschbaumer nennt ihren Roman die "Kindergeschichte einer Entfremdung"[4] und lenkt damit die Aufmerksamkeit auf die Doppeldeutigkeit des Titels, der sich sowohl auf den gesellschaftlichen als auch den seelischen Zustand Barbarinas bezieht. Diesem Spannungsverhältnis von sozialer Ausgrenzung und Entfremdung gilt die Aufmerksamkeit der vorliegenden Arbeit. Es soll aufgezeigt werden, daß sich Barbarinas Entfremdung unter dem Einfluß einer historisch und sozial genau bestimmten Umwelt vollzieht, die ihr als fremdem, weiblichem Kind doppelt feindselig gegenübersteht. Da sich "Fremdheit" und "Weiblichkeit" am auffälligsten an Barbarinas Körper manifestieren, fungiert er in Kerschbaumers Text als metaphorischer Ort und Vermittler von Unterdrückung und Entfremdung. Fremdheit, Unterdrückung und Entfremdung finden somit auch auf der bildlichen Ebene ihre Entsprechung, wobei die Körpersymbolik diesem Themenkomplex eine weibliche Perspektive verleiht.

Wie in ihren vorhergehenden Werken geht es Kerschbaumer auch in der *Fremden* um eine genaue Bestimmung der gesellschaftlichen Voraussetzungen, die die Unterdrückung und Unfreiheit von Menschen bedingen. Schon der erste Satz des Romans charakterisiert das soziale Milieu, in welches sich das dreijährige Kind unvermittelt versetzt sieht: "Eines Tags war die Frau mit dem Kind auf den Hüften in der kleinen Gebirgsstadt aufgetaucht und hatte durch ungewöhnliches Betragen die Sensationsgier der kleinen Leute geweckt, die, gleich der Familie der Frau aus bescheidenen Verhältnissen zu Wohlstand und Ansehn gelangt waren, um den Preis unbedingter Freudlosigkeit und beharrlicher Verschwendungsangst".[5] Es handelt sich um eine Gesellschaft kleinbürgerlicher Aufsteiger, die ängstlich

---

3   Barbarinas Geschichte weist Parallelen zu der Biographie von Marie-Thérèse Kerschbaumer auf. Auch sie wurde als Tochter einer Österreicherin und eines Kubaners 1936 in Frankreich geboren, verbrachte die frühe Kindheit in Costa Rica und wuchs schließlich in Tirol bei Großvater und Stiefgroßmutter auf. Auch andere Details stimmen überein: die kaufmännische Lehre und der Au-Pair-Aufenthalt in England, über den vor allem der zweite Roman der Trilogie *Ausfahrt* berichtet.

4   Vgl. Klappentext zu Marie-Thérèse Kerschbaumer, *Die Fremde* (Klagenfurt, Salzburg: Wieser, 1992).

5   Marie-Thérèse Kerschbaumer, *Die Fremde* (Klagenfurt, Salzburg: Wieser, 1992), S. 7. Seitenangaben, die sich auf diesen Roman beziehen, erfolgen von nun an im Text.

an den sich selbst auferlegten Verhaltensregeln festhalten. Das nicht konforme Verhalten von Barbarinas Mutter repräsentiert einen unverzeihlichen Verstoß gegen die sozialen Normen, die diese Gesellschaft regieren. Infolgedessen werden ihr von ihrer Familie und den Dorfbewohnern nur Ablehnung und Verachtung entgegengebracht, die sich auch auf das Kind erstrecken.

Barbarinas Kindheitserfahrungen in einer solchen Umgebung sind geprägt von engstirniger Unduldsamkeit und Mangel an Wärme und Zuneigung. Ständig als Herausforderung empfunden, wird sie der "unbedingte[n] Freudlosigkeit" (7) des kleinbürgerlichen Anstands geopfert und alles, was ein Kind zum Leben braucht, wird ihr verboten:

> Lesen, Laufen, barfuß Gehen, Baden (zu Hause und am Bach), Bewegung, Freundinnen, Freunde, unter Kindern, Männern, Frauen; gehen, sitzen, stehen, liegen, alles, aber besonders sich nackt ausziehen, schön anziehen, eine Freundlichkeit hören, Fragen stellen über Vater und Mutter, über mögliche Geschwister [...] alles war verboten, wegen eines nicht näher genannten, nur angedeuteten oder vorgeblichen, nicht stichhaltigen Vergehens oder einfach deshalb, weil es Barbarina aus einem geheimnisvollen Grunde versagt war, sich zu freuen, weil sie keine Mutter gehabt hatte und keinen Vater gehabt hatte, weil es ihr verboten war, einen Vater zu haben [...]. (70-71)

Diese Verbote bezeugen nicht nur die Sinnes- und Lebensfeindlichkeit dieser Erziehung, sie verdeutlichen auch, was Barbarina am meisten zur Last gelegt wird – ihre Geburt. Es ist nicht allein ihre Illegitimität, sondern vor allem auch die fremde Nationalität des Vaters, an der sich die gleichermaßen vom Katholizismus und Faschismus geprägte Gesellschaft Tirols von 1939 stößt. Um Barbarinas "Fremdartigkeit" auszutilgen, wird sie völlig ihrer Herkunft und Identität entfremdet. Die zwanghafte Aneignung einer neuen Sprache, die Aberkennung ihres auf Grund der väterlichen Anerkennung rechtlichen Namens Marie José Mercedes Barbara de la Torre del Bordo y Reinthaler, das Verbot, von Vater oder Mutter zu sprechen, sowie der Befehl zur Unterdrückung aller natürlichen Instinkte, dessen Nichteinhaltung unweigerlich mit körperlicher Bestrafung geahndet wird, bewirken im Kind totale Entfremdung und Ich-Verlust: "Etwas bodenlos Feindseliges, das ihr entgegengebracht und gleichzeitig angelastet wurde, brachte ihr schließlich die Erkenntnis, daß sie nicht war, was man sie mittels Drohreden und Schlägen zu sein nötigte. Sie war vielmehr etwas Namen- und Anfangloses, auszubreiten und darzubieten als Opfer, das Opfer zu sein sich weigert [...]" (23). Je verzweifelter sich Barbarina gegen die zwanghafte Umerziehung und die ständigen Schuldzuschreibungen auflehnt, desto unerbitterlicher verhärtet sich das negative Bild, das die anderen sich von ihr zulegen. Obwohl sich Barbarina nie mit diesem Bild identifizieren kann, resigniert sie schließlich vor der Übermacht der Vorurteile und den dadurch gefällten Verurteilungen: "Barbarina versteht nicht, wer das denn ist, es scheint, von ihr ist die Rede, daran ist sie gewöhnt, daß man ihr vorschreibt, was sie denkt und sich wünscht, vornehmlich das Allergewöhnlichste, das ihr nie in den Sinn käme, im Grunde kommt sie immer knapp mit dem Leben davon, es gibt nur eine Gnadenfrist, von Gericht zu Gericht, das immer schon entschieden hat, wenn sie Kunde erhält [...]" (224). Die Kluft von Barbarinas Selbstverständnis und dem, was sie in den Augen und Urteilen der Gesellschaft darstellt, vergrößert sich so sehr, daß dem Kind sein Ich vollkommen zu entgleiten droht. Immer öfter scheint es ihr, daß "vielleicht Barbarina in Wahrheit gar nicht vorhanden [ist], sie ist nicht da, wer kann sagen, daß sie da ist, vielleicht bildet sie sich das nur ein, alles, was sie von sich weiß ist, daß es von den anderen nicht wahrgenommen und nicht geglaubt wird [...]" (217). Das Bild, das sich die Gesellschaft von Barbarina entwirft, wird als Projektion rassistischer und bigotter Vorurteile entlarvt, die mit dem eigentlichen Subjekt nichts zu tun haben. Damit wird klar, daß Barbarina nicht wegen ihrer Herkunft eine Fremde ist, sondern von der Gesellschaft dazu gemacht wird.

Durch die Einbettung in den historischen Kontext der vierziger und fünfziger Jahre erhält Barbarinas Geschichte eine über das Einzelschicksal hinausweisende politische Bedeutung. Im Text finden sich klare Verbindungslinien zwischen der Ausgrenzung und Unterdrückung des Kindes und der nationalsozialistischen Ideologie, denn es ist Barbarinas Herkunft – der Vater, Kubaner spanischer Abstammung,[6] die Mutter psychisch labil – welche die Verachtung der an den nationalsozialistischen Rassegesetzen geschulten Dorfbewohner provoziert. Selbst im engsten Familienkreis muß Barbarina hören, daß "sie eigentlich von den Negern abstammt" (77) und daß "Leute 'wie [ihre] Mutter' keine Kinder kriegen sollten, da hat der [...] schon recht!" (70). Durch diese Reaktionen deutet Kerschbaumer an, daß der Nationalsozialismus der österreichischen Bevölkerung nicht gewaltsam aufgezwungen wurde, sondern durchaus auf Anklang und Zustimmung stieß. Sie wendet sich damit wie in ihren vorhergehenden Werken gegen die österreichische Geschichtslüge, nach der das Land vorwiegend Opfer des Nationalsozialismus und nur in Ausnahmefällen Mittäter war.

Kerschbaumer legt in ihrem Text nicht nur die Wurzeln des Fremdenhasses und der Fremdenangst frei, sondern zeichnet auch deren Mechanismus nach. Sie identifiziert Barbarinas Fremdheit als den Grund, warum das Kind von seiner Umgebung zum Sündenbock ausersehen wird, an dem sich jeder schadlos halten kann. Als der Großvater seiner katholischen Haltung (und nicht seines Enkelkindes) wegen von den Nationalsozialisten enteignet und vertrieben wird, veranlaßt der Verlust von Ansehen und Wohlstand die Stiefgroßmutter dazu, sich ihre Frustration über den sozialen Abstieg an dem Kind abzureagieren. Die unver-

---

6   Es heißt im Text: "Jaime, der jüngere Sohn einer spanischen Familie Alt-Havannas, Insulaner, denn er ist hier geboren, wenn auch seine Wurzeln in Spanien sind, seine Züge sind rein weiß" (87).

heiratete Tochter der Stiefgroßmutter überträgt ebenfalls den Haß auf ihr uner-
fülltes Leben auf das Kind. Was sich im Mikrokosmos des familiären Bereichs
abspielt, wiederholt sich auf der makrokosmischen Ebene des Dorfes. Auch hier
entladen sich die Frustration und das Gefühl der Ohnmacht gegenüber dem Kriegs-
und Nachkriegsgeschehen auf das schwächste Glied der Gesellschaft, das fremde,
ungeschützte Kind. Die vermeintliche Andersartigkeit des Kindes provoziert die
Abneigung der Mitschüler und das Mißtrauen der Lehrer, die jedes Vergehen
stellvertretend an Barbarina rächen: "Eines Tages steigt der Herr Direktor, der im
KZ war, wie gesagt wird, aus seiner Sonntagsruhe in ölgetränkten Schulgeruch.
Drei Mädchen ohne Aufsicht im Klassenzimmer, wo ist die Erlaubnis? Er sieht
nur ein Gesicht, nur mich, sagt rasch noch Barbarina. Was schaust du mich so an,
mit deinen dunklen Augen! Was schaust du mich mit deinen dunklen Augen an!"
(58). Wieder ist es das "Fremde" an Barbarina, das die Ablehnung und den Haß
der Umgebung auf sich zieht. Selbst diejenigen, deren Erfahrungen sie zu
Verbündeten der Unterdrückten machen sollten, rächen das selbsterlittene Unrecht
an dem schwächeren, als Außenseiter wehrlosen Kind. Es sind demnach nicht nur
die rassistischen Vorurteile und die kleinbürgerliche Intoleranz, die für Barbarinas
Ausgrenzung verantwortlich sind, sondern auch das Bedürfnis der Entmachteten,
die erfahrene Ohnmacht und Unterdrückung weiterzugeben.

Daß sich an Barbarinas Situation auch nach Kriegsende nichts ändert, daß sie
weiterhin Zielscheibe für Anschuldigungen, Verdächtigungen und Übergriffe
bleibt, und sie in den Augen der Familie, der Dorfbewohner, der schulischen und
kirchlichen Autoritäten weiterhin den Makel der fremden Abstammung und der
Erbsünde trägt, deuten darauf hin, daß der Zusammenbruch des faschistischen
Regimes in vielen Fällen keine Auswirkungen auf die Haltung und Gedanken der
Bevölkerung hinterließ. Es heißt: "die Dinge haben sich verewigt, statt sich zu
verändern, es gibt keine Heilung, weder Befreiung noch Gerechtigkeit, es gibt
keine Sühne und niemand bittet die wahren Opfer um Verzeihung. Die Feinde von
früher haben sich in die Berge zurückgezogen, hier bei uns sind sie geblieben, und
die neuen Mächtigen stehen mit ihnen in geheimer Verbindung und drücken beide
Augen zu" (89). Kerschbaumer nimmt direkten Bezug auf die Versäumnisse in
der österreichischen Nachkriegsregierung, die, auf Stabilisierung des neuen Staates
bedacht, nicht nur von einer strafrechtlichen Verfolgung ehemaliger Nationalsozialisten absah, sondern eifrig um ihre politische Gunst warb.[7] Die Toleranz

---

7   Ähnliche Beobachtungen macht u. a. der Politologe Anton Pelinka, "The Great Austrian
     Taboo: The Repression of the Civil War", in: *Coping with the Past: Germany and Aus-
     tria after 1945*, Kathy Harms, Lutz Reuter und Volker Dürr, Hrsg. (Madison: University
     of Wisconsin Press, 1990), S. 56-66. Pelinka schreibt: "Stabilization of the Austrian
     democracy would have been difficult in the long run if a confrontation policy had been
     adopted toward so large a part of the population as the former National Socialists
     constituted. [...] This initially very successful sociopolitical strategy of repression and

gegenüber den Vertretern der nationalsozialistischen Anschauung bedeutet jedoch, daß diese Denkart zumindest inoffiziell weiterbestehen kann. Barbarina bleibt von "einer fremden Art, und die Artfremdheit wird zwar nicht mehr verfolgt, das ist vorbei, so ist es dennoch in den Köpfen der Menschen, wie es im Innersten Barbarinas ruht, die alles wiedererkennt, was vor kurzen Monaten noch gesagt wurde von andern über andere und nun oft anklingt, je größer und häßlicher sie heranwächst" (83). Die Erfahrungen des Kindes veranschaulichen, daß die neuen politischen Verhältnisse keine Veränderung mit sich bringen. Kerschbaumer macht das offizielle Schweigen über die Schuld, die das Land und seine Bevölkerung während der Zeit des Nationalsozialismus auf sich lud, für dieses spätere moralische Versagen verantwortlich:

> Die Verweigerung der Lehrer über die vergangenen Jahre zu sprechen, das Vortäuschen des Nichtwissens, gleich dem Eingeständnis, zu den Verbrechen nichts zu sagen zu haben, nichts, was gegen die Verbrechen spräche, dies trug zur Verbreitung des Gefühls der Sinnlosigkeit in die hintersten Täler bei. [. . .] Ist aber so viel Böses ein Nichts, dann ist noch so viel Gutes auch Nichts – in den Schulzimmern, in den Schlafzimmern ist nur das Böse zu finden gewesen. (123)

Der Zusammenbruch des Nationalsozialismus bedeutet keinen Neuanfang, sondern einen lückenlosen Übergang. Das alte Gedankengut und die Verhaltensstrukturen werden in die neue Zeit hinübergenommen, die HJ-Buben und SS-Männer der Vergangenheit sind die "braungebrannten Heimatgesichter" (185) und die "draufgängerischen Pistenhengste" (187) der Zukunft, denen Barbarina immer wieder zum Opfer fällt, zuerst als "Artfremde" und später als Freiwild für sexuelle Übergriffe.

Wie ihre Fremdheit ist auch Barbarinas Sexualität negativ besetzt, vor allem, da in den Augen der Gesellschaft eine unmittelbare Verbindung zwischen beiden besteht: "Die Stiefmutter weigert sich, Barbarina zu erklären, was die Entwicklung sei. Das hänge mit Barbarinas Herkunft zusammen, murmelte sie und daß anständige Mädchen solche Erscheinungen viel später hätten. So trug Barbarina ein weiteres Stigma, es hieß *frühreif* und machte sie schuldig" (38). Hartnäckig und trotz gegenteiligen Beweises – Barbarinas geschlechtliche Reife läßt noch ein Jahr auf sich warten – hält die Stiefgroßmutter an dem Vorurteil von der Frühreife fremdländischer Frauen fest. Auch die Dorfbewohner, für die Barbarinas frühreife Verdorbenheit in Punkto Sexualität schon seit dem Liebesbrief, den sie als achtjährige an eine Mitschülerin verfaßte, feststeht, nähren Barbarinas schlechten Ruf regelmäßig mit Gerüchten, die jeglicher Basis entbehren. Der Mangel an Wärme und Zärtlichkeit, an dem Barbarina zu Hause leidet, führt dazu, daß sie

---

omission excluded the possibility that the many contradictions inherent in this integration might ever be uncovered again" (S. 62-63). Kerschbaumers Werke sind ein Versuch, diese Widersprüche aufzudecken.

die negativen Erwartungen der Gesellschaft scheinbar auch erfüllt, da "die nach körperlicher Zuneigung Süchtige" (157) die männlichen Annäherungsversuche nicht richtig zu deuten weiß. Vor allem in der Pubertät, allein gelassen mit der Verwirrung der erwachenden Sinne, liefert Barbarinas Liebesbedürftigkeit sie den Männern aus. Diese Begegnungen haben wenig mit der großen, berauschenden Liebe gemeinsam, die sie auf Grund der heimlichen, da verbotenen Lektüre von Trivialliteratur erwartet, sondern erweisen sich immer nur als "geheime Vernichtungssachen" (190). Die menschliche Wärme und Zuneigung, die Barbarina in den körperlichen Kontakten vermutet und sucht, bleiben Illusion, da es ihren Partnern vorwiegend um Eroberung und Triebbefriedigung geht, wofür sie sich an "der Fremden" schadlos halten. Diese Art Liebe erweist sich als keine Möglichkeit, die erfahrene Unterdrückung und Entfremdung rückgängig zu machen, sie verstärkt sie nur noch.

Da die Versuche, sich den Wünschen ihrer Umgebung anzupassen, ihr ihre Fremdheit und Ausgegrenztheit nur noch stärker bewußt machen, flüchtet sich Barbarina in die Erinnerungen an den Vater und an Costa Rica, die in ihren Träumen zur Einheit verschmelzen: "Papa-Costarica, den sie verleugnen sollte und nicht zu verleugnen bereit war, der, wie sie nicht glauben wollte, unbekannten Aufenthalts, der sie einmal zu sich rufen sollte oder zu dem sie eines Tages gelangen würde, auf wunderbare Weise [...]" (76-77). Jedoch kann sich das heranwachsende Kind nicht dem Wissen verschließen, daß die utopisch-idealistischen Vorstellungen vom Vater der Realität nicht standhalten können, da die lange Trennung und weite Entfernung vieles verändern, besonders für den Vater, "der jetzt diese Briefe empfängt, seit einigen Wochen aus der Vergangenheit, verblüffende Briefe, voll frühreifer Anhänglichkeit, er kennt den Namen der Kleinstadt in dem von Grande Alemania wieder abgetrennten Land, er nimmt es nach außen gelassen hin, daß ihn La Niña gefunden hat [...]" (198). Parallel zur Erkenntnis, daß die Hoffnung auf Rettung durch den Vater gleich der romantischen Liebe unerfüllbares Wunschdenken bleibt, tritt die Erinnerung an die Mutter, ebenfalls ein Opfer gesellschaftlicher Vorurteile und männlicher Gleichgültigkeit, wieder stärker in Barbarinas Bewußtsein und dient ihr gleichzeitig als Warnung und Solidarisierungsobjekt.

Trotz ihrer Fragwürdigkeit erfüllen die Erinnerungen an den Vater und an Costa Rica sowie die verbotene Romanlektüre Barbarina mit der Ahnung von einem besseren Dasein, ähnlich wie die frühe religiöse Indoktrinierung durch die Großeltern in ihr den absoluten Glauben an das Gebot der Nächstenliebe hinterließ. Die Sehnsucht nach dieser besseren Welt und das "Bewußtsein der eigenen Würde" (52), das sich Barbarina trotz allem zu bewahren weiß, ermöglichen ihren ungebrochenen Widerstand gegen die gesellschaftlichen Unterdrückungsbestrebungen, was letztendlich ihre Rettung bedeutet: "Barbarina, die kein Opfer sein wollte, entkam, oder entkam bedingt und nur zeitweilig, weil sie sich zum Schein opferte und sich dabei sagte, das bin nicht ich, das ist nur ein Traum" (23). Besonders im letzten Abschnitt des Romans, der den Untertitel "Eine Flucht" trägt, verstärkt sich Barbarinas Auflehnung gegen die Stigmatisierung durch die Umwelt. Kerschbaumer setzt damit ein Zeichen, daß Barbarina die Flucht aus der Unterdrückung wagen wird. Zuvor muß sie jedoch noch seelisch und körperlich "Lösegeld" (wie der Übertitel des letzten Abschnitts lautet) bezahlen, "um die geheimen, nur den Augen der anderen erkennbaren Brandzeichen, mit dem Einsatz eben jenes Leibes zu lösen, dem sie als eingeborene Bürde und geheimes Siegel aufgedrückt sind" (202).

Das vorhergehende Zitat verweist deutlich auf die metaphorische und gleichzeitig symbolische Funktion, die Barbarinas Körper in Kerschbaumers Text zukommt. Die "eingeborene Bürde" und das "geheime Siegel", die Barbarinas Körper aufgedrückt sind, sind sowohl ihre Fremdheit als auch ihre Weiblichkeit. Barbarinas "braungebrannte *Negerschultern*", ihre braune Hautfarbe, ihr dunkles Haar, das "in der Sonne wie Kastanien" glänzt, aber "in der Sprache der Gebirgler als schwarz" gilt (140) und das sie als "Negerzopf" (138) trägt, werden zu Metaphern ihrer Fremdheit, die sie für die Gesellschaft, deren "Ansichten vom blondesten Blond" (215) sind, als Außenseiterin markieren. Ihr Äußeres wird immer wieder zum Anlaß genommen, ihre Minderwertigkeit unter Beweis zu stellen, wie Bemerkungen wie "Dunkelhaarige Menschen haben eine unangenehme Ausdünstung" oder "dunkelhaarige Frauen altern schnell" (140) bezeugen. Wird ihr Äußeres von der Umwelt zum Zeichen ihrer herkunftsbedingten Minderwertigkeit umgedeutet, so gilt Barbarinas weiblicher Körper als Indiz ihres "ererbten und unausweichlichen Verderbens" (81) und sie selbst als "die weibliche Erbsünde" (189). Barbarinas Bewußtsein ihres "plumpen, mit ekelerregenden, sündhaften Körperteilen beladenen, immer öfter begafften Leib" (ebenda) reflektiert nicht nur die gesellschaftliche Ablehnung der weiblichen Sexualität, sondern auch ihre eigene Entfremdung von ihrem Körper.

Barbarinas Körper dient Kerschbaumer demnach nicht nur zur metaphorischen Repräsentation von Fremdheit und weiblicher Sexualität, sondern auch zur Veranschaulichung des Unterdrückungs- und Entfremdungsprozesses, dem das Kind unterzogen wird. Dieser Prozeß setzt sogleich bei der Ankunft in Österreich ein. Barbarinas erste körperliche Erfahrungen sind die von Kälte und Zwang: ihre nackten Füsse berühren den Schnee und erleben ihn als "brennende Kälte", ihre geliebten, bunten Kleider werden ihr ausgezogen und ihre "dunkelbraunen Ärmchen" in "stechende Futterale gezwängt" (10). Diese Szene nimmt symbolisch voraus, was Barbarina in der neuen Heimat erfahren wird: Zwang zur Anpassung, schmerzhafte Kälte und Lieblosigkeit und Verlust von Sinnes- und damit Lebensfreude. Es beginnt ein Prozeß, der das Kind seiner selbst sowohl psychisch als physisch immer mehr entfremdet. Der negative Aspekt dieser Entfremdung wird anhand von Barbarinas Krankenhausaufenthalt veranschaulicht, in das sie unmittelbar nach der Trennung von ihrer Mutter gebracht wird. Auf Grund der dortigen Vernachlässigung verwandelt sich das bisher kerngesunde Kind in ein aphatisches, Kopf und Körper über und über mit Beulen und juckendem Ausschlag bedecktes Wesen. Barbarina verliert nicht nur das in Ernst Blochs Worten "gesunde Nichtfühlen des Leibs",[8] sondern lernt ihn als eine Quelle des Leides und der Scham kennen: "danach starrten hochgewachsene, weißbekleidete Männer auf Barbarinas nackte Flanken und Gesäß, in dem ein Schlauch stak, gegen den sie sich mit grimassierendem Weinen zu wehren suchte, worauf man ihr befahl, sich zu schämen [...]" (12). Die Gefühle von Scham und "Angstschuld" und die mit den körperlichen Schmerzen aktivierten Ohnmachtsgefühle des Kindes werden eindeutig auf eine gesellschaftliche Situation bezogen, in welcher sich eine männliche Macht manifestiert. Barbarina wird belehrt, sich ihres Widerstands gegen diese Macht, die sich in den Blicken weißgekleideter Männer manifestiert, zu schämen und wird sich ihrer Hilflosigkeit bewußt.

Der Identitätsverlust, den Barbarina unter dem Einfluß ihrer neuen Umgebung erleidet, manifestiert sich auch im körperlichen Bereich. Ein Indiz dafür ist Barbarinas neue Haut, die nicht von den Farben braun, rot und gelb strotzt, sondern "in der kalten Gebirgsluft blaß" (31) geworden ist. Kerschbaumer setzt das klassische Spiegelmotiv ein, um Barbarinas Entfremdung und Ich-Verlust bildlich faßbar zu machen: "Barbarina [...] betrachtete zu jener Zeit oft, beinahe täglich, ihr Gesicht und ihren Leib mit prüfenden Blicken und Fingern betastend, ablehnend, in Erwartung von Änderung und Verwandlung" (25). Der Versuch, die Identität durch die Identifikation mit dem (Spiegel-)Bild des neuen Körpers wiederzugewinnen, mißlingt und schlägt in sein Gegenteil um. Barbarina versucht, sich ihres Körpers zu entledigen, indem sie, beeinflußt von den Geschichten über Kinderheilige, danach trachtet, sich gleich diesen kleinen Märtyrern abzubinden und sich somit der Körperfeindlichkeit ihrer Umwelt anzupassen.

Die zunehmende Entfremdung des Kindes von seinem Körper unter dem Einfluß einer körperfeindlichen Umwelt verursacht eine verstärkte Wahrnehmung des Körpers, wenn auch unter negativen Voraussetzungen. Bezeichnenderweise sind vor allem die von ihrer Weiblichkeit bedingten Funktionen ihres Körpers Grund für Barbarinas physisches Unbehagen: "sie fühlt sich plump und uralt mit der drohenden Veränderung ihres Körpers, die nun schon stattgefunden hat und jetzt als doppelte Stoffeinlage klatschnaß zwischen ihren Schenkeln quillt und wahrscheinlich als blamierender großer Fleck unter ihrem schaukelnden Gesäß starren wird [...]" (150). Die Menstruation als Zeichen ihrer körperlichen Reife und weiblichen Sexualität wird auf Grund der gesellschaftlichen Tabuisierung zu einer weiteren Quelle von Barbarinas Unfreiheit. Wieder erlebt sie ihre weibliche

---

8   Zitiert nach Konstanze Fliedl, "Schiff mit acht Segeln. Marie-Thérèse Kerschbaumers 'Ausfahrt'", *Literatur und Kritik*, Nr. 293-294 (April 1995), S. 93.

Identität als Makel, dessen Spuren vor der Öffentlichkeit verborgen werden müssen.

Parallel zu den negativen Einwirkungen des gesellschaftlichen Drucks auf Barbarinas Psyche machen sich auch solche an ihrem Körper bemerkbar. Der Essenszwang zu Hause macht Barbarina zu einem "lebenden Abfalleimer" (160) und bedingt ihre Dicklichkeit. Die von anderen abgelegte oder hausgemachte, auf jeden Fall unvorteilhafte und unbequeme Kleidung, die in krassem Kontrast zu den bunten Kleidern ihrer Costa Rica-Kindheit steht, läßt sie ihren Körper als unangenehm und ekelig erleben: "Die nackte Haut, das Strumpfband, häßlich graue Wolle, naßkalte, widerliche Blöße, kreatürlich, Gefangenschaft. Das nährt den Haß. Auf die Kerkermeister? Auf das eigene Fleisch?" (57). Die Unsicherheit gegenüber der eigenen Identität, die der Einfluß einer feindseligen Umwelt in Barbarina auslöst, wird auch im körperlichen Bereich sichtbar gemacht.

Eindeutig werden die unvorteilhaften Veränderungen von Barbarinas Körper von Kerschbaumer auf äußere Bedingungen, d.h. den Zwang der Familie, zurückgeführt. Wieder lassen sich Parallelen zwischen der äußeren und der inneren Deformierung des Kindes unter solchen Bedingungen feststellen. Wegen der hartherzigen Sparmaßnahmen ihrer Familie muß Barbarina geschenkte, abgelegte Schuhe tragen, obwohl sie ihr zu eng sind. Das Ergebnis sind rote, verkrümmte Zehen, und Barbarinas Füße werden daraufhin vom Schuhmacher als "häßlich" bezeichnet. Die von außen zugefügte Verunstaltung wird Barbarina als selbst verschuldeter oder angeborener Makel angelastet, und sie beugt sich diesem Urteil: "Barbarina hört, daß auch schon die Füße von ihrer Häßlichkeit angegriffen sind" (82). Wie Barbarinas Psyche trägt auch ihr Körper die Spuren der Unterdrückung und des Zwangs, der auf sie ausgeübt wird, wobei der ihr dadurch zugefügte Schaden als Beweis ihrer Minderwertigkeit gegen sie verwendet wird.

Kerschbaumers Thematisierung des weiblichen Körpers als Metapher von Fremdheit und Entfremdung erinnert an die in den Diskursen um eine "weibliche Ästhetik" zum festen Begriff gewordene Aufforderung von Hélène Cixous an die weiblichen Schriftstellerinnen "den Körper zu schreiben". Cixous' Postulat bezieht sich vor allem auf die Sprache. Da wesentliche Erfahrungen von Frauen aus der logischen Struktur der Sprache ausgeschlossen sind, müßten Frauen, um "sich zu schreiben", ihren Körper einbeziehen, um damit die herrschende Syntax zu unterminieren.[9] Die Untersuchungen zur von Frauen verfaßten Literatur ergeben, daß "den Körper schreiben" vor allem die Darstellung von körperlichen Erfahrungen bedeutet, d.h. in den Worten von Sigrid Weigel, daß "die Körper-Sprache

---

9   Vgl. Hélène Cixous, "Schreiben, Feminität, Veränderung", *alternative*, Nr. 108-109 (1976), S. 134-47.

als Metapher oder Symbol Bedeutung erhält".[10] Dies gilt auch für Kerschbaumers Text. Barbarinas Körper wird zur Metapher ihrer Fremdheit und Weiblichkeit, Barbarinas Entfremdung und Unterdrückung werden als körperliche Erfahrungen beschrieben und erhalten somit Gestalt. Der Schmerz und die Verunstaltungen, die ihrem Körper zugefügt werden, versinnbildlichen den seelischen Schaden, den sie erleidet und tragen dadurch symbolische Bedeutung.

Indem Kerschbaumer Barbarinas Unterdrückung und Entfremdung symbolisch an ihrem weiblichen Körper aufzeigt, lenkt sie die Aufmerksamkeit auf das spezifisch Weibliche dieser Erfahrung. Obwohl die Vermittlung der speziellen Wirklichkeit der Frau das literarische Hauptanliegen Kerschbaumers darstellt, wendet sie sich gegen eine zu enge Auslegung ihrer Intention: "Nur möchte ich Feminismus so verstanden wissen, daß er nicht gegen alles andere blind sein darf, daß er sich nicht nur um Frauenprobleme kümmert. Feminismus ja, aber nicht Ghetto und nicht unter Auslassung jeglicher Politik, weil die gesellschaftlichen Verhältnisse ja immer wichtig sind".[11] Die Unterdrückung der Frau ist für Kerschbaumer symptomatisch für alle Formen der Unterdrückung: "Die Verfolgung des weiblichen Menschen ist die Verfolgung des Menschen".[12] Diese übergreifende Dimension ist auch in der *Fremden* angelegt. Kerschbaumer trachtet danach, Barbarinas Erfahrung von Unterdrückung und Gefangenschaft mittels Assoziationen und Anspielungen auf das Alte und Neue Testament, auf die Ägyptische und Babylonische Gefangenschaft der Hebräer und auf die Leidensgeschichte Christus,[13] als allgemein menschliches, zeit- und raumübergreifendes Phänomen verständlich zu machen. Auch die biblischen Figuren Tobias und David, auf die Kerschbaumer wiederholt anspielt, symbolisieren allgemein verständlich unverdientes Leiden und Kampf gegen eine Übermacht, wobei sich in Kerschbaumers Text die Rollen von David und Goliath verkehren. Jedoch macht die Autorin stets klar, daß diese allgemein menschliche Erfahrung in ihrem Roman die eines weiblichen Wesens ist, denn es ist "ein kleiner Tobias in Mädchenkleidern" und ein "Kind David in weiblicher Gestalt" (43), denen dieses Leiden und diese Niederlage zustoßen.

Diese Strategie, Bildern von allgemeiner Bedeutung eine weibliche Dimension zu verleihen, liegt auch dem Namen der Protagonistin zugrunde. Leicht erkenntlich verbirgt sich dahinter die weibliche Form von "Barbar", dessen ursprüngliche

---

10 Sigrid Weigel, *Die Stimme der Medusa: Schreibweisen in der Gegenwartsliteratur von Frauen* (Reinbek: Rowohlt, 1989), S. 112.
11 Schmölzer, *Frau sein und schreiben*, S. 96.
12 Kerschbaumer, *Für mich hat Lesen etwas mit Fließen zu tun*, S. 140.
13 Der zweite Textabschnitt des Romans, der den Titel "Gefangenschaft" trägt, besteht aus zwei Teilen mit den Überschriften "Ein ägyptischer Traum" und "Eines ägyptischen Traumes zweiter Teil". Die Hinweise auf Babylon befinden sich auf S. 56-57, auf Christus, S. 29, 37, 211.

Bedeutung als Bezeichnung für die fremde Nationalität heute von der "Dimension des Inferioren, eingeschlossen die moralische Minderwertigkeit" überschattet wird.[14] Beide Konnotationen treffen auf Barbarina zu: sie ist die Fremde, die wegen ihrer "Andersartigkeit" von ihrer Umwelt als minderwertig betrachtet wird. Kerschbaumer verbindet die Bezeichnung "Barbar" jedoch mit ihrem Thema der Unterdrückung: "Die Gefangenen werden Barbaren genannt und Barbaren fühlen keinen Schmerz" (43). Barbarinas Name reflektiert somit die Hauptthemen des Romans: Fremdheit, Unterdrückung und Weiblichkeit.

Die biblischen Assoziationen und Anspielungen erfüllen jedoch noch eine weitere Funktion. Sie stehen in direktem Bezug zu den beiden Ideologien, die für Barbarinas Unterdrückung und Ausgrenzung verantwortlich sind. Die symbolische Auslegung von Barbarinas Geschichte mit biblischen Beispielen kann als Anklage gegen den Katholizismus gesehen werden, der so wenig aus der eigenen Geschichte gelernt hat. In einer Umgebung, die so großen Wert auf religiöse Rituale legt, wird wenig von dieser Lehre in die Praxis umgesetzt, weder von den kirchlichen Würdenträgern noch von den dörflichen Kirchengängern. Es scheint, als ob allein Barbarina die christliche Lehre beim Wort nähme. Darüber hinaus verweist die Evozierung der jüdischen Geschichte von Unterdrückung und Zerstörung aus dem Alten Testament auf die neuerliche, weitaus ungeheuerlichere unter dem nationalsozialistischen Regime. Barbarinas Identifizierung mit den jüdischen Figuren aus dem Alten Testament deutet damit auch auf ihre Solidarisierung und Identifizierung mit den Opfern des Nationalsozialismus, zu denen im gewissen Sinne auch sie gehört.

Kerschbaumers literarische Zielsetzung ist nicht allein die Interpretation der Welt, sondern vor allem auch ihre Veränderung.[15] Schreiben stellt für sie einen Widerstandsakt dar, dem sie auch auf der formalen Ebene Ausdruck zu verleihen sucht. Wie in den vorhergehenden Werken geschieht dies in *Die Fremde* durch den Verzicht sowohl auf eine hierarchisch gegliederte Erzählung als auch auf eine gesicherte Erzählperspektive. Wie in ihren vorhergegangenen Werken ist die Schreibbewegung in der *Fremden* die der Erinnerung. Es ist keine chronologische, lineare Erinnerung, sondern eine fragmentierte, assoziative, immer wieder neu ansetzende, deren Fixpunkt die Ankunft der Mutter in Tirol darstellt. Erlebnisse werden angerissen, Details später nachgetragen, Ereignisse angesprochen, zu deren Verständnis eine Information vorausgesetzt wird, die erst später nachgeliefert wird. Handlungsverläufe werden unterbrochen, verschiedene Zeitebenen wechseln einander ab. Anstatt einer kontinuierlichen, kausal strukturierten Geschichte entsteht ein Netz von Ereignissen, die verschiedene Verhaltensmuster und Perspektiven

---

14 Vgl. Julia Kristeva, *Fremde sind wir uns selbst* (Frankfurt: Suhrkamp, 1990), S. 61.
15 Vgl. Schmölzer, *Frau sein und schreiben*, S. 97.

vorführen und somit ihre strukturelle Bedeutung für die Lebensgeschichte Barbarinas vor Augen führen.

Obwohl Kerschbaumer im Unterschied zu ihren vorhergehenden Werken in der *Fremden* das Schicksal einer einzelnen Person behandelt, beschränkt sie sich nicht auf eine einzige Erzählinstanz. Als erste läßt sich die Perspektive einer allwissenden Erzählerin zu erkennen, die die Fakten und Details von Barbarinas Geschichte kennt, ihren unglückseligen Verlauf vorhersagen kann, und fähig ist, die Verhältnisse analytisch zu betrachten und Ereignisse zueinander in Verbindung zu setzen, wenn auch hauptsächlich in Form von Assoziationen, Reflexionen und lyrischen Passagen, wobei oft nicht klar zu unterscheiden ist, ob es sich um den inneren Monolog der Figur Barbarina oder um den der Erzählerin handelt: "Hat sich noch nicht genug? Beweise ihres Muts zu liefern – für was? Wird sie es leid, sich anzudienen, den Spott der Mädchen überbietend, fromme Lehrerinnen zeichnen in Fleisch und nochmals Fleisch? Was zwingt zu dieser Rache am Fleisch der Macht in dieser wüsten Kritzelei? Weiß sie denn nicht, daß Macht nicht Geist noch Fleisch verschont, am Tag der Rache?" (59). Durch diese Vermischung der Perspektiven wird klar, daß die Erzählerin auf Seiten Barbarinas steht, ihre Partei ergreift, und ihr eine Stimme verleiht.

Barbarinas Stimme manifestiert sich klar und deutlich in Erinnerungsbildern, die die auktoriale Erzählperspektive durchbrechen. Diese Erinnerungen scheinen unaufhaltsam aus dem Unterbewußtsein hervorzudringen, wodurch ein mitreißender, vorwärtsdrängender Rhythmus erzielt wird, der die Struktur der Assoziationsketten und Wortreihen bestimmt:

> Der erste Schultag des dunklen Kindes, der alte Mann entfernt sich, und eine Horde brauner Bubenkörper schlägt über ihr zusammen. Ein Stuß mit Riesenfaust setzt diesem Ausbund erneut auf hartgefrorenen Splitt. Verrenkte Beine, weit geöffnet, der Schmerz fährt aus der Hüfte in den Kampf. Geschrei, Gelächter, Drohung. Rühr dich nicht, es ist dir nicht erlaubt zu stehn. Einer, so groß wie ein Mann, umringt von kleinen Gaunern. Wer ist das? Der und der. Was tut er? *Er* mag dich nicht. Und du? Ich auch nicht, weil du so bist. Wie bin ich? Schweigen. (58)

Diese Erinnerungen reflektieren sowohl Ohnmacht und Verwirrung des überwältigten und entmündigten Kindes, als auch die verletzenden Urteile und Handlungen der Gesellschaft, die sich unlöschbar in das kindliche Unterbewußtsein einprägten und nun an die Oberfläche dringen. Das Traumhafte, Chaotische und Fragmentierte dieser Erinnerungsbilder erinnern an Shoshana Felmans Charakterisierung von Zeugenaussagen, die ja ebenfalls auf Erinnerungsarbeit basieren: "As a relation to events, testimony seems to be composed of bits and pieces of a memory that has been overwhelmed by occurrences that have not settled into understanding or remembrance, acts that cannot be constructed as knowledge nor assimilated into full cognition, events in excess of our frames of reference".[16] Tatsächlich haben diese Erinnerungsbilder in Kerschbaumers Roman den Charakter von Zeugenaussagen. Auch sie geben Barbarinas Leben wieder, jedoch unmittelbarer und trotz ihrer Fragmentiertheit authentischer als die Erklärungen, Analysen und Beschreibungen der allwissenden Erzählerin. Im Grunde stellen diese Erinnerungsfetzen das Beweismaterial dar, mit Hilfe dessen die Erzählerin ihren Fall konstruiert.

Als dritte Erzählinstanz kommt ein "Ich" zur Sprache, das vielleicht der erwachsenen Barbarina gehört, die zurückschaut, Vergangenheit und Gegenwart verbindet, die die Frage nach dem "Was" und dem "Warum" des zu Beschreibenden stellt, um sich jedoch in Assoziationen und Erinnerungen zu verlieren, die sich bald als die der heranwachsenden Barbarina erweisen. Durch diese Vermengung von Zeitebenen und Erzählstimmen verweist Kerschbaumer auf nachwirkende Bedeutung der Vergangenheit auf die Gegenwart sowohl auf individueller als auch auf kollektiver Ebene.

In dieser Erinnerungsarbeit, die auf unterschiedlicher Art von jeder der Erzählstimmen geleistet wird, manifestiert sich Kerschbaumers Streben nach Veränderung der Gegebenheiten. Für *Die Fremde* gilt im noch größeren Ausmaß, was Christa Gürtler im Zusammenhang mit *Die Schwestern* beobachtet: "Schreiben wird zur psychoanalytischen Arbeit, um aus Mustern auszubrechen zu können, zur Möglichkeit, im Benennen dem Opferstatus zu entrinnen".[17] In der *Fremden* geht es jedoch nicht allein um die individuelle Befreiung Barbarinas. Indem Kerschbaumer die Verbindung von historischen und gesellschaftlichen Gegebenheiten und Barbarinas Erfahrungen aufzeigt, verleiht sie ihnen kollektive Bedeutung. Die Bewegung der Erinnerung ist somit als Widerstand nicht nur gegen die Unterdrückung der persönlichen Geschichte sondern gegen das Vergessen und Verdrängen einer konkreten historischen Vergangenheit zu verstehen.

Christa Gürtler hat im Zusammenhang mit Kerschbaumers Roman *Die Schwestern* auf die Parallelen zwischen der Schreibweise der Autorin und der "écriture féminine" aufmerksam gemacht.[18] Diese Beobachtung gilt auch für *Die Fremde*. Neben der metaphorischen Körpersprache sind es hier der Verzicht auf den linearen Diskurs, die rhythmische Sprache, die assoziative Schreibpraxis, die Auf-

---

16 Shoshana Felman, "Education and Crisis, Or the Vicissitudes of Teaching", in: Shoshana Felman und Dori Laub, Hrsg., *Testimony: Crises of Witnessing in Literature, Psychoanalysis, and History* (New York, London: Routledge, 1992), S. 5.
17 Christa Gürtler, "Die Bewegung des Schreibens. Annäherungen an neuere Text österreichischer Autorinnen", in: *Das Schreiben der Frauen in Österreich seit 1950*, Die Walter Buchebener-Gesellschaft, Hrsg. (Wien: Böhlau, 1991), S. 112.
18 Vgl. Christa Gürtler, "Neue Bärte auch für Frauen?" in: *Neue Bärte für die Dichter? Studien zur österreichischen Gegenwartsliteratur*, Friedbert Aspetsberger, Hrsg. (Wien: Österreichischer Bundesverlag, 1993), S. 174.

spaltung der Erzählinstanz, und vor allem die Einbeziehung des Unbewußten.[19] Kerschbaumer selbst hat immer wieder den entscheidenden Einfluß des Feminismus auf ihr Schreiben betont, und sie verfolgt in ihren Werken die gleichen Ziele wie die Vertreterinnen der "écriture féminine": sie möchte die Frauen aus ihrer patriarchalischen Einengung herausführen, indem sie die weiblichen Erfahrungen in dieser Gesellschaft beschreibt und als kollektive Leidensgeschichte sichtbar macht. Ihren Werken liegt ebenfalls ein "befreiendes, utopisches Element der Kritik und Subversion der bestehenden Ordnungen" zugrunde, das Margret Brügmann auch in den Texten der "écriture féminine" ortet.[20] Es ist jedoch wichtig, darauf hinzuweisen, daß die der "écriture féminine" zugeschriebenen Stilelemente auch für die avantgardistische Schreibweise charakteristisch sind, wie sie in Österreich in den fünfziger und sechziger Jahren zuerst von der Wiener Gruppe und den ihr nahestehenden Künstlern praktiziert wurde. Auf diese in ihren eigenen Worten "männliche Tradition" verweist die Autorin neben dem poetischen Strukturalismus von Roman Jakobson als ihr Vorbild in formal-ästhetischen Fragen.[21] In thematischer Hinsicht besteht Kerschbaumer jedoch auf einem konkreten sozialen Engagement, welches sie bei der Wiener Gruppe vermißt.[22]

Daß ihr soziales Engagement vor allem den Kampf gegen Unterdrückung betrifft, führt Kerschbaumer auf ihre persönliche Erfahrung als Frau zurück: "Frauen, so sie zufällig Produzenten von Literatur sind, haben mit ihren Geschlechtsgenossinnen, die nicht schreiben, einen bestimmten Stellenwert in der Gesellschaft gemeinsam, der, sollte sie dieser für die Leiden anderer empfänglich gemacht haben, sie befähigt, ihre Identifikation mit Unterdrückten rascher voranzutreiben. [...] Geschult an der eigenen Leidensgeschichte, wird die weibliche Autorin vielleicht Vorurteile leichter abbauen".[23] Beim Schreiben steht für Kerschbaumer jedoch nicht ihr Frausein sondern Literarität im Vordergrund: "Ich will Literatin sein – unter gleichgestellten Literaten. Ich möchte 'geschlechtlos' unter den männ-

---

19 Zu den Charakteristiken des weiblichen Schreibens vgl. Margret Brügman, "Weiblichkeit im Spiel der Sprache. Über das Verhältnis von Psychoanalyse und 'écriture féminine'", in: *Schreibende Frauen vom Mittelalter bis zur Gegenwart*, Hiltrud Gnüg und Renate Möhrmann, Hrsg. (Frankfurt am Main: Suhrkamp, 1989), S. 395-415.

20 Ebenda, S. 415.

21 Vgl. Jacqueline Vansant, "Interview mit Marie-Thérèse Kerschbaumer", *Modern Austrian Literature*, 22, 1 (1989), S.109. Kerschbaumer stellt fest: "Ich sehe mich in einer literarischen Tradition, aber leider nicht in einer feministischen, sondern in einer männlichen österreichischen Tradition".

22 Kerschbaumer gibt an: "Jakobson hat den poetischen Faktor, den kognitiven Faktor drinnen, und ich habe dem den sozialen Faktor beigegeben. Dieses zutiefst Humane in der Sprachwissenschaft wollte ich angewendet wissen in der Poesie, aber mit Reflexion, wissend, was ich mache ist Poesie, aber gleichzeitig auch Sprachwissenschaft". In: Schmölzer, *Frau sein und schreiben*, S. 94.

23 Ebenda, S. 97.

lichen Kollegen sein, aber über meine Sache, über meine Frauensache reden, anerkannt sein, als Literatin, unabhängig vom Geschlecht".[24] Kerschbaumer ist sich der Utopie ihres Anspruch bewußt, jedoch wie ihr Roman *Die Fremde* unter Beweis stellt, verfolgt sie unbeirrbar ihr Ziel, durch ihre weibliche Perspektive und eine komplexe, anspruchsvolle Ästhetik, ihren Lesern den Zusammenhang zwischen Unterdrückung und gesellschaftlichen und historischen Bedingungen sichtbar zu machen und sie somit zum Widerstand gegen solche Ordnungen zu bewegen.

---

24 Vansant, "Interview mit Marie-Thérèse Kerschbaumer", S.111.

Peter Arnds
Kansas State University

Robert Schindel's Novel *Gebürtig* (1992) in a Postmodern Context

Introduction

GEBÜRTIG is Robert Schindel's second novel.[1] After the Viennese Jewish writer's first attempt at fiction with the novel *Kassandra* (published in his own journal *Hundsblume* in 1970), he became better known mostly for his poetry, of which four volumes appeared between 1986 and 1992: *Ohneland: Gedichte vom Holz der Paradeiserbäume 1979-1984* published in 1986, *Geier sind pünktliche Tiere* (1987), *Im Herzen die Krätze* (1988), and *Ein Feuerchen im Hintennach* (1992). *Gebürtig* was followed by a collection of shorter narratives, *Die Nacht der Harlekine*, in 1994. His fiction and poetry share three main themes: love, the individual's search for identity, and the impact of the past on the present. Love in Schindel's oeuvre is presented as a form of communication that malfunctions. The quest of love ultimately leads back to solitude. The "lyrical I" and Schindel's fictional characters experience the fragmentation or even loss of their identity. They are alienated from themselves as well as from others. Schindel's texts are filled with lamentations of homelessness, of loneliness, and of emotional coldness experienced in the presence of others. At its worst, this coldness expresses itself in one group's radical negation of another group's individuality. A dominant theme in Schindel's work is the Holocaust and the continuing presence of fascism in the 1980s, which goes hand in hand with an absence of justice for the shoah victims.[2]

The themes of love, identity, and history also form the geography of the novel *Gebürtig*. This book has been discussed primarily in a special issue of *Modern Austrian Literature* entitled "The Jewish Presence in Contemporary Austrian Literature."[3] *Gebürtig* is about origins and deals with the difficulties that the children of the Holocaust victims experience in the 1980s with non-Jewish Austrians and Germans. Both the reviews as well as the more critical studies discuss the novel's

---

1   Robert Schindel, *Gebürtig: Roman* (Frankfurt am Main: Suhrkamp, 1992). References to this work in the text will be to this edition.
2   Cf., e.g., the poem "Unsere Gnade der späten Geburt," in Robert Schindel, *Geier sind pünktliche Tiere: Gedichte* (Frankfurt am Main: Suhrkamp, 1987), p. 94.
3   *Modern Austrian Literature*, 27, 3-4 (1994).

blend of history and fiction, its unfolding of the impact of the calamitous past on the present. Posthofen regards Schindel's novel as an alternative rewriting of history from a Jewish perspective.[4] In the discussion of the text's nexus between the authentic and the fictional, certain figures in the novel have been identified as real.[5] Likewise, autobiographical components have been pointed out.[6] Although most reviews are enthusiastic about the novel, notable exceptions are Werner Fuld's discussion of the text in the *Frankfurter Allgemeine Zeitung*, where he calls it "jüdische[n] Kitsch,"[7] and Klaus Kastberger's review in Vienna's *Falter*.[8] As is typical of those journalists who have their minds set on denigrating a novel, Kastberger uses a minor detail such as a character's "farts before breakfast" to attack the rest of the book. Most reviews and the critical essays discuss the mastery of Schindel's narrative art, the novel's kaleidoscope of stories, and try to do justice to its many characters. The focus is primarily on the various Jewish figures and their different reactions to the non-Jews, ranging from feelings of judeocentrism to forms of assimilation. Kernmayer in particular focusses on the Jews' search of identity in Austria and their experience of alterity.[9] She discusses the stereotypes the novel employs to describe the characters' physical appearance, their *noms parlants*, and the phenomenon of Jewish assimilation. This process of assimilation is reflected for example in the Jews' ambition to speak better German than their non-Jewish peers and in their choice of non-Jewish lovers. There is unanimous agreement among the critics that a rapprochement between Jews and non-Jews fails in *Gebürtig* and that its ending is not a happy one. Convinced of the "Unentrinnbarkeit der Herkunft," Šlibar, for example, argues that most Jewish

---

4   Renate Posthofen, "Erinnerte Geschichte[n]: Robert Schindels Roman *Gebürtig*," *Modern Austrian Literature*, 27, 3-4 (1994), 194.

5   Ruth Rybarski, "Die unterste Falte der Seele," *profil*, 28 April 1992, 88. She mentions the *Stern* journalist Niklas Frank as a model for Konrad Sachs, the similarities between Simon Wiesenthal and Lebensart, as well as between the stage director Peter Zadek and Peter Adel.

6   Rybarski mentions for example the link between the epilogue and Schindel's own life: "Wie sein Protagonist und Ich-Erzähler ist auch der Autor selbst einmal gemeinsam mit vierzig anderen österreichischen Juden nach Osijek gefahren, um dort in einem nach-gebauten Lager für die amerikanische TV-Serie 'War and Remembrance' als KZ-Insasse zu statieren" (ibid.).

7   Werner Fuld, "Nächte unterm Schuldgestirn. Erpreßte Solidarität: Robert Schindel's Roman 'Gebürtig'," *Frankfurter Allgemeine Zeitung*, 14 April 1992, 64.

8   Klaus Kastberger, "Fürze nach dem Frühstück, nach ihrem Geschmack," *Falter*, 15-21 May 1992, 30.

9   Hildegard Kernmayer, "Gebürtig Ohneland. Robert Schindel: Auf der Suche nach der verlorenen Identität," *Modern Austrian Literature*, 27, 3-4 (1994), 173-92.

protagonists eventually return to "Zersplitterung und Unbehaustheit," to their exile.[10]

Viewing the novel within its postmodern context enables me to analyze it from different perspectives while at the same time offering a close reading of some of its central segments. To some degree, the aforementioned critics have already touched on some postmodern elements of the novel, such as its treatment of history or its carnivalesque atmosphere.[11] In contemporary literature certain features have repeatedly been identified as "postmodern" by such critics as Linda Hutcheon[12] and Paul Michael Lützeler.[13] For my interpretation of Schindel's *Gebürtig* as a distinctly postmodern novel, I want briefly to recapitulate those aspects that can be applied to his novel.[14] As Lützeler points out, contemporary literature tends to be deeply skeptical of utopian models.[15] It has lost its trust in utopias because of the disastrous historical events of this century, its world wars, nuclear catastrophes, etc. It is convinced of a historic discontinuity rather than of a historic teleology as Hegel saw it. At the same time, however, postmodern literature directs its view back into the past in order to establish a dialogue between the past and

---

10 Neva Šlibar, "Anschreiben gegen das Schweigen: Robert Schindel, Ruth Klüger, die Postmoderne und Vergangenheitsbewältigung," in *Jenseits des Diskurses: Literatur und Sprache in der Postmoderne*, Albert Berger and Gerda Elisabeth Moser, eds. (Wien: Passagen, 1994), p. 346.

11 Šlibar, p. 342: "Dem Prinzip der Karnevalisierung nach Bachtin soll nicht nur Venedig unterworfen werden, es durchzieht verschiedene Ebenen der Romanstruktur, determiniert den Erzählvorgang, die narrativen Verfahren ebenso wie die Figurenkonstellationen und manifestiert sich auch auf der Ebene des Figurenerlebens."

12 Cf., e.g., Linda Hutcheon, *A Poetics of Postmodernism: History, Theory, Fiction* (New York and London: Routledge, 1988) and *The Politics of Postmodernism* (New York and London: Routledge, 1989).

13 Cf., e.g., Paul Michael Lützeler, "Von der Präsenz der Geschichte. Postmoderne Konstellationen in der Erzählliteratur der Gegenwart," *Neue Rundschau*, 104 (1993), 91-106.

14 In the "Afterword" to his translation of *Gebürtig* Michael Roloff speaks of the novel's "postmodernity" which "would astonish the likes of Aldous Huxley, Lawrence Durrell and slews of writers in all languages during the first half of the century," Michael Roloff, *Born-Where* (Riverside: Ariadne, 1995), p. 287. Roloff's translation strikes me as very readable, although it is impossible for it to do justice to passages such as the following: "Kennst du den Witz, Wilma? In Klagenfurt steht ein Mann mit Hut vorm Schalter und sagt: 'Nach Laibach will ach'. Darauf der Beamte: 'No was jetzt? Wollen Sie nach Laibach oder wollen Sie nach Villach?' 'Will ach nach Villach, will ach nach Villach. Will ach nach Laibach, will ach nach Laibach. Nach Laibach will ach'. Der Witz war erzählt, *Wilma lachte*. So kommen wir eben nach Villach" (italics mine; 58). Instead of making the futile attempt of translating the joke, Roloff takes a shortcut by using three dots: "A man stands in front of the ticket counter in Klagenfurt and says [...] Wilma knew the joke but she laughed anyhow" (*Born-Where*, 45).

15 Lützeler, "Von der Präsenz der Geschichte," p. 101.

the present.[16] In its attempt to re-present the past, it breaks up the linearity of time.[17] As it establishes a dialogue between the past and the present, it often does so between texts. This conscious intertextuality is opposed to the unconsious intertextuality of earlier phases in literature, Modernism excluded.[18] Postmodern literature often decentralizes place by transcending the boundaries of its national origin. It fragments the linearity of narration, fragments style, and focusses on marginalized groups such as women and ethnic minorities. In connection with its historical perspective it views the Holocaust, for example, as a form of marginalization. Furthermore, it often decentralizes its protagonists by getting rid of a sole hero. This destabilization of the hero corresponds to a questioning of the autonomy of the subjective self. While in Hegel's philosophy, which is at the root of the conception of the nineteenth-century hero in the novel, the individual tries to recognize himself or herself through the other and consequently comes to a sort of objectification of the self, this synthesis through a union with the other seems to be no longer possible in postmodern literature: "Das Subjekt konstituiert sich nicht wie bei Descartes aus sich selbst im Sinne des 'Cogito', sondern erblickt sich [...] durch den Spiegel des Anderen, auf den *sein – letztlich unerfüllbares – Begehren* gerichtet bleibt" (italics mine).[19] Characters remain isolated from each other with little understanding of their counterparts and with a rather labile identity. The concept of a unitarian whole, Hegel's view of totality, is a nineteenth-century vision which the Postmodern Age fragments. While the Moderns were still grieved at the loss of totality, unity, and centrality and tried to reestablish it (even in the form of totalitarian regimes), the Postmoderns have accepted this loss and the entropy, the chaos, the disorderly and unstructured world that come with it.[20]

The postmodern tendencies of fragmentation and decentralization can be observed in various facets of Schindel's novel. It transcends the boundaries of form, time, place, the hero, and its very textual boundaries through its intertextuality. On a narratological level, the constant transcending of boundaries thus reflects the great humanitarian message of the novel: the necessity for people to erode their cultural and ethnic margins, their birth-given limitations, for the sake of love and understanding between them.

---

16 Ibid., p. 93.
17 For an understanding of the treatment of time in postmodern literature, compare Hutcheon, *The Politics of Postmodernism*, chapter 3, "Re-presenting the past," pp. 62-92.
18 Whereas with authors of the eighteenth (Sophie von La Roche, for example) and nineteenth centuries (Wilhelm Raabe) the intertextuality is mostly unconscious, i.e., the result of cryptomnesia, such authors as James Joyce and T. S. Eliot deliberately allude to other texts in their own texts.
19 Lützeler, "Von der Präsenz der Geschichte," p. 101.
20 According to this development in the twentieth century, Hitler was a "modern."

Fragmentation of the Totality of Form, Time, and the Narrator

The symmetry of Schindel's novel has been emphasized repeatedly: "Der Roman ist symmetrisch aufgebaut: Prolog, Epilog, dazwischen sieben Kapitel mit symbolträchtigen Titeln."[21] At first glance this may seem to be true, yet if one looks more closely at the individual parts, this claim of symmetry no longer holds. The prologue immediately introduces the novel's central theme, the tension between Jews and non-Jews and the difficulty or even impossibility of a dialogue between them. The rift between them is exemplified in the exchange between the blonde non-Jewish designer Erich Stiglitz from Mauthausen and the Jewish sociologist Mascha Singer:

> Mauthausen ist eine schöne Gegend. Mascha nickt und hört auf mit dem Nicken. Jetzt muß mir die Luft wegbleiben, denkt sie sich, denn bei solchen Bemerkungen ist sie immer schon starr geworden [...] Hörst du, sagt sie, das ist eine geschmacklose Bemerkung. Aber geh, sagt er, ich bin dort aufgewachsen. Ich weiß es. Die Gegend ist dort sehr schön. Als Kind hab ich dauernd im Konzentrationslager gespielt. Ein Superspielplatz [...] Wie kannst du bloß so blauäugig unbefangen daherreden? [...] Du glaubst du kannst nichts dafür. Was soll denn ich dafür können? (10-11)

The word "blauäugig" is used in its full ambiguity, as "naive" and as the old cliché connoting an Aryan, non-Jewish quality. The physical difference between the blonde, "blue-eyed" Stiglitz and the dark Mascha – she is repeatedly referred to as "die Schwarze" – underlines the distance between the speakers in their perception of Mauthausen. The hopelessness in the relationship between Jews and non-Jews expressed in the prologue is, however, not fully repeated in the epilogue. Despite its title, "Verzweifelte," the epilogue opens the end of the text by verbalizing the possibility of a more hopeful future in the last paragraph of the novel: "'Ch'ma Jisruel, kalt is ma in die Fiß, ch'ma, die Fiß so kalt, oj is ma in die Fiß Israel. Ch'ma Jisruel, in die Fiß is ma soi koit in die Fiß adonai'. / Da denk ich mir, wann endlich warm werden die Füße, und Kopf bleibt wunderbar kühl, kann passieren, daß kommt nicht der Messias, sondern ein schönes Gefühl" (353). This glimpse of physical and emotional well-being for the Jews in Central Europe ventures beyond the prologue which with its sinister vision of the Holocaust, "Weit im Himmel das Luftgrab der sechs Millionen Lämmer" (16), directs its view entirely to the past. Moreover, if the structure were perfectly symmetrical, chapter 1, "Enge," would have to correspond to chapter 7 and not to chapter 6, "Weite," as it does; chapter 2, "Kälte," would have to correspond to chapter 6 and not, as it does, to chapter 7, "Hitze." It may be better to compare the structure

---

21 Hans Haider, "Gespräch mit Schindel: Sieben Worte im voraus," *Die Presse*, 22 February 1992, Beilage, VII.

of Schindel's novel to the development of events in classical drama. In this case, the central fourth chapter "Achtung" would be the "retardierende Moment"[22] and the seventh chapter "Hitze" the denouement. That the mirror symmetry does not function is interesting because a perfect flip-flopping around the pivotal fourth chapter would express a formal harmony that the content does not reflect. The form's lack of order becomes even more pronounced if we look at the plot. It is excessively playful and takes on the shape of what one critic describes as "gezöpfelt,"[23] and what Lützeler has called the "Wiederkehr des Ornaments."[24]

The linearity of the plot is broken up into three main narrative strands. 1) The story of Danny Demant, his circle of Jewish and non-Jewish friends in Vienna, and the ups and downs of his love affair with a Catholic woman, Christiane Kalteisen, which alternates between Vienna and Lilienfeld, a village in Lower Austria. 2) The story of Konrad Sachs, the "Prince of Poland," which in time runs parallel to the Demant story. Sachs is a cultural writer and lives in Hamburg with his wife Else. He keeps a secret that turns his life into hell. His father, the so-called King of Poland, is modelled after Hans Frank, the vicious General Governor of Poland who was directly responsible for mass extermination in the death camps. In 1987, his son, Niklas Frank, a journalist for the magazine *Stern*, had the kind of coming-out that Sachs has when he publishes a book about his life as the son of a leading Nazi. Accompanying his father to the camps, Konrad Sachs saw the heaps of dead bodies and in his adult life is plagued by his guilty conscience until he writes his book. The two groups of people are linked by Emanuel Katz, himself a Viennese Jew. 3) He writes the story of Herrmann Gebirtig, a Jewish concentration-camp survivor who lives in New York City and is asked to return to Vienna to testify against Anton Egger, a former camp bully. Katz's manuscript is one of two that the editor Danny Demant reads in the course of the novel.

This breaking up of the plot into three major narrative strands causes the fragmentization of the totality of time. The novel contains three time layers. It descends back into the time of the Third Reich with such minor characters as the Jewish woman, Sonja Okun, who out of love for a German stage director returns from Switzerland to Berlin in 1938 and consequently dies in Theresienstadt. Gebirtig's past in Ebensee, the memories of Amalie Katz, Emanuel's mother, and those of Konrad Sachs form parts of this time layer. The time within Emanuel Katz's manuscript is 1981-82, while the central plots, involving the narrating twin brothers Demant and Alexander (Sascha) Graffito as well as Konrad Sachs, form

---

22 Cf. Schindel's own words about this chapter in Haider's article: "In diesem Kapitel steht, bis zu einem gewissen Grad, alles still. Es ist die Vorbereitung zu dem, was später kommen wird."
23 Gundhild Kübler, "Unterm Schuldgestirn leben. Robert Schindels Roman *Gebürtig*," *Neue Zürcher Zeitung*, 20 March 1992, 85
24 Lützeler, "Von der Präsenz der Geschichte," p. 93.

the present of the narration and extend from 1983 to 1985. Within each of the seven chapters the flow of time of each narrative strand is constantly interrupted by the frequent switches from one strand to another. Reading Schindel's novel resembles the act of channel surfing on television. In our television-oriented society, it seems that contemporary fiction has to resort to this kind of technique to keep the reader entertained.[25] At the same time, however, this technique does justice to reality's diachrony and to the synchronicity of stories. A reference to the postmodern art of film-making may also be implied in the epigraph from Nestroy at the beginning: "Die ganze Welt ist ein Fußboden." As Šlibar has shown, this is a reference to Shakespeare's dictum, "All the world's a stage."[26] By using the Nestroy quotation, which reduces Shakespeare's stage to the bottom floor, Schindel possibly refers to the starker sense of realism conveyed by film vis-à-vis theater. Through its multi-plotted form, through the Nestroy epigraph, as well as through the film element in the epilogue, Schindel's text refers to itself as film-like. This self-referential character is typical of postmodern literature.

The central theme of Jewish/non-Jewish relationships spans all three times: on the level of the present of the narration we see Danny Demant with Christiane and with Wilma; we see Emanuel Katz chasing after blonde Germanic giantesses, as well as the friendship between the Jewish stage director Peter Adel and the guilt-ridden Konrad Sachs. Sachs and Katz become acquainted with one another, and in Katz's manuscript Gebirtig has a love affair with the non-Jewish Nazi hunter Susanne Ressel, the daughter of Karl Ressel, who dies from a heart attack shortly after recognizing the Nazi Anton Egger on an Austrian mountain top. Then, too, there is the love affair between Sonja Okun and the stage director Egon Stellein during the Third Reich.

The fragmentation of the plot and of time goes hand in hand with a fragmentation and decentralization of the narrator. In the present of the narration the two brothers, Demant and Sascha Graffito, alternate as narrators. Sascha begins as a narrator who is telling the events while largely reducing any activity in his own life. He records not only the activities of his twin brother Danny but also those of everybody else, primarily though of Konrad Sachs and Emanuel Katz. Sascha is the most agile of all the narrators in this novel. He can jump swiftly from person to person and is therefore as omniscient as the nineteenth-century narrator of Flaubert, who hovers over the action like a God paring his fingernails. Yet unlike that godlike narrator he reflects on himself and brings the very act of narrating into the novel. His many comments on his own role as narrator range from aloofness

---

25 This feature can also be observed in postmodern films (*The English Patient*, for example), which frequently use at least a duality of plots.

26 Šlibar, "Anschreiben gegen das Schweigen," p. 342.

to a feeling that his function is becoming tedious. When Danny falls in love with Christiane his brother comments with cosmopolitan arrogance:

> Nach kürzester Bekanntschaft stürzt sich Herr Demant in die Untiefen einer nie-derösterreichischen Familiensaga? [...] Doch es könnte mir nun passieren, daß ich mich vom Sitz des Seelengeflechts weit vorbeugen muß, um hinunterzuschauen, was sich da unten anbahnt. Keinesfalls darf ich hinunterfallen, sondern heroben muß ich bleiben; das brodelnde Gebürtige da unten zu mir heraufwachsen lassen, sonst na ja. Denn ich bin überzeugt. Allen mag es an Übersicht mangeln, einer muß drü-berschauen, das bin ich, sonst macht das Aufnotieren keinen Sinn. (106)

Sascha narrates mostly through two-thirds of the novel until he grows tired of it and confesses that he, too, wants to live for a change: "Ich möchte so gerne Mascha sehen, selber etwas tun, mich leben und nix mehr nachschreiben [...] tu was, Danny, tu endlich was" (235, 236). Soon after this venting of his frustration, Danny does indeed take over a large part of the narration. He is now in a good position to do so since his own love affair with Christiane Kalteisen is temporarily put on hold. Apart from writing down his own story he also functions as an oral narrator in a bed-time story which he tells Christiane's daughter. Another oral narrator is Ilse Singer, whom Danny meets in Frankfurt and who tells him the story of Sonja Okun. While she is narrating, Danny records her remarks and we hear her voice filtered through his. He ends up relating her story, although for a moment she points to his poet friend Hirschfeld as a potential narrator for her story, while Demant toys with the idea of hiring another narrator for it (302). Danny compares himself with his brother and admits that he lacks Sascha's elegance in the art of narration (308). He also lacks his brother's omniscience. This becomes clear when, after Christiane's adventure with a Dutchman in Paris, the reader finds out at the end of chapter 7, scene 6, that it was Sascha who has told Danny this story over the phone. Then Sascha takes over again as narrator and records that he has just told Danny about Christiane (323). The reader gets two perspectives on the same fact. After that, both narrators join and each one records his own life: "Ich nehm das Notieren wieder auf, Bruderherz." "Von mir aus. Aber nicht bei mir Alexan-der." / "Was?" / "Reg dich nicht auf! Du hast doch nun mit dir zu tun. Und ich mit mir. Dabei soll's bleiben" (ibid.).

Sascha is a fictional character and narrator, his brother Danny a fictional character, narrator, and a fictional reader. Likewise, Emanuel is a fictional char-acter and narrator. On a fictional level the editor/reader Demant engages in a critical discourse with Emanuel as they discuss his manuscript. Through this dialogue, what is fiction takes on the guise of reality. Schindel's juggling with the positions of narrator, character, and reader is highly carnivalesque, as has been pointed out.[27] His characters try on one costume after another and entangle one another as well as the reader in a masquerade in which they lose their orientation. The text alludes to Bakhtin's concept of the carnivalesque through Demant's and Wilma's journey to Venice, its "wuchernde Maskengeschäfte" (74), and through the leitmotif of characters getting lost in a maze of streets or Venetian canals: when Ilse Singer, for example, returns to her hometown of Pilsen in 1945, she gets lost "in den wohlvertrauten Gassen" (299). And Demant as narrator sees himself as a comedian who wants "die Straßen und Gassen mit Witzen vollstopfen, die Stadt selbst in ein Verwirrspiel verstecken, daß sich Kanäle verirren, aber Menschen sich plötzlich finden und daran merken, daß sie sich überhaupt verloren hatten" (81). Another comedian joining this postmodern carnival is Gebirtig, a writer of comedies, who in the narrative within the narrative starts his own narrative. He continues his own story in the form of a diary which, however, he soon gives up again with a Rimbaudean flourish: "Tagebuch. Shit" (269). The narratives are stuck into one another like the dolls of a Russian *matriushka*: Gebirtig's text within Emanuel's text within the twin brothers' text. The art of disguise is twofold, a horizontal entanglement through interloping narrative strands, "gezöpfelt," as well as a vertical "Verschachtelung" whose telescopic effect is merely another carnivalesque dimension with the reader's entertainment and confusion as its aim.

Criticism of Fascism

The different narrative levels and the three time layers are connected through the theme of Jewish/non-Jewish tensions, which in its extreme form finds entry into the novel as a direct criticism of present-day fascism. As outlined in my introduction, one trend in postmodern fiction is its treatment of history. Schindel's text re-presents the Holocaust from a Jewish perspective. As a comment on the Holocaust *Gebürtig* is a rewriting of history, albeit a fictional one, through which the author establishes a close link between the past and the present. Emanuel's manuscript in particular demonstrates that the past forms an integral part of the present: "'Frau Doktor', sagte Katz, 'von Auschwitz verstehen Sie nichts'. / 'Es lag in Galizien'. / 'Es liegt immer noch dort'" (196). As historiographic fiction *Gebürtig* shows not only a close link between the past and the present but also between history and fiction. A figure like Konrad Sachs, who is modelled after the historical Niklas Frank, may best exemplify the disappearing boundary between history and fiction and point to the fact that all historical writing shares with fictional writing the technique of "constructing and interpreting, not of objective

---

27 Cf. ibid.

recording."[28] After all, as Hayden White has observed, "by what authority can historical accounts claim to be contributions to a secured knowledge of reality?"[29] Although Emanuel's manuscript is fiction within fiction, it has a strong claim on historical representation due to the fluidity of the boundary between history and fiction. Schindel transposes a large amount of his criticism of fascism into the Katz manuscript, which allows him to maintain an ironical distance. By disappearing behind the persona of Emanuel, Schindel's own voice is masked by the voice of a character. The distance thus achieved also results from the decentralization of time in the novel. The events involving Gebirtig are not only removed as a narrative level but also twice removed in time from Schindel's own writing: from the early nineties, through the time in which Katz writes his manuscript, 1983-84, to the time within the manuscript, 1981-82. Yet because of the constant inter-weaving of the past with the present in the novel, the two can never be seen as isolated from one another.

The result is that what Schindel denounces as a fascist tendency for the eighties contains the possibility of still being alive in the nineties. Schindel's criticism of Austrian fascism spans the entire Gebirtig segment. This criticism is effectively driven home because it plays with the reader as if she or he were a tennis ball. We follow Gebirtig's changing emotions about Austria and primarily about Vienna. The development of his rapport with the city begins with his prejudices. As his voice is heard for the first time when Lebensart calls him to persuade him to come to Vienna, he spills over with hatred for the "Austrian Nazis": "'Soll ich daran schuld sein, wenn die österreichischen Nazis ihn nicht verurteilen?' / 'Herr Gebirtig. Die Richter sind keine Nazis. Auch die Geschworenen nicht. Hoffentlich'" (121). What initially sounds like a prejudice – the fact that fascism in Austria may still be alive – takes on through Lebensart's reaction the color of a possible truth. In the one word, "hoffentlich," Lebensart, who has made it his "way of life" to hunt down Nazis, reveals that he secretly fears that Gebirtig's accusations may be true. This word becomes all the more daunting in its impact if we keep in mind that, unlike Gebirtig, Lebensart has stayed in Austria and is therefore a keen witness of current events. Gebirtig's prejudice is directed not only against Vienna but also against rural life in Austria. Repeatedly throughout the novel (see also 161), Styria is identified with fascist tendencies: "Die Leute dort haben doch nie einen Hitler gebraucht. Die waren immer schon so" (122). Vienna, on the other hand, is labelled by Gibirtig as "die Welthauptstadt des Antisemitismus" (208). His fears and prejudices that at first keep him from returning to Vienna function

---

28 See Hutcheon, *The Politics of Postmodernism*, p. 74.
29 Hayden White, "The Historical Text as Literary Artifact," in *The Writing of History: Literary Form and Historical Understanding*, Robert H. Canary and Henry Kozicki, eds. (Madison: University of Wisconsin Press, 1978), p. 41.

as a hyperbole that makes both the readers and characters, who may have become blunted to the presence of fascism nowadays, contemplate whether Gebirtig's reaction is not justified. When he finally does return to Vienna, what initially seems to be a prejudice then slowly begins to reveal itself as the truth. The officials he encounters have such labelling names as Leibenfrost, Katzenbeißer (figuratively, the person who bites the author of the manuscript Emanuel Katz because he wants to expose Viennese anti-Semitism), and Kattelbach, a potential speaker for Gebirtig's laudatio, whose record shows "bloß zwei judenfeindliche Passagen" (226). The city's fascism is also evoked by the appearance of the blackish-yellow German shepherd which keeps growling at Gebirtig as he walks through the streets of Vienna. The same mean dog reappears twice during Gebirtig's stay (298, 329), and we associate him clearly with fascism as we approach the end of the novel. In the epilogue's concentration-camp setting we see a similar German shepherd among the Nazi oppressors (352).

Yet the people Gebirtig encounters in the Vienna of the early eighties are not much better than their dogs. Those who were Nazis in the thirties and forties, like Hofstätter, the son of the former house superintendant, now try to justify their past crimes by calling themselves victims of those who were above them: "Den meisten ist es wirklich mies gegangen. Ihr [the Jews] habt das nicht so gemerkt, ich weiß. Da hat's der Hitler leicht gehabt [...] Die oben machen immer, was sie wollen. Unsereiner hat alles auszulöffeln [...] Sicher. Ich [Hofstätter] war ja damals für den Adolf. Aber das war nicht gegen euch [Gebirtig's family and all other Jews] persönlich" (306, 307). Gebirtig forgives Hofstätter, shakes hands with him, and in the course of his stay even develops an affection for Vienna. His original fear of it turns into the wish to stay, and he wants to buy an apartment. "Viel hat sich verändert in Wien" (307), he thinks, although now Lebensart shows more skepticism than before and warns him against staying, "Wien bleibt Wien" (319), a view supported by such subtle signals as the fact that the newspapers only cursorily mention Gebirtig's concentration-camp years, of which he gives a lengthy description at the Egger trial. Along with Gebirtig, the reader is lulled into believing that all is well under the blue Viennese skies – until they hear the verdict of the trial. Despite Gebirtig's testimony Egger is set free. Immediately, Gebirtig's senses are sharpened again, and as we follow him through the streets of Vienna, he sees the cold eyes of his former neighbor Mrs. Leitner; he becomes painfully aware of the people staring at him, and he notices how Hofstätter hides behind the curtains rather than greeting him as he did only a few days earlier (328). The only living thing which is consistent in its reactions to Gebirtig is the mean German shepherd, which never stops growling at him (329). His owner doffs his hat in an exaggerated manner, and "alle hatten sie die Arme vor der Brust verschränkt" (ibid.). Schindel's/Katz's narration becomes wonderfully measured in these last pages of the manuscript. Without being told about Gebirtig's reaction to the outcome of the trial, we are nonetheless fully aware of his emotions as he relinquishes all his plans concerning a permanent stay in Vienna, gets back on the plane and flies (flees) to New York. What was a prejudice at the beginning of the Gebirtig strand sounds like a cliché outside of Emanuel's manuscript but is a truth within it: "Wien bleibt Wien."

Fragmentation of the Totality of Place: North Germany, Lilienfeld, Venice

The variety of characters and places gives the novel an epic breadth. Each place contains a disharmonious Jewish/non-Jewish relationship. The characters cannot find a utopia where a rapprochement between the two "Gebürtigkeiten" would lead to their harmonious co-existence. *Utopia* in the sense of the *eutopia* of a multicultural society is simultaneously a *u-topia*, primarily in Central Europe. There is literally "no place" where the sense of alienation between people is overcome. To show this, Schindel covers much territory, from the East Frisian islands to Venice, from Poland to Frankfurt, and from the city of Vienna to the Austrian countryside.

The difficulty in transcending one's "Gebürtigkeit," one's own origin, is most pronounced in the case of Emanuel Katz and his North German girlfriend Käthe. Although the difficulty here is primarily related to their Jewish/non-Jewish origins, it also results from the difference between Austria and North Germany, "Nordanien" (142), as Emanuel calls it, a term which due to its link with Jordan ("Jordanien" in German) makes its mentality appear even more distant from Austria than it is. Although initially both are attracted to one another on account of their physical difference (her height and blonde hair, his sloping nose), their relationship fails in the end because the insensitivity of Käthe and her brothers clashes with Emanuel's hypersensitivity regarding his origin. Schindel heavily relies on stereotypes to show the Jewish/non-Jewish relationship at its worst. Emanuel's attempt to transcend the stigma of his "Gebürtigkeit" is doomed because what pathologically attracts him in Käthe – her physical features that match the Nazis' racial ideals – is accompanied by other stereotypical attributes that he cannot help but loathe. Through the eyes of Emanuel, Käthe and her brothers, Holger and Hans, are depicted as the offspring of a Nazi family: "'Pack', knurrte Katz und zog sich den Mantel an. 'Habt ihr diese Weisheiten eigentlich von eurem Papi, dem Obernazi?'" (136). They are in fact associated with the Nazis themselves. This association functions via the word "Monster": "Eine Ansammlung semmelblonder Monster," Emanuel thinks when he first sets eyes on Käthe's brothers, which reminds us of Sachs's comment in connection with the Bogner swing, an instrument of torture used in the concentration camps: "Aber es waren doch Monster" (72). The insensitivity of Käthe's family – for example, she calls

Emanuel's nose a "Rassemerkmal," oblivious to the fact that Jews are not a race (137) – contrasts starkly with the sensitivity of Konrad Sachs, the guilt-ridden German. The difference between her brothers' stupidity and Sachs's sensitivity becomes visible if one compares Holger's question to Emanuel, "Und wann werden Sie die Bank übernehmen?" (135), with the moment when Konrad Sachs becomes aware of his raised arms as a gesture that might offend Katz: "Sofort wußte er auch, daß diese fremde Bewegung ihm [Konrad] wohlbekannt war, sie glich der auf einem Foto von Ernst Sachs bei einer Rede in München neunzehnsiebenunddreißig. Sogleich hatte er die Arme fallen lassen" (128).

The problems between the "Gebürtigkeiten" can, however, also be observed within Austria itself. Schindel juxtaposes Vienna with rural places, the Rax mountains, Styria, but primarily with Lilienfeld, Christiane Kalteisen's hometown. It is easy to conceive of the difficulties that Emanuel Katz, an Austrian-born Jew, may have in northern Germany, but Demant encounters problems in a place not far from Vienna and in his own country. He feels as alienated and out of place in Lilienfeld as if he were in a foreign country: "Was tu ich im Ländlichen, am Ort fremder Kindheit?" (118). It is a place where the people seem to Demant as firmly rooted as trees, "Leute wie Bäume" (119), whereas he slips on a marble: "Er [...] stieg auf eine Glaskugel und stürzte [...] Danny war auf den Rücken gefallen" (162). A wide rift opens between the Bohemian scenes in the capital and the rural scenes in Lilienfeld. The feeling of alienation Demant experiences has an impact on his relationship with Christiane, through whom, like Emanuel and his North German Valkyries, he wants to "blondify" himself (29) or, in Hegelian terms, objectify himself in order to leave the subjective confines of his own Jewishness. This kind of assimilation fails, so that Hanna Löwenstein's words, "Jud ist Jud" (142), apply at least to such characters as Demant and Emanuel. Largely through the eyes of these two characters, Germany and Austria are presented to us as still inherently anti-Semitic.

Throughout the text, Schindel works with stereotypes and clichés, a form of ironical exaggeration meant to provoke the reader and resuscitate an awareness of the impact of historical events on the present. In connection with Lilienfeld, a number of images cause Demant's alienation. The extent to which these images fill the Lilienfeld segments suggests that Schindel and his Jewish characters view them as tokens of a homogeneous culture in which cultural difference becomes marginalized. One of these images is the marching music played in Austrian villages, where the clamorous Catholic church bells silence the quieter instruments of other religions. Sascha voices his skepticism about his brother's new acquaintance:

[...] was wird erst die gebürtige Kalteisen aus dem stillen Traisental erklingen lassen? Wird sie sich als Triangel erweisen inmitten Marschgebraus und Sonntagsländlern oder hege ich da mein liebstes Vorurteil? Was geht's mich an, soll passieren, was unsereiner ohnedies nicht zu verhindern weiß, womöglich finden wir sogar Gefallen an all dem, wenn wir traut unter ihnen sind. Werde ich das Triangel heraushören bei den mächtigen Glocken dieses Tales? (107)

Yet Demant will not like Lilienfeld as much as his brother hopes. This Eichen-dorffian *locus amoenus*, filled by the perpetual "Rauschen" of its stream, presents itself as an idyll only to its native sons and daughters.

Demant feels oppressed not only by the church bells but also by the looming presence of the nearby mountain with its crucifix at the top (259) and by Christiane's family. While the church bells and the crucifix may remind him of the collusion between Catholicism and National Socialism in the Third Reich ("Der Berg kam ihm so bekannt vor. Immer schon hatte er das Kreuz des Muckenkogels gesehen. Aber wo?" [133]), he also has the disturbing vision that everyone in the village is somehow related to the family with which he is about to become involved (119). The yoke that Christiane's family presents to him is most visible in the scene where Sabrina, Christiane's daughter, rides on Demant's shoulders and gets heavier and heavier. He feels completely controlled by this family. Again Sabrina serves as an example: when Demant and Christiane are about to have sex she bursts into their bedroom, with the result that he moves out and spends the night in a nearby hotel.

Demant feels observed and controlled not only by the family but also by the other villagers. He notes repeatedly that they stare at him (118, 125, 126, 141, 260). Schindel uses this habit, so common in the German-speaking lands and increasing with distance from cities, as a leitmotif to denote uncontrolled inquisitiveness mixed with hostility. When stared at, Demant becomes painfully aware of his difference. People staring at him has a comic effect at times, as in the scene when the mailman is so bewildered by Demant's exotic appearance that he takes his pipe out of his mouth for fear of losing it as his jaws unhinge in surprise (118). The effect becomes even stronger when this scene is repeated (126). The third time the two meet, the mailman merely nods at Demant (141) but does not greet him. Although the mailman hardly befriends the stranger, other villagers do greet him quite readily. Again, however, the impression is one of Catholic homogeneity that excludes anything that is different. While at the beginning of his stay Demant still voices his difference by answering the distinctly rural "Grüß Gott" with the cosmopolitan and non-Catholic "Guten Tag" (118), a little later he unconsciously adapts by answering back in the same way (120). North Germans travelling to Bavarian villages may have observed the same assimilation process in themselves. The pressure in rural places to adapt to the local customs is presented as a contrast to the city, where otherness is more readily accepted. Demant's assimilation of the traditional Austrian way of life, however, goes only one step beyond the Catholic greeting. While in Lilienfeld, he expresses a liking for the "Dreikönigsspringen" as a form of protection from having to meet Christiane's parents. In this way he beats the villagers, and Christiane as one of them, with their own weapons, because skiing and hiking are the two national sports celebrated in rural Austria. I would argue that Schindel wants to reveal the fascist element contained in these sports, since they awaken connotations of the sort of body-and-nature cult that was also practised by the Nazis. The Austrian pop hit of the eighties, "Es lebe der Spoat, er macht uns g'sund und hoat," represents a similarly ironical statement on sports in Austria, particularly skiing. It is therefore indeed "komisch" in the sense of "strange" when Christiane says that Demant, a Bohemian, would subscribe to this "Turnvater Jahn" mentality by expressing an interest in the ski-jumping contest (138). On the other hand, it is a form of assimilation similar to Emanuel's search for blonde women.

Venice is another central place that Schindel introduces. Again the author operates with a cliché in this segment to show that there is disharmony between Jews and non-Jews. Even Venice as the traditional city of love and carnival-comedy is presented as far from being a utopia. Schindel may also have thought of Venice as being the site of the first ghetto. Although he is in love with Christiane, Demant travels to Venice with his former girlfriend Wilma. Schindel works with a cliché borrowed from "Trivialliteratur" which treats Venice as the city of romantic love.[30] At the same time, the author deconstructs this image by developing the tainted relationship of Demant and Wilma, their solitude, the unbridgeable distance between them, which reveals itself primarily in the bitterness of their lovemaking. While Wilma is looking at the stars dreaming of romantic love, Demant retreats within himself, staring at the pavement in front of him (75). His prevalent attitude in life is to be noncommittal, is one of flight. As he flinches from becoming more closely acquainted with Christiane's background in Lilien-feld, he remains distant from Wilma during their sojourn in Venice. His solitude is reflected in his repeated attempts to call Christiane in Vienna while callously making Wilma wait for him in a café, as well as in his aimless ambling through the streets of Venice. The reiteration of "schönes Venedig" (62, 78) turns into pure irony in the face of Wilma's suffering and the staleness of their lovemaking (79-81).

Venice is presented as a city of ambiguity: the idea of love associated with it forms a stark contrast to its carnivalesque atmosphere, a strong postmodern feature of this novel that I have already referred to in my discussion of the narrator. Both concepts clash in Schindel's segment. By taking Wilma to the city of love and then withdrawing his love from her, Demant plays the kind of "Verwirrspiel" that he, seeing himself as a comedian, says he wants to steep the city itself in (81). He embraces Venice's carnivalesque tradition while eluding the grasp of its image

---

30 Cf. Lützeler, who stresses "das unverkrampfte Verhältnis postmoderner Autoren zur Trivialliteratur." "Von der Präsenz der Geschichte," p. 96.

of romantic love. The two images connoted with this city are irreconcilable. Since love requires one's own complete demasking, it forms a paradox within the context of the carnivalesque masquerade, during which one's identity remains hidden. One could go a step further and argue that Demant's treatment of Wilma in Venice embodies not only the absence of romantic love but, in a more general sense, of "Nächstenliebe." The masquerade serves as a central image for the unbridgeable distance between people. In this connection it is interesting to look at Demant's dream in which the theme of anti-Semitism recurs, with the fascists as skiers and the Jews as bearded men: "mit Schistöcken peitschen die Schirennfahrer auf die Bärtigen" (82). It becomes clear at this point that Demant's view of the sport of skiing is highly ambivalent. While he may consciously enjoy the "Dreikönigs-springen," in his subconscious he associates the Austrian national sport with fascism. Very much like Emanuel, he is drawn to what on a deeper level of consciousness repulses him. In his dream, snow is the medium over which the fascists move along with great agility. The snow also buries the Messiah under it. In Demant's dream, Jesus does not arise from the grave but out from under an avalanche: "nicht aus dem Grab, sagt der Schirennläufer Franz Klammer, aus der Lawine ist er gekommen, aber er versteckt sich doch hier in Venedig" (81-82). Jesus hides in Venice. This can be translated as love hidden behind the masquerade. The city thus creates its own paradox. Clearly, this passage is connected to the last paragraph in the book, in which the Messiah's second coming is replaced by "ein schönes Gefühl" brought about by the utopian hope for "Näch-stenliebe."

Transcending Boundaries through Intertextuality

The Venice segment is a postmodern feature of the book not only because of its carnivalesque element but also because of its intertextuality.[31] Schindel not only decentralizes and fragments the setting, he also transcends the textual unity of his book. In its final paragraph, he opens the text to the future. Furthermore, the text opens up through its links with such writers as Nestroy and Hegel, as I am going to discuss briefly further down.

In the Venice segment there is strong intertextuality with a text that appeared a year earlier and was written by another contemporary Austrian novelist: Robert Menasse's *Selige Zeiten, brüchige Welt*.[32] Both authors are shaped by their parents'

---

31 Cf. Hutcheon, *The Politics of Postmodernism*, p. 93: "Parody, often called ironic quotation, pastiche, appropriation or intertextuality, is usually considered central to postmodernism [...]."
32 Robert Menasse, *Selige Zeiten, brüchige Welt* (Wien: Sonderzahl, 1991).

experience of exile.[33] Schindel's parents were Jewish communists who emigrated to France and returned to Austria to be active in the resistance against the Nazis. Schindel's father died in Dachau; his mother survived Auschwitz.[34] Menasse's parents spent the war years in Brazil and later returned to Austria. In their works both authors draw from their parents' experience of persecution. Both novels share the two themes of neofascism in Austria – an interpretation of the present against the foil of the shoah – and the use of Hegelian philosophy to depict the problematic rapprochement between the sexes and between people from different cultural backgrounds. Both authors are filled with a deep pessimism regarding a mutual recognition of cultural difference in Austria. To give a detailed analysis of the intertextuality of the two novels would go beyond the scope of this study. I merely want to adumbrate their connection here. The primary parallels between the Venice segments are obvious: Menasse's novel contains a triangular relationship similar to Schindel's. The protagonist travels to Venice with his girlfriend Judith and their friend Lukas, a journey as catastrophic as the one in Schindel's book where Demant suggests to Wilma at one point that she jump into a canal, "spring in den Kanal" (100). I read this passage as a direct allusion to Menasse's novel in which Leo Singer falls or, as he claims, jumps into a canal. His fall introduces the carnivalesque element into Menasse's book. Not only is Leo's slip clownish in itself – Lukas says of him, "Den kann man doch nicht ernstnehmen" (Menasse, 112) – but he emerges from the dirty water as a changed person, wearing a mask, as it were. Since he has to put on new clothes he begins to resemble a clown also in appearance. His "costume" consists of a "schockierend buntes Hemd" and a "grüne Samtjacke" (Menasse, 99). The masquerade continues as he mirrors himself among the mannequins in a shop window, and when, during a dinner, his whole demeanor changes into that of a comedian: "Er scherzte, er lachte, er erzählte Geschichten" (ibid.).

In both novels the sensuality that Venice can inspire in its visitors is largely reduced to food and wine scenes. Demant shovels pasta into himself (78), and Lukas is a cheese aficionado, whose lectures on the different types of provolone fill quite a number of pages. Sensuality is thus taken out of the context of physical passion. This lack of passion manifests itself in the love scene at the center of both Venice segments. In both cases the sexual union leaves a bitter aftertaste for all parties involved and expresses the impossibility of a synthesis. Demant's love-

---

33 Cf. Amy Colin, "Multikulturalismus und das Prinzip der Anerkennung in der zeitgenössischen deutsch-jüdischen Literatur," in *Schreiben zwischen den Kulturen: Beiträge zur deutschsprachigen Gegenwartsliteratur*, Paul Michael Lützeler, ed. (Frankfurt am Main: Fischer, 1996), p. 167.

34 Cf. Gerlinde Ulm Sanford, "Zaubernähen, Immernie, Frostesonnen, Nullerlei. Zu Robert Schindels 'Liebliedern' und ähnlichen Gebilden," *Modern Austrian Literature*, 27, 3-4 (1994), 155-56.

making with Wilma is highly mechanical and selfish on his part. Leo's lovemaking is tainted by the inversion of his oedipal complex. He hates his mother and projects his aggressions towards women onto Judith while making love to her (Menasse, 117-19). In both cases, the result is increasing distance between the sexes – "Fort von ihr. Weg von allem. Fort auch von mir" (Schindel, 81) – along with the feeling of being alienated from oneself and from each other: "Eine Fremdheit, größer und beängstigender als die, die man gegenüber Fremden empfindet. Denn diese Fremdheit ist das Ergebnis des Kennenlernens, das Ende, der Abschied" (Menasse, 122).

Torn Identity, *Bildung*, and Identity Found

Schindel's Venice segment depicts the protagonist's potential choice between love – as romantic love or in its broader sense of "Nächstenliebe" – and a masquerade in which the character plays with his own identity. The novel fragments the traditional hero into four protagonists: Danny Demant, Emanuel Katz, Herrmann Gebirtig, and Konrad Sachs. Throughout a substantial portion of the book each hero is himself fragmented, decentered from his own personality. These characters are not only strangers to one another (41), they are also strangers to themselves, victims of their "zerrissene[n] Ich" (40). Each character's ambition, however, is to mend that torn identity, to re-centralize himself. They want to achieve this by way of complementarity with their opposites, either Jewish or non-Jewish. This process can be best observed in the figure of Konrad Sachs. His personal development is a kind of Jekyll-and-Hyde story. He attempts to rid himself of the "Prince of Poland" inside him by seeking out Jews in the presence of whom he hopes to divest himself of his guilty conscience. Kernmayer has discussed the impact of Hegel's philosophy on Schindel's novel.[35] Hegel's dialectic of thesis and antithesis can be applied to the relationship between Jews and non-Jews in the book. The synthesis, however, never comes about, as we have seen in the discussion of the three settings. The novel toys with two possible forms of totalization: first, in the way Hegel saw it in the nineteenth-century Bildungs-roman, as a synthesis achieved through love and solidarity with the "other" as partner (wife) and society. A reconciliation between the hero's "poetry of the heart" and his social environment, which Hegel called "the prose of circum-stances," formed the teleology of most nineteenth-century Bildungsromane.[36] This form of totalization is attempted in Schindel's novel but not achieved. On the level

---

35 Kernmayer, "Gebürtig Ohneland," pp. 173-75.
36 Georg Wilhelm Friedrich Hegel, "Die Poesie," Part 3 of *Vorlesungen über die Ästhetik*, Rüdiger Bubner, ed. (Stuttgart: Reclam, 1971), p. 177.

of erotic relationships, Demant and Christiane come closest to a synthesis because they are reconciled at the end. On the level of a multicultural harmonization between Jews and non-Jews, however, the text shows a rather different form of totalization at the end. All characters succeed in a totalization of their own selves within the confines of their different cultural backgrounds: "Oder ich will sein irgendwie ich" (48), says Christiane, and Demant answers, "Ich bist du, wenn du im Nichtich bist," i.e., you have your own identity if you are not like me. The conclusion of the novel implies that only *homo ludens* achieves this totality of his or her own identity: "Nur wenn der Mensch spielt ist er ganz Mensch" (344). Consequently, in the battle between the concepts of love and carnival – the Venetian paradox – for the Jewish characters, it is the carnivalesque that, in the end, overcomes love: "Heute ist Kostüm. Auch ich werde eingekleidet" (343). Unconditional "Nächstenliebe," especially because of the weight of history, is a utopian concept never achieved within the novel. Gebirtig leaves Susanne Ressel, with whom he had a brief love affair, to return to his comedies in New York. And Demant, after his encounter and temporary friendship-like closeness with Sachs, plays a prisoner in the epilogue, in a Holocaust scene of an American film. As a representative of all other Jews in the novel, he is thereby put back into his own "camp," at which point we hear an echo of Hanna Löwenstein's hopeless words, "Jud ist Jud" (142). Likewise Sachs, who has been trying to befriend Jews throughout the novel, joins his own "Gebürtigkeit" by returning to the normality which he initially deemed impossible: "Es gibt keine Normalität. Bloß Schuld und Unschuld" (115). His "Bildung" is ironical because by freeing himself from his guilt complex he regresses from the proximity that he had to Jews precisely because of his guilt. His return to normality ultimately draws a clear line between Jews and himself.

In part, Sachs and Demant resemble the passive hero of the nineteenth-century Bildungsoman. The two protagonists share a loneliness which is expressed through their masturbation, described in detail in Sachs's case (187-88) but subtly hidden in Demant's (indicated by my italics in the following quotation): "Dann lag er still auf dem Bett, nachdem er *sich* den mit Hochnebel durchherrschten Himmel *heruntergeholt* und *sich auf die Brust gelegt* hatte. Da war er nun, still lächelnd, wie blöde" (36). Both are called upon to be active, Demant by his brother ("tu was"[236]), Sachs by the Prince of Poland living inside him ("tu was" [187]). They do become active in seeking and finding each other, a scene that momentarily leads to a reconciliation of the Jewish/non-Jewish tensions abounding throughout. Their intellectual synthesis comes about in Frankfurt, which, as a city in the geographical center of Germany, also unites the North with the South. By writing down his own story Sachs literally writes himself out of the book. As relieving as Sachs's "Bildung" with regard to guiltlessness may seem to be, in the face of his painful odyssey, cultural barriers are not dismantled by this return to normality. By suggesting to Sachs that he write down his story, the child of a victim (Demant lost his father in Mauthausen) saves, ironically, the child of an oppressor.

The experiment of multicultural synthesis fails, whether in the form of a Jewish "blondification" (as in Emanuel's story) or as Sachs's philosemitism. What remains at the end are the cold feet of the Jews and the cool heads of the non-Jews. These two images are used time and again in the novel to divide the two groups: Susanne Ressel's non-Jewish boyfriend Martin Körner, the "ruhende Pol in diesem Verhältnis" (153), tells her, "Du brauchst einen kühlen Kopf" (154), as she is trying to nail Egger, and Sachs is repeatedly described as getting red in the face as long as the Prince of Poland is riding him (329). As early as the prologue, we have encountered the cool head and the hot head of the double lamb ("Doppellamm"): "Da steht das Lamm mit zwei Köpfen / Will erbleichen, zugleich erröten / Um sich dabei nicht zu erschöpfen / Sind beide Köpfe vonnöten" (12). "Double lamb" refers to the two narrators, Danny and Sascha, and the image of their blanching and blushing is laden with more than one meaning. Whichever of the two is not the narrator at a given moment may blush because he finds himself thrown into the turmoil of malfunctioning relationships, whereas the distant narrator remains cool-headed. At the same time, however, the narrator may turn pale with shock at the hopeless world unfolding in front of him and upon seeing the past continuously filtering into the present. But he also might experience a feverish blush for the same reasons.

As with Gebirtig's story, Demant's is largely a regression to its beginnings. When Demant plays a death-camp prisoner in the epilogue, he initially has "kein unschönes Gefühl von Spiel" (343). Yet when his feet grow cold during the "Todesappell im Schnee" (350; once again snow is associated with fascism), he understands that the game he is a part of reflects reality, with its clear boundary between Jews and non-Jews. At this moment the words of the costume man from Zagreb, "Wien ist die schönste Stadt der Welt" (343), must seem as doubtful and superficial to Demant as the splendor of the rural scenes he experienced in Lilienfeld, since the man from Zagreb utters these words while sewing the Star of David onto Demant's coat. Playing the Holocaust involves two different types of costumes, the Nazi uniform and that of the Jewish prisoner, which makes Demant look like "zehntausend Judenlämmer" (ibid.). Again the postmodern image of the carnival with its dividing masks and costumes is evoked. The sinister reality of the game makes Demant utter his utopian wish for multicultural harmony, the "schöne Gefühl" of warm feet and a cool head.

Nestroy: The Whole World is a Floor

Demant's utopian vision in the novel's last paragraph links its end to its beginning, particularly to Nestroy's motto, "Die ganze Welt ist ein Fußboden." Many of the non-Jewish characters are described as having their feet firmly rooted in the ground. Demant encounters "Menschen wie Bäume" in Lilienfeld. On the other hand, the Jews' homelessness – they have no roots in Central Europe – is embodied by Demant, who slips on a marble, or Emanuel, who immediately has to reveal his Jewish origin when he meets strangers: "Wissen Sie [...], ich find's selber blöd, dauernd zu sagen, wie geht's, das Wetter ist scheußlich, und übrigens bin ich ein Jude. Ein Jude bin ich. Andrerseits krieg ich auf die Art die Füß auf den Boden" (115). The perspective is repeatedly directed to the ground in Schindel's novel. Characters, particularly the Jewish ones, divert their eyes from each other to stare at the ground in front of them, while others may look at the stars, as we have seen in the Venice segment. Looking at the ground can be understood as a reference to the impossibility of harmonizing the "Gebürtigkeiten." The Jews in the novel often turn their eyes to the ground when they discuss, or become aware of, the problematic relationship between themselves and the non-Jews: "Er [Hirschfeld] sah auf den Fußboden. 'Die Antisemitenriecherei bringt gar nichts'" (144). In its worst form, this disharmony is experienced as anti-Semitism. In connection with the concentration camps the metaphor of the ground becomes even more lucid because here, staring at the ground means diverting one's eyes from the atrocities, mostly just before the execution order: "uwaga [watch out!], sagte wer laut, und schon starrte alles auf den Erdboden, auf die Pantinen und Pfützen" (211). The prisoners' feverish brows, and their feet that are cold from walking through the snow, amplify the impression of distance and difference from the non-Jews, who have warm feet and cool heads. The world as a floor also implies the idea of level ground rather than a curving surface. Schindel's novel levels out the world with regard to both time and place. By connecting the epilogue to the prologue, and by persistently blending the past with the present, the novel offers us the conclusion that, over time, nothing has changed. By juxtaposing various locations in Central Europe, the ending makes it obvious that on its "floor" the feet of the Jews still grow cold. Multicultural disharmony spans its ages as well as its locations. One way to encounter this grim reality is through a sense of humor. Schindel shares this feature with the pessimistic writer of comedies, Johann Nestroy, who was convinced of the immutability of the human character.

Renate S. Posthofen
Utah State University

Menasse verstehen: Analyse und Deutung von Robert Menasses *Schubumkehr* (1995)

DER ÖSTERREICHISCHE AUTOR Robert Menasse hat spätestens mit seiner Rede zur Eröffnung der Frankfurter Buchmesse im Herbst 1995 ein breites Publikum auf sich aufmerksam gemacht.[1] Als profilierter und origineller Denker scheut Menasse, gebürtiger Wiener des Jahrgangs 1954, im Rahmen seiner kritischen Analysen zeitgenössischer Mentalitäten und Literatur in Österreich nicht vor der Provokation und Konfrontation der dominanten Kunst- und Kulturszene zurück. Seine differenzierten Auseinandersetzungen mit politischen, sozialen und literarischen Tendenzen, die er in Abgrenzung zu oder in Übereinstimmung mit den Vorstellungen dessen, was gemeinhin als typisch "österreichisch" betrachtet wird, entwickelt, zeigen ein durchaus widersprüchliches und disharmonisches Bild nationaler Tradition und Selbstbehauptung, die sich an der Schwelle einer neuen Ära befinden. Die Brisanz seines Ansatzes liegt gerade in dieser revisionistischen Haltung, die es ihm ermöglicht, die mit Österreich und der österreichischen Literatur assoziierte Begrifflichkeit kritisch zu segmentieren und anhand von interdisziplinären Betrachtungen zu transformieren. Der Prozeß dieser Transformation wird zunächst in seiner Vielschichtigkeit gezeigt; die sich in diesem Umfeld entwickelnde Dynamik ist inhaltlich und formal Thema von Menasses vielgelobtem Roman *Schubumkehr*,[2] der im zweiten Teil meiner Ausführungen unter besonderer Berücksichtigung der aktuellen Rezeption eingehend thematisiert wird.

Insgesamt ist mir daran gelegen, die Hauptthesen und Vorstellungen des Autors, Kulturkritikers und Essayisten Menasse zunächst im Originalton so unverfälscht

---

1   Robert Menasse, "'Geschichte' – der größte historische Irrtum", *DIE ZEIT*, 20. Oktober 1995, S. 15. Wiederabdruck in: Robert Menasse, "'Geschichte' war der größte historische Irrtum" [Rede zur Eröffnung der 47. Frankfurter Buchmesse 1995], in: Robert Menasse, *Hysterien und andere historische Irrtümer* (Wien: Sonderzahl, 1996), S. 21-36.
     Dieser Artikel stellt die überarbeitete und gekürzte Version eines bereits erschienenen Essays mit dem Titel "'Es sind poetische Wälder – Gefallen findet, wer sie gefällt': Robert Menasses Roman *Schubumkehr*" (*Modern Austrian Literature*, 29, 3-4 [1996], S. 131-56) dar. Der Abdruck erfolgt mit ausdrücklicher Genehmigung von Donald G. Daviau, dem Herausgeber von *Modern Austrian Literature*.
2   Robert Menasse, *Schubumkehr*, 2. Aufl. (Salzburg, Wien: Residenz, 1995). Im folgenden werden die Zitate unter der Angabe von Seitenzahlen direkt im Text vermerkt.

wie möglich wiederzugeben, um ihn primär für potentielle Rezipienten und Interessenten international zugänglicher zu machen. Dieses Anliegen setzt gewissermaßen sowohl Faktizität und Neutralität als auch Vollständigkeit voraus, und entzieht sich damit auch bewußt dem methodischen Dilemma, die theoretischen Texte eines Autors sozusagen beständig als ergänzenden Selbstkommentar zum Verständnis und zur Interpretation seiner eigenen literarischen Texte heranzuziehen. Die damit verbundene Grenzüberschreitung quantifizierbarer und qualifizierbarer Werturteile im Hinblick auf den literarischen Text verspricht Erkenntnisgewinn bezüglich einer expliziten Verbindung von Theorie und Praxis im allgemeinen, nicht aber im Hinblick auf eine zusammenfassende Darstellung der individuellen Leistungen und Positionen des Essayisten, Literaturwissenschaftlers und Kulturkritikers Menasse im besonderen. Nicht also an Wertung und Positionierung soll es mir primär gelegen sein, sondern an der komprimierten Darstellung von Argumentationssträngen, dekonstruierten Traditionszusammenhängen und dem von Menasse als widersinnig beschriebenen österreichischen Selbstverständnis anhand der kulturell bedingten Koordinaten "Heimat", "Nationalität" und "Identität", die er in ihrer Mehrdeutigkeit analysiert und als a posteriori fragwürdig desavouiert. Darüber hinaus ist die Wiedergabe der punktuellen Rezeption seiner Thesen von seiten der Kritiker als Spiegel zeitgenössischer kultur- und literaturpolitischer Tendenzen und Positionen im deutschsprachigen Raum unabdingbar, um die Aktualität und Würdigung seines kritischen Potentials zu unterstreichen.

Der selbstreflexive Charakter von Menasses Texten und ihr starker Bezug auf intertextuelle Komponenten veranschaulichen das Bewußtsein und die Scheu des Autors, als *poeta doctus* sich auf eindeutige Zuordnungen und Analysen einzulassen. Die ambivalente Korrelation von Original und Kopie, von selbstverweisendem sowie über sich selbst hinausweisendem Charakter des postmodernen Diskurses,[3] den Menasse als prominenter Vertreter der österreichischen Gegenwartsliteratur maßgeblich mitbestimmt, wird von ihm auch für die interdisziplinäre Analyse österreichischer Literatur und Kultur genutzt.[4] Die textuelle Projektion

---

3   Paul Michael Lützeler erstellte erstmals zusammenfassende literaturwissenschaftliche Kriterien für die spezifische Analyse postmoderner Texte speziell für den deutschsprachigen Kontext: "Von der Präsenz der Geschichte. Postmoderne Konstellationen in der Erzählliteratur der Gegenwart", *Neue Rundschau*, 104, (1993), S. 91-106, und in: Paul Michael Lützeler, Hrsg., *Schreiben zwischen den Kulturen: Beiträge zur deutschsprachigen Gegenwartsliteratur* (Frankfurt am Main: Fischer, 1996); siehe hier besonders die von ihm verfaßte Einleitung zu diesem Band, S. 7-18.

4   Der folgende Band enthält viele wertvolle und neue Beiträge zu spezifischen Aspekten des postmodernen Diskurses in Österreich im besonderen – wobei der Autor und Kritiker Menasse in diesem Band bedauerlicherweise nur indirekt rezipiert worden ist – und zur interdisziplinären Diskussion der Postmoderne im allgemeinen: Albert Berger und Gerda Elisabeth Moser, Hrsg., *Jenseits des Diskurses: Literatur und Sprache in der Postmoderne* (Wien: Passagen, 1994).

solch zentraler Begriffe wie "Heimat", "Nationalität" und "Identität", die sich in der Dialektik von innerer Wahrnehmung und äußerer Darstellung widerspiegeln, finden in der literarischen Gestaltung ihre wiederkehrende, sich ständig verändernde Ausstattung im Hinblick auf seine Romanfiguren und deren konkret österreichisches und brasilianisches Umfeld.[5]

Durch welche bestimmenden Faktoren nun für Menasse dieses österreichische Umfeld im weitesten Sinne geprägt ist, wird durch meine zusammenfassenden Bemerkungen zu den wichtigsten seiner bisher veröffentlichten essaystischen und literaturwissenschaftlichen Texte deutlich.[6] Die essayistischen und theoretisch reflektierten Positionen, die Menasse im Hinblick auf die Begriffe "Heimat", "Nationalität" und "Identität" einnimmt, umschreiben die Paradigmen postkolonialer Sehweisen mit dem Blick für das Unzeitgemäße monokausaler und deterministischer Ideologien im kulturpolitischen und literarhistorischen Kontext in der Zweiten Republik Österreich in den neunziger Jahren. Eben diese Begriffe veranschaulichen in ihrer theoretischen Abstraktion, in der sie modellhaften Charakter annehmen, wie sie in der Folge als zentrale Komponenten auch die literarische und ästhetische Schreibpraxis von Menasse beeinflussen, indem sie die Gestaltung seiner fiktionalen Texte ebenso intensiv bestimmen.

Literaturgeschichtliche und sozialhistorische Überlegungen

In seiner 1990 erschienenen Sammlung von Essays zum Thema "Die sozialpartnerschaftliche Ästhetik" beansprucht Menasse für sich, "die Besonderheit der österreichischen Literatur in der Zweiten Republik bestimmt zu haben".[7] "Daß die neuere Literatur in Österreich mit dem von Claudio Magris geprägten Begriff

---

5   Amy Colin hat sich in ihrem aufschlußreichen Aufsatz "Multikulturalismus und das Prinzip der Anerkennung in der zeitgenössischen deutsch-jüdischen Literatur" besonders mit den transnationalen Aspekten von der Identitätssuche des Protagnonisten Leo Singer in Menasses Entwicklungsroman *Selige Zeiten, brüchige Welt* auseinandergesetzt. In: Lützeler, *Schreiben zwischen den Kulturen*, S. 165-95.

6   Nicht berücksichtigt werden können hier aufgrund der stark komprimierten Darstellung: Robert Menasse: "Nation ohne Nationalliteratur? Einige Anmerkungen zur österreichischen Literatur und ihrer Rezeption", *manuskripte*, 119 (1993), S. 113-23 – eine zusammenfassende Darstellung der Thesen aus *Das Land ohne Eigenschaften: Essay zur österreichischen Identität* (Wien: Sonderzahl, 1992) –, *Phänomenologie der Entgeisterung: Geschichte vom verschwindenden Wissen* (Frankfurt am Main: Suhrkamp, 1995) und die gesammelten Essays in: *Hysterien und andere historische Irrtümer* (Wien: Sonderzahl, 1996).

7   Robert Menasse, *Die sozialpartnerschaftliche Ästhetik: Essays zum österreichischen Geist* (Wien: Sonderzahl, 1990).

des 'habsburgischen Mythos' nicht mehr erklärt werden kann, ist deutlich".[8] Der
katholische Kapitalismus Österreichs bilde, so Menasse, die Grundlage für die
Sozialpartnerschaft, die für ihn mit dem "nicht-öffentlichen, nicht-demokratischen
Aushandeln wichtiger Entscheidungen" gleichzusetzen sei.[9] Diese gesellschaftliche
Organisationsform hat sich gemäß seiner Untersuchung auch in der Literatur
niedergeschlagen, spiegelt sie doch die gesellschaftliche Art der Konfliktaus-
tragung im generell harmonistischen Klima in Österreich entsprechend wider.
Menasse erinnert an bestimmte Harmoniekonzeptionen Peter Handkes, an einen
Geständnis- und Beichtzwang bei Thomas Bernhard, wobei er allerdings auch
hervorhebt, daß diese Art von Literatur "formal sehr avanciert" sei.[10] So gewinne
das Primat der Vermittlung künstlerischer Wahrheit und Erkenntnis durch *die
Form* größere Bedeutung vor dem inhaltlich Expliziten.[11] In diesem Zusammen-
hang bezieht Menasse sich vor allem auf Textbeispiele der Wiener Gruppe sowie
von Handke, Bernhard, Schürrer und Hoffer und betont, daß es sich bei seiner
Untersuchung vornehmlich um einen Diskussionsvorschlag handle, wie man das
"Österreichische in der österreichischen Literatur" – freilich nur für den engen
Zeitraum von 1955 bis 1980 – ein bißchen besser fassen könne.[12] Die These von
dieser "sozialpartnerschaftlichen Ästhetik" verdiene, so Wendelin Schmidt-
Dengler, eine "seriöse Diskussion", die in der Folge auch entstand.[13]

Auf Interesse stieß auch Menasses Studie *Das Land ohne Eigenschaften – Essay
zur österreichischen Identität*.[14] In einem Interview nach dem Verhältnis von
Musils *Mann ohne Eigenschaften* zu seinem *Land ohne Eigenschaften* befragt,
betont er in seiner Antwort die Tatsache, daß auch in seinem Essay "das Reale
unwirklich und das Unwirkliche real" beschrieben sei.[15] Bei Musils Werk handele
es sich um "eine Mentalitätsgeschichte des alten Österreich und gleichzeitig eine
Bestimmung des österreichischen Wesens".[16] Menasse wörtlich: "Wenn auch die
Zweite Republik nichts mehr gemein hat mit der k. und k. Monarchie, gibt es doch
schon mentale Kontinuitäten, die sich wieder zeigen".[17]

---

8   Christoph Hirschmann, "'cool und katholisch': Ein Interview", *Tagblatt* [Linz], 5. Mai
    1990, S. 36.
9   Ebenda, S. 37.
10 Ebenda, S. 36.
11 Ebenda.
12 Ebenda, S. 37.
13 Wendelin Schmidt-Dengler, "Einige Bemerkungen zu Robert Menasse", *Arbeiter Zei-
    tung*, 19. Mai 1990, S. 40.
14 Siehe Anm. 6.
15 Rolf Richter, "Demokratie ist für die Konjunktur gemacht. Gespräch mit dem öster-
    reichischen Schriftsteller Robert Menasse über sein Land und die Identität seiner Lands-
    leute", *Leipziger Volkszeitung*, 2. Juni 1993, S. 32.
16 Ebenda.
17 Ebenda.

Die "Entweder-und-Oder-Republik" nennt Menasse Österreich. "Das Lavieren zwischen Gegensätzlichem, dieses eklektische Verhältnis zu historischen Widersprüchen, diese Angst vor eindeutiger politischer Selbstdefinition [...] wurde zum Fundament der Unabhängigkeit Österreichs und damit zur Basis jeder weiteren Praxis bis heute" – so eine seiner Kernthesen zur Zweiten Republik. Einleuchtend erklärt Menasse so die österreichische Scheu vor einer klaren Identitätsbestimmung: Was kann man von einer Gründergeneration erwarten, die in ihrem Leben bis zur Befreiung Österreichs 1945 schon auf vier verschiedene politische und staatliche Identitäten eingeschult worden war – auf die Habsburger Monarchie, auf die erste Republik, auf den Ständestaat und auf Nazi-Deutschland. Diese Erfahrungen mußten zwangsläufig zu einem tiefen Mißtrauen gegenüber jeglicher eindeutigen, positiv formulierten Selbstdefinition führen. Das Prinzip des "Entweder und Oder" wurde zum Leitmotiv der Zweiten Republik.[18]

"Den Mechanismus, die nationale Identität hauptsächlich an Symbolen festzumachen, hält Menasse für typisch für Österreich. Ob Wienerwalzer, Lippizaner oder Kaiserschmarrn, nichts gelte seinem Vaterland als spezifischeres Attribut als das genannte Dekor".[19] An anderer Stelle führt er weiter aus, daß sich alles in Österreich um Symbole drehe: "In Österreich ist es nicht so, daß etwas, das öffentlich gesagt oder getan wird, entweder richtig oder falsch ist, sondern es hat Symbolwert oder es hat keinen. Österreich ist, was sein Selbstverständnis und seine Selbstdarstellung betrifft, ein Reigen von Symbolen".[20]

Die Verbindung zwischen der österreichischen Befindlichkeit als nationalem Ausdruck und nationaler Selbstdarstellung ist denn auch ohne die gegenwärtige Bestimmung des Begriffes "Heimat" nicht denkbar. Auch hier attestiert Menasse seinem Vaterland eine Ambivalenz, die darauf hinausläuft, daß "Heimat" eher als diffuses Konzept denn als konkrete Wirklichkeit erlebt und erfahren wird.[21] "Österreich ist eine Nation, aber keine Heimat", konstatiert Menasse: Das Nationalgefühl sei historisch zu jung und inhaltlich zu dürftig, zu abstrakt, als daß es Identität, Geborgenheit, Heimatgefühl vermitteln und verwurzeln hätte können. Heimat sei als Begriff von den Nazis schwer demoliert worden. Als Realität sei sie durch die Entscheidung Österreichs, ein Tourismusland zu werden, völlig zerstört. Die Identität der in der schönen Landschaft Lebenden wurde durch den Fremdenverkehr zerschlagen. An die Stelle der Heimat trat eine Welt des "ideologischen Transvestismus, der Kulissenschieberei und des folkloristischen Theaters

---

18 Georg Hoffmann-Ostenhof, "Entweder-und-Oder-Staat: Georg Hoffmann-Ostenhof über Robert Menasses Essay zur österreichischen Identität", *profil*, 7. September 1995, S. 30.
19 Elisabeth Grotz, "Die österreichische Identität: ein Punschkrapfen", *Der Standard*, 25. Oktober 1992, Beilage, S. 19.
20 Zitiert bei Hoffmann-Ostenhof, "Entweder-und-Oder-Staat", S. 30.
21 Ebenda.

vom Volk der Wirte und Gastgeber".[22] Menasse unterliegt natürlich aber nicht dem Trugschluß, an die Möglichkeit der intakten Wiederherstellung eines "gesunden Identitäts- und Heimatbewußtseins" zu glauben.[23] Angesichts der "von ihm kritisierten österreichischen Unklarheit" fordert er kein "Programm einer eindeutigen und einschichtigen, widerspruchsfreien und geschlossenen Identität", sondern grenzt sich von derartigen Vorwürfen ab:[24] Menasse wörtlich in einem Interview:

> Österreichische Identität, so wie ich sie mir wünsche, bedeutet eine Kultur der Selbstüberprüfung und Selbstkritik, eine seriöse gesellschaftliche Reflexion der eigenen Gewordenheit und Verfaßtheit. Identität in diesem Sinn kann also gar nichts Widerspruchsfreies und Geschlossenes sein, sondern das wäre ein dynamischer Prozeß, der ein fundiertes Gefühl davon vermitteln könnte, wo man zu Hause ist. In Österreich glaubt man aber immer, daß Identität etwas Starres meint, eine Art Auflistung von Attributen, die dann für alle Österreicher gelten müssen, und das will natürlich keiner. Ein solch groteskes Mißverstehen des Begriffs Identität und ein solcher Horror vor diesem Begriff ist in anderen zivilisierten Ländern undenkbar.[25]

Seine Bestandsaufnahme der potentiell positiv besetzten Begriffe "Heimat" und "Identität" geschieht in Abgrenzung von traditionellen Auffassungen und durchaus nicht unter Ausschluß der inhärenten Widersprüche. Lobend erwähnt Menasse die positiven Auswirkungen der österreichischen Ambivalenz im Hinblick auf die oben erwähnten Begriffe im literarischen Bereich.[26] Er bemerkt "mit Wohlwollen", daß dies "die eigenständig-österreichische Literaturgattung des Anti-Heimat-Romans hervorbrachte. Dieser zerstöre die verlogenen Idyllen und mörderischen Klischees. Gleichzeitig aber führe er zur Destruktion jeglichen positiv besetzten Heimatgefühls, bedauert der Autor".[27]

Für ihn, der sich selbst als "römisch-mosaisch[en]" Glaubens bezeichnet, gestaltet sich die persönliche Beziehung zu seiner Heimat ebenso kompliziert. Dazu Menasse in einem Interview: "Meine Sehnsucht nach Familie, Heimat und Seßhaftigkeit steht im totalen Widerspruch zu meiner Ratlosigkeit. Kaum angekommen, fahre ich wieder weg. Ich fühle mich immer im Exil. Manchmal sogar dann, wenn ich von einem Zimmer ins andere gehe".[28] Für Menasse selbst, als Sohn

---

22 Ebenda.

23 Siehe dazu Grotz, "Die österreichische Identität", S. 19.

24 Karl-Markus Gauss, "Na ja, Robert Menasses Essayband über Österreich, das 'Land ohne Eigenschaften'", *Die Presse*, 9. Januar 1993, Beilage, S. 8.

25 Juliana Marko, "Robinson Crusoe auf der Insel der Seligen: Ein Interview mit Robert Menasse", *Erfolg* [Wien], 2 (Februar 1993), S. 92.

26 Hoffmann-Ostenhof, "Entweder-und-Oder-Staat", S. 30.

27 Ebenda.

28 Menasse in: Nadine Hauer: "Gespräch mit Robert Menasse: 'Sehnsucht nach Heimat – aber immer im Exil'", *Die Furche*, 13. April 1995, S. 2.

eines assimilierten Juden und einer dem Taufschein nach katholischen Mutter, spiegeln sich eigene Anschauungen und psychologische Dispositionen verschlüsselt in den autobiographischen Dimensionen seiner Romane wider, ohne allerdings spezifischen Bezug auf sie zu nehmen.

Die daraus resultierenden inhaltlichen und formalen Herausforderungen an den Leser verweisen mittels ihrer multivalenten Tendenzen auf mögliche Widersprüche, auf die sich an anderer Stelle ein wohlmeindender Kritiker bezieht. Der *profil*-Rezensent Georg Hoffmann-Ostenhof beschließt seine Besprechung des Buches *Das Land ohne Eigenschaften* mit einem persönlichen Ratschlag für Menasse, der sich in Kenntnis seiner eigenen Biographie als durchaus aufschlußreich erweist: "Aber vielleicht geht es gar nicht so sehr um die Heilung *der* österreichischen Identität, sondern um die Heilung *von der* österreichischen Identität. In diesem Falle wäre ein Trip Richtung Westen nach Paris – oder besser noch nach Brüssel – tatsächlich die geeignete Therapie".[29]

Menasses Roman *Schubumkehr* im Spiegel zeitgenössischer Kritik

Die letzten Teile seines Romans *Schubumkehr* schrieb Robert Menasse als DAAD-Künstlerstipendiat in Berlin im Jahre 1994. Fragmente des aktuellen Zeitgeschehens sind jedoch nur insofern in den Roman eingegangen, als daß das Jahr 1989 den Zeitraum bildet, genauer gesagt die Monate von Februar bis November, während der sich die Geschehnisse im Roman entwickeln, ohne jedoch weiter auf die direkten Veränderungen im Umfeld des Mauerfalls einzugehen, die auf die Protagonisten und das Dorf, in dem die verschiedenen Fäden der Handlung zusammenlaufen, zukommen. Thematisch ist ein direkter literarischer Bezug zur österreichischen Gegenwart erkennbar, der in der Ähnlichkeit bestimmter Figuren mit bekannten politischen Honoratioren, im ausbrechenden und um sich greifenden Fremdenhaß und in der exponierten Darstellung ökonomischer Strategien zur Wiederbelebung und Neugestaltung touristischer Gestaltungsprinzipien in Komprechts seinen sinnfälligen Ausdruck findet.

Für Menasse bedeutet Literatur besonders "die Auseinandersetzung mit Herrschaftsverhältnissen in sprachlicher Form", wobei sich das Wort "Herrschaftsverhältnisse" auch "mit dem Begriff Lebensverhältnisse" übersetzen ließe.[30] In diesem Sinne ist Roman Gilanian, der Titelheld des Romans, "die Personifizierung der Melancholie der Posthistoire, die bekanntlich aus keinem Jahr so sehr datiert, wie aus dem neunundachtzigsten".[31] Er entlarvt den Schein des Seins und das Sein

29 Hoffmann-Ostenhof, "Entweder-und-Oder-Staat", S. 30.
30 Ruth Rybarski, "'Ich will so bleiben, wie ich bin – Du darfst': Interview mit Robert Menasse", *profil*, 30. April 1990, S. 106.
31 Andreas Isenschmid", Komprechtser Jahrestage", *DIE ZEIT*, 17. März 1995, S. 74.

als Schein, was ihn in der Folge zum symbolischen Träger und literarisch ambivalenten Verwalter eben jenes österreichischen Symbolhaushalts macht, den Menasse im *Land ohne Eigenschaften* so treffend charakterisiert hat. Die im Roman
thematisierten aktuellen österreichischen Lebensverhältnisse beruhen auf dem
Prinzip der Ausgrenzung des Anderen, Fremden einerseits und auf der Vereinnahmung des Bekannten, aber auch politisch Oppositionellen andererseits, also
jenem Umsetzen von "sozialpartnerschaftlichen Strategien", die Menasse vornehmlich am Verhalten der gesamten politischen Szene in Komprechts demonstriert. Verständlicherweise fühlt sich der Skeptiker, Einzelgänger und Außenseiter
Roman als Betrachter von dieser Welt ausgeschlossen. Als literarischer Grenz-
gänger mit österreichischer Tradition, von Beruf Literaturwissenschaftler, setzte
er sich in Brasilien zwar mit dem herrschenden Diskurs auseinander, allein die
Situation in Komprechts erscheint ihm rätselhaft, da er eben, sozusagen als
persönlichen Beitrag, die Dynamik auch seiner eigenen Identitätssuche und
-findung nicht schlüssig zu deuten versteht, und somit nicht in der Lage ist, seine
Position als Insider oder Outsider festzulegen.

Diese von Menasse hier geübte Kritik an den Herrschaftsverhältnissen, die wohl
auf scheinbar demokratischen Prinzipien basieren, nicht aber wirkliche Toleranz
für Andersdenkende ermöglichen, ist eines der wichtigsten Themen im Roman,
die auf vielfältige Weise und in zahlreichen Handlungssträngen zum Ausdruck
gebracht werden. Die für depressive Menschen kennzeichnende Passivität hat
derart starken Besitz von Roman ergriffen, daß sein Wunsch nach Heimat und
Identität nichts anderes ist als der starke Wille nach Heilung, der sich als das
Verlangen nach Akzeptanz und Integration in der kleinen Welt des vermeintlich
heimatlichen Dorfes manifestiert. Allein der Mikrokosmos des kleinen österreichischen Dorfes erweist sich in der Oszillation zwischen rückwärtsgewandter
Ideologie und vorwärtsbestimmten, wirtschaftlichen Tourismuskalkulationen als
nicht kompatibel mit den Bestrebungen des weltreisenden halbjüdischen Intellektuellen, dessen individuelles und "kulturelles Gedächtnis"[32] eng mit dem "Sym-
bolhaushalt" der Zweiten Republik Österreich verzahnt ist.

Der explizite Hinweis auf die mögliche Verschmelzung verschiedener Genres
im Text, hier besonders von Autobiographie und Roman, bleibt dem Leser allerdings vorenthalten, da der bedeutungsvolle und widersprüchliche Zusatz im
ersten Satz des Manuskripts im Roman selbst nicht zu finden ist: "Der Roman ist
autobiographisch, es war wirklich ich, der das alles nicht erlebt hat".[33] Auch hier
wird die Aporie postmodernen Erzählverhaltens deutlich und läßt gleichzeitig das

---

32 Jan Assmann, *Das kulturelle Gedächtnis: Schrift, Erinnerung und politische Identität
   in frühen Hochkulturen* (München: Beck, 1992), ein Buch über das komplexe Verhältnis
   von Erinnerung und Verschriftlichung, von einer "Kultur des Vergessens" und von
   Mnemotechnik als historischem und literarischem Phänomen.
33 Ute Hermanns, "Selige Zeiten, brüchige Welt", *Der Tagesspiegel*, 15. August 1994.

Unbehagen des nach Innovation strebenden Autors erkennen, sich auf bekannte genrespezifische Strategien und Muster festlegen zu wollen, um die Multivalenz der erzählten heterogenen Geschichten nicht durch ein homogenes Primat des "gesteuerten" Erzählens zu entwerten. Dabei arbeitet Menasse auch thematisch und geographisch mit asymmetrischen Gegenüberstellungen, wie beispielsweise folgenden: österreichische und brasilianische Großstadt versus kleines österreichisches Dorf, Exotisches versus Gewöhnliches.

Den Titel des Romans *Schubumkehr* hat Robert Menasse von Niki Lauda übernommen. Lauda prägte diesen Ausdruck, als eine Boeing der Lauda-Air durch eine Technik-Tragödie im Mai 1991 abstürzte: "Das Phänomen: Antrieb und Bremsbefehl erfolgen gleichzeitig, was zum Bruch der Materie führt".[34] Laudas Kommentar: "Wenn sich die Schubumkehr unerwartet einschaltet, dann hat man die Vorwärtsbewegung und Rückwärtsbewegung gleichzeitig – da muß es ja alles zerlegen".[35] Als Menasse Laudas Kommentar seinerzeit im Fernsehen hörte, wußte er, "das ist der Begriff für die Epoche, die wir erleben".[36] Die beständige Thematisierung – sozusagen als textuelles Organisationsprinzip – von sich in Veränderung befindlichen Rollen und Identitäten, Zuschreibungen und Bildern, die in der Darstellung immer schon gebrochen sind, beinhaltet für Menasse genau diesen Bezug zur Gegenwart, die in ihrer literarischen Vielschichtigkeit einen lückenlosen Übergang in die Vergangenheit möglich macht.

Die Bestandsaufnahme und Zustandsbeschreibung ist zugleich auch Zeitkritik, wenn Roman Gilanian, ein österreichischer Intellektueller von fünfunddreißig Jahren, der aus Brasilien, dem Ort "seiner urbanen Existenz" (41), zu seiner Mutter heimkehrende verlorene Sohn, bei seiner Rückkehr nach Österreich die Fremde vorfindet. Das Motiv des heimatlos Reisenden, der sich scheinbar schwerelos von der einen Fremde in die andere Fremde bewegt, verdeutlicht die Schwierigkeiten interkultureller Assimilation, die Roman in letzter Konsequenz nicht gelingt. Für Roman scheitert dieser Versuch vor allem an der nicht zu meisternden Überbrückung der Kluft zwischen Vergangenheit und Gegenwart,[37] die zunächst einmal

---

34 Reinhold Tauber, "Allzuviel in einem Dorf", *Oberösterreichische Nachrichten*, 1. März 1995, S. 16.

35 Anonym, "'Schubumkehr' – da zerlegt es alles", *News* [Wien], 16. März 1995, S. 160.

36 Christoph Hirschmann, "Starke Seiten. Die meistdiskutierten Bücher im Österreich-Jahr 1995", *News* [Wien], 26. Januar 1995, S. 107.

37 Für Roman konkretisiert sich im weiteren Verlauf der Handlung die Vergangenheit besonders in der wiederkehrenden Erinnerung an die Shoah und die Nachkriegszeit, an seine Jugend und Pubertät als nachgeborener Überlebender, allein er zeigt kein Bewußtsein für die inneren Zusammenhänge. Damit bleibt ihm die Möglichkeit individueller "Vergangenheitsbewältigung" verschlossen. Zu diesem Thema und zeitgenössischer jüdischer Identität siehe auch: Bernd Stiegler, "Die Erinnerung der Nachgeborenen", *Grauzone* [Freiburg i. Br.], 7 (Mai 1996), S. 11-15; Neva Slibar, "Anschreiben gegen das Schweigen: Robert Schindel, Ruth Klüger, die Postmoderne

notwendig wäre, um eine Identität überhaupt erst konstruieren zu können: "Komprechts. Tiefste Provinz eines ohnehin schon zutiefst provinziellen Landes. [...] Zum ersten Mal nach all den Jahren empfand er Heimweh: Entwurzelung. Als wäre er erst jetzt, nach sieben Jahren Wegsein, in der Fremde angekommen. Weil das, was hinter ihm lag, nun nicht mehr hinter ihm lag, sondern fort war, verschwunden, das, was so war, wie es war" (46).

Auch hier dient die Sprache als Mittel der Darstellung und der ironischen Reflexion kulturell tradierter Formen der Erinnerung.[38] Roman befindet sich nun auf dem neu erworbenen Bauernhof seiner Mutter Anne, einer Aussteigerin und Öko-Bäuerin, die sich von der Stadt auf das Land zurückgezogen hat, um mit Leib und Seele die Praktiken biologisch-dynamischer Landwirtschaft in die Tat umzusetzen.[39] Seine Mutter, bereits verwitwet, Mitte Fünfzig, eine elegante, "gutverdienende Chefsekretärin einer Steuerkanzlei",[40] hatte kurzentschlossen ihren Job an den Nagel gehängt und in zweiter Ehe den fünfzehn Jahre jüngeren, geschiedenen Kraftfahrzeugmechaniker Richard Bauer geheiratet. Ihrer Existenz in Wien hatte sie durch den Verkauf ihrer Eigentumswohnung ein Ende gesetzt.

Mit "Ricky", wie sie ihren Richard zärtlich nennt, versucht sie nun eine alternative Existenz zu führen, "um zurückzukehren zu den Grundlagen allen menschlichen Daseins – zu einem sinnvollen und gesunden Leben in Übereinstimmung mit dem natürlichen Kreislauf der Natur" (40), wie sie ihrem "Romy" – noch vor seiner Rückkehr in die vermeintliche Heimat – schreibt. Die Sterne scheinen günstig zu stehen: Noch dazu haben Ricky und Romy am selben Tag Geburtstag. In ihrer Antwort an den argwöhnisch reagierenden Romy – sie redet ihren Sohn Roman, entgegen seinen Wünschen, schon seit frühen Kindertagen mit diesem Kosenamen an – versucht sie auch ihren Entschluß vor seiner Rückkehr zu rechtfertigen: "Bin ich, wie gesagt wurde, eine Aussteigerin? Nein, ich bin eine Heimkehrende [...]" (40). Dennoch weiß Anne, daß ihr Versuch, zwischen Heimkehr und Ausstieg etwas Neues zu beginnen, eben denselben Grundbedingungen wie der Rest ihres Lebens unterliegt. Nach der Kündigung ihres vierundzwanzigjährigen Dienstverhältnisses reflektiert sie:

> Wieder etwas, das zu Ende war, abgerissen, ohne daß weghängende Fäden des Vergangenen sich in den neuen Anfang einflechten würden, so war es immer wieder gewesen, plötzlich diese Wendepunkte, nach denen das, was sie vorher als ihr Leben

---

und Vergangenheitsbewältigung", in: Berger und Moser, *Jenseits des Diskurses*, S. 337-56.

38 Siehe auch die ähnlicher Darstellungsformen in Robert Schindels Roman *Gebürtig* in: Stiegler, "Die Erinnerung der Nachgeborenen", S. 11-15.

39 Thomas Terry, "Heimkehr in die Provinz: 'Schubumkehr' von Robert Menasse bei Residenz", *Der Bund* [Bern], 29. April 1995, Beilage, S. 7.

40 Herbert Ohrlinger, "Wurzelziehen am Rande der bewohnten Welt", *Die Presse*, 18. März 1995, Beilage.

angesehen hatte, einfach aus ihrem Leben verschwunden war oder zurückgelassen
werden mußte, immer wieder diese glatten Risse in ihrer mäandernden Lebenslinie,
und jedesmal ein trotziger Blick auf ihre Handfläche, die sie dann mit festem Griff
um das schloß, was jetzt eben da und wichtig war. (37)

Menasse bricht hier mit dem durch konventionelle Vorstellungen tradierten Bewußtsein der literarischen Tabuisierung alternativer Lebensformen, indem er
anstelle einer möglichen expliziten Kritik die direkte parodistische und satirische
Charakterisierung der alternativen Öko-Bauern in ihrer Lebenswelt ohne direkten
politischen Bezug überzeichnet und diese so als "Pseudos" entlarvt. Diese erneute
Spiegelung und Brechung zeigt die durchaus ernstgemeinte Suche der Frau als
solipsistischen Irrweg in totale gesellschaftliche Isolation, der ohne das notwendige
soziale und sozialkritische Bewußtsein nicht in das ersehnte private Glück, sondern
am Schluß in die Trennung vom Partner und Rückkehr in die Stadt führt. Auch
an dieser Figur, die sozusagen kontrastiv zu Roman das Geschehen aktiv mitzu-
gestalten sucht, andererseits aber ähnlich reduktionistischen, ausgrenzenden
Prinzipien wie ihr Sohn verpflichtet ist, verdeutlicht Menasse auch die paradig-
matische Problematik des fehlenden Bewußtseins der Mutter von ihrer individuell
geprägten Vergangenheit, die sie auf ihre Weise, durch ihren nur scheinbar aktiven
Lebensstil, ebenso erfolglos zu verdrängen sucht. Diese Wahrnehmungen artiku-
lieren sich als Übersprungshandlungen und umschreiben als Bestände der postmodernen Wirklichkeit im erwachenden Komprechts eher die Freistellen und
Löcher im Kontext der (zwischen)menschlichen Beziehungen, denen auch in ihren
angedeuteten Beziehungslosigkeiten innerhalb der Handlung ihre unvorherseh-
baren Konturen verliehen werden und die darüber hinaus alles andere als kausale
Strukturen zur erzählerischen Grundlage haben.

Auch ihr Sohn ist im Zuge der Gegenüberstellungen von Kontinuitäten und
Diskontinuitäten mit dem Manko der unterdrückten Erinnerung behaftet und gilt
mir als der Repräsentant erfolglos verdrängter Vergangenheitsbewältigung im
Text. Ohne deren wenigstens in Ansätzen erfolgreiche Rekonstruktion erscheint
seine Suche nach Heimat und Identität von vornehrein zum Scheitern verurteilt.[41]
Roman, Fremdkörper "im von wirtschaftlichen Krisen gebeutelten Dorf", ist die
"wohl typische Figur eines österreichischen Intellektuellen, verewigt in zahlreichen
Romanen von Handke bis Gerhard Roth":[42] "Wenn ihn bisher etwas glücklich
gemacht, bzw. in einem Lebensgleichgewicht gehalten hatte, dann war es die
Tatsache, daß er sich so schwer tat mit dem Erinnern. Er hatte nie etwas vermißt,

---

41 Der Frage, inwieweit hier eine spezifisch jüdische Befindlichkeit der zweiten Generation
    zum Ausdruck gebracht wird, die bereits von Schindel, Klüger und anderen thematisiert
    wurde, die in diesem Roman in ähnlicher Weise Eingang in den literarischen (und
    elliptischen) Kontext gefunden hat, sollte an anderer Stelle unter Berücksichtigung von
    Sander Gilmans neuesten Ergebnissen ausführlicher nachgegangen werden.

42 Thomas Kraft, "Wendezeit im Waldviertel", *Straubinger Tagblatt*, 27. März 1995.

wenn er vergaß, auch nie etwas Vergessenes für etwas anderes verantwortlich gemacht" (77). Romans eigentliche Probleme aber liegen tiefer. Wenn er im Zuge der Geschehnisse jedoch gänzlich das Interesse an seiner Umwelt zu verlieren scheint, da er sich in seinem Innern zunehmend mit den Erlebnissen seiner Kindheit zu beschäftigen sucht, die unaufgearbeitet und problematisch wie ein schwerer Schleier über ihm hängt, dann geschieht dies in logischer Konsequenz, um an die Wurzel seines früheren Unglücks und Unwohlseins heranzureichen: "ihm war, als käme flutartig das Gefühl in ihm hoch, das seine ganze Kindheit geprägt hatte: das Gefühl eines ewigen, fast aussichtslosen, leeren und blinden Wartens, das Gefühl, wie man es im überfüllten Wartezimmer eines Arztes hatte, ins Unendliche ausgedehnt" (78). Romans Midlife-crisis, die den Literaturdozenten zurück ins heimatliche Österreich treibt, weitet sich innerhalb kürzester Zeit zur tiefen Identitätskrise aus.[43] Zurück in der Heimat, die ihm zur Fremde wird, hat ihm die Mutter ein richtig schönes Kinderzimmer bereitgestellt, in dem Roman die erzwungene Infantilisierung über sich ergehen läßt:[44] "Er haust in der 'Gerümpelkammer seiner Kindheit' [65], einem Scheinkinderzimmer, mit Dingen aus den alten Wiener Kindertagen wieder hergerichtet".[45]

Roman analysiert seine eigenen Depressionen und grundsätzliche Orientierungslosigkeit, ohne sich allerdings genügend davon distanzieren zu können in der allumfassenden Unentschiedenheit zwischen Vorwärts- und Rückwärtsbewegung, die das Erzählte formal und inhaltlich bestimmt und damit erneut auf den Titel als strukturierendes Organisationsprinzip verweist:

> Ich befinde mich hier im Haus meiner Mutter in einem kleinen geschlossenen Wahnsystem, das natürlich den steten Impuls bei mir bewirkt, so schnell wie möglich zu flüchten. Warum tue ich es nicht? Ich ertappe mich seltsamerweise immer wieder bei einem glotzenden, bewegungsunfähigen, auf den hier herrschenden Wahnsinn fixierten Staunen, so daß ich mich schon langsam frage, ob ich nicht süchtig nach dem bin, wovor ich flüchten will. (92)

Er gewinnt zumindest die Gewißheit seiner verdrängten Identität durch den Prozeß konsequenter Beweisführung mit der Kamera zurück, und in der Verschlingung und Dialektik von eigener Geschichte, persönlicher Identität und historischem Bewußtsein gewinnt er zeitweise auch die Möglichkeit des besseren Verstehens seines grundlegenden Einsamkeitsgefühls und seiner ihn quälenden Melancholie: "Erlösungsphantasien, und was konnte die Erlösung anderes sein als ein profundes Vergessen, Bilder, die nichts mehr bedeuteten?" (79). Darüber hinaus sind es

---

43 Karin Petutschnig, "Irritationen am Braunsee", *Kleine Zeitung* [Klagenfurt], 9. April 1995, S. 67.
44 Claus-Ulrich Bielefeld, "Turbulenzen im Grenzbereich", *Süddeutsche Zeitung*, 1.-2. April 1995.
45 Isenschmid, "Komprechtser Jahrestage", S. 74.

primär Romans Funktionslosigkeit und seine unaufgearbeitete Vergangenheit, die ihn rast- und ruhelos machen und ihn in einem undifferenzierten Zustand allgemeiner Verständnislosigkeit zeigen: "Die Vorstellung, was wäre, wenn er in Brasilien geblieben wäre, irritierte ihn genauso wie die Tatsache, daß er hier war. Ihn irritierte alles. [...] Ihm ging alles auf die Nerven" (81); "Die Wurzel von Romans Unglück aber reicht tiefer: Es ist der frühe Tod seines jüdischen Vaters, der ihn dem Gesetz des Vergessens unterstellt hat".[46] Das Bild des verstorbenen Vaters, der über sich selbst sagte, "Ich bin kein Jude ich wurde nur als Jude verfolgt" (95), erweist sich durch die "'nie aufgedeckte Schuld', durch den kindlichen Tötungswunsch, den Vatermord begangen zu haben"[47] auch als ödipales Dilemma noch für den erwachsenen Roman, der in seiner starken Haß-Liebe zur Mutter erst durch ihre Wiederaufnahme alter Lebensweisen, von Zigaretten und Kaffeegenuß bestimmt, zu ihr zurückfindet: "Roman hatte das Gefühl, daß er erst jetzt allmählich heimkehrte. Zumindest zeichnete sich wieder ein Zuhause ab: weil seine Mutter zurückkam aus dem Exil, zu dem sie ihren Körper gemacht hatte. [...] Roman war auf stille Weise begeistert. Ja, so war seine Mutter, so ist sie gewesen. Es tat sich Heimat auf" (125, 126). Diese und ähnliche Gedanken tauchen wohlgemerkt erst nach dem Abzug seines Rivalen Richard Bauer auf, von dem sich seine Mutter kurzfristig getrennt hatte, als dieser sich einer anderen Bio-Bäuerin zuwendete (161-62). "Unbewältigter Ödipus!" (50). "Wie sagt doch [der Philosoph] Rudolf Burger? 'Heimat ist eine Verlustanzeige. Ein Gang zu den Müttern'".[48]

Auch diese Ambivalenz heimatlicher Vorstellungen entspricht der ständigen Vorwärts- und Rückwärtsbewegung im Roman, die die hegelianische Vorstellung von historischem Fortschritt und Rückschritt als optimistischen Aberglauben vergangener Zeiten charakterisiert. Gerechtigkeit kann nach der Shoah den Opfern, zu denen auch Romans Vater gerechnet werden muß, niemals mehr zugesprochen werden, und niemand sonst außer den direkten Familienangehörigen könnte auch nur stellvertretend Anspruch darauf erheben. Auch Roman wird sie, in seiner vermeintlichen "Heimat" Österreich bei seinem vorübergehenden Aufenthalt konsequenterweise ebensowenig zuteil. Wenn Romans eigene Geschichte nur in unzusammenhängenden Fetzen gelegentlich wieder an die Oberfläche kommt, so entscheidet er sich doch für die Durchführung der selbstgestellten Aufgabe, die Ereignisse und Geschehnisse seiner unmittelbaren Umgebung in Komprechts im Jahre 1989 zu dokumentieren. Er filmt die Folgen der politischen Techtelmechtel der Gemeinde in der Grenzlandschaft um Komprechts am Braunsee, den wegen

---

46 Andreas Breitenstein, "Heimkehr in die Fremde. Robert Menasses österreichischer Wenderoman <Schubumkehr>", *Neue Zürcher Zeitung*, 24. Februar 1995, S. 36.
47 Ebenda.
48 Georg Hoffmann-Ostenhof, "Heimkehr und Zerfall", *profil*, 20. Februar 1995, S. 78.

Unrentabilität stillgelegten Granitsteinbruch und die arbeitslosen Glasfabrikarbeiter, die die Behörden vor Probleme stellen.[49]

Die Gesamtheit der persönlichen und familiären Neuversuche findet statt im "strukturschwachen" Komprechts (58), in Böhmen, einem Waldviertel-Dorf nahe der noch undurchlässigen österreichisch-tschechischen Grenze, an einem kleinen See. Der "Braunsee", eine der zukünftigen Touristenattraktionen Komprechts, ist denn nicht nur sprachliches sondern auch geographisches Symbol für die braune Vergangenheit des Dorfes, das von dem sozialdemokratischen Bürgermeister namens Adolf Kral alias Adolf König, kurz "Dolfi", und dem schwarzen Vize namens Macho regiert wird.[50] Zur Figur des Bürgermeisters:

> Im 38er-Jahr beschließt die Familie, den Namen einzudeutschen, weil es ja im Nazireich geahndet war, einen tschechischen Namen zu haben. Adolf Kral wird zu Adolf König. Als nun die Möglichkeit erfunden wurde, sich fürs Auto ein Wunschkennzeichen zuzulegen, bestellt er sich die Tafel 'King 1'. Die Veränderungen in Europa bringen große Strukturprobleme mit sich, die Krise bricht aus, und da malen ihm erboste Bürger zum KING noch ein KONG auf die Nummerntafel. In dieser Namensgeschichte von Kral zu König, King und Kong liegt eigentlich eine kurzgefaßte Geschichte Österreichs. Es ist ein Roman, der das Bild unseres Landes an einem historischen Schnittpunkt zeigt, es ist ein Roman darüber, wie schwierig es ist, das Alte zurückzulassen und unbefangen in das neue einzutreten. [...] So Robert Menasse.[51]

Freilich hat Menasse mit dieser Figur ein menschliches Paradebeispiel für seine im *Land ohne Eigenschaften* diagnostizierten Identitätsverästelungen und -widersprüche im Kontext der realpolitischen Szene- und Tagespolitik *sozialpartnerschaftlicher Ästhetik* geschaffen. Gerade dieses Lokalkolorit, und die genaue Beschreibung sozusagen des eigenen, konkret österreichischen Lebensumfelds eröffnet in der personalen Bündelung den Blick auf die sich ständig in Bewegung befindlichen Energiemassen, die sich stets zu neuen Schüben verbinden können und das Geschehen auf unvorhersehbare Weise beeinflussen.[52]

Dem versucht jedoch der Bürgermeister auf taktisch kluge Weise ordnend und planend entgegenzuwirken. Adolf König – *nomen est omen* – hat in der Folge alle

---

49 Breitenstein, "Heimkehr in die Fremde", S. 36.
50 Petutschnig, "Irritationen am Braunsee", S. 67.
51 Ludwig Heinrich, "Vorwärts und rückwärts", *Kleine Zeitung* [Graz], 24. Dezember 1994, S. 41.
52 Zu dieser Situation läßt sich Menasse in einem Gespräch vernehmen: "Wovor ich mich wirklich fürchte in Österreich: daß, weil es hier wegen der Lebenslüge des 'ersten Opfers' so gar kein Bewußtsein von Schuld gibt, mit Leichtigkeit wiederholt werden kann, und daß daher die Geschichte womöglich wirklich wiederholt wird", in: Nadine Hauer, "Gespräch mit Robert Menasse: 'Sehnsucht nach Heimat – aber immer im Exil'", *Die Furche*, 13. April 1995, S. 2.

Hände voll mit wirtschaftlichen und organisatorischen Umstrukturierungen zu tun, denn das Dorf ist im Begriff, die bisherige Glas- und Steinindustrie zu verlieren.[53] Hier

> bündelt der Autor gewisse Handlungsstränge, schreibt er die Weltgeschichte des Wendejahres 1989 anhand vieler kleiner Geschichten nieder. Geschichten voll Skurrilität und Witz, voll Bösartigkeit und Gewalt. Im Mikrokosmos des Grenzortes spiegelt sich ein Österreich, das sich gerne ein wenig kokett als "Kakanien" bezeichnen läßt (so auch in einer entlarvenden Szene rund um die Gestaltung eines Tourismusprospekts für das Dorf), das aber hinter all seiner Gemütlichkeit unheimliche Mißtöne verbirgt.[54]

Der österreichische Dramatiker Peter Turrini analysierte erstmals kritisch die ökonomischen, psychologischen und historischen Implikationen des österreichischen Tourismus in seinem Essay "Die Deutschen und die Österreicher – Chronik einer touristischen Begegnung".[55] Mit Blick auf Österreich im Nachkriegseuropa verdeutlicht er mit zynischem Unterton die gesellschaftliche Transformation zur österreichischen Wirtsgesellschaft: Für ihn ist Österreich mit Hilfe des "Marshall-plans" zum "Hawaii Mitteleuropas" geworden, "zur touristischen Bananenrepublik".[56] Das von Turrini illustrierte komplexe Wechselspiel zwischen Abhängigkeit und Verachtung, das das Verhältnis zwischen österreichischen Wirten und deutschen Touristen bestimmt, evoziert einerseits Anpassung und andererseits Ablehnung und birgt gerade auch die Gefahren immanenter Haßgefühle gegenüber den im Lande selbst lebenden "Fremden".

Menasse beschreibt in seinem Roman das bislang letzte und aktuellste Kapitel dieses derart skizzierten österreichischen Massentourismus mit seiner Komprechts-Parabel.[57] Die hier anschaulich beschriebenen Mentalitäten zeigen in sich auch die implosive Kraft der *Schubumkehr* in dem beabsichtigten Mord an dem tschechischen Mädchen, welches sich bei der tragischen Identifizierung jedoch – wieder in ironischer Brechung – als Sohn des Bürgermeisters entpuppt. Die Verbindung von Massentourismus als dem Hort xenophobischer Attacken ist dem Text von Menasse zufolge in letzter Konsequenz in Österreich durchaus denkbar

---

53 Tauber, "Allzuviel in einem Dorf", S. 16.

54 Petutschnig, "Irritationen am Braunsee", S. 67.

55 Peter Turrini, "Die Deutschen und die Österreicher – Chronik einer touristischen Begegnung", *Der Spiegel*, 46 (1986), S. 216-17, hier zitiert nach: "Die touristische Bananenrepublik", in: Peter Turrini, *Liebe Mörder! Von der Gegenwart, dem Theater und dem lieben Gott* (München: Luchterhand, 1996), S. 14-23.

56 Ebenda, S. 20.

57 Möglicherweise hat Menasse bei der tragischen Wendung, die nicht zum Tod des Mädchens sondern "irrtümlicherweise" zum Mord am Sohn des Bürgermeisters führt, die xenophobischen Morde von vier Roma in Oberwart im Frühjahr 1994 vor Augen gehabt.

und zeigt das gefährliche Potential derartiger Aggressionen gegenüber den eigenen "Fremden" im Lande, welches zur Ausgrenzung durch Mord führt.

Der äußere Umbruch, der in Komprechts stattfindet, ist getragen von den verzweifelten Anstrengungen, das einsame Dorf zur Fremdenverkehrsgemeinde umzustrukturieren. Mit dem Slogan, "Wir haben Ihnen nichts zu bieten. Was wir haben, ist unverkäuflich. Ist unbezahlbar. Ist ein Geschenk der Natur [...]" (133), "will man den sanften Tourismus ködern, der solvende Alternativ-Urlauber nach Komprechts bringen soll".[58] Um ihre Popularität bei den arbeitslosen Steinbruch- und Glasfabrikarbeitern fürchten besonders König und Macho, denn im Mai stehen Lokalwahlen an, die von der Lokalzeitung bereits als "Denkzettelwahl, [...] bei der in der Steingemeinde Komprechts kein Stein auf dem anderen bleiben werde", angekündigt wurden (84). All dies markiert den Beginn eines Umbruchs: "Die neue historische Etappe. Worauf er [Adolf König] in seiner Rede anspielte, war das Programm 'Komprechts 2000', das vom Gemeinderat vor kurzem einstimmig beschlossen worden war und das auch seinen Bürgermeisterposten retten sollte. Die Königsidee. Aus dem Nichts entstanden, durch eine Flucht nach vorn [...]" (101). Dieses Programm von "Musilscher Eigenschaftslosigkeit" wird verkündet zu einer Zeit, die bemerkenswert ist in ihrer Monotonie: "Die Zeit drängte. So wie es war, konnte es nicht bleiben, so wie es gewesen war, konnte es nicht mehr werden. Es mußte etwas geschehen" (83). Auch der Autor Menasse ist sich dessen bewußt, und so benutzt er Romans Passivität, um die Roman-Aktivität zu dokumentieren.[59] Es ist gerade Romy, der die "Um- und Ausbauten der Arbeiterhäuser" und die Neugestaltung des Seeufers dokumentiert, indem er seine Videokamera zu Hilfe nimmt: "Er filmte nach und nach alle Phasen der Umbauten, er montierte das Material so, daß man im Zeitraffer sah, wie sich aus dem alten Komprechts das neue herausstülpte, der Film war ohne Ton, aber es schien geradezu Plop zu machen, zwischen Vorher und Nachher" (134). Vielerlei bedeutende und unbedeutende Ereignisse des Jahres 1989 werden von Roman mit seinem Camcorder aufgenommen und dem Leser als "Sammlung kurzer Videoclips" durch das Camera-Eye präsentiert.[60] So ergibt sich eine an visuellen Prinzipien orientierte Erzählkomposition: "einen Teil des Komprechtser neunundachtziger Jahrs" können wir als Romans Videos ansehen, "den anderen erzählt uns eine anonyme Erzählstimme".[61]

"Die Pointe des Romans ist ja gerade die, daß Roman desto weniger mitbekommt, je näher er mit seinem Videorecorder an die Dinge heranrückt, desto

---

58 Menasse in: Wolfgang Huber-Lang, "Bitte nicht drängen", *Wirtschaftswoche* [Wien], 23. Februar 1995, S. 67.
59 Isenschmid, "Komprechtser Jahrestage", S. 74.
60 Susanne Zobl, "Ein Spiel der Anspielungen", *Die Furche*, 9. März 1995, S. 22.
61 Isenschmid, "Komprechtser Jahrestage", S. 74.

weniger sieht, je privilegierter sein Aussichtspunkt auf einem der zahlreichen Hochsitze ist [...]".[62] In seiner Analyse allerdings des ihm Fremden in Komprechts und Umgebung versteht er mit dem Blick für das Besondere und Symbolische doch die tiefere Bedeutung alltäglicher Erscheinungen, was der Erzähler Menasse hier aus der Optik und Peripherieperspektive seines exzentrischen Helden Roman mittels erlebter Rede für die Leser rekonstruiert:[63]

> Nur der Hochsitz selbst schien ihm eine überragende Bedeutung zu haben: Dieser, überdacht und holzverschalt, erschien ihm als ein Wachturm, und erst dieser Eindruck vermittelte Roman den Sinn von allem anderen: Wenn das hier ein Wachturm war, dann war das davor ein Niemandsland, eine Grenze, in welchem Wortsinn auch immer, ein Feld leerer, aber notwendiger Kontrolle. Beinahe jeden Tag kehrte Roman zu dem Hochsitz zurück und blickte in diesen geschlossenen Gesichtskreis absolut offener Möglichkeiten. (70)

Dieses dezentrierte Prinzip der scheinbar willkürlichen Komposition und Aneinanderreihung mehr oder weniger unzusammenhängender Situationen beleuchtet besonders die fehlenden Zusammenhänge und bricht ausdrücklich mit jeglichem Prinzip kontinuierlichen Erzählens als sinnbildliches Anzeichen aufgelöster Kontinuität. Der Einsatz der Videokamera korrespondiert der erwähnten Vermischung von Autobiographie und Roman als Textsorten und entspricht so auch der Beziehung von Erzähler und Augenzeugen. Damit schafft Menasse beim Leser ein kritisches Bewußtsein der Differenz zwischen einerseits erlebbaren und erlebten Phänomenen und andererseits der Reflexion über die Unmöglichkeit, diese erzählerisch darzustellende Unmittelbarkeit in einer Form subjektiver Vollständigkeit wiedergeben zu können. Im Text wird die Überwindung der erlebten Unmittelbarkeit weder von Roman noch vom Erzähler als nachvollziehbar gestaltet, sondern lediglich mittels poetischer Praxis exponiert. Dieser Trennung entsprechen die drei Erzählebenen des Textes (Gesprächsfetzen bei der Wiedergabe der Videos, Träume und die erzählte reale Handlung), die auch auf formaler Ebene Unruhe und Orientierungslosigkeit vermitteln, was durch die mehrfach wechselnde Erzählposition noch verstärkt wird.[64] Auch auf struktureller Ebene sind es die Leerstellen, Schnittpunkte und Übergänge, die die Grenzen traditioneller Logik und Sinnstiftung über den Rahmen des Textes hinaus aufzeigen und dem Leser entsprechend kommentarlos dargeboten werden. Indem der Autor Menasse sich auf der Textebene von modernistischen Erzählkonventionen distanziert, tragische mit komischen Stilelementen versetzt und Genres miteinander verbindet,

---

62 Klaus Nüchtern, "Viel gescheiter als der Leser", *Die Weltwoche*, 6. April 1995, S. 72.
63 Lützeler, "Von der Präsenz der Geschichte", S. 98-99. Die hier von ihm vorgeschlagene Typisierung des "postmodernen Helden" trifft auf Roman ebenso wie auf seine Mutter zu.
64 Petutschnig, "Irritationen am Braunsee", S. 67.

beschreibt er durch ihre Vermischung seine Abgrenzung und Überwindung traditioneller Strukturen der poetischen Moderne. Auch hier ist der selbstreferentielle Charakter der Darstellung und des Dargestellten Signum von Menasses Annäherung an den postmodernen Stil.

Der Roman endet damit, daß Roman Komprechts verläßt und sich wieder ins Flugzeug, vermutlich zurück nach Brasilien, setzt, kurz bevor die Grenze geöffnet, der Eiserne Vorhang hochgezogen wurde. Er hinterläßt seiner Mutter einen vagen Abschiedsbrief, die sich in der Folge auf den Weg zum Flughafen Wien-Schwechat macht, um ihr Auto wieder abzuholen. Rückkehr in die Stadt! Versuche, seine letzte Videokassette vom Oktober 1989 anzusehen, schlagen fehl, da sie leer ist: "ENDE!" (195).

Roman bringt immerhin die Kraft auf, "sich aus Mutters Bett zu erheben und aus Komprechts zu flüchten. Und die Mutter begreift langsam, daß ihr stadtflüchtiger Ökotrip eine Sackgasse ist. Sie hört mit Yoga auf und beginnt wieder zu rauchen. Es ist ein Österreich-Roman ganz eigener Art. Die Suche nach der Heimat wird zur Regression".[65] Manifestiert sich mit diesem Roman erneut Menasses gespaltenes Verhältnis zum "Heimatland", so erweist sich die Suche nach "Heimat", besser: "Nach Identität", für das Mutter-Sohn Duo Roman und Anne als ein gescheiterter Versuch, der in der Sackgasse endet: "Umdrehen und wieder von vorne – fliehen".[66] Sinnbildlich dafür steht der Zeitpunkt, an dem Roman in letzter Minute vor der endgültigen Regression in die Kindheit, vermutlich wieder nach Brasilien flieht.[67] Die "Schubumkehr" nämlich, die Vorwärts- und Rückwärtsbewegung, die "Zeitenwende findet nicht für Roman und auch nicht für die Dorfleute statt. Am Anfang war die Grenze hinter dem Dorf dicht, am Schluß ist sie offen. Geändert hat sich nichts".[68] Offensichtlich müssen die Protagonistinnen und Protagonisten sich, wenn schon nicht vorwärts, so doch wenigstens wieder rückwärts bewegen, weil sie eben den von Menasse beschworenen "allgemeinen Glückszustand als kollektives Gefühl von Geschichtslosigkeit"[69] weder erkennen noch für sich selbst in Anspruch nehmen können oder wollen, der, so Menasse, "die Realität der modernen bürgerlichen Gesellschaft, der Demokratien westlicher Prägung" ausmache.[70]

Für mich ist Menasses bislang letzter Roman sowohl Ausdruck des symbolisch überhöhten, individuellen "Elends" als auch, damit verbunden, die Zustandsbeschreibung "der Unentschlossenheit, das eigene Leben von einer virtuellen

---

65 Hoffmann-Ostenhof, "Heimkehr und Zerfall", S. 78.
66 Kraft, "Wendezeit im Waldviertel".
67 Zobl, "Ein Spiel der Anspielungen", S. 22.
68 Bielefeld, "Turbulenzen im Grenzbereich".
69 Menasse, " 'Geschichte' – der größte historische Irrtum", S. 15.
70 Ebenda.

Geschichte zu trennen, deren Zerstörung in Kauf zu nehmen".[71] Gemäß seiner den postmodernen Philosophien verpflichteten Einschätzung von der Diskussion um den komplex besetzten Identitätsbegriff Österreichs enden Heimats- und Identitätssuche der Mutter und des Sohnes auch nicht bei dem "Schollen-Irrsinn [...] der mistgabelschwingenden Alltagsfaschisten" (49) – so Roman kurz nach seiner Ankunft über die Kleinbauern in Komprechts –, sondern sind bestimmt durch ihre Krisen der Erkenntnis potentieller Heimatlosigkeit. Für Menasse, den komplex denkenden Theoretiker und Kritiker, muß sich die Thematik und Gestaltung seiner literarischen Figuren in ihrem fiktionalen Umfeld ohne übergreifenden Kausalnexus folgerichtig einem vereinfachenden Zugriff durch einen singulären identitäts- und sinnstiftenden Erzähler entziehen. Zum Charakter dieser differenzierenden Diagnostik erklärt der Rezensent Andreas Breitenstein in der *Neuen Zürcher Zeitung*: "Mit '*Schubumkehr*' hat Robert Menasse den österreichischen Wenderoman geschrieben. Das Land, in dem die postkakanischen Utopien und Apokalypsen blühen, gibt es nicht mehr, die Zeit der großen Einfachheit ist vorbei. Ein Horizont schliesst sich, ein neuer geht auf: Über die Dörfer wird man nach diesem Buch auf- und abgeklärter schreiben müssen".[72] Die vielen Fragen, die sich dem Leser angesichts solcher Szenarien im Hinblick auf die realen, lebensphilosophischen Lösungsmöglichkeiten und Bewältigungsstrategien stellen, werden von Menasse bewußt und indirekt nur mit dem ambivalenten Verweis auf seine eigene Person wiederholt und damit gleichsam erneuert. Die eingangs erwähnte Rede zum Thema "'Geschichte' als größtmöglicher historischer Irrtum" beschließt er mit dem Verweis auf seine Aufgabe als Autor, mit der Verbindung von Bewußtem und Unbewußtem: "Was können wir tun? Was Sie tun können, weiß ich nicht. Sie tun, was sie können. Was wir Autoren tun können ist schreiben. Unser Schreiben ist ein lautes Singen in finsteren Wäldern. Dieses Singen soll uns die Angst nehmen, nicht Ihnen. Es sind poetische Wälder – Gefallen findet, wer sie gefällt".[73]

---

71 Ebenda.
72 Breitenstein, "Heimkehr in die Fremde", S. 36.
73 Menasse, "'Geschichte' war der größte historische Irrtum", in: *Hysterien und andere historische Irrtümer*, S. 36.

Nancy C. Erickson
Bemidji State University

The Enemy Within:
Josef Haslinger's Hit Novel *Opernball* (1995)

CONSIDERING THE CULTURAL ICONS and historically sensitive topics that Josef Haslinger incorporated into his bestseller *Opernball*, it is a wonder that he was not summarily stripped of his Austrian citizenship and relegated to the back pages of literary interest. Instead, a flurry of critical acclaim and a buying frenzy set off by the public pushed the sales of the book to 40,000 copies and to the top of the bestseller list shortly after the novel's release in February, 1995. To be sure there were skeptical reviewers who identified or, in some cases, blamed the novel's form upon Haslinger's experience as a visiting professor at universities in the United States, most notably at Oberlin College in Ohio, during which time he began the novel.[1] The critics' objections focussed primarily on the novel's length and format, inferring, but never explicitly stating, that the novel was yet another example of American cultural contamination. Linking Haslinger's name to those of Grisham and Ludlum, these critics implied that the attempt to incorporate a typically American literary form into Austrian *belles lettres* had caused the author problems. The newly-constituted mix of literary elements that comprises the novel's form left many of these critics dissatisfied with the novel as a whole.

But a general uprising or protest against the novel did not occur anywhere in the critical literature. References to the "scandal" and the "furor" that the novel's appearance set off among the general public do exist in the initial reviews, but little detail is given as to the content of the reaction. Instead, by all outward signs, the sales, the novel's place on the bestseller list, and, indeed, the unanimous praise of the famous "literary quartet," led by Marcel Reich-Ranicki, appear to have guar-

---

1   There were other critics for whom this mixing of cultures did not prove problematic. Sigrid Löffler provides this insight: "Haslinger hat einfach in den USA die Berührungsängste der feinen Literatur von den Handgreiflichkeiten des Bestsellerwesens verloren." Sigrid Löffler, "Polit-Thriller 'Opernball', Reales und Fiktives über ein gesellschaftliches Großereignis," *Süddeutsche Zeitung*, 28 December 1995. Other critics, for whom Thomas Diecks is representative, criticized the novel in terms of its length and its unwieldy nature: "Bei 'Opernball' nun – so will es scheinen – ist es wohl die epische Grossform des Romans gewesen, deren Gestaltung dem mit seiner Kurzprosa überzeugenden Autor Schwierigkeiten bereitet hat." Thomas Diecks, "Abgründe hinter der Wohlstandskulissen. Josef Haslingers Roman 'Opernball'," *Neue Zürcher Zeitung*, 7 March 1995.

anteed the author's first major novel unprecedented success. But considering the content, why were the readers not more outraged at what they found between the novel's covers? What did they fail to see?

What the readers surely found are the topics by now familiar to students of Haslinger's writings:[2] the insinuation of traditional religious elements within ultra right-wing political groups; the recalling of Austria's Nazi past; the implication of tacit support from law enforcers in acts of violence against "undesirables"; the indictment of the media in orchestrating catastrophes in the quest for ratings and sales, and the general damnation of cultural elements that promote hatred of foreigners, "Fremdenhaß." While discussion of these topics has brought Haslinger criticism in other venues, here woven among the elements of the traditional action-thriller, they appear to have raised fewer eyebrows.[3]

It may be tempting to read Haslinger's *Opernball* as merely an Austrian adaptation of the action-thriller genre with the reader's projection of Bruce Willis or Jean-Claude Van Damme playing the somewhat bookish lead. After all, the requisite action, villains, hero, or, at least, a sympathetic central character, the bodies – all exist in temptingly accessible range of the reader. Perhaps this similarity to a recognizable genre, known to its readers primarily through translations, lulled them into a false sense of understanding the novel. But such a reading focuses upon the surface structures without asking what Haslinger intended to achieve by writing *Opernball*.

What Haslinger accomplishes in *Opernball* is to mix the elements of a genre widely celebrated in *popular* culture with components of traditional literature to create, in a sense, a new literary mode. Haslinger's introduction of the elements of a widely popular genre into the text occur in an unexpected order, nullifying the familiarity that the reader might have initially experienced. For while the novel exhibits superficial similarities with the detective novel made popular by Grisham, Ludlum, or Le Carré, the true focus of the novel is aimed away from the action itself and at the questions Haslinger raises with his tale. Haslinger's intent, if one can speak of such in this postmodern age, is not to entertain and engage the reader

---

2   Josef Haslinger's writings include, among others: *Der Konviktskaktus und andere Erzählungen* (München: Verlag AutorenEdition, 1980); *Der Tod des Kleinhäuslers Ignaz Hajek* (Darmstadt: Luchterhand, 1985); *Politik der Gefühle: Ein Essay über Österreich* (Darmstadt: Luchterhand, 1987); *Die mittleren Jahre* (Klagenfurt [Celovec]: Hermagoras, 1990), *Wozu brauchen wir Atlantis* (Wien: Locker, 1990); *Das Elend Amerikas: 11 Versuche über ein gelobtes Land* (Frankfurt am Main: Fischer, 1992), and *Hausuntersuchung im Elfenbeinturm* (Frankfurt am Main: Fischer, 1997). Haslinger contributes regularly to magazines and newspapers, and is a former editor of *Wespennest*, a literary-political journal.

3   For a wide-ranging discussion of *Opernball* by the author, of its inception and reception, see David Closure, "Gespräch mit Josef Haslinger," *Modern Austrian Literature*, 31, 1 (1998), 115-32.

in the action but rather to entice the reader to look critically and self-reflectively at the reasons behind the mayhem with which the novel opens. What Haslinger has done with the traditional action-thriller format is to turn the "whodunit" formula on its head and begin with the ending. In so doing, Haslinger has discarded the "what" and the suspense created characteristically by the unfolding action, the typical focal point of the novels of this genre, and positioned the "why" of the events described in the initial pages at the center of the novel. What the initial reviewers appear to have overlooked or, in any case, minimized in their discussions is the author's most certainly serious intent to turn the understanding of the "why" of the events into a provocation for his readers to act upon that knowledge.

Opernball begins at the end, as it were, with the disturbing scene in the opera of the ball participants writhing in the clutches of death, twisting, vomiting, expiring in full view of the millions of viewers across entire Europe tuned in to the live broadcast of Austria's premier cultural event. The narrative begins in medias res, as if the reader had just turned on the television set to find the media recording and reporting yet another man-made catastrophe. The simple sentence with which the description begins encapsulates the enormity of the tragedy by referring to the death of one specific person among the hundreds victims, "Fred ist tot." The reader learns the significance of this statement when, one page later, Kurt Fraser, the narrator, clarifies his relationship to "Fred" in his description of the horrific scene in which he watches his only son die. The narrator's windows on the catastrophe and for witnessing his son's death are the television cameras placed throughout the opera hall to record the evening's events. As the masses of bodies twist and turn in the final throes of death, the gassing of the opera ball's hundreds of guests unfolds before the viewer's and the collective reader's eyes as the television cameras continue to roll with perverse modern efficiency; nothing can be done to stop what is happening.

The appearance of *Opernball* in February, 1995, shortly before the scheduled ball itself, raised concern among participants and the public that the novel might invoke copycat responses from right-wing groups within Austria. Indeed, when four Gypsies were murdered by right-wing ultraconservatives, the news media landed on Josef Haslinger's doorstep to record his reaction and to ask him his opinion of a possible link between his novel and the attack. Months later the novel proved to be prophetic when members of a radical religious group in Japan appropriated the public underground transportation system for their private gassing chambers, causing the deaths of twelve of their countrymen, injuring dozens more, and spreading general panic and paranoia throughout Japanese society. What Haslinger's novel portrayed in fictional form, conceived of five years before the terrorist events recorded above, pointed toward societies gone mad, cultures incapable of righting themselves morally.

Herein lies the crux of the novel. What appears on the surface to be a raucous action that is "read" is, in fact, a cultural "wake-up call." With the ending in place (three pages are dedicated to the description of the gassing of the opera guests), the remainder of the novel, 463 pages to be precise, becomes a map of the psychological, sociological, and political reasons for the terrorist attack on the highlight of the Viennese cultural season. The reader's attention is trained on the "why" of the novel's deadly opening scene.

Throughout the novel, Haslinger employs a combination of interview, flashback, and narrative omniscience to lay out the reasons before the reader. Knowing full well his reader's familiarity with the type of journalistic probe typically used by television and newspaper reporters, Haslinger establishes a format that presents the facts gathered partially through taped conversations with representatives of the various groups involved in the opera-ball disaster. No explanation is provided as to how each of the taped participants is found; none of the participants is introduced. Each is seated in front of the turning tape, given a title or a name and permitted to speak without reflection or interruption. The reader is left to put the various pieces and persons into place.

There is the engineer through whose recollections the activities of the right-wing splinter group responsible for the devastation in the opera are brought to light. Unlike Fritz Amon, a spokesperson for the law-enforcement participants in the novel, the engineer remains nameless throughout, lending an air of mystery and elusiveness to this already murky character. Fritz Amon, a police detective, is named and given free range to recount encounters between the Viennese police and a broad spectrum of undesirables roaming the capital's streets, putting off tourists, and otherwise causing all manner of disturbance near one of the main squares in Vienna, the Karlsplatz.

The characters are allowed a great deal of latitude in their responses, and the reader must often wait for a recounted incident to be connected in the subsequent narrative to the opera-house disaster. Early in his portion of the narrative, Amon recounts a seemingly unrelated incident that carefully connects the radical group's activities, reported by the engineer, with those of the police. More than two years before the attack on the opera ball, the police found a small section of a human finger in an underpass near the Karlsplatz, an event that remains in the consciousness of the precinct inspector until he, too, discovers whose hand has been mutilated and why.

Fraser himself assumes the narration at various points in the course of the novel through the technique of narrative omniscience and flashback. The reader learns of the narrator's troubled connection to the offspring who is sacrificed in the opening scene. Fraser recounts his divorce from Fred's mother and Fred's long, difficult detoxification treatment that includes a trip to America and into the deserts of New Mexico. Fraser is connected through his family history to the expulsion of Austrian Jews during the terror of Nazi rule and their subsequent emigration to various countries of safety. Fraser's father, having found refuge in England, comes in turn to view the opera ball in question as a reason for a homecoming and a reunion with others who had suffered a similar fate, and thus the events come full circle as Fraser's father plans his return to his native Austria.

Fraser's father provides a link in the novel to Austria's "brown" past. His life experiences foreshadow Kurt's as the latter surveys the masses of bodies slumping before the television cameras in the novel's opening scene. Fraser's earliest recollections of his father are centered around photos taken during the liberation of Bergen-Belsen in April, 1945, photos that depict the horror uncovered by the liberating British troops who found 10,000 or more unburied dead and 40,000 more starving or dying prisoners. Fraser's father, a proud member of the liberating battalion, never tires of pulling out the photos of the bodies and pointing to the young soldier whom he identifies as himself to every visitor to the Fraser home. That immediate, familial connection to the dead and the discarded of the Third Reich causes Fraser to remark later, as he views the images of the people poisoned and dying at the ball which are flickering across the monitors before him, that his life had been dogged by heaps of corpses.[4]

Kurt Fraser, a world-renowned journalist, is in the business of recording for an image-craving media audience the mayhem wrought by the technology of modern warfare which employs heat-seeking missiles, explosives detonated by the push of a button, Scud rockets, and incinerating bombs that leave charred, unidentifiable remains where human beings once stood. He is "a modern hunter,"[5] armed not with spear or rifle but with a camera, recording the devastation that others have created. Fraser is a professional, rewarded for his intuitive sense of where the next explosion will occur, with camera aimed, ever ready, as the next body explodes as if on cue; his is the business of recording death. The irony, that his superiors have chosen him to oversee the live telecast of the opera ball in which his only child is summarily extinguished, is not lost on the reader who finds, with the author, it may be speculated, a perverse twist of justice in a world seemingly permanently out of joint.

Through the engineer's account of the right-wing group's activities, the reader and the narrator come to know each of the participants within the exclusive circle

---

4   Josef Haslinger, *Opernball: Roman* (Frankfurt am Main: Fischer, 1995), p. 57. Further
    references to the novel will be in parentheses in the main text.
5   Manfred Schiefer describes Fraser's job: "Sein Geschäft ist der Tod. Kurt Fraser ist in
    der modernen Informationsgesellschaft ein Jäger. Kriegsberichterstatter. Seine Kamera-
    'Schüsse' bringen zwar niemanden ums Leben, aber den Tod ins Haus sensations-
    gieriger Fernsehzuschauer." Manfred Schiefer, "Josef Haslinger; 'Opernball'. Rechter
    Terror," *Neues Deutschland*, 23-26 March 1995. Fraser himself calls his kind "die
    Großwildjäger" (315).

known initially as the *Volkstreuen*, later changed to the *Entschlossenen*. The leader, a charismatic speaker, inspires his band of believers through rituals, readings, and rules to forsake their places in the world and to take up the broader cause, circumscribed as the need to identify the "enemy" that exists in the Austrian culture as they understand it, to make that enemy known, and to betray that enemy for all to acknowledge. Driven by a passion rooted in his childhood experience within the closed circle of priests and the young boys determined to join those ranks, the leader, identified only as the *Geringste*, enjoins his band of believers to take up hooliganism first, as a form of action against foreigners and guest workers in Vienna. When that action fails to bring the proper recognition and outcome, the *Geringste* changes the group's tactics. A larger, more visible target, the annual opera ball and its guests, is chosen as the site to loose their Armageddon. The *Entschlossenen* take up as their predestined, appointed task the unleashing of the final battle between good and evil, as recorded in Revelation 16:16, by carrying out the slaughter of Europe's elite in the hope that it will serve as the impetus for civil war and resulting anarchy. The biblical references are plentiful, sustaining the accounts in which the engineer, the group's leader, and the sect's members are the principle actors. Judas Iscariot, Jesus's betrayer, is crowned the ultimate hero of the Christian tradition, since it was he, the *Geringste* states, who set the events into motion that resulted in Christ's crucifixion. Had Judas failed to act as he was destined to do, there would have been no sacrifice of that Jesus and no Christian religion to follow or to venerate. Judas's self-sacrifice, the *Geringste* implies, has been diminished by the theologians and Christian believers, a wrong that must be rectified. For it is not Jesus but Judas, the *Geringste* teaches, who is the true hero of Christianity (29).

The narrative moves among the engineer, the police inspector, and the narrator, Kurt Fraser, through the first half of the novel. Haslinger then adds the voices of Richard Schmidleitner, a wealthy industrialist, and Claudia Rohler, a homemaker, whose family history, like Fraser's, lies in the "brown" annals of Austria's past. These two characters, who round out the narrative's five competing perspectives, represent the industrialized west and the "Nachfolger," or subsequent generation, respectively.[6]

---

6   Some of the first critics complained that the inclusion of the industrialist and the homemaker added little or nothing to the substance of the narrative itself. This critic believes, however, that their inclusion represents Haslinger's desire to incorporate all aspects of Austrian culture. By including industry, represented by Schmidleitner, and family, represented by Frau Rohler, her sister, and her father, Haslinger insured that no one could look at the novel, declare herself or himself unrepresented, and therefore somehow exempt from the responsibility for action which the novel invokes. I believe that Frau Rohler's inclusion is also Haslinger's attempt to remain politically correct by including a main character who is a woman. He began the novel, it must be remembered, while visiting and lecturing at a variety of universities in the United States. His sensi-

Schmidleitner's account connects the events in the ball to the cutthroat world of industrial tug-of-war where the players are designated as comrades or foes, and the results that ensue involve the manipulation of decisions and actions that leave winners and losers in their wake. Schmidleitner's inclusion ensures that the workings of the business world also fall under the scrutiny of the reader, and it brings into focus the sometimes hidden alignments between western industrial business dealings and the politics of the countries in which these industries flourish.

Frau Rohler's narrative serves as the novel's second link to Austria's recent past. She recounts her family history, the need to flee Austria when the threat of persecution and annihilation at the hands of its Nazi government became a reality. The family's subsequent settling in Berlin, and, later, Frau Rohler's move to Frankfurt am Main provide a second version of the narrator's own personal history. Told from the woman's point of view, Frau Rohler's perspective adds information about the continuing effect of having experienced Nazi prejudice and persecution. Her concern for her family, her actions during her father's critical time of emotional and physical need, give the reader some insights into the far-reaching results of Austria's dark past.

Through the five narrative strands, wound around and through one another, Haslinger creates a field of vision like that viewed through binoculars. Each of the stories brings this incomprehensible action into critical focus, removes all extraneous detail, and places the reader's attention squarely on each character as he or she describes his or her experience of the tragedy in the opera. Through this focussing technique, Haslinger places each of the five characters on center stage, as it were, and brings the images and stories closer to the reader as they are related. The effect is sometimes jarring as the reader struggles initially to put each of the players into the appropriate context. But soon the rhythm of the narrative fills in the gaps in understanding as the reader develops a familiarity with each character, and the reader moves easily from section to section.

Five stories to represent the more than 3,000 that the opera ball has brought together. Five voices, five stories, five foci. Why were five chosen from among the many?

To comprehend the enormity of 3,000 deaths as one piece of information is impossible, Haslinger seems to be saying to the reader. Only when the reader contemplates the destruction of human potential on the individual level can he or she begin to measure the terrible loss involved. The narrative that Haslinger creates, therefore, moves the reader's attention away from the abstract many to the concrete, individual few. The five stories restore the personal fate of each of

---

tivity to the issues of political correctness had perhaps been heightened through that experience.

the victims and give back to them in death that of which their dying as part of a mass has robbed them.

Haslinger creates tension between the focus upon five individuals and the reader's understanding that these stories must now be multiplied by the number of dead in order to take in the tragedy in its entirely. The modern reader's conditioned, blunted reaction to images of mayhem and death is deconstructed in the process, and he or she comes to recognize faces among the blur of bodies. The significance of the numbers of dead and dying, Haslinger appears to be saying, lies ultimately not in the final calculation – 3,000, 10,000, 6,000,000 – but rather in the fact that each of these sums is reached incrementally by adding yet another to the preceding integer.

Haslinger introduces a second level of tension by spinning his tale through the recollections of five of the ball's "participants." Using five "witnesses" to tell the story has the converse effect of placing the individuals under the microscope of investigative journalism, moving them away, in a sense, from the reader, as if the binoculars mentioned above had been turned around. The images are now viewed from an objective distance. This is a popular technique of media journalists, who gather information from eye witnesses in an attempt to bring the action closer to the viewer, while at the same time, through comment and interjection, placing an objective space between the viewers or readers and the speakers. The resulting limbo which the consumers of the information experience, at once being drawn closer and then in turn repelled from the action and the account, removes any otherwise natural empathetic reaction to what is being reported. The viewers or readers apprehend a kind of motion sickness that moves them back and forth between the two perspectives; the horror remains someone else's.

Fraser himself exemplifies the epitome of such media conditioning. He traipses through the battlefields of the world, from the Persian Gulf to Sarajevo, armed with his camera, his window on reality, with his stunted emotional reactions, pursuing the perfect, marketable image. The quest for that image overshadows all of the emotional ramifications of his work as he moves from marketplaces that explode, to bunkers that serve as killing chambers, to army caravans of blackened vehicles and bodies. He is successful in his quest and receives the highest accolades and honors his colleagues can bestow. But Fraser remains a viewer and a recorder of life rather than a participant in it, keeping his lens between himself and the world, until his only son is murdered. Even then his reactions are measured and predictable. The critics' complaints that the novel did not bubble and boil with the heat of appropriate anger must be laid at the feet of its narrator, not its author. For it is Fraser's cooled and calculating eyes through which the reader experiences the action; Fraser's, not Haslinger's, outrage at the atrocities committed, is missing from the text. Only the phrase, "Fred ist tot," can begin to revive Fraser's carefully blunted feelings of empathy, only that phrase can work to tear away the layers of conditioning that Fraser has undergone. But what of the characters themselves? Why *these* five chosen from among the myriad victims of the disaster? Why a television journalist, a radical, right-wing extremist, an ordinary police detective, a wealthy industrialist, and a housewife, mother, and devoted daughter? Why not politicians, members of the royal family, society's doyennes? Answers to those questions are to be found in the narratives themselves.

Haslinger has admitted that the role of the narrator in the initial version of the novel was filled by a left-leaning, liberal type whose description showed easily identifiable autobiographical characteristics. Dissatisfied with the novel in that form, Haslinger revised the narrative to include instead the character of Kurt Fraser, world-renowned photo journalist. That change made possible the quickly recognizable criticism that Haslinger levels at the modern world of the media, putting consumers and producers alike under scrutiny for their respective roles in promoting the creation of sensational incidents, reported daily for the continual consumption of catastrophes. He takes journalists especially to task for their role in "creating" news by the way in which they report events and possible actions, and blames an ever-ready public for demanding the news thus created.[7]

Kurt Fraser is always where news is "happening," on the scene reporting as the events unfold, camera pointed as the trigger is squeezed or as the body explodes into indistinguishable pieces of blood-stained matter.

The author's complaint finds voice when Fraser himself criticizes the audience's seemingly endless need to be stimulated by such pictures. He states:

> Rote Klumpen mit gelben, schmierigen Patzen. Dazwischen weiße Splitter. Zerrissenes Fleisch. Kleidungsfetzen. Dann ein abgetrennter Fuß, gezoomt. Schwenk zu einer zugedeckten Blutlache. Jemand hebt das Papier. Darunter ein Kopf mit einer Schulter und einem Oberarmstummel. Großaufnahme der offenen Augen. Schnitt. Schwarz gekleidete Frauen heulen, stützen einander. Schnitt. Weinendes Gesicht in Großaufnahme. Schnitt. Kinder mit Kalaschnikovs, vor der Kamera posierend.
> Immer wieder nur das. Ich hätte solche Szenen nicht oft genug drehen können. Tote, Verwundete, Schreiende, Trauernde, Schießende und Kinder. Am liebsten

---

7   Haslinger's long-standing criticism of the role of the journalists themselves in the "creation" of sensational happenings is well documented. In the following quotation, Haslinger expresses his exasperation at the media's interference and, indeed, the establishing of sides, in potentially confrontational situations: "Schon Wochen im voraus hatte die relativ größte Tageszeitung Europas, die leider in Österreich erscheint und 'Neue Kronen-Zeitung' heißt, ein Opernball-Schlachtfest versprochen, das alles bisher in den Schatten stellen würde. Es gelte, so der Tenor, die Kultur gegen die Anarchie, die Zivilisation gegen die Wilden zu verteidigen." Josef Haslinger, "Eingestimmt," *Volksstimme*, 9 March 1990.

weinende, blutende oder bewaffnete Kinder. Die Welt konnte nicht genug haben
von guten Kriegsdokumentationen. (163)

Not only the reporters and the consumers of that which is reported come under
criticism in Haslinger's novel. Directors and producers of such programming,
ensconced in glass and metal high-rises far from the critical action, make decisions
about what to serve up on the next network special. Michel Reboisson, Fraser's
immediate supervisor, who directs Fraser to oversee the televised broadcast of the
ball, comes under suspicion in the novel as various questions are raised in the
minds of the reader and the narrator as to when and how much Reboisson knew
about the planned attack. The trail of suspicion begins when Reboisson refuses
an invitation to the prestigious event that he is so very much interested in broad-
casting. In a subsequent scene, Fraser meets Reboisson and a colleague leaving
Fraser's office building. Upon investigation, Fraser finds a stack of papers in his
briefcase on the desk in disarray (329). A second suspicion takes root. Finally,
Fraser is amazed and somewhat nonplussed at Reboisson's wordy condolence over
Fred's death, as though Reboisson, Fraser seems to speculate, has had too much
time to rehearse what he wanted to say. Nothing ultimately links Reboisson to the
Entschlossenen, and there is no formal investigation of how much the network
executives knew about the plot to murder the opera guests. Yet there remains the
eerie suspicion that Reboisson and his colleagues did indeed have some inkling
of the plot and remained silent in order to raise the broadcast ratings. Even the hint
of such gross impropriety leaves the reader queasy, as one begins to evaluate the
reporting of such horrific events in light of this new insight. How many of the
events served up to the public on the evening news, questions the reader, have
enlisted someone's silence as the price for grabbing a bigger portion of the
audience? How many people could be saved by a reporter or newscaster stepping
forward to relay an informant's tip in time for preventive action to be taken? An
entire industry is brought under scrutiny, and the reader has new information about
how to evaluate the role of the media in the future.

And what of the police? How much did they know? The question arises as Haslinger shines the ever-broadening light of suspicion upon them as well, implicating
a prominent judge within the circle of police executives who serves as a liaison
to the *Geringste* when he is arrested and questioned about the activities of the
Entschlossenen. At one point in the novel, the *Geringste* returns to meet with the
engineer, telling him about the sympathetic Major Hofrat Dr. Leitner who has
obviously provided bits of information about the plot regarding the opera to the
leader of the right-wing group himself. Finally, as a result of the opera tragedy,
Reso Dorf, president of the Viennese police association, recalls Leitner from
retirement and names him head of police security. The suspicion is thereby
carefully planted that persons within the police force had information about the
planned attack, and had it not been to their personal advantage to remain silent,
they could have brought the information forward and in the process saved the

thousands of innocent people murdered at the ball. The circle of the conspirators broadens.

But the media and the police force are not the only social institutions brought to task in the novel. Haslinger, in the role of a postmodern Martin Luther, saves his most critical stance for that of the foundation of Austrian culture, the Roman Catholic Church.

Haslinger's indictment of the Roman Catholic Church within the workings of right-wing groups is present from the beginning of the novel. The initial scenes of the activities of the then *Volkstreuen* are reminiscent of religious ritual, replete with candle-burning, meditative interludes, and inspired "preaching." The *Geringste* assumes the role of high priest within the circle of radicals, circumscribing the group's beliefs and establishing its common goals. Disenfranchised as he has become from the organized church, the *Geringste* turns his impressive and lengthy training in formal Roman Catholic doctrine to the goals of his band of believers. The language used to describe the group's meetings, the rituals in which they participate, as well as the vocabulary which the *Geringste* employs to incite his followers to action, resound with high-church echoes. From the name he chooses for the final action (Armageddon) and the pseudonym he claims for himself (Judas), the *Geringste* carefully places the terror which he is planning into the context of biblical prophecy: "Hier ist Harmagedon, unser Auftrag wird sichtbar. Wir sind die Heiligen der letzten Tage. Wir sind die Speerspitze des großen Erlösungsplans" (209). The *Geringste*'s speaking style and his charismatic appeal to his motley band of followers recalls a former political leader in Austrian history, and connects once again Austria's "brown" past with its fictive present.

But it is the relationship between the mythologizing of symbol and word within such right-wing groups and that within organized religion, specifically, the Roman Catholic Church, that is of primary interest to Haslinger: "Es [the novel] ist eher ein Versuch, den Rechtsradikalismus im Horizont meiner Herkunft auszuloten. [D]ie christliche Erziehung. Ich war schließlich auch einmal in einem Kloster. Es geht darum, daß es im Nationalsozialismus starke religiose Züge gab. Und je mehr Religion sich in einem politisch-apokalyptischen Denken wiederbelebt, umso gefährlicher wird es."[8] Haslinger thus raises the alarm for the reader to review his or her stance vis-à-vis the kind of blind belief that proclaims with historical justification, "Render unto Caesar the things which are Caesar's," calling upon his readers to become critical members of society and its politics, guarding against the excesses that permit actions like those in the opera to take place.[9] He warns

---

8   Josef Haslinger, "Vorgeben, wo's langgeht" [Interview], *Falter*, 17-23 February 1995.
9   In his essay, *Politik der Gefühle*, Haslinger connects the tendency within the Christian tradition to mythologize symbols and words to similar use of the technique by radical groups in acts of oppression and persecution: "Die vielgepriesenen Werte waren weniger inhaltlich in der abendländischen Gesellschaft verankert als vielmehr in Form von

the reader to be critical of doctrinal proclamation that places groups in hierarchical order and entreats the believers among his audience to guard against any inherent tendency within orthodox thinking that fosters such practices.

Haslinger's motivation for writing *Opernball* is found within the narratives provided by the five main characters. Far beyond its potential as a monumental bestseller, a probability that Haslinger obviously did not want to deny himself,[10] it serves as cultural commentary. Coupled with the novel's potential to entertain, especially in the action-thriller format chosen by its author, *Opernball* serves as a call to action against the forces of destruction and hatred.[11] The industrialized western world, represented by Richard Schmidleitner, and the common person, portrayed in the person of Frau Rohler, round out the five groups that fall under Haslinger's and his reader's scrutiny. The five characters and their individual narratives provide the map for the "why" of the events in the opera. For although Haslinger has assiduously refrained from writing a "typical" Austrian novel with its propensity to analyze, he has been unable to resist captivation by the psychological mechanisms that mold individuals into like-thinking groups.[12]

Each of the five characters serves as a venue for cultural criticism. Within the narrative provided by each, Haslinger brings into the blazing light of uncovering the past sins, the secrets, and the harbored fears that hold the modern Western world, generally, and the house of Austria, specifically, in a moral stranglehold. Without editorial comment or authorial omniscience, Haslinger invites the reader to interpret the "what" of each character's experience in terms of the larger cultural horizon to which both author and reader are privy. Read and reviewed against the backdrop of the reader's frame of reference, each character's role in the opera disaster assumes broader implications for the whole.

Despite the author's protestations to the contrary, Haslinger's themes are easily identifiable: the indictment of the Roman Catholic Church and its emphasis on

---

Zeichen, von Symbolen und Ritualen, von Liturgien und Bildern, und zwar genau jenen kulturellen Zeichen, über die sich auch Machtstrukturen aufbauen. Machtstrukturen, die freilich dann als solche von den Menschen, die sie kulturell vollziehen, oft gar nicht mehr erkannt werden, sondern nur mehr von den Opfern." In *Politik der Gefühle: Ein Essay über Österreich*, 6th printing (Darmstadt: Luchterhand, 1989), p. 136.

10 Haslinger has commented in interviews that his sudden "overnight success" has been neither sudden nor overnight, and that he feels fifteen years of writing and publishing have earned him the right to author a bestseller.

11 In fairness it must be noted that Haslinger has warned that *Opernball* should not be interpreted as merely a continuation of his politics made known in other venues. But it is impossible to overlook the similarities.

12 Ulrich Weinzierl, "Eine Inszenierung des Vergessens. 'Politik der Gefühle' – Josef Haslingers Essay über Österreich," *Frankfurter Allgemeine Zeitung*, 26 September 1987. My wording is based in part on Weinzierl's text: "Haslinger interessieren vor allem die Mechanismen psychologischer Taktik: wie da plötzlich im Wort- und Gesinnungsumdrehen neu-alte Akzente gesetzt wurden [...]."

authority and obedience; the insinuation of right-wing thinking within the fabric of Austrian culture; the depiction of the hatred of foreigners or "others" as being as natural as mother's milk, and the presentation of a media-driven, event-shaped populace, greedily awaiting the next scheduled sensation – all are presented within a culture notoriously intolerant of "Nestbeschmutzer." Haslinger's success in promoting *Opernball* as a bestseller, enfolding his message within a recognizable variation of the "action-thriller," perhaps sheltered him from scathing attacks such as those aimed at Haslinger's contemporary "Nestbeschmutzer," Elfriede Jelinek, Thomas Bernhard, and even Peter Handke. Perhaps the novel's designation by some critics as a piece of "Unterhaltungsliteratur," regarded by many as a death knell by those interested in "good" literature, ironically saved Haslinger from more careful scrutiny; or perhaps Haslinger's "nice guy image," as a verifiable, died-in-the-wool, card-carrying leftist, a political-social activist, and member of the forgotten "78er" generation, who, filled with balanced scepticism, remains a convinced apostle of the power of the word, provided some measure of safety. Whatever the reason, Haslinger's first major work has been left to work its magic as a long-term provocation, maybe reformulated for a larger audience. (It is rumored that even Hollywood has taken notice and has an interest in transferring the action to a larger venue.)[13]

Opernball represents the ultimate provocation, a novel that opens with thousands of bodies littering its literary stage, among the corpses prominent figures of present day political life in Europe. A novel that received comparatively mild criticism and, in some cases, outright critical acclaim, which indicts its readers for their contribution to the miasma of evil that produces the opening scene. Yet these readers, seemingly unaware of the author's intention, continue on through the some 463 pages of Haslinger's *magnum opus*, a psychodrama that, like the forensic pathologist, begins with the corpse and moves backward in time to determine the cause of death.

Perhaps the mysterious fact that the maligned institutions did not mount a common campaign against their accuser is explained by Gerhard Beckmann's observation about the ultimate effect of reading the novel: "Es ist eine Lektüre, deren Unruhe lange nachwirkt."[14] The novel represents a growing provocation, couched in a novel which upon first glance appears to be a mixture of entertainment and politics, gaining a greater significance over time. Not like a swift blow, propelled by palpable emotion and immediately registered, *Opernball* is the paper cut that, if left unattended, continues to fester and to irritate, and, with

---

13 [The novel has been made into a television film that was shown on ORF on March 15, 1998, and, in a two-part version, on SAT 1, March 15 and 16. – ED.]

14 Gerhard Beckmann, "Attentat auf die bürgerliche Gemütlichkeit," *Die Welt*, 23 February 1995.

the passage of time, becomes a noticeable wound. The horror of the novel's events stays with the reader, serving as a backdrop against which daily notice is taken – terrorists' actions, politicians' palaver, the media's manipulations, and the steady onslaught of history's repetition.

The present collection of essays includes timely topics that provide a literary and cultural backdrop for Austria's movement towards the next millennium. Appropriate in this is the consideration of Haslinger's meganovel, for *Opernball* is a gauge against which to measure Austria's cultural movement during this century. In his writings, Haslinger puts forward the theory that there is a cultural tradition (not an historical predestination, as Daniel Goldhagen claims for Germany) tending toward anti-Semitism, distrust and, in some cases, the hatred of peoples considered as "other." Haslinger warns against the continuation of such thinking and the possible consequences for a culture unable to step forward out of its past, to acknowledge its role in the destruction of millions of people, and to move consciously toward a positive embrace of a multicultural society.

The enemies within, Haslinger shows, are those who guard the silences and the secrets, and who thereby permit new atrocities. A culture in which silence reigns runs the risk of repeating its mistakes. Haslinger calls for acknowledgment of the dangers and for an open debate that will cleanse the house of Austria from top to bottom and prepare it for a renewed future. In an article published in May, 1993, Haslinger complains: "Eine Auseinandersetzung mit der eigenen [i.e., Austrian] Geschichte fand nicht einmal auf Universitätsboden statt [after World War Two]. Wenn aber die Elite versagt, wer soll das Werk beginnen? Bis über das Jahr 1938 erstmals in größerem Rahmen selbstkritisch gesprochen wurde, sollten 50 Jahre vergehen. Allerorten fehlte es an kritischem Geist."[15] *Opernball* is perhaps Haslinger's answer out of the dilemma. By broadening the base of readers interested in reading his book, he has brought the discussion of sensitive issues to the greater public. This is Haslinger's invitation to look behind the screen of middle-class respectability and affluence into the gaping maw of an unexamined past, for there on the polished opera-house floor lies the horrendous result of refraining from doing so.

Haslinger appears to be willing to lead the brigade: "Ich habe zu akzeptieren, daß der Massenmord an den europäischen Juden nicht dadurch an Bedeutung verliert, daß ich erst danach geboren wurde. Ich habe zu akzeptieren, daß die Geschichte mich in Zusammenhänge gestellt hat, die ich mir nicht aussuchen konnte, die aber dennoch meine Zusammenhänge sind."[16] Haslinger's invitation to review the past in light of a projected brighter future is extended as well to his colleagues. In an article published in a recent issue of *Wespennest*, Haslinger

---

15 Josef Haslinger, "Jüdisches Wien (Teil 2)," *Wiener Zeitung*, 7 May 1993.
16 Ibid.

discusses the changing role of the author in the post-modern context: "Dennoch ist die Relevanz unseres Schaffens eine unserer zentralen Fragen geblieben. Der Zusammenhang von Kunst und Leben ist in eine neue Konstellation getreten. Ästhetik ist heute weniger eine Angelegenheit gebildeter Reflexion über Kunstwerke, sondern eine marktstrategische Kalkulation mit dem Massengeschmack."[17]

With the publication of *Opernball*, Haslinger has put his theoretical insight into practice. Perhaps the critics and the public should have been more outraged.

---

17 Josef Haslinger, "Hausdurchsuchung im Elfenbeinturm," *Wespennest*, No. 103, p. 14.

Ulrich Scheck
Queen's University

Schrift, Vergessen und Erinnern:
Christoph Ransmayrs *Morbus Kitahara* (1996)

NACH DEN FAST SCHON AN DICHTERVEREHRUNG GRENZENDEN LOBREDEN, die Christoph Ransmayr nach Erscheinen seines Romans *Die letzte Welt* zuteil wurden, fiel das Urteil der Kritiker über *Morbus Kitahara* um so zwiespältiger aus. Wollte man die Extreme des Urteilsspektrums nennen, so müßte man wohl einerseits auf Thomas E. Schmidts vernichtendes Verdikt verweisen, *Morbus Kitahara* sterbe "schon am Beginn den Kältetod" und sei "eine Fortsetzung des Weltanschauungskunsthandwerks mit melodramatischen Mitteln", und andererseits auf den Jubelruf des ORF-Rezensenten, Ransmayr sei "der große Wurf gelungen, den wir uns von ihm erwartet haben", denn der Roman sei "eines der schönsten, der hoffnungsvollsten Bücher der letzten Jahre".[1] Ähnlich unterschiedliche Auffassungen lassen sich in zwei Besprechungen ausmachen, die im Herbst 1995 in *Literatur und Kritik* unmittelbar aufeinander folgend abgedruckt wurden.[2] Für Brita Steinwendtner hat der Roman "in seiner Konsequenz und in der Symbolkraft seiner Poesie nicht seinesgleichen in der deutschsprachigen Gegenwartsliteratur", wohingegen Christoph Janacs zu dem Schluß kommt, daß er "das typische Produkt einer Geisteshaltung" sei, "der alles eins und zum bedeutungslosen Zitat verkommen ist", und daß er "damit eine Neue Rechte [bediene], die begangenes Unrecht gar nicht mehr leugnet, sondern mystisch verbrämt und ästhetisch überhöht".[3] Den Vorwurf, *Morbus Kitahara* ästhetisiere die Nazi-Verbrechen und werde damit dem Leiden der Opfer nicht gerecht, haben auch andere Kritiker erhoben. So könne man etwa Gustav Seibt zufolge daran "zweifeln, ob die Bildersprache heidnischer Unterwelten dem Weltsterben durch Auschwitz gerecht wird", und Ulrich Greiner ermahnt Ransmayr, er solle "sich vor der Metaphorisierung von Auschwitz hüten", denn er sei "kein politischer

---

1   Thomas E. Schmidt, "Dunkelgrüner Granit, brüchig, beinahe schon zu Schotter zerbröselt", *Frankfurter Rundschau*, 11. Dezember 1995; "Seitenweise", ORF (Ö3), zit. nach dem Manuskript der Sendung vom 17. September 1995.

2   Brita Steinwendtner, "Ein Monolith der Düsternis", *Literatur und Kritik*, Nr. 299-300 (1995), S. 96-99; hier S. 99; Christoph Janacs, "Die Verdunkelung des Blicks", ebenda, S. 99-101; hier S. 101.

3   Steinwendtner, S. 99; Janacs, S. 101.

Denker".[4] Generell kann man sagen, daß die meisten Kritiker an Ransmayrs vorläufig letztem Roman positive wie negative Züge entdecken, was bei einigen
Rezensenten eine gewisse Ratlosigkeit hinsichtlich der Gesamteinschätzung
von *Morbus Kitahara* bewirkt hat. Fast einhellig wird Ransmayr aber wieder
bescheinigt – was auch schon Grundtenor der Beurteilungen der *Letzten Welt*
war, daß er einer der größten Sprachkünstler der Gegenwartsliteratur sei. So
sieht denn auch Andreas Isenschmidt in *Morbus Kitahara* ein Buch "von
ungewöhnlicher sprachlicher Schönheit".[5]

Nach einer kurzen Situierung des Romans im bisherigen Oeuvre Ransmayrs
soll im folgenden eine Analyse seiner wesentlichen thematischen Stränge geleistet
und damit die Grundlage zu einer ersten Gesamtschau dieses assoziationsreichen
Werkes geschaffen werden. Ich werde besonders auf das Phänomen der Metamorphose von Flüssigem/Feuchtem zu Festem/Trockenem und auf den Zusammenhang von Schrift, Erinnern und Vergessen, also die im Text implizierte Poetologie eingehen. Schließlich möchte ich auch der Frage nicht ausweichen, ob der
Vorwurf berechtigt ist, *Morbus Kitahara* ästhetisiere Gewalt und Auschwitz.

Ransmayrs erster Roman *Die Schrecken des Eises und der Finsternis* läßt schon
in seiner topographischen Aufteilung in peripheren Naturraum, in dem Chaos und
Ausgeliefertsein an die Naturgewalt herrschen, und zentralen Kulturraum, der
durch Ordnung und Vernunftdiktat ausgewiesen ist, ein grundlegendes Bauprinzip
erkennen, das sich auch in den beiden späteren Romanen wiederfindet.[6] Die beiden
Räume, in den *Schrecken des Eises und der Finsternis* repräsentiert durch die
Grubenstadt Longyearbyen bzw. die Arktis einerseits und Wien andererseits,
dienen der Entfaltung eines komplexen Erzähl- und Lesespiels, dessen Protagonisten der Ich-Erzähler, Mazzini und die Leser sind. Die erzählte Figur Mazzini
liest Originaldokumente der Payer-Weyprechtschen Nordpol-Expedition (1872-
74) und versucht, deren Reiseverlauf zu rekonstruieren, während der Ich-Erzähler
Mazzinis Gedankenwelt und Geschichte nachspürt. Die Leser wiederum müssen
sowohl die Bordtagebücher, Mazzinis Reise in die Gletscherlandschaft Spitzber-

---

4   Gustav Seibt, "Der Hundekönig. Christoph Ransmayrs Roman vom Totenreich",
    Frankfurter Allgemeine Zeitung, 16. September 1995; Ulrich Greiner, "Eisen, Stein und
    Marmor. Christoph Ransmayrs neuer Roman 'Morbus Kitahara'", *DIE ZEIT*, 13. Ok-
    tober 1995.
5   Andreas Isenschmidt, "Mit den Augen geschrieben", *Weltwoche*, 5. Oktober 1995. Vgl.
    auch Konrad Paul Liessmann, "Ein Krieg, der nicht vergehen will", *Der Standard*, 15.
    September 1995: "das ist schlicht große Erzählkunst". Ähnlich äußern sich Andreas
    Breitenstein ("Die Sprache ist makellos rein und virtuos variiert [...]"), "Das Glück der
    Bernsteinfliege", *Neue Zürcher Zeitung*, 10. Oktober 95, und Herbert Ohrlinger ("[...]
    Beherrschung der Sprache, die in der Gegenwartsliteratur ihresgleichen sucht [...]"),
    "Wolken zwischen den Häuten des Augapfels", *Die Presse*, 16. September 1995.
6   Christoph Ransmayr, *Die Schrecken des Eises und der Finsternis* (Wien: Brandstätter,
    1984).

gens als auch die Detektivarbeit des Ich-Erzählers im Rezeptionsakt zu einem Gesamttext zusammenfügen. Die Grundkonstellation der *Letzten Welt* ist ähnlich: Die peripheren Orte Tomi und Trachila sowie die Metropole Rom bilden den topographischen Bezugsrahmen für Cottas Suche nach dem Autor Ovid und dessen Text, den *Metamorphosen*.[7] Statt unverhülltem Zitieren – in den *Schrecken des Eises und der Finsternis* kommen die Expeditionsdokumente noch direkt zu Wort – wird in der *Letzten Welt* der Initialtext in ein "Ovidisches Repertoire" am Schluß des Buches verbannt. Beide Romane bewegen sich in fast identischen Themen- und Motivkreisen, zu denen, um nur einige wesentliche zu nennen, der Antagonismus von Organischem und Anorganischem, das Verhältnis von Mythos und Kultur, die Sinnlichkeit unwirtlich erscheinender Landschaften und Reflexionen des Erzählprozesses gehören.[8]

Die topographische Grundkonstellation von *Morbus Kitahara* weicht insofern von dem der früheren Romane ab, als das Zentrum der Vernunft und Macht, d.h. des modernen "aufgeklärten" Staates, nur mehr als unerreichbarer Fluchtpunkt erscheint, der allenfalls in den Medien bzw. in einzelnen kulturellen (Rockmusik) und technologischen (Studebaker) Zeichen präsent ist.[9] Ransmayr lotet in diesem

---

7   Christoph Ransmayr, *Die letzte Welt* (Nördlingen: Greno, 1988).

8   Die Forschungsliteratur zu den *Schrecken des Eises und der Finsternis* und der *Letzten Welt* hat inzwischen schon beachtliches Ausmaß angenommen. Siehe z.B. Helmut Bernsmeier, "Keinem bleibt seine Gestalt – Ransmayrs *Letzte Welt*", *Euphorion* 85 (1991), S. 168-81; Kurt Bartsch, "Dialog mit Antike und Mythos. Christoph Ransmayrs Ovid-Roman *Die letzte Welt*", *Modern Austrian Literature*, 23, 3-4 (1990), 121-33; Thomas Epple, "Phantasie contra Realität – eine Untersuchung der zentralen Thematik von Christoph Ransmayrs *Die letzte Welt*", *Literatur für Leser*, 1 (1990), 29-43; ders., *Christoph Ransmayr: Die letzte Welt* (München: Oldenbourg, 1992); Reingard Nethersole, "Marginal Topologies: Space in Christoph Ransmayr's *Die Schrecken des Eises und der Finsternis*", *Modern Austrian Literature*, 23, 3-4 (1990), 135-53; Ulrich Scheck, "Die Entdeckung der Peripherie: Zum körperbewußten Erzählen in der Gegenwartsliteratur", in: *Fremdkörper – Fremde Körper – Körperfremde: Kultur- und literaturgeschichtliche Studien zum Körperthema*, Burkhardt Krause, Hrsg. (Stuttgart: Helfant, 1992), S. 55-72 (behandelt sowohl *Die Schrecken des Eises und der Finsternis* als auch *Die letzte Welt*); ders., "Katastrophen und Texte: Zu Christoph Ransmayrs *Die Schrecken des Eises und der Finsternis* und *Die letzte Welt*", in: *Hinter dem schwarzen Vorhang: Die Katastrophe und die epische Tradition*, Festschrift für Anthony W. Riley, Friedrich Gaede et al., Hrsg. (Tübingen: Francke, 1994); Herwig Gottwald, *Mythos und Mythisches in der Gegenwartsliteratur: Studien zu Christoph Ransmayr, Peter Handke, Botho Strauß, George Steiner, Patrick Roth und Robert Schneider* (Stuttgart: Heinz, 1996). Weitere Hinweise zur Forschungsliteratur in Reinhold F. Glei, "Ovid in den Zeiten der Postmoderne. Bemerkungen zu Christoph Ransmayrs Roman *Die letzte Welt*", *Poetica*, 26 (1995), S. 409-27 und in der von Julia Kormann zusammengestellten Auswahlbibliographie in: *Die Erfindung der Welt: Zum Werk von Christoph Ransmayr*, Uwe Wittstock, Hrsg. (Frankfurt am Main: Fischer, 1997), S. 223-34.

9   Christoph Ransmayr, *Morbus Kitahara* (Frankfurt am Main: Fischer, 1995). Im folgenden wird aus diesem Text mit einfacher Seitenangabe zitiert.

seinem bisher politischsten Roman eine an die Peripherie der Geschichte verbannte österreichisch-deutsche Nachkriegswelt aus, in der Mitteleuropa – die Ausnahme bilden einige wenige Garnisonsstädte – einer vom technologischen, kulturellen und wirtschaftlichen Fortschritt unbehelligten Steppenlandschaft zu gleichen scheint. Die Prämisse des Romans ist, daß die Siegermächte am Ende des Krieges Österreich bzw. Deutschland entmilitarisieren, die industriellen Anlagen demontieren und die technologische Entwicklung der beiden Länder verhindern. Aus den ehemaligen mitteleuropäischen Machtzentren Wien und Berlin werden wirtschaftlich und politisch unbedeutsame Randzonen. Diese auf den ersten Blick extrem erscheinende Fiktion eines Landes, das im wesentlichen aus "windige[n] Steppen" besteht (399), ist gar nicht so abwegig, wenn man bedenkt, daß nach beiden Weltkriegen Stimmen laut wurden, die gefordert haben, Deutschland solle für immer militärisch und ökonomisch unterentwickelt bleiben. Nicht haltbar ist allerdings die Lesart, die von fast allen Kritikern aus dem Feuilletonlager ausgerufen wurde, Ransmayr habe mit *Morbus Kitahara* den sogenannten Morgenthauplan zu fiktionalem Leben erweckt.[10]

Der Hauptschauplatz des Romangeschehens ist Moor, ein Dorf, dessen Lage an einem von Bergen umgebenen See die Marginalität dieses *locus terribilis* noch potenziert, ihn zu einem Grenzort zwischen Wildnis und versteppter Zivilisation macht. Das kurze Eingangskapitel und die vier letzten Abschnitte verlagern die Handlung nach Brasilien bzw. auf den Reiseweg dorthin, und die Kapitel 23 bis 28 sind im Gebirge bzw. in der Garnisonsstadt Brand situiert. Die Geschichte der drei Protagonisten Bering, Ambras und Lily wird somit hauptsächlich vor dem Hintergrund extremer geographischer Isolation erzählt, die die mentalen Obsessionen der Romanfiguren extern widerspiegelt. Die Eckpunkte der erzählten Zeit sind durch Geburt und Tod Berings markiert. Übersetzt in unser empirisches Koordinatensystem hieße das: Berings Geburt am Kriegsende verweist auf das Jahr 1945, sein und Ambras' Tod in Brasilien auf die späten sechziger Jahre.

Um den Kontext für die folgenden Bemerkungen zur Verflechtung der wesentlichen Themen- und Motivkreise zu schaffen, sei hier der Handlungsverlauf kurz rekapituliert: In dem unschwer als oberösterreichisches Dorf identifizierbaren Kaff Moor wächst Bering, der Sohn eines Schmieds, auf und wird zum Leibwächter von Ambras, einem ehemaligen Zwangsarbeiter, der von den Besatzungstruppen als Verwalter des Granitsteinbruchs am anderen Seeufer eingesetzt worden

---

10 Vgl. dazu Thomas Neumann, "'Mythenspur des Nationalsozialismus'. Der Morgenthauplan und die deutsche Literaturkritik", in: Wittstock, *Die Erfindung der Welt*, S. 188-93. Neumann weist darauf hin, daß das Bild vom "riesigen Kartoffelacker" Deutschland nicht von Morgenthau, sondern von Goebbels entworfen worden ist.

ist.[11] Die Einwohner von Moor müssen sich jahrelang einer moralischen Umerziehung unterziehen, die die Siegermächte nach dem "Frieden von Oranienburg" den Besiegten verordnet haben.[12] In einer Atmosphäre zivilisatorischen Rückschritts, verursacht vor allem durch den Technik-Entzug, verbreiten sich Armut und öffentliche Büßermentalität. Am Rande dieser düsteren Nachkriegsgesellschaft leben Ambras und Bering in der Villa Flora, einem Landhaus, das von einem verwilderten Park umgeben ist. Besuch erhalten sie ab und zu von Lily, der dritten Hauptfigur des Romans, einer Grenzgängerin zwischen dem im Hochland gelegenen Moor und dem Tiefland. Was die Protagonisten miteinander verbindet, ist ihre doppelte Marginalisierung – sie nehmen eine soziale Außenseiterstellung in einer schon peripheren Gesellschaft ein[13] – sowie die Tatsache, daß alle drei direkt oder indirekt Opfer des Krieges sind: Ambras ist Überlebender eines Lagers, Bering der Sohn eines Mannes, der seine Kriegserlebnisse nicht vergessen kann, und Lily die Tochter eines "Peiniger[s] aus den Kriegsjahren" (116), der das Leiden und den Tod von Zwangsarbeitern auf dem Gewissen hat. Hauptstrang des Erzählgeschehens ist die Entwicklung Berings vom Leibwächter, vom Beschützer des

---

11 In Gesprächen hat Ransmayr selbst des öfteren darauf hingewiesen, daß die Beschreibung Moors und seiner Umgebung ihr Wirklichkeitssubstrat in der Landschaft um den Traunsee hat. Vgl. dazu und zu weiteren biographischen Aspekten des Romans folgende Interviews: Sigrid Löffler, "Das Thema hat mich bedroht", *Falter*, 38 (1995), 16-17; Emanuel Eckhardt, "Porträt: Christoph Ransmayr", *Brigitte*, 21 (1995), 12-15; Christoph Hirschmann, "In Finsternis", *Presse*, 38 (1995), 194-96; Anita Pollak, "'Ich bin ein Erzähler, der nicht aufhören kann'" [Gespräch mit Christoph Ransmayr], *Kurier*, 16. September 1995; Herbert Ohrlinger, "Durch das Fernglas hindurch", *Die Presse*, 18. September 1995. Siehe auch André Spoor, "Der kosmopolitische Dörfler. Christoph Ransmayrs wüste Welten", in: Wittstock, *Die Erfindung der Welt*, S. 181-87: "Der Steinbruch, der vom Tal aus betrachtet vage an eine Treppe für Riesen erinnert, und der See, über dem sie aufragt, bilden die Umgebung, in der der Autor aufgewachsen ist: den Traunsee im Salzkammergut. Am südlichen Zipfel dieses Sees liegt Ebensee mit dem Steinbruch, in dem die Nazis im Zweiten Weltkrieg unter barbarischen Umständen Gefangene aus Mauthausen schuften ließen. Fünfzehntausend von ihnen kamen dabei um" (S. 183).

12 Daß Ransmayr den Krieg mit dem "Frieden von Oranienburg" enden läßt, ist ein schönes Beispiel für die subtile Art und Weise, wie er Historisches in Fiktives umwandelt. Zum einen ist Oranienburg Kreisstadt im Bezirk Potsdam, womit eine Verbindung zum Potsdamer Abkommen hergestellt wird, zum anderen haben die Nationalsozialisten 1933 in Oranienburg ein Lager eingerichtet, das später zum KZ Sachsenhausen wurde. Dies ist nur eins von vielen Indizien für die enge Verknüpfung der fiktiven Romanwelt mit historischen Ereignissen, ohne daß geschichtliche Sachverhalte explizit benannt werden. Die erzählte Welt erhält so ihre eigene, unverwechselbare Geschichte.

13 Vgl. dazu auch Carl Niekerk, "Vom Kreislauf der Geschichte: Moderne – Postmoderne – Prämoderne: Ransmayrs *Morbus Kitahara*", in: Wittstock, *Die Erfindung der Welt*, S. 158-80: "Obwohl die Protagonisten in *Morbus Kitahara* zur Elite der neuen Zeit gehören, sind sie Einzelgänger. Trotz ihrer Machtposition sind sie am Rande der kleinen Gesellschaft von Moor situiert, nicht im Zentrum" (S. 166).

Lebens, zum Mörder, zu einem, der Leben auslöscht. Den Rahmen bildet der Tod von Ambras und Bering auf einer Insel vor der Küste Brasiliens, der Anfang des Romans ist zugleich sein Ende. Fast exakt im Romanzentrum (213-19) erzählt Ambras Bering die Geschichte vom Ende seiner großen Leidenschaft, dem Abtransport seiner jüdischen Geliebten. Somit wird der Augenblick der Enthüllung einer wahren Empfindung zum Mittelpunkt des Geschehens, das ansonsten vom distanzierten, auf die je eigene Obsession gerichteten Handeln der Figuren geprägt ist. Schon der Romantitel ist Ausdruck des verengten Weltbezugs, in dem das Ich nur noch dem Gebot der eigenen Zwangsvorstellungen folgt. Obwohl es nur Bering zu sein scheint, der zeitweise an der Blickverfinsterung namens Morbus Kitahara leidet, ist die Ransmayersche Romanwelt von einer ganzen Reihe Besessener bevölkert. Doc Morrison, bei dem Bering Rat sucht, stellt ihm eine Diagnose, die genauso auch auf Ambras und Berings Vater zutrifft: "Alles Leute, die sich aus Angst oder Haß oder eiserner Wachsamkeit ein Loch ins eigene Auge starren, Löcher in die eigene Netzhaut, undichte Stellen, *Quellpunkte*, durch die Gewebs- flüssigkeit sickert und sich in Blasen zwischen den Häuten deines Augapfels an- sammelt und dort diese beweglichen, pilzförmigen Wolken bildet, Löcher im Blick, nenn es, wie du willst, trübe Flecken, die nach und nach zusammenfließen zu einer Verdunkelung des Gesichtsfeldes" (349-50).

Wie im folgenden gezeigt wird, entspricht der geschlossenen Form inhaltlich eine bis ins kleinste Detail durchkomponierte Vernetzung von Themenkomplexen und Motiven. Wie schon in den beiden Vorgängerromanen nehmen auch in *Mor- bus Kitahara* Phänomene der Erstarrung und Versteinerung im Kontext von or- ganischer und anorganischer Natur eine zentrale Stellung ein. Dies beginnt schon mit dem Schutzumschlag, auf dem ein metallisch glänzender Eisenhutsproß abgebildet ist. Damit ist schon ein multidimensionaler Verweis auf das kommende Erzählgeschehen geliefert. Zum einen gehört der Eisenhut zur Gattung der be- sonders in den Gebirgen nördlicher Breiten heimischen Hahnenfußgewächse und ist eine Arzneipflanze, zum anderen wird mit gleichem Namen auch der eiserne Kopfschutz spätmittelalterlicher Krieger bezeichnet, und schließlich heißt der höchste Berg der Gurktaler Alpen in Österreich Eisenhut. Mithin kann die Um- schlagabbildung als erstes, Akzente setzendes Zeichen gedeutet werden, das sowohl Krankheit (aber auch Heilung), Krieg und lokale Situierung signalisiert.[14]

---

14 Man könnte hier noch weitere Assoziationsmöglichkeiten anführen, etwa daß mit der Gattungszugehörigkeit "Hahnenfußgewächs" auf Berings frühkindliche Erlebniswelt verwiesen wird, in der sich ihm das "Kollern und Scharren" (18) von Hühnern für immer einprägt: "Noch Jahre später bedurfte es bloß eines Hahnenschreis, um in ihm [Bering] rätselhafte Empfindungen wachzurufen. Oft war es ein melancholischer, ohnmächtiger Zorn, der keinen bestimmten Gegenstand hatte und ihn doch mehr als jeder tierische oder menschliche Laut mit dem Ort seiner Herkunft verband" (19).

Durchgängig finden sich im Text Bilder der Verflechtung und Metamorphose von Organischem und Anorganischem. Einige wenige Beispiele mögen hier genügen: Unter den Bäumen des Schmiedegartens liegen "Maschinen, von Gestrüpp und wildem Wein überwuchert, ausgedient, vom Rost gebräunt" (52), das Gitterwerk des Portals zur Villa Flora besteht aus "schmiedeeisernen Ranken, Blättern und Trauben" (76), Lily visiert auf einem ihrer Streifzüge durch das Gebirge ihre Beute "so langsam und unbeirrbar" an, "als wären ihre Hände, ihre Arme, Schultern und Augen mit dem Zielfernrohr und der Mechanik der Waffe zu einer einzigen, halb organischen, halb metallischen Maschine verschmolzen" (130), die Natur wird als eine "organische Maschine" (233) bezeichnet, Bering bewacht den "mit wilden Rosen, Efeu und Disteln zu einer metallisch-organischen Palisade verwachsenen Stacheldrahtverhau", der sich um den Garten der Villa Flora zieht, und der Tod ereilt Ambras und Bering auf einer Insel, auf der die Wildnis "über alles Aufgegebene herfällt, durch Fenster und Mauerrisse ins Innere der Häuser *springt* und über morsche Böden, eingestürzte Treppen und durch geborstene Dächer wieder hinaustobt und dabei alles, was ihr im Weg ist, umschnürt, an sich reißt, zersprengt und frißt, bevor sie selber vom Moder oder einem umherirrenden Buschfeuer gefressen wird" (430).

Die diesen Bildern zugrundeliegenden Gegensatzpaare organisch/anorganisch und flüssig/fest haben eine zu lange literarische und philosophisch-wissenschaftliche Tradition, als daß es im Rahmen dieses Beitrags auch nur annähernd gelingen könnte, Ransmayrs Text in diesem Überlieferungskontext angemessen zu plazieren.[15] Hervorzuheben ist, daß das Oszillieren zwischen Feucht-Organischem und Trocken-Anorganischem bei Ransmayr immer in ganz konkreten Bildern mündet, aus denen sich dann eine Reihe von Assoziationen beim Leser einstellen, die unter anderem zu kulturkritischen (Natur versus Kultur), historischen (geschichtliche Dynamik versus erstarrte Ideologie) und philosophisch-literarischen (Gestaltwandel versus Identitätsbildung) Reflexionen führen können.

Ich möchte hier vor allem auf den ästhetischen Aspekt dieses Motivkreises eingehen, nämlich wie er sich in die Poetologie der fiktionalen Welten Ransmayrs einfügt. Das Verdampfen der Körperflüssigkeit ist ein Bild, das sich in allen drei Romanen findet. In *Die Schrecken des Eises und der Finsternis* imaginiert Julius Payer den Tod in der Kälte des arktischen Winters: "Es ist ebenso unwahrschein-

---

15 Es wäre sicherlich eine lohnenswerte Aufgabe, Ransmayrs Romane vor dem Hintergrund dieser Begriffspaare zu deuten. Impulse zu einer solchen Studie können geben: Manfred Frank, "Das Motiv des 'kalten Herzens' in der romantisch-symbolistischen Dichtung", in: ders., *Kaltes Herz, Unendliche Fahrt, Neue Mythologie: Motiv-Untersuchungen zur Pathogenese der Moderne* (Frankfurt am Main: Suhrkamp, 1989), S. 11-49 und Aleida Assmann, "Fest und flüssig: Anmerkungen zu einer Denkfigur", in: *Kultur als Lebenswelt und Monument*, Aleida Assmann und Dietrich Harth, Hrsg. (Frankfurt am Main: Fischer, 1991), S. 181-99.

lich wie sanft: Unversehens würde sich um einen nackten, der arktischen Winter-
kälte schutzlos ausgesetzten Menschen eine Nebelwolke bilden, dem Mondhof
gleich. Bei günstigem Lichteinfall würden die Ränder dieser Wolke, die nichts
wäre als die rasch verdunstende Körperfeuchtigkeit, in den Farben des Regenbogens leuchten: Blauviolett, Blau, Grün, Gelb, Orange und Gelbrot".[16] Eine ganz
ähnliche Passage dient in der *Letzten Welt* der Beschreibung des Geschlechtsaktes:
"Auf dem vereisten Stein wälzten sich zwei Gestalten zwischen ihren abgestreiften
Kleidern, umklammerten sich wie Ertrinkende und lallten und stöhnten vor Lust,
während über den in der Kälte dampfenden Leibern der Dunst ihrer Körperfeuchtigkeit als blasse Aureole in den Farben des Regenbogens erschien".[17] In
Morbus Kitahara schließlich taucht das Bild vom Verdampfen der Körperflüssigkeit zweimal auf, zuerst als Bering ein Bandenmitglied erschießt: "Dann
zerspringt etwas in ihm [Bering] und zerfließt, er kann sein Wasser nicht mehr
halten, es rinnt ihm heiß die Beine hinab, es rinnen ihm Tränen über das Gesicht,
und sein Hemd ist naß vom Schweiß; alles Wasser rinnt und tropft aus ihm heraus
und verdampft in einer nach kaltem Pech riechenden Luft, die eisig geworden ist"
(58).[18] Das zweite Mal wird dieses Bild dann beim Tod von Berings Mutter
evoziert, die über Nacht auf einer Bank erfroren ist: "In der Nacht ist kein Schnee
gefallen, aber sie ist dennoch beschneit, weiß im Rauhreif oder von der ver-
flogenen, kristallisierten Wärme ihres Körpers. Schneeweiß ist sie" (257). In seinem Essay über den 1982 erschienenen Band *Strahlender Untergang* weist Bernhard Fetz darauf hin, daß die Metamorphose von flüssig/feucht zu fest/trocken
schon hier eine poetologische Funktion erfüllt, die auch in den späteren Romanen
zum Tragen kommt.[19] Die oben angeführten Stellen verdeutlichen, wie Ransmayr

---

16 Zitiert nach der Ausgabe von 1989 (Frankfurt am Main: Fischer), S. 86.

17 *Die letzte Welt*, S. 87.

18 Im gleichen Handlungszusammenhang heißt es etwas später: "Bering hockt am Fenster,
starrt in seinen Eisengarten hinaus und spürt die Schläge seines Blutes so stechend, als
sei es in seinem Herzen und seinen Adern kristallisiert und zu Sand, feinem, glasigem
Sand geworden" (59).

19 Bernhard Fetz, "Der 'Herr der Welt' tritt ab. Zu *Strahlender Untergang. Ein Entwäs-
serungsprojekt oder die Entdeckung des Wesentlichen*", in: Wittstock, *Die Erfindung
der Welt*, S. 27-42. Laut Fetz ist die Metamorphose "nicht nur eine Metapher für den
Fortgang der (Natur-)Geschichte, sie ist auch eine Metapher für das Schreiben. Nach der
Entwässerung der letzten Menschen stellen wir uns die Überlieferung als eine hän-
gengebliebene Schallplatte vor, als eine Nadel, die wieder und wieder dieselbe Rille
kratzt. Es wäre das Ende der verwandelnden Wiederholung. Oder die Überlieferung
über in ein vollkommenes Schweigen, dessen Bild die Wüste oder das Meer ist. Wie das
Terrarium der 'Neuen Wissenschaft' ist auch der Text eine Versuchsstation: Was wird
aus der Reportage, wenn deren Schrauben weiter angezogen werden, bis sie durch-
drehen? Gibt es eine Form, die die allgegenwärtige Rede vom Untergang hintergehen
kann, ohne den Schrecken zu ästhetisieren, ohne dessen Faszinosum zu verleugnen,
ohne moralisch zu werden? Wie kann die Erzählung noch funktionieren unter solchen
Voraussetzungen?" (29). Fetz bezieht sich auf: Christoph Ransmayr, *Strahlender*

die Motivebene mit der Reflexion über den Schreib- und Leseprozeß verknüpft. Die warme Körperflüssigkeit bzw. -feuchtigkeit steht für die Lebenswirklichkeit, der Verdampfungsvorgang für den Akt der Überführung von vitaler Dynamik in die "feste" Form des Schriftlichen, das Absterben und Erstarren des Lebendigen im Wort. In der *Letzten Welt* war das zentrale Thema die Fixierung von Wirklichkeit durch Schrift, die sich wiederum im Leseakt "verflüssigt", sozusagen im Rezeptionsakt neu ge-schöpft wird. Auch in *Morbus Kitahara* klingt dies noch nach, doch nun liegt der Hauptakzent auf der Beziehung von Schrift zu privatem und öffentlichem Erinnern und Vergessen.

Einerseits läßt sich Morbus Kitahara, die sich allmählich vollziehende Verdunkelung des Blicks, als Ausdruck individueller Obsession deuten, andererseits liegt es nahe, in ihr ein Bild politischer Ideologieverfallenheit und historischer Vergeßlichkeit zu sehen. Die Nachkriegsgesellschaft von Moor wird gezwungen, "immer neue Rituale der Erinnerung" (44) durchzuspielen, um das Vergessen der Greueltaten in den Lagern zu verhindern. So haben die Moorer etwa Massenszenen nachzustellen, also lebende Bilder des Grauens zu produzieren, für die sie sich als "*Juden*, als *Kriegsgefangene, Zigeuner, Kommunisten* oder *Rassenschänder*" kostümieren müssen (45).[20] Die Bestrebungen der Sieger, das vergangene Unheil für immer in das Gedächtnis der Besiegten einzuschreiben, gipfelt in einer aus mannshohen Felsbuchstaben gemeißelten Inschrift:

HIER LIEGEN
ELFTAUSENDNEUNHUNDERTDREIUNDSIEBZIG TOTE
ERSCHLAGEN
VON DEN EINGEBORENEN DIESES LANDES
WILLKOMMEN IN MOOR[21]

In den scheinbar unvergänglichen Fels geschlagene, überdimensionale Buchstaben – was kann dauerhafter Erinnerung erzeugen? Doch ist es gerade eines der Hauptanliegen des Romans zu zeigen, daß verordnetes kollektives Büßen und das Errichten von Monumenten und Gedenkstätten historische Einsicht und Erinnerung nicht verbürgen können. So wie das Feucht-Organische immer wieder das Trocken-Anorganische sprengt, so überwältigt die Unmittelbarkeit des Ge-

---

Untergang. Mit 28 Reproduktionen nach Fotografien von Willy Puchner (Wien: Brandstätter, 1982).
20 Alle Hervorhebungen im Original.
21 Vgl. dazu die Inschrift auf einem Obelisk zum Andenken an die Opfer beim Bau der Kapruner Staumauern, über die Ransmayr als Journalist geschrieben hat: "Hier liegen 87 Sowjetbürger / von deutsch faschistischen Eroberern / ins Elend getrieben / und fern von der Heimat / ums Leben gekommen", in: Christoph Ransmayr, "Kaprun oder die Errichtung einer Mauer", *Der Komet: Almanach der Anderen Bibliothek auf das Jahr 1991* (Frankfurt am Main: Eichborn, 1990), S. 9-26; hier S. 20.

genwärtigen (des Flüssigen, sich Im-Fluß-Befindlichen) das Vergangene (das Petrifizierte, nicht mehr Veränderbare), für die Sieger ist "der Krieg mit seinen Triumphen längst eine ebenso ferne, unfaßbare Erinnerung wie der Untergang für die Besiegten" (109).

Der Unmöglichkeit, kollektives Erinnern zu erzeugen, wird in *Morbus Kitahara* die Vergeblichkeit des privaten Vergessens von traumatischen Erlebnissen zur Seite gestellt. Ambras ist "den Steinen verfallen" und bewundert besonders Smaragde: "In diesen winzigen Kristallgärten, deren Blüten und Schleier im Gegenlicht silbergrün glommen, sah er ein geheimnisvolles, laut- und zeitloses Bild der Welt, das ihn die Schrecken seiner eigenen Geschichte und selbst seinen Haß für einen Augenblick vergessen ließ" (110). Ambras kann den Verlust seiner Geliebten und die im Lager erlittenen Qualen weder psychisch noch physisch überwinden, er ist zu dauerndem Erinnern verdammt. Lediglich in der ästhetischen Kontemplation verflüchtigt sich sein Schmerz für einen kurzen Moment, bevor ihn Leib und Seele wieder peinigen. Das einzige Erinnerungsstück, das Ambras verblieben ist, ist eine Fotografie seiner Geliebten im Schnee. Ziemlich exakt im Zentrum des Romans erzählt er Bering, wie er die Worte auf der Rückseite des Originalfotos auf eine Kopie übertragen mußte:

> Die Schwester hat verlangt, daß auch die beschriebene Rückseite kopiert werden sollte, ihre Handschrift, die Nachricht an mich. Aber die paar Worte wurden auf dem Abzug so unscharf und dunkel, daß sie mich gefragt hat, ob ich die Handschrift nachahmen könnte. Sie würde mir dafür das Original überlassen. Ich habe es versucht. Ich habe die Schrift auf der Rückseite so gut es ging mit Bleistift nachgemacht. Das war der einzige Brief, den ich jemals an mich selber geschrieben habe. *Ich habe eine Stunde im Eis auf dich gewartet*, habe ich geschrieben. *Wo warst du, mein Lieber*, habe ich geschrieben. *Vergiß mich nicht.*

Gerade für das individuelle Erinnern spielt die Schrift eine zentrale Rolle, die Unscheinbarkeit privat-intimer Worte bildet den krassen Gegensatz zur monumentalen öffentlichen Gedenkschrift, deren Grandiosität sich schnell verschleißt.[22] Dies gilt auch für den literarischen Text, insofern er dem Autor die Möglichkeit der Verfestigung von Bewußtseinsprozessen und Gefühlen in der Schrift bietet. Wurde eingangs gesagt, daß es sich bei *Morbus Kitahara* um Ransmayrs bisher

---

22 In Ransmayrs eigenen Worten: "Wirklich klar wird der Schrecken aber nur am einzelnen. [...] Wenn es überhaupt eine adäquate, der Erzählung entsprechende Haltung geben kann, dann die des Einzelnen. Einsicht, Reue, Aufklärung ist etwas Individuelles. Bewußtsein kann nur im einzelnen Kopf stattfinden. Jeder Versuch, diesen Prozeß der Einsicht, der wahren Empfindung, der Aufklärung, der Erkenntnis in ein Programm zu kleiden, das man dann nur organisatorisch durchziehen müßte, und schon wäre Aufklärung das zwingende Resultat – jeder solche Versuch wäre eine heillose Hoffnung. Beim Erzählen geht es genau darum – das Unwiederholbare am Einzelfall kenntlich zu machen." Löffler, "Das Thema hat mich bedroht", S. 17.

politischsten Roman handelt, so ist er zugleich sein persönlichster. Ransmayr hat in Interviews von der Notwendigkeit gesprochen, "mir selber begreiflich zu machen, in welcher Welt und in welcher Zeit ich eigentlich lebe",[23] und das Festhalten starker Emotionen im Schreibprozeß betont: "Es gibt viele Dinge, die mich traurig machen, erschüttern oder begeistern. Die nehme ich in meinen erzählerischen Raum hinüber, und weil ich sie verfremde, wird klar, daß da meine Gschichte geschrieben wird und kein Geschichtsbuch".[24]

Es gibt noch eine Reihe weiterer Verweise auf den Schreibprozeß, vor allem auf dessen handwerkliche Komponente. Bering ist mit Leib und Seele Mechaniker, und zwischen den Passagen, die seine Maschinen-Obsession beschreiben, und dem Prozeß der Transformation von Sprache in Text läßt sich leicht eine Analogie bilden. Als Ambras im Studebaker, den Bering für ihn reparieren soll, nur ein nützliches Fortbewegungsmittel sieht, erregt sich der Schmied:

> Daß einer so über ein *Auto* reden konnte. Daß einer nicht verstand, daß es in der Hand eines Mechanikers lag, ob ein Fahrzeug eine bloße Maschine blieb oder zum Katapult wurde, das selbst einen Invaliden in die dahinschießende Welt menschenunmöglicher Geschwindigkeiten zu schleudern vermochte [...], in eine Welt, in der von Klatschmohn durchwachsene Felder zu rot gebänderten Strömen wurden, Hügel zu Wanderdünen, die Gassen von Moor zu rauschenden Mauern und der Horizont zu einer vibrierenden Grenze, die einem *Fahrer* entgegen- und unter ihm hinwegflog. (94)

Die Parallelisierung von Automobil und Sprache unter utilitaristischem Aspekt (Transport- bzw. Kommunikationsmittel) sowie Automobil und Sprache in ästhetischer Hinsicht (beide können neue Erfahrungsräume und Perspektiven öffnen), liegt auf der Hand. Eine ähnliche Analogiebildung wird in den folgenden Passagen ersichtlich, wenn man "Maschine" bzw. "mechanisches System" durch "Sprache oder Text" ersetzt:

> Schon in seinen Schmiedejahren [...] hatte Bering stets zuerst und stets lieber auf das gehört, was ihm die Maschine selber sagte, als auf das Geschwätz ihrer wütenden oder ratlosen Betreiber. [...] Einem Feinhörigen erschloß sich jenes Zusammenspiel verschiedener Laufgeräusche, das in einer Welt der Pferdefuhrwerke und Handkarren als bloßer (wenn auch seltener) Motorenlärm wahrgenommen wurde, als die harmonische Orchestrierung aller Klänge und Stimmen eines mechanischen Systems. Jeder Stimme, jedem noch so unscheinbaren Geräusch dieses Systems kam eine unmißverständliche Bedeutung zu, die Rückschlüsse auf die Funktionstüchtigkeit seiner schlagenden, stampfenden oder fauchenden Teile zuließ. (222-23)

---

23 Ebenda.
24 Pollak, "Ich bin ein Erzähler, der nicht aufhören kann".

Bering horchte mit geschlossenen Augen. Alles an ihm war jetzt Aufmerksamkeit. Er entwirrte das Knäuel von ineinander übergehenden und sich überlagernden Geräuschen, verfolgte jeden Klangfaden bis an seinen Ursprung und *hörte* den Bauplan der Maschine. (223)

[...] wann immer ein gestörtes mechanisches System unter seinen Händen wieder fehlerfrei zu laufen begann, erlebte er eine Ahnung jener triumphalen Leichtigkeit, die er sonst nur an auffliegenden Vögeln wahrzunehmen glaubte. Dann brauchte er sich nur von der Welt abzustoßen, und sie segelte unter ihm davon. (225)

Berings Gefühl der Leichtigkeit angesichts einer harmonisch und reibungslos ablaufenden Mechanik ist nichts anderes als die Genugtuung des Schriftstellers, der den Flug seiner Phantasie in ein in sich stimmiges Textganzes gebannt hat.[25]

Im Gegensatz zur schriftlichen Fixierung von Erinnertem und Imaginiertem, das sich im Leseprozeß verwandelt und im Bewußtseinsstrom des Lesers auflöst, also Nach- und Neuempfinden ermöglicht, bewirken die Massenmedien – in *Morbus Kitahara* besonders durch Radio und Fernsehen vertreten – durch ihre Wort- und Bilderflut die Unfähigkeit zu trauern und fördern so das historische Vergessen. Auf dem Weg durch das Gebirge von Moor nach Brand verliert Bering Lily aus den Augen und läßt sich von Radiogeräuschen führen, "verwehende Fetzen von Schlagern, auch Werbebotschaften und immer wieder die Stimmen von Nachrichtensprechern [weisen ihm] den Weg" (319). In Brand angekommen, versinkt Bering zeitweise in einer Medienwelt, in der selbst ein Atombombenabwurf zum irrealen Abbild eines nicht mehr faßbaren Grauens erstarrt: "[...] und zur Hymne Amerikas flammte noch einmal das Licht von Nagoya auf, ein Blitz, der zum Stern wurde und der Stern zu einer chromweißen Nova, die auf dem Höhepunkt ihrer Blendkraft zu einem Standbild gefror" (327). Baudrillard und der "Medienkrieg" gegen den Irak lassen grüßen, wenn es in *Morbus Kitahara* heißt, "daß wohl wieder einmal von jenem Krieg in Asien die Rede war, dessen Schrecken er [Bering] mit den Bildern von anderen Kriegen und anderen Kämpfen im Irgendwo schon seit seinen Schuljahren über die Bildschirme der Sekretariate von Moor und Haag flackern sah" (320). In der medialen Verarbeitung verschmelzen alle militärischen Konflikte zu einer endlosen Folge sich immer

---

25 Carl Niekerk hat darauf hingewiesen, daß auch das Glockenspiel, das Bering für Lily in Stand setzt, bestimmte Aspekte von Ransmayrs künstlerischem Verfahren charakterisiert: "Wie sein [Ransmayrs] Buch ist das Glockenspiel ein Zwischenprodukt von alten und neuen Zeiten – dem Alten verhaftet, aus den Überresten vergangener Zeiten aufgebaut, aber auch die neuen dürftigen Zeiten vorwegnehmend. Es hat eine klare Funktion: Es registriert den wetterwendischen Wechsel der Zeiten, es warnt vor den kommenden Gefahren, und zwar untrüglich, ohne dabei allerdings ein reines Machtsymbol zu sein. Mit der zeitgenössischen deutschen Literatur hat es ferner gemein, daß es nicht besonders populär zu sein scheint." Niekerk, "Vom Kreislauf der Geschichte", S. 176.

gleichender Bilder: "Ein Dschungelkrieg. Ein Krieg im Gebirge. Krieg im Bambuswald und Krieg im Packeis. Wüstenkriege. Vergessene Kriege. Ein Krieg in Japan; einer unter vielen [...]" (ebenda).

Es wäre allerdings verfehlt, wollte man aus der hier zutage tretenden medienkritischen Haltung schließen, Ransmayr sei einer jener Verächter moderner Kulturprodukte, deren Parole "Zurück zum Buch!" lautet. Hatte er in der *Letzten Welt* mit der Beschreibung der Lichtspiele an einer Schlachthauswand dem Film Tribut gezollt, so rückt in *Morbus Kitahara* das Phänomen der Live-Rockkonzerte ins Rampenlicht. Die Kapitel 15 bis 17 beschreiben die Ankündigung des Konzerts der Band "Patton's Orchestra", die Fahrt zum Auftritt, die Bühnenshow und die Rückkehr zur Villa Flora. Das Rockkonzert ist die Inszenierung eines rauschhaften Spektakels, in dem Bering und Lily selbstvergessen im Einklang mit der Menge spontanen Emotionen freien Lauf lassen. Der Rocksänger Patton ist "eine Erlösergestalt" (148), dessen Stimme verborgene Gefühle freisetzt und in Bering den Kindheitstraum vom Fliegen scheinbar Wirklichkeit werden läßt: "Und Bering steigt und läuft und springt, *fliegt* schließlich hinter den Händen der dunklen Frau [Pattons Bassistin] und hinter der verfolgten Stimme [Pattons] her und verliert darüber alle Schwere – wie in jenen Augenblicken, in denen er den pfeilschnellen Figuren des Vogelflugs mit dem Fernglas seines Herrn zu folgen versucht und im bloßen Schauen leichter und leichter wird, bis er am Ende den Boden unter seinen Füßen verliert und in einen wirbelnden Himmel stürzt. Patton singt. Bering fliegt" (165-66). Das Musikerlebnis geleitet Bering für einen kurzen Augenblick in die Utopie eines besseren Lebens und weckt in ihm das Gefühl, im Einklang mit sich selbst zu stehen:

> Tief im Innern der großen Musik einer Band mußte er den schmerzhaften Weltlärm nicht mehr aus seinen eigenen Lungen und aus seiner eigenen Kehle übertönen, sondern dort war es dieser fremde, seinem Urgeschrei und seinen Vogelstimmen seltsam verwandte Klang, der ihn wie ein Panzer aus Rhythmen und Harmonien umfing und schützte. Und selbst wenn ihm die Lautstärke eines Konzerts manchmal das Gehör zu sprengen drohte und ihn für einige Sekunden ertauben ließ, *empfand* er noch in dieser plötzlichen, klingenden Stille die geheimnisvolle Nähe einer Welt, in der *alles* anders war als am Ufer und in den Bergen von Moor. (147-48)

Das Live-Konzert als Katharsis und Augenblick der wahren Empfindung – so könnte man die Ransmayrsche Darstellung moderner Rock- und Popkultur auf den Punkt bringen. Aber es sind eben immer nur Kurzekstasen, auf den Rausch folgt schnell die Ernüchterung. So verwundert es auch nicht, daß Bering auf der Rückfahrt vom Konzert zum ersten Mal Schattenflecken in seinen Augen entdeckt, die den Beginn von Morbus Kitahara signalisieren.

Es dürfte wohl deutlich geworden sein, daß Ransmayrs vorläufig letzter Roman sich keineswegs darauf beschränkt, erneut das Problem der historischen Vergeßlichkeit anzupacken. Obwohl auch das störrische Vergessenwollen vergangener

Grausamkeiten thematisiert wird, geht es in *Morbus Kitahara* vornehmlich um jene, für die das Vergessenkönnen geradezu eine Erlösung wäre. Ambras, der die "Schaukel", eine der schlimmsten Lagertorturen, mitgemacht hat, kann die Arme nicht mehr über den Kopf heben. Die körperlichen Schmerzen allein machen es Überlebenden wie Ambras unmöglich, Heilung im Vergessen zu suchen. Das Leiden manifestiert sich in leiblichen und seelischen Qualen, deren Intensität das Vergangene ins Gedächtnis einbrennt. Selbst im Augenblick sexueller Erfüllung – der ja auch ein Moment des Selbstvergessens in sich birgt – gelingt es Ambras nicht, seinen Erinnerungen an die im Konzentrationslager verschwundene Geliebte zu entrinnen: "Es war nicht ihr [Lilys] Haar, das in der Finsternis durch seine [Ambras'] Hände floß. Und was ihm an Worten ins Bewußtsein drang und unaussprechlich blieb, schloß sich zu den immergleichen Sätzen, die sich in ihm wie von selbst, monoton und mechanisch und Hunderte Male in dieser Nacht wiederholten, ohne daß er auch nur ein einziges Wort aussprach: *Ich bin gesund. Es geht mir gut. Wo warst du, mein Lieber. Vergiß mich nicht*". Deshalb kann auch die Reise nach Brasilien Ambras nicht mehr helfen, noch auf der Hundsinsel riecht er die "Öfen" und die "Toten" (430). Erst im freien Fall unmittelbar vor seinem Tod "verliert alles, was ihn beschwert und gequält hat, an Gewicht" (440). Für Berings Vater wird die Vergangenheit ebenfalls nie zum Vergangenen. Seines Kurzzeitgedächtnisses beraubt, lebt er "wieder tief im Krieg" und glaubt, immer noch Soldat zu sein:

> Der Krieger wollte gehorsam sein und jedem Befehl sofort folgen. Aber jedes Wort galt nur so lange, als er es im Gedächtnis behalten konnte: Und er vergaß Worte, Befehle, innerhalb von Sekunden, vergaß *alles*, was ihm nicht wieder und wieder befohlen und vorgesagt wurde. Seine Erinnerung reichte bis tief in die Wüsten Nordafrikas, und der konnte selbst den Himmel über den Schlachtfeldern beschreiben und wußte immer noch, welche Wolken einen Sandsturm verhießen und welche den Regen – aber was im Augenblick geschah und verging, vergaß er, als wäre es nie gewesen. Seine Gegenwart war die Vergangenheit (291-92).

Wie steht es nun mit dem Vorwurf, Ransmayr habe mit *Morbus Kitahara* Auschwitz metaphorisiert, begangenes Unrecht ästhetisiert? Mit Recht hat Konrad Paul Liessmann darauf aufmerksam gemacht, daß die imaginierte Nachkriegswelt des Romans erst dadurch verständlich wird, daß in ihr die historische Realität immer wieder durchscheint, daß sich Ransmayr somit "einem zentralen Problem aller Kunst nach Auschwitz" stellt, ob nämlich "das Entsetzliche dargestellt werden kann".[26] Liessmann kommt zu dem Schluß, daß die Zirkularität von *Morbus Kitahara* (Anfang und Ende fallen zusammen) Modellcharakter haben

---

26 Konrad Paul Liessmann, "Der Anfang ist das Ende. *Morbus Kitahara* und die Vergangenheit, die nicht vergehen will", in: Wittstock, *Die Erfindung der Welt*, S. 148-57; hier S. 141.

könne dafür, was heute noch "für Kunst möglich ist: nicht ein moralisches Urteil über die Vergangenheit, kein ästhetischer Richtspruch über eine Generation, sondern die Konstruktion einer geschlossenen poetischen Welt, die dennoch nach beiden Richtungen offen ist – hin zur unvergänglichen Vergangenheit der Wirklichkeit und hin zur Zukunft ihrer eigenen poetischen Möglichkeiten".[27] Darüber hinaus ließe sich aber noch anführen, daß es Ransmayr ja gerade nicht um die Darstellung der unsäglichen Naziverbrechen geht – es ist nicht vorstellbar, wie Literatur dies je leisten könnte –, sondern darum, die Unvergänglichkeit der Qual anhand eines Einzelschicksals in aller Konsequenz zu Ende zu erzählen. Wie dies bei aller Wortkunst, über die Ransmayr verfügt, als Ästhetisierung, d.h. ja immer auch Entschärfung, mißverstanden werden kann, ist kaum nachvollziehbar.

Es ist heutzutage unter Literaturwissenschaftlern aus der Mode gekommen, Autoren zu Wort kommen zu lassen, wenn es um ihre eigenen Werke geht, und Ransmayr gehört zu den Schriftstellern, denen es äußerst schwerfällt, nach Beendigung einer Arbeit nochmals über sie Auskunft geben zu müssen. Dennoch – oder gerade deshalb – soll er hier am Ende selbst zu Wort kommen:

> Es kann doch nicht sein, daß der eine sagt: Vergessen wir's!, während der andere immer noch an der Tortur leidet, an seinen Narben, brennenden Schultergelenken, die ihm unter der Folter aus der Gelenkspfanne gezerrt wurden. Es ist eben nicht wahr, daß 1945 die Lagertore alle aufgesprungen sind und die Geschichte wenigstens für die Überlebenden gut ausgegangen ist – das ist nicht die ganze Wahrheit. Es gibt Leute, für die ist die Vergangenheit nicht vergangen, für die gibt es nur diese Unzeit, in der alle Zeiten, ihre Vergangenheit, ihre Gegenwart, ihre Zukunft, zusammenschießen. Leute, die dazu verurteilt sind, in dieser Unzeit zu leben und immer wieder dorthin zurückzukehren, woraus sie doch einmal befreit wurden. Befreit? Die Schmerzen in ihren Gelenken werden mit den Jahren immer schlimmer und nicht schwächer, immer schlimmer, je mehr Zeit vergeht.[28]

---

27 Ebenda, S. 157.
28 Zitiert nach der von Ransmayr überarbeiteten Druckfassung des Interviews mit Sigrid Löffler, in: Wittstock, *Die Erfindung der Welt*, S. 213-19; hier S. 215.

List of Contributors

Karen R. Achberger, Professor of German, St. Olaf College; studied at University of Wisconsin; work on modern Austrian literature, GDR literature and the German opera libretto; translations of Irmtraud Morgner and Barbara Frischmuth; author of *Understanding Ingeborg Bachmann* (1995); currently editing and translating Bachmann's critical texts.

Peter Arnds, Associate Professor of German, Kansas State University; studied at Munich, Colby College, University of Toronto; work on modern Austrian literature, Wilhelm Raabe, comparative studies; author of *Wilhelm Raabe's "Der Hungerpastor" and Charles Dickens's "David Copperfield": Intertextuality of Two Bildungsromane* (1997); working on a comparative study of Sophie von La Roche and Samuel Richardson.

Gerald Chapple, Associate Professor of German, McMaster University; studied at McMaster University, Munich, Harvard University; work on modern Austrian literature, the criticism and practice of literary translation; translator of Barbara Frischmuth's *Chasing after the Wind: Four Stories* (1996, with James B. Lawson); working on a book, *Interpreting Barbara Frischmuth*.

Nancy C. Erickson, Professor of German, Bemidji State University; studied at University of Minnesota; work on feminist writing, Bachmann, Jelinek; author of "Writing and Remembering: Acts of Resistance in Ingeborg Bachmann's *Malina* and *Der Fall Franza*, and Elfriede Jelinek's *Lust* and *Die Klavierspielerin* / Case Studies in Hysteria," in *Out of the Shadows* (1996); working on Elisabeth Reichart, Anna Mitgutsch, Monika Maron.

Karin U. Herrmann, Assistant Professor of German, University of Arkansas; studied at Universities of Heidelberg, Washington/Seattle, Portland State University; work on German women writers, feminist theory, minority literature, and literature from the former GDR; published on Christa Wolf; working on Elfriede Jelinek and on literature around the *Wende*.

Geoffrey C. Howes, Associate Professor of German, Bowling Green State University; studied at Universities of Michigan, Klagenfurt, and Michigan State University; work on modern Austrian literature, Austrian studies, Robert Musil; author of articles on Musil, Joseph Roth, the *Volksstück*, Turrini, Bachmann; writing an introduction to Musil's work.

Maria-Regina Kecht, Associate Professor of German and Director of the Center for the Study of Languages, Rice University; studied at Universities of Innsbruck, Moscow, Illinois at Urbana, Indiana University; work on contemporary Austrian literature, women's literature, literary theory, and curricular issues in foreign languages; editor of *Pedagogy and Politics: Literary Theory and Critical Teaching* (1991); currently writing on Austria's "Kultur des Vergessens."

Caroline Markolin, Associate Professor of German, Concordia University, Montreal; studied at University of Salzburg; work on contemporary Austrian literature, especially Bernhard, Handke; editor of *Modern Austrian Writing: A Study Guide for Austrian Literature 1945-1990* (1995); working on a book, *Die Poetik von Kunst und Liebe in der österreichischen Gegenwartsprosa.*

Waltraud Maierhofer, Associate Professor of German, University of Iowa; studied at Universities of Regensburg, Illinois at Urbana; work on German literature and culture, mostly of the eighteenth and nineteenth centuries; author of *"Wilhelm Meisters Wanderjahre" und der Roman des Nebeneinander* (1990), *Angelica Kauffmann: Mit Selbstzeugnissen und Bilddokumenten* (1997); working on an edition of Kauffmann's letters and documents.

Manfred Mittermayer, *Lehrbeauftragter* for Modern German Literature and German as a Second Language, Institute of German Studies, University of Salzburg; studied at University of Salzburg; work on Bernhard, contemporary literature (especially Austrian), textbooks on German language, literature, culture; author of *Thomas Bernhard* (1995); working on contemporary Austrian literature.

Renate S. Posthofen, Associate Professor of German, Utah State University; studied at Freiburg, University of Pittsburgh, SUNY at Albany; work on modern Austrian literature and culture, European intellectual history, postmodern theory and practice in the visual arts and literature; author of *Treibgut – Das vergessene Werk George Saikos* (1995); editor of a volume of essays, *Barbara Frischmuth in Contemporary Context* (1998).

Ulrich Scheck, Associate Professor of German, Queen's University; studied at Universities of Mannheim, Waterloo; work on German and Austrian literature and culture; co-editor of *Verleiblichungen: Literatur- und kulturgeschichtliche Studien über Strategien, Formen und Funktionen der Verleiblichung in Texten von der Frühzeit bis zum Cyberspace* (1996); working on Ludwig Tieck, Robert Neumann.

Stephan K. Schindler, Associate Professor of German, Washington University; studied at Universities of Düsseldorf, California at Irvine; work on cultural studies (sexuality), gender studies, film studies, eighteenth- and twentieth-century literature; author of *Das Subjekt als Kind: Die Erfindung der Kindheit im Roman des 18. Jahrhunderts* (1994) and *Eingebildete Körper: Phantasierte Sexualität in der Goethezeit* (forthcoming); working on theme of women in Nazi Germany.

Helga Schreckenberger, Associate Professor of German, University of Vermont; studied at Universities of Vienna, Kansas; work on contemporary Austrian literature, exile literature; author of *Gerhard Roth: Kunst als Auflehnung gegen das Sein* (1994, with Peter Ensberg); currently translating Gerhard Roth's *Die Geschichte der Dunkelheit* (with Jacqueline Vansant).

Jacqueline Vansant, Associate Professor of German, University of Michigan at Dearborn; studied at Washington College, Universities of Wisconsin at Madison, Texas at Austin; work on modern Austrian literature and film, cultural and film studies; author of "'Warum hast du sie sonderbehandelt': 'Die Zigeunerin' in Marie-Thérèse Kerschbaumer's *Der weibliche Name des Widerstands*," in *Konflikte – Skandale – Dichterfehden in der österreichischen Literatur* (1995); working on the image of Austria in post-war American film and a translation of Gerhard Roth's *Die Geschichte der Dunkelheit* (with Helga Schreckenberger).

Klaus Zeyringer, Professor of German and chairman, German Department, Université Catholique de l'Ouest, Angers; studied at Graz (Dr.phil.habil.); author of numerous publications on literature (particularly Austrian) from the eighteenth to the twentieth century, including *Innerlichkeit und Öffentlichkeit: Österreichische Literatur der achtziger Jahre* (1992), and *Österreichische Literatur 1945-1998: Überblicke, Einschnitte, Wegmarken* (1999); working as co-editor on a major history of Austrian literature (with Wendelin Schmidt-Dengler et al.).

Index of Names